Clemens Meyer

# IM STEIN

Roman

S. FISCHER

*Dank an den Deutschen Literaturfonds*

Erschienen bei S. FISCHER

© S. Fischer Verlag GmbH, Frankfurt am Main 2013

Satz: Dörlemann Satz, Lemförde
Druck und Bindung: CPI books GmbH, Leck
Printed in Germany
ISBN 978-3-10-048602-8

Eins, zwei, drei

I
(Girl Girl Girl. Lass mal sehn, wie die Sterne heut stehn.)

Wenn es Abend wird, stehe ich am Fenster. Ich schiebe die Lamellen der Jalousie mit den Fingern auseinander und sehe den Abendhimmel hinter den Häusern auf der anderen Seite der Straße. Es wird immer noch früh dunkel. Das Jahr ist nichtmal einen Monat alt, aber es fühlt sich schon lang und schwer an. Obwohl es nicht so viel Arbeit gibt zurzeit. Im Januar jammern wir alle. Ich will immer noch einmal die Sonne sehen und den letzten Streifen Licht. Ich gehe früh um acht zur Arbeit, da ist es immer noch nicht richtig hell. Im Sommer ist alles besser, so geht es sicher den meisten, aber andererseits denke ich im Sommer an Urlaub und habe oft keine Lust auf die Arbeit. Und ich glaube, dass es im Winter am besten läuft, wenn man jetzt mal den Januar außen vor lässt. Obwohl das viele bestimmt anders sehen. Ich finde es schade, dass die Wohnung keinen Balkon hat. Im Sommer könnte ich dort sitzen und mich sonnen, besser als das blöde Solarium, und im Winter könnte ich vor der Dämmerung dort stehen und eine rauchen und den Himmel beobachten, wie er rot wird. In den klaren Nächten sehe ich gerne den Mond. Da muss ich immer an das Kinderlied denken. Meine Mutter hat mir das oft vorgesungen vorm Einschlafen. Der Mond ist aufgegangen. Wenn ich das heute höre, und das ist nicht oft, weiß nicht, wann ich das überhaupt mal höre, also dann ... Ich kann das schlecht beschreiben. In Gedanken singe ich es manchmal. Magda hat immer gesagt »dann krieg ich Gefühl«, wenn sie meinte, dass sie traurig wird. Aber es ist Quatsch, wegen den Jahreszeiten. Ob Sommer oder Winter, Herbst oder Frühling, das Telefon klingelt immer.

Nur im Januar nicht so oft. Als Kind habe ich gedacht, aber da war ich noch sehr klein, dass es noch eine fünfte Jahreszeit gibt. Und ich habe meine Mutter einmal gefragt, ob das Jahr jedes Jahr am ersten Januar beginnt und ob Silvester immer einen Tag davor ist. Und ob es im Juni schneien kann. Sie hat gelacht und mich in den Arm genommen, deswegen habe ich das nicht vergessen. Genau wie das Lied. Über den weißen Nebel habe ich oft nachgedacht, vorm Einschlafen. Wenn ich mal ein Kind habe, werde ich meinem Kind ein anderes Lied vorsingen. Eins, was nicht so traurig ist. Ich bin ja auch eher ein lustiger Mensch. »Aufgeweckt und lebendig« stand früher mal in meinem Zeugnis. Da gab es ja immer so Einschätzungen von den Lehrern. Und Magda hat immer gesagt: »Mädchen, sei nicht so aufgedreht, du bist flattrig wie ein Vogel.« Sie hatte viele so komische Sprüche, manchmal passten die und manchmal gar nicht, und das fehlt mir. Sie ist jetzt in Hannover. Manchmal schreibt sie mir eine Karte, an meinen Geburtstag denkt sie immer. Sie hat immer gesagt, dass Briefe und Karten persönlicher sind als SMS. Sie schickt mir die kitschigsten Postkarten, Hundewelpen, riesige Herzen, Rosen mit Glitzer dran, und manchmal auch welche mit Musik. Ich schreibe ihr trotzdem E-Mails oder SMS. Postkarten schicke ich nur meiner Mutter. Die letzte zu Silvester. Die war auch noch für Weihnachten. Wir sehen uns nicht mehr so oft, aber ich habe mir vorgenommen, wie man das eben so macht zum neuen Jahr, dass ich sie öfters besuchen werde, denn zu mir, in die Stadt, kommt sie nicht so gerne.

Der Winter ist kalt wie selten dieses Jahr. Und im Dezember bin ich kaum auf Arbeit gekommen, musste das Auto stehenlassen. Die ganze Stadt versank im Schnee, und die sind kaum hinterhergekommen mit dem Räumen. Mir graut's schon vor meinen Nebenkosten, denn ich lasse die Heizung zu Hause meistens den ganzen Tag an, damit es schön warm ist, wenn ich von Arbeit komme. Im Dezember habe ich oft hier geschlafen, und auch jetzt bleibe ich manchmal über Nacht. Weil ich nicht raus in den Schnee will. Als Kind bin ich jeden Tag rodeln gegangen, wenn es geschneit hat. Und manchmal hat meine Mutter mich auf den Schlitten gesetzt, wenn wir einkaufen gegangen sind. Das war noch in Jena. Wir haben dort

Berge zum Rodeln und Skifahren. Ski war nie so meins. Da habe ich mich echt blöd angestellt. Da haben meine Mädels mich immer ausgelacht, und die Jungs sowieso. Aber auf dem Schlitten war ich gut. Da bin ich jede Todesbahn runter, da haben selbst die Jungs Respekt gehabt. Eigentlich ist es ganz gut, dass die Winter jetzt wieder so kalt werden. Von wegen Klima. Das kann aber nächstes Jahr schon wieder ganz anders sein. Wenn ich ein Kind habe, möchte ich das auch auf einen Schlitten setzen, wenn wir einkaufen gehen. Junge oder Mädchen ist mir eigentlich egal. Obwohl ich vielleicht lieber ein Mädchen hätte. Ich denke, in der Zukunft kann man sich das aussuchen. Also selbst bestimmen, was man möchte. Mit einer Pille vielleicht. Aber das wird sicher noch dauern. Obwohl ja manches plötzlich ganz schnell geht, mit der Technik und dem Fortschritt. Und eigentlich ist es auch Unsinn. Das würde sicher gleich bleiben im Verhältnis. Ich weiß noch, dass ich, bevor ich aus Jena weggegangen bin, einen Jungen haben wollte. Das war noch mit Bert. Kann ich heute gar nicht mehr verstehen, warum ich ihn verlassen habe. Ich dachte, ich muss da weg, von wegen Jena Paradies, aber er wollte eben dableiben, hatte sich alles schön geplant. Weil ja sein Vater diese Apotheke hatte und er extra Pharmazie studiert hat deswegen. Apotheken bringen richtig Geld. Weil doch die Leute immerzu krank sind. Zu jeder Jahreszeit. Und besonders jetzt. Und wenn's dann mal die Pillen fürs Geschlecht gibt, werden die noch mehr Umsatz machen. Man kann ja sogar schon Aids heilen, oder so gut wie. Trotzdem möchte ich mir das nicht vorstellen. Ich habe noch nie jemanden getroffen, der Aids hat. Was die Leute manchmal für Unsinn erzählen deswegen. Wir gehen ja regelmäßig zum Gesundheitsamt. Auch wenn wir's nicht mehr müssen, vom Gesetz her, das war ja früher anders. Aber die Leute denken und erzählen ja überhaupt jede Menge Unsinn, was das betrifft und was uns betrifft. Und ich stehe am Fenster und schiebe die Lamellen der Jalousie mit den Fingern auseinander und gucke auf die Häuser auf der anderen Seite der Straße, hinter denen der Himmel jetzt rot wird und die Nacht auftaucht. Sechzehn Uhr dreißig, und das Telefon hat erst viermal geklingelt, und an der Tür erst zweimal. Also für mich. Weil Jenny seit zwölf da ist und bis zwölf bleibt. Zwölf Stunden, das wäre mir zu viel. Zehn Stunden ist bei mir das höchste der Gefühle. Dann ist Schluss mit Kaffee Latte. Da muss ich lachen, denn das hätte auch von Magda sein können. Obwohl's ein ziemlich blöder Spruch ist, eigentlich nicht lustig, wenn ich jetzt so drüber nachdenke. Wann ging das eigentlich genau los mit diesem Latte-Kaffee, da hat man schonmal geschmunzelt zu Anfang. Goodbye, mein Filterkaffee. Aber da kriege ich Gefühl, wenn ich an sie denke. Ja, ja, das höchste der Gefühle. Nur nicht sentimental werden. Denn wir waren doch ziemlich eng, und alles fühlte sich leichter an, mit der Arbeit und überhaupt. Mit Jenny ist's schon o. k. Sie kommt nur vier Tage die Woche, aber auch Samstag und Sonntag, und da habe ich frei. Das Wochenende ist mir echt heilig. So wie mein Arsch. (Das nun wieder!) Jetzt kann ich mir endlich eine anzünden. Ich achte nämlich drauf, dass ich nicht zu viel rauche. Jede Stunde eine Zigarette. Ich versuch's zumindest. Komme auf höchstens fünfzehn Zigaretten am Tag, das geht noch, denke ich. Jenny ist nur am Qualmen und sprüht ständig mit diesem Raumdeo rum. Lavendel-Frühlingsduft. Ich hasse das. Viel quatschen wir jetzt nicht. Sitzen manchmal zusammen im Wohnzimmer, wenn wir warten. Ich würde sagen kollegial. Sie ist ja ein ganz anderer Typ als ich. Wiegt bestimmt zwanzig Kilo mehr, geht schon Richtung Mutti, aber da stehen genug Kerle drauf, ob man's glaubt oder nicht. Und ich würde jetzt nicht sagen, dass sie nicht hübsch ist. Nein, die Jenny ist schon hübsch. Vom Gesicht her, und das mein ich jetzt gar nicht böse. Aber eben fraulich, und *das* mein ich jetzt als Kompliment. Und wir kommen gut miteinander aus, jeder hat sein Publikum, sag ich mal. Nur wer sich als Gast fühlt, fühlt sich wohl. Magda habe ich lange nicht gesehen und frage mich oft, wie's ihr so geht in Hannover. Dort ist ja alles ruhig, und der Pate und die Engel haben alles im Griff. Und die Mädels haben wohl gut zu tun. Was man eben so hört. Seit die Engel auch hier sind. Habe ich aber nichts zu tun mit denen. Höre eben nur viel. Seit acht Jahren bin ich jetzt in der Firma vom Chef. Ich sag immer »Chef« und »Firma«. Manchmal sage ich auch »der Alte«, weil einige ihn so nennen. Aus Respekt. Ich glaube, dass er gut steht mit denen, also den Engeln, weil doch der Typ, der da der Oberengel ist, wohl mal mit ihm befreundet war, oder jedenfalls standen sie ganz gut miteinander, haben sich die Stadt aufgeteilt, aber genau weiß ich's nicht. Es gibt Mädels, die wissen hundertprozent, was läuft, Klatsch und Tratsch eben, obwohl das dann meist weniger als fünfzig ist, also Prozent, was die Wahrheit betrifft, aber wenn ich nach der Arbeit nach Hause komme und mich an die Heizung setze, will ich von dem ganzen Mist gar nichts mehr wissen. Letztens habe ich irgendwo gelesen, dass der Anwalt von dem Paten aus Hannover-City, der ja wohl der große Boss der Engel ist, dass der auch der Anwalt von Schröder ist, also dem Ex-Kanzler. So einen Anwalt hätte ich auch gerne. Und was soll da schon dran sein, dass er mit den Engeln zu tun hat. Geschäfte machen sie eh alle. Oder wollen's zumindest. Russendeals, Gazprom, Mädels und Aktien. Das große Geld. Aber ich denke schon viel zu sehr drüber nach, aber so ist das auf Arbeit, wenn ich warte. Und sehe, wie der Tag verschwindet. Und die Lichter der Autos und Straßenlaternen zwischen den Lamellen der Jalousie. Wie sie über die Wände huschen, zusammen mit den Schatten. Da wird mir ganz anders, da krieg ich Gefühl und ziehe den Reißverschluss meiner Adidas-Sportjacke bis hoch zum Hals. An der hänge ich sehr. Die habe ich schon seit Jahren, habe sie mir damals in Berlin gekauft. Ist eine mit roten Streifen an den Ärmeln, die sieht man nicht so oft. Achtundneunzig habe ich Schröder gewählt. War meine erste Wahl. Das war auch noch in Jena. Ich muss mir die Beine eincremen. Die Luft ist zu trocken. Die Heizung auf der Fünf. Und draußen minus zehn. Mindestens. Ich krieg auch wieder Schuppen. Hatte ich ewig nicht. Aber ich nehm so ein Naturshampoo, Brennnessel, davon gehen sie gut weg. Ist besser für die Haare. Das Chemiezeug ist mir zu aggressiv drauf. Eine Zeitlang habe ich das versucht, Alpecin und sowas, aber davon wurde es noch schlimmer. Das Zeug brennt an der Muschi wie Feuer. Nicht dass ich mich da mit Alpecin eingerieben hätte, weil Schuppen hab ich da keine, es gibt Mädchen, die leiden da unter permanent trockener Haut, aber beim Spülen unter der Dusche ist's ja überall. Ist ja eh ein Problem mit der trockenen Haut beim Duschen, wenn man so viel duscht. Und mit der Muschi, weil man ständig rasiert. Aber das bringt die Arbeit nunmal so mit sich. Dieses Naturshampoo habe ich von Jenny. Die hat auch so Cremes, die sie mir empfohlen hat wegen der trockenen Haut. Auf dem Bahnhof gibt's so einen Naturladen, da gehe ich jetzt oft hin. Ich vertrage das wirklich besser, wobei Parfüm und Deo würde ich mir da nicht kaufen. Da gehe ich weiter zu Douglas. Obwohl die ja Embryos verarbeiten. Come in and find out. Jetzt brauche ich doch noch eine Zigarette. Die achte heute, ich habe genau mitgezählt. Ich versuche, das wirklich zu minimieren. Aber ganz ohne kriege ich's nicht hin. Alle Mädels, die ich durch die Arbeit kenne, rauchen. Na ja, neunzig. Also Prozent. Ich denke manchmal drüber nach, warum das so ist. Wenn ich warte, wenn ich am Fenster stehe und sogar wenn ich *mittendrin* bin.»Mädchen, du lügst doch wie gefickt«, würde Magda jetzt sagen, auch nicht wirklich lustig, und gedruckt und gefickt reimt sich nichtmal, aber wir lachen trotzdem über so 'nen Mist, aber wirklich, was soll man machen, wenn die dummen Gedanken in deinem Kopf tanzen, als wäre dort Fasching. Karneval gibt's bei uns gar nicht richtig, obwohl paar Idioten ihre kleinen Festumzüge machen. Aber besser und billiger als Koks oder Speed oder dieser Glasfasermix. Kristall. Mit C. Also die Raucherei. Also billiger. Aber das bringt eh nix, weil das frisst dich auf Dauer. Also Koka. C, und was auch immer. Habe ich damals alles durch in Berlin. Schön blöd. Come in and find out. Aber so schlecht war es auch nicht. Kann und will ich nichts hören von dem Opfer-Gerede. Weil war 'ne schöne wilde Zeit. Ach, das arme Mädel! Passt alles in denen ihr Bild. Und in die »Bild«. Ich sag mir eher immer: Ach, die armen Kerle. Wobei ich das andererseits schon verstehe. Dass sie zu mir kommen. Und weil es auch gut so ist. Und jetzt ist grad wieder Fasching im Kopf. Richtige Karnevalsumzüge. Weil ich seit zwei Stunden warte und immer wieder aufs Telefon starre, wenn ich nicht grade am Fenster stehe. Ist stockdunkel draußen inzwischen. Magda und ich, wir hatten damals nur ein Telefon. Ging gut. Mehr als kollegial. Jetzt höre ich manchmal das Handy von Jenny im anderen Zimmer. Sie merkt auch, dass Januar ist, denke ich. Alle merken das. Nicht nur die Mädels. Mein liebster Taxifahrer sagt immer, eigentlich hat er's nur zwei- oder dreimal gesagt: »Im Januar ist Winterschlaf. Taxi, Börse, Nacht.« Mit der »Nacht« meint er mich. Auch wenn der Hauptteil meiner Arbeit am Tag ist. Das meint er nicht böse. Weil erstmal keiner mehr Geld hat im neuen Jahr, sagt er. Ist ein ganz Lieber. Hat vor der Wende in einer großen Druckerei hier in der Stadt gearbeitet. Erzählt er viel von. Mitte fünfzig. Und seit fast dreißig Jahren verheiratet. Und zwei Kinder. Erzählt er immer. Das tut gut. Das hör ich gern. Wobei ich das mit der Börse nicht so genau weiß. War nie meins und wird's auch nie werden. Ich kenne paar Mädels, die haben auf sowas geschworen. Und die haben gekauft und verkauft und gezockt wie blöd. Ein richtiger kleiner Börsenverein. Aber doch die Ausnahme. War ich nicht mit drin, weil ich ja immer sage, nach der Arbeit will ich nichts mehr wissen von der Arbeit. Obwohl das natürlich nicht so einfach ist. Mit Magda war das anders, aber ich will da jetzt langsam weg von, dass ich immer von ihr erzähle und oft an sie denke. Weil das ist jetzt, wie's ist, und es ist auch gut so, weil, und das hat meine Mutter immer gesagt, wenn es mal nicht lief und sie traurig war über irgendwas: »Die Dinge sind, wie die Dinge eben nunmal so sind.«

Aber die ärgern sich sehr, denke ich, die Mädels, von denen ich weiß, dass sie ihr Geld an der Börse untergebracht haben. Wie viel, weiß ich nicht. Da gibt's keine Versicherung, die dir irgendwas zurückzahlt. Ich habe eh keine Ahnung davon. Ich spiele Lotto. So blöd das klingt. Vor kurzem hat ein Bekannter von mir über dreißigtausend gewonnen. Ich kenne ihn nur über drei Ecken. Eher zwei. Aber nicht als Gast. Über Mandy, die arbeitet bei Hans. Und die kennt den Alten, der da so viel Geld gewonnen hat. Mit verkürzter Kombination. Fünfer. Hab ihn mal gesehen in Hans seiner Buchte. Obwohl, »Buchte« ist unfair. Denn bei dem ist alles sauber. Klein, aber fein. Wirklich sauber. Was das Drumherum betrifft. Sicher nicht das Gelbe von den Eiern (Magda!), aber ich habe nur Gutes drüber gehört. Prozentual. Auch wenn ich sage, dass ich nach der Arbeit meine Ruhe haben will, kommt es doch immer zu dir. Also der Tratsch. Denn natürlich kann ich nicht einfach sagen: Ich bin dann mal weg. Das Buch von dem Kerkeling habe ich gelesen. War ganz witzig. Aber mir wäre das nichts mit der ganzen Latscherei. Santiago de Compostela. Zu sich selbst finden oder zu Gott oder der Welt oder was auch immer. Klingt wie Kompost. Und natürlich kann ich das sagen. Dass ich weg bin. Wie jeder Bürger und jeder Mieter seine

Wohnung kündigen kann. Drüben klingelt das Handy. Bei mir ist Ruhe, und ich schalte das Radio an.

Meine Tochter soll Sabine heißen. Ist total verrückt, aber ich würde auch gerne Sabine heißen. Weil mir der Name wirklich gefällt. Sind so seltsame Arbeitsgedanken. Fasching halt. Und meint auch nur den Arbeitsnamen, also Künstlernamen. Hätte ich mich früher nicht Babsi genannt, also Künstlername, würde ich mich jetzt Sabine ... Weil ich mit einer Sabine gearbeitet habe und ganz gut konnte mit ihr, gar nicht so lange her. Nicht so gut wie damals mit der Magda, die war ja fast wie 'ne Schwester, die Magda. An die ich so oft denke. Mit der ich ja zusammen angefangen habe. Schneewittchen und Rosenrot. Nee, Weißchen. Die hat sich nicht die Muschi rasiert, also Sabine, nichtmal 'n Streifen, da habe ich großen Respekt vor, ganz ehrlich, ich mag das, wieso mag das keiner mehr von den Gästen, Achtziger-Style, aber glatt und blank ist eine Bank, aber bei ihr lief's ganz gut, hat das extra annonciert, wenn alle plötzlich rasiert sind, macht man mit schwarzen Locken richtig Geld, sie hatte lange schwarze Haare, aufm Kopf natürlich, und jetzt macht sie in Kunst, unter ihrem richtigen Namen, ist schon seit fast zwei Jahren nicht mehr in der Firma. Fotos und so Mediensachen. Und Zeichnen auch. Viele hier in der Stadt machen in Kunst. Künstler eben. Die das können. Oder studiert haben. Wenn ich dran denke, dass ich auch mal studiert habe. Fachhochschule. Der Alte sammelt Bilder, habe ich gehört. Aber nur die Großen, die teuer sind und Geld bringen. Ich bleib am Boden kleben. Die Cola wollte ich vorhin schon wegwischen. Der zweite Gast hat die Flasche umgeschmissen, die auf dem kleinen Couchtisch steht. Ich lege mich aufs Bett. Riecht immer noch nach Arbeit, obwohl ich vorhin eine neue Decke draufgetan habe. Der Erste war scheiße, der Zweite ganz o.k. Wenn ich mir nicht die Muschi rasiere, werden sie blond. Ich bin naturblond. Ich hätte immer gerne dunkle Haare gehabt, deshalb färbe ich sie mir manchmal. Ob man unten färben kann? Dann würde ich mir vielleicht einen kleinen Streifen stehen lassen. Obwohl das nicht gesund sein soll mit der Färberei, vielleicht hat das auch mit den Schuppen zu tun, die ich jetzt wieder habe, wenn ich nicht jeden Tag das Brennnesselzeug benutze. Ich schalte den Fernseher ein, immer noch ohne Ton. Den habe ich vorhin runtergedreht, als der zweite Gast kam. Das Radio läuft leise im Hintergrund. Wenn jemand so Junges kommt, der auch noch ganz gut aussieht, frage ich mich manchmal, eigentlich war's auch nur ganz zu Anfang so, ob der eine Freundin hat und nur Abwechslung braucht oder sie nicht gut genug bläst oder überhaupt nicht oder was weiß ich oder ob er echt nicht zum Ficken kommt, weil schüchterne Typen gibt es ja jede Menge. Aber eigentlich ist's mir scheißegal. Bei mir ist das so fünfzig/fünfzig, also zwischen Arschlöchern und Großschnauzen und den Schüchternen. Aber genau kann ich's nicht sagen, weil die Schüchternen manchmal genauso scheiße sind, obwohl mir die Stillen eher lieber sind, Mutti macht das schon. Da kann ich selbst dirigieren, und die hämmern mir nicht alles wund. Aber fünfzig/fünfzig trifft's eh nicht richtig, weil's noch jede Menge andere Typen gibt, da kommt das mit den Prozenten wieder durcheinander, ich habe manchmal drüber nachgedacht, eine Liste zu schreiben, eine Art Typentabelle.

*Achtzehn Uhr, die Nachrichten.* Der Erste war scheiße. Der Zweite ganz o. k. Muss man so sehen, sonst wird man blöd. Also ich zumindest. Die Superhits der Achtziger. Höre ich gerne. Bin neunzehnhundertneunundsiebzig geboren, und meine Musik ist eher aus den Neunzigern, Techno, Scooter, Hyper-Hyper, wegen den Rolling Stones bin ich fünfundneunzig mit meiner Mutter nach Berlin gefahren, Voodoo-Lounge-Tour, durfte keiner wissen von meiner Technoclique, aber meine erste Schuldisko war neunzehnhundertachtundachtzig, kurz vor der Wende. Da liefen diese ganzen Kracher. Live is life. Küss die Hand, schöne Frau, Ihre Augen sind so blau. Da Da Da. Das Telefon klingelt. Ich lieb dich nicht, du liebst mich nicht. Jaaaa? Hm. Jaaa. Natürlich. Sofort. Rotkäppchenweg 12. Bei Bose. Ja, wie diese Elektrofirma. Hmmm. Ja. Ich freu mich auf dich. Bis gleich. Da Da Da.

*Es ist siebzehn Uhr fünfundfünfzig. Die Stadt und die Welt. Immer fünf Minuten früher informiert.* Da bin ich wohl kurz weggenickt. Ich bin ständig müde in letzter Zeit. Muss am Wetter liegen. Liegt immer am Wetter. Wie so vieles. Kaum mache ich die Augen zu, fange ich an zu träumen. Von wegen Rotkäppchenweg. Den gibt's hier schon in der

Stadt, das ist drüben im Süden, da gibt's ein ganzes Märchenviertel, wo die Straßen und Wege nach den Märchen heißen. Den Grimms. Meine Mutter hat mir manchmal welche vorgelesen. Nicht oft. Aber an ein paar kann ich mich erinnern. Ich meine jetzt nicht die üblichen, die man so kennt. Und nach denen auch die Straßen in diesem Viertel im Süden heißen. Dornröschenstraße. Froschkönigweg. Schneewittchenweg. Aschenputtelstraße. Frau-Holle-Platz. Schneeweißchen und Schneerosenrot. Ich weiß das wegen Sabine, die hat da gewohnt, ist dort aufgewachsen, hat sie mir erzählt. Und auch zur Schule gegangen, zu Zonenzeiten, sie ist zwei oder drei Jahre älter als ich. Die Schule hieß aber nicht »Rumpelstilzchen POS« oder so. An die Märchen kann ich mich noch genau erinnern, wie an das Lied »Der Mond ist aufgegangen«, und tatsächlich steht er drüben hoch über den Häusern, ganz klein in der kalten, klaren Nacht, und ich gehe zum Couchtisch und setze mich auf einen der beiden Sessel, denn aufs Bett habe ich grad keine Lust. Die Jalousie bewegt sich noch und macht Geräusche am Fensterglas. »Der Eisenhans« hieß eins von den Märchen. Und »Frau Trude«. Und an den »Fischer und syne Fru« kann ich mich auch noch erinnern. »Manntje, Manntje, Timpe Te / Buttje, Buttje in der See / myne Fru, de Ilsebill / will nich so, as ik wol will.« Oder so ähnlich. Oma und Opa kamen von der Küste. Bad Doberan. Und meine Mutter kann ganz gut Platt. Wir sind oft hochgefahren, als ich klein war. Was heißt Manntje, Omi? Und was ist eine Timpe? Als ich acht geworden bin, haben mir Oma und Opa das Märchenbuch geschenkt. Das war grün, und seltsame Bilder waren drin, die haben mir manchmal Angst gemacht. Ich weiß nicht, wo es jetzt ist. Mutti wohnt noch in derselben Wohnung in Jena, und mein altes Zimmer gibt es auch noch. Bestimmt liegt es dort irgendwo im Regal. Ich habe mir ja vorgenommen, dass ich jetzt öfters hinfahre. Der Erste hat gut Geld gebracht heute, und da bin ich froh drüber. Für Januar-Verhältnisse. Und so ein Idiot war's nun auch wieder nicht, hätte sich nur mal die Fingernägel schneiden können, und saubermachen sowieso. Weil ich finde, dass es nichts Schlimmeres gibt als Männer mit richtig Dreck unter den Nägeln. Klar sage ich: »Wasch mal die Pfötchen«, aber ich kann ihm ja kaum 'nen Spachtel geben. Gibt natürlich Schlimmeres. Blumenkohl zum Beispiel. Das geht auf keine Vorhaut, sagte Magda immer. Also die Schweinerei. Sabine war seltsam, die hat sich nie beschwert. Ich habe sie wirklich sehr sehr gemocht, aber sie war schon seltsam. Ich hab ja so 'ne Art Skala, dreckige Nägel und fauliger Atem ganz oben, nimmt sich aber alles nichts. Nicht viel. Und bei Atem gibt's auch noch 'ne Unterskala. Wenn sie dich dann anjapsen, muss man sich so gekonnt wegdrehen, also den Kopf, dass es nicht unhöflich wirkt. Ich habe 'ne Flasche Mundwasser im Bad stehen, aber das ist eher selten, also nie, dass die mal einer benutzt. Na ja, selten. Natürlich sage ich, wenn sie für 'ne Stunde bleiben wollen, und auch so, dass sie vorher 'ne Dusche nehmen können. Beziehungsweise sollen. Und ich sag das so charmant, dass sie's auch machen. Mach dich frisch für mich, Süßer, damit ich dich ablecken kann. Sind nicht alle so diplomatisch, das weiß ich. Vielleicht jetzt gerade, wegen Januar. Die große Depression. Aber für mich gelten die Januar-Regeln das ganze Jahr. Obwohl das so Zickenkram ist, von wegen »Ich kann's besser« und so. Weiß ich eigentlich. Muss jede selbst wissen, wie sie's anstellt. Ich bin die Beste, ich bin die Schärfste, na ja, bin ich auch, ich schau dir in die Augen ..., aber schön duschen vorher. Die meisten Mädels wissen schon genau, wie's geht. Denn wer zufrieden ist, kommt wieder. So einfach ist das manchmal. Oder eben schwierig. Wie man's nimmt. Das mit diesen ganzen »mans« hat meine Freundin Sabine gesagt, wie die jetzt richtig hieß, hab ich grad vergessen, obwohl wir uns alle mit unseren richtigen Namen ansprechen, Jenny heißt ja wirklich Jenny, nur in der Annonce nennt sie sich »Lola«, ich finde das blöd, weil das glaubt doch keiner, aber sie sagt, dass sie ein großer Fan von Franka Potente ist, der Schauspielerin. Meinetwegen. »Jenny rennt«. Katrin, heißt sie, also Sabine. Ich wollte schon diese Kunstzeitschrift raussuchen, die ich hier irgendwo haben muss, wo was über die drinsteht. Sabine ist viel schöner als Katrin, also der Name, denn sie sind ja ein und dieselbe, und sie hat mir mal gesagt, dass sie sich auf dem Amt umbenennen will, also den Antrag darauf stellen, für den Ausweis, Künstlername sozusagen, das war noch bevor sie sich mit Fotos und Videos und Zeichnungen versuchte, aber sie hat auch schon damals immer gesagt: »Beruf: Liebeskünstlerin«. Das fand ich gut. Aber ich geh mit der ganzen Sache pragmatischer um, wie die meisten von uns. Aber Geld machen ist ja auch 'ne Art Kunst. (»*Pragmatischer? Quasi sozusagen?* Hätteste mal weiterstudiert, Mädchen!« Magda im Gespräch mit Lilli, Februar 2003) Bisschen hat's mich schon genervt, dass sie immer so getan hat, als wäre sie zig Jahre älter als ich, also Magda, große große Schwester, dabei war sie nur dreieinhalb vor mir, obwohl wir in der Annonce damals fast gleichaltrig waren. *Hallo? Hallo? Der größte Baumarkt Deutschlands!* Immer diese bescheuerte Werbung. In *den* Baumarkt geh ich ganz bestimmt nicht. Mit der Sabine, das habe ich verwechselt, die war nämlich ein oder zwei Jahre jünger als ich, also fast gleichaltrig.

Und wenn Mutti vorgelesen hat, war doch ziemlich oft, hat sie immer nur diese Märchen genommen, die keiner kannte. Oder den Fischer mit seiner Frau. Das hat ihr Spaß gemacht, das auf Platt zu lesen, obwohl ich das meiste nicht verstanden hab, aber es klang wirklich schön. Eine ganz seltsame Melodie. Und Muttis Stimme war dann ganz anders. Als wäre sie selbst wieder ein Kind. Ich denke, dass Oma ihr das oft vorgelesen hat, oben in Bad Doberan. Da dampft die Molli fast an dem Haus vorbei, wo die Großeltern wohnen und wo Mutti auch aufgewachsen ist. Das ist eine kleine Dampfbahn, die Molli, Schmalspur, fährt bis zur Küste, bis zum Meer. Bei »Frau Trude« habe ich mich unter der Bettdecke versteckt. Und wenn die Molli mit diesem lauten Pfeifen am Haus von Oma und Opa vorbeiratterte, meistens waren wir nach Weihnachten dort, und manchmal sind wir alle zusammen mit der Molli durch die verschneite Ebene gefahren, bis hoch zum Meer, und als ich dann das grüne schöne Buch in Jena hatte und Mutti draus vorgelesen hat, oft war das ja nicht, aber an »Frau Trude« kann ich mich genau erinnern, da hörte ich immer die schrillen Schreie dieser kleinen Lok. Und ich lag in Bad Doberan unter der großen Bettdecke im kalten Zimmer, Mutti schlief immer neben mir, aber saß noch lange meistens mit Oma und Opa, bis sie dann kam; die letzten Züge fuhren irgendwann nach acht, aber ich war ja erst acht und noch jünger, und dann immer dieses *Dschuhuuu Dschuhuuuu,* ich weiß noch, wie ich immer ins Dunkel unter der Decke geschlüpft bin in dem großen kal-

ten Bett, und einmal habe ich so laut geweint, dass sie alle ins Zimmer gekommen sind. Mutti, Oma, Opa. Eins, zwei, drei.
Ich habe dem Chef mal spaßeshalber gesagt, dass er doch drüben im Märchenviertel eine *Dependance* (Magda:»Hallo! *Hallo?*«) aufmachen soll. Weil das sicher der Renner wäre. Wenn er da Wohnungen hätte. Rotkäppchenweg. Froschkönigweg. Und die Mädels aus Tausendundeiner Nacht. Da hat er nur gelacht. Rumpelstilzchen halt. Aber er ist schon in Ordnung. Sonst würde ich nicht seit acht Jahren hier arbeiten. Obwohl ich manchmal dran denke, nach Hannover zu gehen. Niedersachsen-City ist stark im Kommen, seit die Engel und der Pate der Engel da alles regeln. Was man eben so hört.
Die war wirklich ein bisschen Richtung Emanze, die Kunst-Sabine, was immer das jetzt aussagt. Also nichts. Und verträgt sich ja auch nicht mit dem Job. Also wie man's nimmt, denn eigentlich schon natürlich. Weil wir doch die Frauenquote hochtreiben und knallhart die Kerle ausnehmen. Na ja, mal so, mal so. Bisschen durcheinander jetzt.
Sabine Sabine. Englisch. Radio. Wie das Lied. Wie damals in der Schuldisko. Da Da Da. Wenn ich daran denke, wie wir Kinder, wir Mädels und die Jungs, da so über die Tanzfläche gehuscht sind ... Sabine sagte immer, dass man nicht »man« sagen soll so oft. Auf der Arbeit und nach der Arbeit. Weil man mit man, also den Männern, ja eh immer genug zu tun hätte. Das stimmt schon. Aber »frau«? Oder »mensch«? Klingt doch blöd. Ist doch Achtziger. Schwarzer. Ist doch Unsinn. War schon *strange*, die Kleine. Ändert doch auch nichts an den Tatsachen. Und die finde ich jetzt so schlecht nicht. Und hätte sie nicht so gut verdient, hätte sie auch nicht in Kunst machen können, denn sie hat schon ganz schön was angespart. Denke ich mir zumindest. Aber sie hat kein Blatt vor den Mund undsoweiter, immer voll da, immer aggressiv und um nichts verlegen und doch gleichzeitig mit einer dunklen Stille in den Augen, kann ich schwer erklären jetzt, aber ich denke, das haben die Gäste an ihr gemocht. Und ihren kleinen Busch. Der letzte Tango ... Aber ich glaube manchmal, dass sie das alles ganz genau kalkuliert hat, als sie dann die Fotos und Bilder von der Arbeit ausgestellt hat, Gäste, Kolleginnen, Blicke aus dem Fenster, Zeichnungen zwischen zwei Gästen,

also was sie so gekritzelt hat, wenn einer weg war und bevor der nächste kam ... Da war das Geschrei ganz schön groß. Bei den Mädels, bei den Gästen, beim Alten. Ziemliche Aufregung. Aber ich fand's gut.

Und kurz bevor ich wegnicke, weil das Flimmern der Fernsehbilder mich müde macht und die Achtziger jetzt auch nicht so viel hergeben im Radio, klingelt das Telefon.

Jaaaa? Ich habe nie verstanden, warum Mutter mir solche Sachen wie »Frau Trude« vorgelesen hat, wenn sie denn mal vorgelesen hat. Für meine Tochter wäre das eher »Froschkönig« oder »Hase und Wolf«, ach nee, das ist dieser russische Trickfilm ..., Nu pagadi, Na warte! Für das Mondlied bin ich ihr bis heute dankbar. Ja, die Babsi. Hmmm. Ja. Natürlich. Hotel? Das kostet aber extra ... Und wo ist das? Ja. Gerne. Ja, natürlich. Gib mir doch deine Nummer auf dem Zimmer, dann rufe ich sofort zurück. Jaaa. Warte kurz ..., ja, jetzt. Ja. Zwo vier sechs. Dreißig Sekunden. Bis gleich.

Habe ich das Radio noch schnell leise gemacht. Superhits der Achtziger. Ich liebe George Michael. Und im Fernsehen lief was über Sexy Cora. Still. Und das Telefon klingelt. Und drüben bei Jenny klingelt's auch. Vorhin hat's auch an der Tür, und ich bin kurz raus in den Flur, und Jenny hatte schon ihre Titten arrangiert und stand an der Gegensprechanlage und nickte mir zu und »Ja, komm hoch, ich warte schon«, weil oft auch Stammkunden klingeln, ohne vorher anzurufen, und das könnte genauso gut für mich sein, aber sie sagt »Holger« und grinst und macht schonmal die Tür auf, und ich höre ihn unten auf der Treppe schnaufen, dabei ist er im besten Alter. Aber das sagen sie alle, wenn sie knapp über fünfzig sind. Bei mir ist er auch schon gewesen, aber Jenny ist eher sein Fall, da bin ich ehrlich. Also wieder rein ins Zimmer, die Kollegin macht das schon.

Und ich stehe am Fenster und weiß nicht, ob das gut ist, wie das jetzt grad ist. Haus- und Hotel-Besuche stehen zwar in meiner Sedcard, Internet und Zeitung, H & H, aber gerne gehe ich nicht raus aus dem Nest. Vor allem im Januar. Minus zehn. Und habe ihn an der Strippe. Klingt zumindest freundlich. Immer nur mit Nummer, bei der ich zurückrufen kann. Sonst könnte ja jeder kommen. Wie mit den Pizzas, die dann keiner bestellt haben will. Aber ich kenn die Nummern vom Hotel, habe ab und an Besuche gemacht dort in den letzten Jahren. Frage mich, was er in der Stadt will, ist grad keine Messe. Unten auf der vereisten Straße verliert irgendein Depp die Kontrolle über seine Karre und schliddert fast wie in Zeitlupe und stellt sich quer und berührt lautlos die parkenden Autos, die ihn abfangen. Während ich mich anziehe, gucke ich nochmal, und da stehen sie auch schon auf dem Fußweg und gestikulieren, wie schnell der Besitzer des parkenden Autos seinen Weg in die Kälte gefunden hat. Mein Auto, mein Haus, meine Wut. Vielleicht hat er auch am Fenster gestanden wie ich. Wie ich. Und ich ziehe mich an, wähle die Kleider. Enge Jeans, das schwarze Top, die Jacke mit dem Glitzer drüber und den Mantel. Und da muss ich nochmal raus aus den Klamotten, weil ich doch noch den kleinen Schwamm wechseln muss, ist immer 'ne ganz schöne Fummelei, ist so 'n Spezialschwamm, der liegt ganz hinten, ziemlich weit drin, wegen der Tage, gehen heute los, prima Timing, nehmen die Mädels auch beim Porno, funktioniert, sollte nur keiner mit so 'nem Viertelmeterzollstock ankommen. Und dann klingelt das Telefon. Aber nicht bei mir, sondern in der Firma, wo Gerd rangeht, das Milchgesicht, früher war da noch Alex, das Milchgesicht, der jetzt bei den Engeln ist, und ich sage ihm, wo ich hinmuss und dass ich mich melde, wenn ich zurück bin, und ja, ich schreibe eine SMS, wenn ich da bin und alles klar ist. Ich gehe nicht gern raus zum Arbeiten. Verlasse nicht gerne das Nest. Egal, ob Winter oder Sommer. Die Hausbesuche versuche ich immer davon zu überzeugen, doch lieber zu mir zu kommen. Ich meine, wozu zahle ich Tagesmiete, wenn ich mich draußen rumtreibe. O.k., ist alles Geld und sind alles Kunden, die wieder anrufen, wenn sie zufrieden sind. Wenn ich ihnen gefalle. Und ihnen gefällt, was ich ihnen biete. Ich sehe mich im Spiegel, stehe im Bad und höre, wie Holger Jenny fickt. Oder Jenny Holger. Es waren schon paar gute Stunden dabei in den Hotels. Wenn die Typen Schampus spendierten, die halbe Nacht mit mir verbringen wollten für 'n Haufen Geld. Da bin ich schon fast Escort. Bei der Automesse gab's immer viel zu tun. Das war ein Kommen und Gehen. Da habe ich auch am Wochenende gearbeitet manchmal. Letztes Jahr und das Jahr davor war nicht mehr so viel los, die

haben ihre Sexpartys wohl nach auswärts verlegt, wie man so liest und hört. *Sex in the city, sex on the beach.* Portugal, Südamerika, Budapest. Das kann ich alles unterschreiben, die waren vollkommen hemmungslos, richtige Drecksäue dabei, aber wenn du Glück hattest, bist du bei 'nem kleinen Angestellten auf dem Zimmer gelandet, der eine war ganz niedlich, im Jahr zweitausendsieben, kann ich mich noch gut dran erinnern, was mich wundert manchmal nach all den Jahren und all den Gästen, vorher und nachher, aber eigentlich macht's keinen Unterschied, ob Verkäufer oder Chef, wenn sie zahlen, denken sie, das wäre der Drecksau-Tarif. Die Höflichen, Angenehmen sind rare Ware auf dem großen kalten Markt. Da muss ich lachen und sehe mich im Spiegel, sehe meine weißen Zähne und bin *ready to goho*. Habe sie vor kurzem erst bleichen lassen.
Und das Telefon klingelt, aber ich bin auf dem Weg zur Nachtschicht. Kurz vor neunzehn Uhr. Die Stadt und die Welt. Das Taxi steht schon unten. Mein Lieblingsfahrer. Der Motor läuft. Polizei auf der anderen Straßenseite. Wegen den paar Kratzern kommt in Deutschland das Einsatzkommando mit allem Drum und Dran. Ich war mal in Belgrad, da juckt das keinen, wenn's mal Beulen gibt. Er öffnet mir die Tür, ein wahrer Gentleman, rennt extra um die Karre rum, verbeugt sich halb und bewegt seine Hand im weiten Bogen durch die Luft, »Steigen Sie ein, Madame«, und schließt die Tür vorsichtig, als ich auf der Rückbank sitze. Er macht immer solche Scherze, und ich fühle mich gut, wenn er mich fährt.
»Na, da hab ich mich gefreut, als deine Nummer bei mir geblinkt hat. Lange nicht gesehen. Was macht das große Leben?«
»Fühlt sich klein an«, sage ich. Und er schweigt, weil er merkt, dass ich meine paar Sekunden Ruhe brauche. Dass ich in den Audrey-Hepburn-Modus schalte, oder meinetwegen Sharon Stone, aber ich mag dunkle Haare eher als mein Naturblond, deswegen färbe ich manchmal, und Sharon Stone ist mir zu kühl jetzt im Winter. Julia Roberts. Die Komödie kann beginnen. Und ich schließe die Augen. Sehe und spüre das Fließen des Lichtes. »Schalt das Radio ein, bitte.«
»Wird gemacht.«
Irgendein Techno läuft, harte Bässe, aber nicht zu schnell, und er schaltet rum, bis ich sage: »Mach wieder aus, sei so lieb.«

»Für dich alles.«
Und wir fahren langsam durch die große weiße Stadt. Die Hauptstraßen sind geräumt, das digitale Thermometer zeigt minus zwölf. Wenig Verkehr, auch auf den Fußwegen sind nur wenige Menschen unterwegs. Neunzehn Uhr zehn. Wann kannst du denn da sein? Halb acht. Gut. Ich mache aber nur bis zehn. Drei Stunden? Ja. Halb elf. Gerne. Zimmer 405? Nee? Sorry, nochmal. Ja. Bis gleich.
Sie sieht das Hotel schon von weitem. Eins der höchsten Gebäude der Stadt. Ein grauweißer Monolith. Ein paar kahle Bäume drum herum. Es dampft aus den Gittern und Gullideckeln. Flugzeuge blinken am Himmel und ziehen Schneisen durch den Frost. Fenster hell, Fenster dunkel. Zur Weihnachtszeit versuchen sie, die Zimmer so zu belegen, dass der Umriss eines Weihnachtsbaums auf der Hauptfassade erscheint. Ein Fragment davon ist noch zu sehen. Schlitten stehen in der Auffahrt. Der Atem der Pferde dampft und steigt an der Fassade hoch. Ein bärtiger Mann in einem Pelzmantel steht vor der großen Drehtür und schlägt langsam eine bunte Trommel, die an einem Band um seinen Hals hängt. Bumm. Bumm. Bumm.
Wir kommen nur langsam voran. Vor uns eins dieser riesigen Räumfahrzeuge. Neben uns auf dem Fußweg dampft es aus einem kleinen Gitter direkt an der Bordsteinkante. Wieder Rot. Mein Lieblingsfahrer schimpft leise über die Schaltphasen. Ich sehe seine Augen immer noch im Rückspiegel. Mir ist heute nicht der Sinn nach Komödie. Manchmal habe ich das so gemacht, witzige Sprüche, rasanter Schritt, wie Julia Roberts in »Pretty Woman«, mein Lieblingsfahrer spielt mit, und wir kabbeln uns, und die Pointen fliegen nur so hin und her, ich sage: »How do you do?«, wenn ich an der Rezeption vorbeigehe, und zwinkere den Boys zu ... Muss am Wetter liegen. Wie jede Frau in jedem Job hab ich auch mal 'n schlechten Tag. Wie gesagt. Drei Stunden. Wird 'ne lange Zeit. Sind aber vierhundertfünfzig Euro. Bei Hotelbesuchen nehme ich hundertfünfzig die Stunde. Davon träumen doch andere, von solchen Stundensätzen. Wenn ich dran denke, was mein Lieblingsfahrer so verdient. Ich meine, schlecht isses sicher nicht, gibt andere, die haben noch weniger heutzutage. Hartz IV und so. Und deswegen habe ich zweitau-

sendfünf nicht Schröder gewählt. Wenn er nur halb so o. k. wird wie die Nummer zwei heute Mittag, wie spät war's da eigentlich genau. Bei der eins hätte ich am liebsten wieder mit Gummi geblasen, wie bis vor drei Jahren, aber heutzutage geht das nicht mehr, zumindest seit die anderen das mehr und mehr anbieten, also mit *ohne*, aber nur *oben*, und die Gäste bestehen immer mehr drauf, aber Gummi schmeckte auch scheiße, und wenn sie ihn vorher saubermachen, und deswegen schicke ich sie alle unter die Dusche, und am liebsten würde ich kontrollieren, ob sie auch schön die Vorhaut zurückschieben, es müsste eine Beschneidungsverordnung geben, Juden haben wir ja kaum hier, ich habe jedenfalls immer literweise Listerine und sowas auf Vorrat. Natürlich blase ich auch noch oft mit. Meistens nur dran züngeln, und viele gehen ja eh schnell ab, und dann ziehe ich ihn drauf und mach's ihnen, bis sie kommen, oder warte, bis sie sich beruhigt haben, wenn sie ihn noch reinstecken wollen in mich. Aber ich habe eben nunmal FO in der Annonce seit vier Jahren, und normalerweise kann man sich da nichts holen, da müsste man schon ziemlich große Wunden haben im Mund und er an der Eichel, und Saft kommt bei mir eh nicht zwischen die Lippen. KB, Körperbesamung, o. k.

Wenn das Jahr gut läuft, habe ich dann ganz schön was angespart. Die meisten können's nicht halten, so wie viele Kerle ihren Saft, also das Geld. Gucci hier, Prada da. Na klar, gönne ich mir schonmal was, was denken Sie denn? (Zwinker, zwinker! Da lächele ich in die Kamera, und meine kleine Winterkomödie läuft so langsam doch an, was soll's, das wird 'n schöner kleiner Hotel-Job, perfekt zum Feierabend, und der Gentleman mit dem Champagner und hoffentlich nicht so 'nem großen Monsterschwanz, obwohl, mal schaun, zwinker, zwinker!) Wenn ich nach der Arbeit mal ausgehe, da habe ich schon die feinen Sachen, wozu verdient man denn viel Geld? Aber die hohe Kante ist genauso wichtig. Sage ich zu jedem Mädel, das einsteigen will. Wenn du nicht aufpasst, stehst du irgendwann da, und die Kohle ist verprasst, die Zeiten werden schlechter, und du kannst schuften und ackern, bis du grau wirst und die Titten faltig, um wieder rauszukommen aus der Misere. Kann mir nicht passieren. Habe Pläne.

Und da rollen wir langsam über die große Hauptstraße, die durchs Zentrum führt, die Stadt scheint hellblau zu leuchten, Schnee auf den Dächern, und da ist schon das große Hotel. Siebenundzwanzig Etagen und 'n paar noch oben drauf. Wieder stehen wir an einer Kreuzung, die Straße runter geht's in den Zoo, dort bin ich als Kind ein paarmal mit meiner Mutter gewesen, wir sind extra von Jena gekommen deswegen, weil's so ein großer und berühmter Zoo ist, das war in den Sommerferien, ich erinnere mich ganz gut daran, ich hatte so einen Ferienpass, mit dem man fast überall umsonst reinkam, und die großen Ferien gingen damals noch zwei Monate, das war wirklich eine lange Zeit, was wohl die Tiere bei dieser Kälte machen? Aber heute ist der Zoo ganz anders als früher, als die großen Raubtiere in den alten Käfigen hin und her tigerten, Sommer und Winter, sie taten mir leid als Kind, das weiß ich noch, vielleicht tun sie mir aber auch nur jetzt leid, wenn ich mich an sie erinnere, aber den Affen in diesem alten Affenhaus ging es wohl ganz gut, so wie sie spielten und Bananen fraßen und die Hände ans Glas legten. Und heute sind sie alle in riesigen Freiluftgehegen, Löwen, Tiger, Affen, natürlich nicht zusammen, das würde ja Mord und Totschlag geben, auch die verschiedenen Affenarten haben jede ihr eigenes Gehege, ist wirklich ein riesiger Zoo, fast wie eine kleine Stadt, und ich muss mal wieder hingehen, wenn ich eine Tochter habe, werde ich mit ihr ganz oft in den Zoo gehen und ihr alle Tiere zeigen, die Fische fand ich als Kind immer langweilig, dabei hatten die die schönsten Farben. Den neuen Zoo, also so wie er jetzt ist, denn es ist ja natürlich derselbe Zoo, aber trotzdem ganz anders, kenne ich nur aus dieser Fernsehsendung »Tiger und Äffchen«. Wir Mädels gucken das alle. Kennen jedes Tier. Mit Namen. Und finden den oder diesen Pfleger gut. Oder süß. Ich guck's nur ab und zu beim Durchzappen. Ich zahle und steige aus. »Pass auf dich auf.«
»Dank dir. Bis bald.« Und ich winke und sehe, wie er wegfährt. Es ist saukalt, ich rücke meinen Schal zurecht, cremefarben, Kaschmir, tut gut auf der Haut, ich trippele durch die große Drehtür, durch die anderen Türen, links und rechts, ziehen Leute riesige Rollkoffer, die Portiers halten die Türen auf, Taxis kommen und fahren wieder, ich schiebe meine kleine Tasche auf die Schulter, eine Hand auf dem

Gurt, dann trippele ich an der Rezeption vorbei durch die große Lobby. Ein Springbrunnen plätschert. Es gab ein Bassin mit Fischen drin, im Zoo, das war voll mit Münzen. Links neben den Fahrstühlen die Bar, dort habe ich schonmal gesessen, war mit einem Gast verabredet, ich dachte erst, der kommt nicht, obwohl ich ihn ja auf seiner Zimmernummer zurückgerufen habe, aber wenn er sagt »unten an der Bar«, kann ich ja schlecht hochgehen und klopfen, und ich hab das alles schon erlebt, dass man dann vor 'ner Tür steht, Hotel oder Wohnung, und keiner macht auf. Weil sie plötzlich Schiss gekriegt haben oder sich einen von der Palme gewedelt oder was weiß ich. In Wohnungen gehe ich ja nicht so gerne, und das ist auch eher selten, dass da einer anfragt. Weil bei vielen ja die Frau zu Hause wartet. Aber da war ich schon in Buden gewesen, da wollte ich rennen, nur noch rennen. Da denkt man, dass die sich nicht schämen. Also ich würde mich schämen. Und da nicht noch jemanden reinholen. Hotel ist dann doch schon was anderes. Da stehen wir zu dritt im Fahrstuhl. Ich drücke die Fünfundzwanzig. Ein junger Mann und eine Frau, die gehören wohl zusammen. Da muss ich an meinen letzten Freund denken. Und krieg sofort Gefühl. Weil ich mit dem auch mal in 'nem schicken Hotel war. Auch wenn's inzwischen anderthalb Jahre her ist. Ist jetzt keine Zeit für sowas. Wir fahren. Die kleinen blauen Ziffern über der Tür flimmern, in der Fünfzehn halten wir, in meinem Ohr knackt es, 'n alter Knacker steigt zu, sieht müde aus, müde Augen, altes kleines Gesicht, ich bin jetzt einunddreißig, die meisten denken Mitte zwanzig, so steht's in der Zeitung, so steht's in meiner Sedcard, ich habe Pläne, noch einen Winter, noch einen Sommer, ich bin ein Profi, cool wie Sharon Stone mit schwarzgefärbten Haaren, wir sind die erste Liga, wir ziehen den Männern das Geld aus den Eiern (Klappe, Magda! Zwinker, zwinker!), und wir fahren, der Alte steigt in der Achtzehn aus, Ding!, zieh 'n Finger, Alterchen, ich muss zum Honeymoon!, die beiden wollen bestimmt hoch in die Siebenundzwanzig, da ist eine Bar über den Dächern der Stadt, dort bin ich noch nie gewesen, aber heute, wenn ich die Scheinchen ins Dekolleté stecke, natürlich kommen sie ins Portemonnaie, heute werde ich dort oben eine Margarita trinken an der Bar, mit Blick auf die Stadt. In der Fünfundzwanzig steige ich aus, nicke den beiden kurz zu, bevor sich die Tür schließt. Ich sehe die Zimmernummern. Ich laufe den langen Gang entlang. Eine Frau kommt mir entgegen, sieht aus wie ein Zimmermädchen, weißer Kittel. »Guten Tag«, sage ich. *Es war einmal ein kleines Mädchen, das war eigensinnig und vorwitzig.* Ich habe mich immer gefragt, was das sein soll. Vorwitzig. Als Kind. Als meine Mutter mir die »Frau Trude« vorgelesen hat. Und wie die Frau Trude dann am Ende das Mädchen in ein Holzscheit verwandelt und ins Feuer wirft und sich an ihr wärmt. Wer denkt sich so etwas aus. Und wer liest so etwas vor. Manchmal denke ich, dass ich's vielleicht selbst gelesen habe in dem grünen Buch, und weil meine Mutter mir auch einige Märchen vorgelesen hat ... Gehirnfasching, Erinnerungen im Winter, Januar zwo-elf. Ist doch auch schon lange her. Ich bleibe vor der Tür stehen. Ich warte kurz und bin ganz still. Musik von drinnen. Ich lächele. Lege die Hand auf die Tür. Fühle mich stark. Na, dann wolln wir mal.

II
(Und in den Straßen, hoher Schuh, schlankes Bein.)

Menschen schieben schweigend das Leben und die Nacht und den Tag vor sich her, »Sechshundertfünfundfünfzigtausend sind sicher keine große Sache, kein Weltstadtniveau, aber wir expandieren! Die Million ist das Ziel!« (Ich sagte *schweigend*!), Farben flimmern durch die Stadt, Baumaschinen auf zerrissenen Straßen, Wetterleuchten weit im Norden, drei Zeppeline kreisen über den Häusern. »Nimm deine scheiß Zunge aus meinem Mund! Und komm mir nicht mit deinem *Das hat der und der und die und die*. Ich habe gesagt, dass ich nicht ...«
Grüne Wellen, Straßenbahnen quietschen in den Kurven, S-Bahnen auf Brücken, Bahndämmen, in Tunneln, Bahnhöfen, Gelenkbusse winden sich durch den Verkehr, Nummer 60, Zehnminutentakt, 76, 69, Rotstopp, am Güterring kreuzen sich S-Bahnen und Güterzüge, mehrere Ebenen, ein steinernes Viadukt hinterm Sportplatz, Klein-

gärten rauchen, Ostvorstadt, Angrillen, Abgrillen, Westvorstadt, badamm, badamm, badamm, »Die Züge rattern heutzutage anders, klingt anders als früher«, sagt ein Alter zu seiner Frau, die neben ihm auf dem Balkon ..., graue Häuser oberhalb der Schienen, die Züge fahren durch Felsenschluchten, Vorstadtzüge, rostbraune Waggons, verfallene Güterbahnhöfe, die großen Seen am Rand der Stadt verdunsten ganz langsam, auf dem Grund liegen die alten Bagger, Braunkohlereste in den Schaufeln. Das Restaurant am Pier ist gut besucht, die Leute starren aufs Wasser und warten ...
*Wo bleibt der Regen, wir warten auf den Regen, nehmen Sie sich Urlaub und fahren Sie ans Meer ... auf zweiundneunzig Komma drei ... Und die Sonne wandert schnell.*
»Das war, weil das Stampfen der Fabriken«, sagt der Alte unterm Sonnenschirm, den sie mit Draht fixiert haben an der Wand, gegen die Stürme, weil es ja bald gewittern soll, ah, ah, ah, jemand bumst laut, offene Fenster im Hinterhof, Frauenstimmen, Tachometer, »Ich brauche 'ne Taxe, sofort!«, die Sommerluft leitet die Geräusche, Elektrosound, »das war, weil ...«
*Zisch* macht das Bier, Kronkorken mit Wernesgrüneremblem, in der Sonne funkelt alles, immer im Kreis, Metall, Straßenbahnen quietschen in den Kurven, Tausende Arbeiter strömen in die Fabriken, aus den Fabriken, während der Alte trinkt mit geschlossenen Augen, neunzehnhundertvierundsechzig, Sonnenfinsternis neunzehnhundertneunundneunzig, »und weil die doch alle zu sind jetzt, dichtgemacht und ..., ahhhh, mein Gott, tut das gut, stampft das nicht mehr, klingt das anders jetzt, und Güterzüge sind doch auch nur noch selten und leer, wenn überhaupt.« Was quatscht der Alte nur für einen Blödsinn, denkt die Frau, seit dreißig Jahren, wenn's wo stampft, dann in seinem Kopp, nicht dass er mir senil wird, und sie geht nach drinnen, wo die Küchenuhr tickt. *Der heißeste Sommer seit zweitausenddrei ... badadadamm ... kauft ... zweiundneunzig Komma,* ein Bulle schläft über der Bildzeitung, unten vorm Haus, Zivilbulle 1, Golf 2, Kopf auf der Brust, »Bild« aufm Lenkrad, Annoncen neben der lokalen Sportseite, FO machen jetzt die meisten, am Knochenplatz um die Ecke soll's 'ne neue Lieferung geben, die Fixer machen sich dünn bei achtunddreißig Grad, und Kristall regiert die Stadt,

der Bulle 2 trinkt Cola Zero und überfliegt die Annoncen, was die wohl mit FF meinen?, ping, ein Kronkorken auf der Motorhaube, zu faul zum Aussteigen, Radio dudelt, was, verdammt nochmal, ist KB?
»Heh, sag mal, du weißt doch bestimmt, was KB bedeutet, und FF, hörst du, KB!«
»Lass mich in Ruhe mit HB, F6 kann ich dir sagen.« Er wischt sich den Sabber vom Kinn, da bin ich wohl kurz weggenickt. Früher gab's Hitzefrei bei solch einer Demmse.
»Weiß ich doch selber. Wegen der F6, also der Fernverkehrsstraße, weil dort die Tabakfabrik stand, in Dresden.«
»Ja, ja. Wer wird Millionär. Dresden hin, Dresden her, Chemnitz och nichts mehr.« Er streicht sich über die Glatze. »Ein kaltes Bier, ein kaltes Bier.« Er steigt aus und blickt an der Häuserfront nach oben. Sieht einen bunten Sonnenschirm, der im dritten Stock über die Balkonbrüstung hängt. Er fährt mit der Hand über die heiße Motorhaube, spürt den winzigen Kratzer, den der Kronkorken gemacht hat. Er blickt rüber zum Taxistand. Der kleine Flachbau mit dem Imbiss ist leer seit ein paar Tagen. Dabei müsste das doch laufen jetzt im Sommer. Bei der Hitze macht's ihm gar nichts mehr, dass er aufgehört hat zu rauchen. Da fehlt der Appetit. Das legt sich nur aufs Herz mit dem Ozon. Er sieht, wie eine Frau über die Straße rennt, direkt zum ersten Taxi in der Schlange der sieben, acht Autos, er zählt. Sind sieben. Er blickt auf die Uhr. Clock drei. Sie steigt ein. Hinten. Große blonde Frau. Sehr groß. Hohe Schuhe. Sehr hoch. Schöne Titten. Sehr schön. Sehn aus wie gemacht. Sie fahren.
»Hol mal den Grill raus.«
»Du willst doch nicht bei dieser Hitze grillen! Das zieht wieder alles in die Wohnung.«
»Wir können doch runter auf den Hof, da gibt's mehr Schatten.«
»Ich mach keinen Schritt mehr heute.«
Das Taxi kommt zurück. Stellt sich hinten an. Wie die Zeit vergeht. Und die Sonne wandert. Er beobachtet die beiden Bullen, die immer noch drüben vorm Haus in der Sonne stehen. Keine Bäume, kein Schatten, und die Sonne wandert schnell.
»Wo dieser Penner bleibt?«
»Steig mal wieder ein. Stehst wie 'n Bauer am Schießstand.«

»Als ob unser Kai was mitkriegt. Hab gehört, ist wieder Kleinmesse gerade. Würde gern wieder mal hin mit meiner Tochter.«
»Du bist ja 'n richtiger Insider! Fährste nicht jeden Tag dran vorbei?«
»Nee. Wenn ich fahre, nehme ich immer die 7 an der Rennbahn vorbei.«
»Die 6.«
»Kennste denn nicht den Spruch mit der 7?«
»Nee.«
»Na dann.«
»Erzähl mal.«
»Nee.« Er steigt wieder ein. Lässt die Tür offen. Er beugt sich zur Rückbank und nimmt eine Flasche Wasser. »Gib mir mal 'ne Cola«, sagt Bulle 2 zu Bulle 1.
»Bitte!«
»Bitte.«
»Cola Zero?«
»Siehste 'ne andere Cola?«
»Wie kannst'n das Zeug bloß trinken, ist das pure Gift.«
»Danke, Genosse. Gift? Wie kommst'n auf den Scheiß?«
»Ja, was denkst du, was da drinnen ist. Das ist wie bei den Light-Zigaretten.«
»Ist aber nicht light, ist Zero.«
»Noch schlimmer. Zuckeraustauschstoffe. Chemie und Gift. Ich kannte mal einen, der hat R1 geraucht, immer nur R1 ...«
»Steffen vom schwarzen Block?«
»Steffen von der Abteilung Hooligan.«
»Also, ich krieg sicher kein' Krebs von Cola Zero.«
»Wär doch mal 'n Werbespot.«
Sie sitzen und sehen, wie es fünfzehn Uhr dreißig wird im Viertel. Ein Kronkorken fällt neben dem Golf 2 auf den Asphalt. Hoher Bogen, dritter Stock. Kriegen sie aber nicht mit, weil sie den Imbiss auf der anderen Seite der Straße beobachten, der seit paar Tagen zu hat. Keiner weiß, wieso. Und auch jetzt kommen wieder Leute und rütteln an der Tür. Und die beiden Bullen haben auch den kleinen Bahnhof im Blick, ein Stück die Straße runter. Sehen Leute aus der

Unterführung kommen, in die Unterführung runtergehen. Bulle 1 macht das Radio an, Bulle 2 schaltet es aus. Bulle 1 wieder an. Bulle 2 dreht es leise. Bulle 1 wieder bisschen lauter. Der Klassiksender läuft, wer hat das denn eingestellt, obwohl das manchmal ganz gut ist, um zu entspannen, um runterzukommen, wenn wieder mal so ein Arschloch wartet, von dem sie wissen, dass er die Tür nicht aufmacht. Dem sie die Bude halb eintreten müssen, damit er mitkommt. Immer langsam mit der Fahndung. Weil da kann man auch mal an den Falschen kommen. Weil da gibt's auch den einen oder anderen Assi, der einen guten Anwalt hat. Oder Beziehungen. Obwohl man sich das schlecht vorstellen kann. Ist auch selten. Bulle 1 kurbelt weiter. *Mega-Hits der Achtziger.* Die meisten Assis machen nichts, wenn sie dann blöd fallen, wenn die Tür endlich mal offen ist. *Live is life.* Dass dieser Scheiß doch wirklich immer noch kommt. Und sie kurbeln an dem alten Radio rum und hauen sich gegenseitig auf die Hände, und die Zeppeline mit den großen Werbesprüchen on board drehen ab zur Landung irgendwo vor der Stadt, weil das Wetterleuchten näher rückt.

»Aber unser Assi, verstehen Sie, der kommt immer zu diesem Imbiss. Der hat keinen festen Wohnsitzt, wo wir ihn uns sacken können. Also obsen wir ihn hier. Der weiß auch genau, wie das Spiel geht. So blöd, wie das jetzt klingt. Denn da hinten sehen Sie die verfallene Mauer, ja, da auf der Wiese hinterm Imbiss, die zu der kleinen Ruine gehört, ehemals Reichsbahn, jetzt DB. Heim ins Reich. Unser Kai. Der Kristall-Junge. Aber kein Interesse, so oder so. Will keiner kaufen, keiner investieren. Verkommt. Der kommt also hierher, unser Jungchen, flatterig wie das HB-Männchen, wenn Sie wissen, was ich meine. F6. Und da hinten hat er sein Depot. Da holt er seine Schorre. Ein Zombie. Wenn ich's doch sage. Je heißer das wird, umso dürrer wird der Kerl. Kai. Bald in der Kiste, wenn Sie verstehen, was ich meine. Zombie-Kai. Und der weiß viel und singt gerne seine Lieder. Sonst sacken wir ihn ein und sperren ihn weg. Und da gibt's keine Schorre. Und kein Kristall auch nicht. Obwohl's da alles gibt, wenn man weiß wie. Aber ist eh knapp zurzeit. Kann einer vielleicht argumentieren, dass man drinnen jetzt, also im Moment, mehr kriegt als draußen. Aber überall ist der große Ausverkauf.

Aber kein Sommerschluss. Genau wie Koka und der andere Scheiß. Und wir haben Druck von oben, weil die Zombies jetzt auf die Alten und Schwachen gehen, Rentnerklatschen, weil ja die Preise steigen. Also sollen wir aufräumen. Nicht nur unten, sondern auch oben. Ist jetzt nicht unser Job. Wir sind nur Fahndung. Fahren die Assis in den Kahn. Schiff ahoi. Aber da gegen die meisten Zombies was offen ist, spricht man sich mal ab mit der D zwodrei. Droge. Dezernat. Holt sich einen und macht bisschen Druck und leitet die Info weiter. Kriegen wir dann 'ne andere Info, wenn 'n großer Hirsch irgendwo steht und auf den Blattschuss wartet. Sonst kehren wir alles weg, aber jetzt ist's grad speziell, weil die Zombies gehen auf alles, was nach Kleingeld aussieht, steigen sogar in Bäckereien ein, mit Knarren und Messern, und da soll der Sumpf jetzt ..., verstehen Sie? Trocken und heiß. Was aber auch nichts bringt, weil für die Presse und die Politik alles prima, wir haben die Schorre und den Koks und rotten die Szene aus, was natürlich auch ein absoluter Quatsch ist, aber da kommen dann immer mehr Zombies, die auf der Suche nach Stoff und Geld sind. Und die müssen wir dann auch noch wegkehren. Und auf der anderen Seite spielen die Kanacken verrückt und drängen in die Stadt und in den Markt. Nur die Fidschies in Chinatown machen ihr eigenes Ding. Bisschen kompliziert, gelle? Ja. Wie sagt man? Win-win-Situation. Oder so ähnlich. Sie verstehen? Alle für alle, wie die Musketiere.«

Und die Taxis schwärmen aus. Sechzehn Uhr. Die Stadt kocht. Alle Fenster offen. Wenn der Regen nur käme. Scheiß auf die paar Blitze. Jetzt fahren zu viele mit dem Radl. Schlecht fürs Geschäft. Und atmosphärische Störungen knacken im Radio und in den Ohren. *Back to the future.* Die Pferdestaffel durchkämmt die Parks. Die Abbruchhäuser werden abrissreif geschossen von den Cowboys der schwarzen Schwadron. Nur Assis und Kleinvieh drin. Die Legenden und Gerüchte kreisen wie eine Windhose vom Zentralbahnhof durch die ganze Stadt. *Mutter, der Mann mit dem Koks ist da. Jawoll, mein Junge ...,* pack die Badehose ein. An den Seen vor der Stadt liegen sie dicht an dicht. Sommer zweitausendneun. Wenn die Uhren noch stimmen. Und in der Nacht fallen Schüsse, wer braucht so einen Scheiß, die machen uns den Markt kaputt. Chaos ist der Anfang vom Ende. (»So ein Schwachsinn! Es gibt immer Leute, die vom Chaos profitieren. Stichwort Neuordnung.«) Und der Fahrer fährt durch die Schatten des alten Straßenstrichs, wo er früher, vor vielen Jahren, die Kunden hingebracht hat. Fährt weiter über die »Allee der schönen Augen«, Heiterblick, links und rechts die Wohnwagen, lange Reihen, wenige Lichter, Menschen, Frauen, Fehlzündungen oder Schüsse, Jahr 1 nach der Wende, Jahr 2 nach der Wende, da stehen die Luden der alten Republik in der neuen Republik und warten drauf, dass sie rausgeschmissen werden von der Garde der Zonenschläger, die sich grad organisiert, Wind weht durch Haare, blondiert, vorne lang, hinten kurz, Glatzen, Ledermäntel, Davidoff im Lederetui, Schneetarnbomberjacken im Licht der Laternen, jede zweite war damals kaputt, er fährt weiter zur Burg, weil der Mann hinten im Wagen für Kleingeld bumsen will, die Fußballkommandos kriegen alles in den Griff langsam, sind ja auch am besten und schlagkräftigsten organisiert, damals, Jahr 1, Jahr 2, Jahr 3, aber das weiß der Mann hinten nicht, weil der Fahrer durch Jahrzehnte fährt vor dieser Zeit, in der die Fremdinvestoren den Markt übernehmen wollen. Neben der Straße der Bahndamm. Und Gewerbegebiete, wo damals Ruinen waren. Wer kennt noch die Witze über die wackelnden Wohnwagen. Wo sie dich abgezockt haben, dass die Eier voll blieben, aber die Geldtaschen sich leerten. Wo die Reviere abgesteckt umkämpft waren. Und wurden. Ost gegen West. Ost gegen Ost. Und die Rollkommandos rollten. Eine Frau (19) steht am Bordstein und schimpft leise. *Drecksäue! Arme Kerle? Nee.* Wie die Jahre vergehen. Und zweitausendneun finden sie bei Straßenarbeiten Lockenwickler, Hunderte versteinerte Zigarettenkippen und Kondome in einem ausgetrockneten Arm der Kanalisation. Sie ist jetzt einundvierzig und arbeitet in einer Kaffeebude im Zentralbahnhof. Und der Mercedes beschleunigt auf 88 Meilen pro Stunde. Weil die Rücklichter der Burg hinter den Häusern zu sehen sind. Früher gab's den Rotlichttaler. Den Bumsbonus. Wer uns Gäste bringt, kriegt Geld. Die Läden übertrumpften sich gegenseitig. Die Zeiten sind lange vorbei. Und wieder zurück, durch die »Allee der schönen Augen«. Nur noch eine zerknitterte »Bild« auf der Rückbank. Er hatte ja versucht, ihm paar Adressen schmackhaft zu machen, hätte sofort Babsi, also Lilli, anrufen können, hat ihm gesagt, guck lieber in den Annoncen, aber der Typ war ein Kleingeldficker, der wollte in die Burg. Und dort kann er natürlich am billigsten. Hinterm Drehkreuz. Und ob's dort jetzt ruhig ist, hat er gefragt, weil ja die Zeitungen, und der Krieg und die Stadt. Sicher, alles bestens bei uns! Bestens, alles sicher bei uns! Genau hat er's nicht gewusst, also hundert Prozent, was weiß man schon hundert Prozent in diesen Tagen, wo sie alle durchdrehen bei dieser verdammten Hitze, wo die Clubs und die Türen der Diskotheken attackiert werden, wo diese arme Sau, die er sogar kannte, den er paarmal gefahren hat, auch zu Babsi, auf dem Bordstein krepieren musste. Armer Ficker, zur falschen Zeit am Ort ohne Zeit. Wie damals vor zehn Jahren, denkt er, bumm bumm, und beschleunigt seinen Mercedes auf der 7, beziehungsweise der 6, der Stadtschnellstraße, auf 88 Meilen pro Stunde. Aber die Geister sind zurück in town. Und da muss er lachen. Und spürt und sieht, wie die Lichter an ihm vorbeifliegen.

Zerrissene Straßen mit Baumaschinen. Da schimpft einer, weil seine Gummisohlen schmelzen. Die Pferdestaffel sorgt für den großen Stau. Die Parks in der Innenstadt sind leer geräumt. Die Musketiere im Zentrum tragen MP vor der Brust. Der Zentralbahnhof liegt still und strahlt die Wärme des Tages ab. Der Himmel zieht zu über der Stadt. Dann sieht's aus, als würde jemand in den Wolken wühlen. Im Zoo, nicht weit vom Zentralbahnhof entfernt, wird eine Giraffe plötzlich weiß, so dass sie von einer Schneegiraffe sprechen in der Zoosendung, die im Ersten kommt, die Schneegiraffe, das hat mit der Atmosphäre zu tun und dem Druck, so wie ein Mann auch plötzlich ergrauen kann über Nacht. Das Wasser in den Kanälen bewegt sich nicht und fängt an zu stinken. Seit Tagen schon. Und die Züge fahren bis elf in der Nacht im Stundentakt. Frankfurt/Main, Berlin, Hannover. Und ein Mann rennt durch die Bahnhofshalle, die große Treppe zu den Bahnsteigen, nimmt zwei Stufen mit einem Schritt, sind zwei Männer jetzt, die rennen, eine Frau schiebt vorsichtig ihren Kinderwagen an ihnen vorbei, klack klack, die Stufen nach unten in die große Bahnhofshalle aus Marmor und Glas, warum sie nicht den Fahrstuhl nimmt?, Tauben flattern auf, und draußen: Tausende müde Tauben im vertrockneten Gras; einer nach Berlin, einer nach Hannover-City. Keine Eile, sind noch zehn Minuten und fünfzehn Minuten. Die Mietwagen stehen an den Bahnhöfen bereit. Man nimmt die Deutsche Bahn und fährt erster Klasse. Weil das weniger auffällt. Man hätte ja auch mit dem Auto ..., für und wider, immer wieder. Aber die Bullen gehen einem auf den Sack. Stau wegen der Pferdestaffel. Die nur Kleinvieh erwischt hat, aber darum geht's hier nicht. Halten jeden an zurzeit, der mit größerem Kaliber unterwegs ist, hätte man einen Smart leihen sollen, aber Geschäfte müssen gemacht werden, Angebote überbracht, und atmosphärische Störungen knacken im Radio und in den Ohren. Mit 88 Meilen pro Stunde geht es zurück in der Zeit. An den Bahnsteigen ist es erstaunlich leer, Sommerzeit, Ferienzeit. Alle schon weg.

Drei Straßen weiter, man kann den Zentralbahnhof nicht sehen, weil der große Quader des Hotels dazwischen liegt, dort, wo die Familien am Tag Richtung Zoo laufen, und nicht nur die Familien, weil der Zoo das Populärste ist, was es hier gibt in der Stadt, das liegt auch an dieser Fernsehsendung,»Tiger Tiger«, und der Eisgiraffe, und dort also ist das Wettbüro, wo es nur um Pferde geht, wo also die Jugos & Co. nicht ihre Hand drin haben, denn der Fußball macht am meisten Umsatz und Profit, wenn man mal die Automaten außen vor lässt, da gibt es einige Betreiber zwischen Deutschland und Babylon, und Pferde ist was für die Kleingeldzocker, was aber so auch nicht stimmt, der Fahrer nickt, der sich inzwischen drüben im Osten der Stadt hinter drei anderen Taxen eingereiht hat an seinem Stammhalteplatz, denn er kennt die großen Pferdewetter, die er früher noch, Jahr 1, Jahr 2, Jahr 3, auf die Bahn gefahren hat, wo es da noch so viele Rennen gab, von der Zone ganz zu schweigen, aber da hat er noch in der großen Druckerei gearbeitet, die jetzt, eingebettet zwischen den neuen Häusern des Zentrums, leer steht und verfällt, das tut ihm weh jedes Mal, wenn er dran vorbeifährt, 140 km/h, was für ein Quatsch, so beschleunigt er nur auf der Autobahn, wenn er jemanden zum Flughafen fährt. Das Zentrum der Stadt leuchtet blau, rosa, wenn es Abend wird. In den Villenvorstädten im Süden steht die Sonne am tiefsten.

Dort, Richtung Gangway zum Zoo, zu den Tieren, rennen sie jetzt, die Meisterdiebe. Aber in die andere Richtung, also vom Zoo weg. Am grauen Beton des Hotels vorbei, die Fensterfront funkelt rot jetzt am Abend, die letzte Sonne, die Lichter der Stadt, eine Frau (30) steht an der Scheibe, presst beide Hände gegen das Glas und lässt sich von hinten ficken von einem Kerl, der noch das Hemd anhat und die Socken, und sie weiß nicht, über was sie nachdenken soll, ist das nicht asozial, Socken beim Ficken nicht auszuziehen, aber sie kann sich ja die Stadt angucken, fünfundzwanzigste Etage, da hat man ja mal eine Aussicht, der Sonnenuntergang macht sie etwas traurig, und sie spürt, wie der Typ in ihr rumfuhrwerkt.

Und da sind sie schon außer Atem an der Kreuzung. Die Meisterdiebe. Quer über die Straße, zwischen den Autos. Da flattert das Geld aus den Taschen. War alles ein paar Tage oder Wochen vorher. Kanacken? Nee. Zombies. Und denen flattert das Geld aus den Taschen und den Plastikbeuteln. Der größte Bruch des Jahres. Alles geplant und bis auf die Sekunde getimed. Rein ins Wettbüro, Schreckschussknarre raus, rumschreien, Maske verrutscht, Gesicht klatschnass unter der Wolle bei dreiunddreißig Grad im Schatten, Geld in die Plastiktüten, sind nur zweitausendsechshundert, da riskiert keiner was, denn die Wumme sieht echt aus, und die Typen drehen am Rad, wenn sie keinen Stoff haben, nix zu fixen, kein Kristall. Da sitzen die Alten auf ihren Hockern, an ihren Tischen, während die Rennen aus Übersee und England über den Bildschirm flimmern. Sehen, wie die Boxen sich öffnen in Belmont Park, New York, bumm, und die Pferde über die Bahn galoppieren. Und die Scheine flattern im Wind, und die Alten meckern, als die Bullen kommen, weil sie weiterzocken wollen.

Und die Profis der letzten Tage und Wochen fliehen gemeinsam zu Fuß und auf Fahrrädern, atemlos der Marathon durch die Stadt, *drei Raubüberfälle am Wochenende*, der Mann aus Ghana taumelt mit blutendem Hals durch die große Straße im Osten, wo die Türken und Araber ihre Reviere haben, *betagter Tourist aus der Schweiz hinterrücks überfallen*, wer kommt denn auf die Idee, dass der schwarze Mann genug Geld einstecken hat?, ein Schwarzer aus der Schweiz?, aber die Zeiten sind schlecht, vor zehn, fünfzehn Jahren hätten ihn höchs-

tens paar Glatzen attackiert, jetzt heißt es alle gegen jedermann, und besser mit Messer, die Musketiere tagen im Zoo, die Jackpötte schrumpfen gewaltig im Sommer null-neun.
»Wir brauchen noch Kuchen für morgen.«
»Ich sitz gut hier. Du sagst doch *morgen*.«
»Du faules Schwein, komm endlich vom Balkon runter.«
»Nu mach mal halblang. Hier draußen ist's besser als Fernsehen.« Weil die beiden Bullen sich endlich den Zombie geschnappt haben und ihn jetzt über die Wiese schleifen, die Acht (8) klickt, mitnehmen, »Kopf runter, du Aas!«, Hausordnung durchgehen im Hauptquartier 2. »Wenn du uns was Schönes singst, mein lieber Kai, bist du morgen wieder frei!«
Der Mond ist aufgegangen. Und schimmert durchs Glas der Bahnhofshalle. Noch ist es nicht ganz dunkel, die Tage ziehen sich oft bis nach Mitternacht und berühren sich fast noch am Morgen. Die Winter neun, zehn, elf werden hart und dunkel, zweiunddreißig Penner erfrieren, insgesamt. Davon fünf auf dem Weg nach Hause. Einen zu viel in der Kneipe. Sperrstunde gibt's nicht in der Stadt. Die Diskos, Puffs und Clubs rüsten sich für die Nacht. In den Wohnungen gehen die Schichten langsam zu Ende, »Endlich Feierabend, kommst du mit auf die Kleinmesse?«, nur wenige Frauen arbeiten bis nach Mitternacht, hohe Schuhe klappern im Treppenhaus, »Nee, lass mal, ich lass mir jetzt 'ne Massage«, »Pass auf dich auf«, »Du auch«, ab acht werden die Türen gesichert, die Securities schließen sich kurz, man muss wissen, wo der Feind steht. Auch Hans instruiert seine Leute in seinem kleinen Club, die Diskos sind nur der Anfang. Wie hat mal jemand zu ihm gesagt? »Der Kuchen ist groß genug, aber wer tot ist ...« Nee, das ging doch anders. Ist schon Jahre her. Er spürt, dass er alt wird. Etwas muss passieren, und zwar schnell.
Zwei Männer stehen am Kaffeestand, direkt vor den Bahnsteigen. Links der Zug nach Berlin, rechts der Zug nach Hannover. Waren noch kurz bei »WC Weiß«, die von der Schweiz bis weit nach Deutschland expandierten, einmal pissen für 50 Cent. »Scheißen 1 Euro, Duschen 2,50«. Noch fünfzehn Minuten. Als wenn der Planet sich rückwärts dreht.
»Bei ›WC Weiß‹ ist's immer schön kühl.«

»Die machen im Moment mehr Geld als wir.«
»Mhm. Geniales Konzept, das muss man zugeben.«
»Ich mag die Scheißhauskabinen. Immer sauber. Und kein Spaltbreit nach draußen. Man ist für sich.«
»*Den* Laden sollten wir übernehmen.«
»Und uns zur Ruhe setzen.«
»Geschissen wird immer.«
»Gebumst wird immer.«
»Aber denen macht keiner Stress.«
»Und wenn ich hier mein Billig-Pissoir aufmache, ›Mister Piss‹?«
»Wirste keine Lizenz für kriegen. Und selbst wenn, was willste anbieten. Und ›WC Weiß‹ ist einfach gut. Teuer, aber gut!«
»Dann biete ich Flatrate-Scheißen.«
»Du weißt aber, dass dieses ganze Flatrate-Gebumse nur den Markt und die Preise kaputt macht auf Dauer.«
»Die sollten an die Börse gehen. ›WC Weiß‹, mein ich.«
»Wir auch.«
»Wann kommt der Alte nach?«
»Hannover, Berlin. In der Reihenfolge. Ich denke, am Montag.«
»Montag ist ein guter Tag für Geschäfte.«
»Wird Zeit, dass was passiert.«
»Wird Zeit. Die Diskos sind nur der Anfang.«
Und der Driver, der jetzt ein anderer ist, spürt und sieht die Lichter, die an ihnen vorüberrasen, da geht er in die Eisen. Die Blitzer werden durchgesagt, und er fährt von der Stadtautobahn, fährt eine Weile hinter der Müllabfuhr her, biegt dann ab, sieht kurz die alten leeren Hafenspeicher am Kanalbecken, hinter denen der Himmel dunkelrot wird, biegt wieder ab, hört weit weg die Gewitter donnern, die Frau steht schon vorm Haus und raucht. Sie wirft die Zigarette weg und steigt ein. Sie fahren. Die Bullen stehen neben ihm an der Ampel. Golf 2. Sparprogramm, oder was? Ein dürres Gesicht auf der Rückbank, struppige Haare, gelbe Augen, »Kopf runter, du Aas«, er hört die Schreie und das Kreischen von der Achterbahn. Im bunten Chinatown, den großen Hallen am anderen Ende der Stadt, stürmen die Bullen die letzten Depots, Kristall im Tausch gegen Ware, Technik, Taschen, Geld und Brot vom Bäcker, Autoreifen, Auto-

radios, was die Zombies kriegen auf ihren Wegen durch die Nacht, die olympischen Ringe werden durchfahren, kopfüber, kopfunter, berühmte Achterbahn aus München, er sieht die Frau im Rückspiegel, dunkle Haare mit blonden Strähnchen drin, jetzt summt sie ein Lied, das kennt er, ist ein schönes Lied, hat seine Mutter ihm oft vorgesungen, als er ein Kind war. Kurz vor Mitternacht gibt es das große Feuerwerk, zwischen Riesenrad und Achterbahn, sie fragt sich, ob sie das sehen kann nachher, hoch oben über der Stadt, die Bullen beschlagnahmen elf Tonnen Pyrotechnik in Chinatown, gelb, grüne Wellen. Sie fahren, und sie hält die Hand in den Fahrtwind, alle Fenster offen. »Machst du das Radio an, bitte?«
»Für dich immer.« Etwas berührt kalt und klein und feucht ihre Hand, wie eine Schneeflocke.

## III
**(Bumm Bumm)**

Du liegst auf der Straße. Und dabei hast du gedacht, die neunziger Jahre sind vorbei.

Und sie sind ja auch fast vorbei, kurz überlegst du, welches Jahr genau ist, du weißt es, du weißt es doch, bist das ganze Jahr über aufgestanden und schlafen gegangen, aufgestanden und schlafen gegangen und hast deine Geschäfte gemacht, und viel Schlaf war nicht …, aber es ist nicht richtig greifbar, du spürst deinen Kopf auf dem Pflaster, als wäre er leckgeschlagen beim Aufprall, regnet es?, du liegst zwischen den Autos und siehst die Räder und Felgen, in einer Alu-Felge direkt vor dir bricht und spiegelt sich das Licht, Straßenlaternen, Scheinwerfer, Nacht, und du versuchst, dein Gesicht zu erkennen, neunzehnhundertneunundneunzig.

Nein, nichts ist vorbei. Die Zeit der Gewalt war lang, aber auch lange her, schon fast nicht mehr wahr, die Jahre der Ruhe, dein Kopf auf dem Pflaster, die Stadt ist still am Sonntag, und der Regen ist rot, das Auto ist rot, direkt neben dir. Du bist alleine gekommen, obwohl sie alle gesagt haben: »Geh nicht alleine!«, aber du musstest allein gehen, die Neunziger sind fast vorbei, wir wollen nur Geschäfte machen, du hast kurz geschlafen und bist aufgestanden, da war es schon fast Abend. Du hattest noch Zeit und hast Kaffee getrunken und eine Weile draußen im dunklen Garten gestanden, es wird wieder zeitig dunkel jetzt, du wolltest runter zum See laufen, aber das Telefon hat geklingelt. Nein, es hat nicht geklingelt, du hattest es leise gestellt und hast es blinken sehen durch die Scheibe der Veranda, das Display blinkte und blinkte im Aufladegerät wie ein kleiner Leuchtturm. Nein, du hörst es klingeln, du stellst es doch nie leise, das muss woanders gewesen sein, du hast das ganze Haus voller Telefone, und keins ist leise gestellt, das Handy in der Jackentasche summt. Du drehst dich auf die Seite, versuchst, in die Jackentasche zu greifen. Das fällt dir schwer, obwohl deine Arme in Ordnung sind. Dein Handy summt und summt, und du spürst deinen Herzschlag, und dann hört es auf, und du holst tief Luft und atmest aus, holst tief Luft, atmest die Angst aus, da kommt keiner mehr, nein, da kommt keiner mehr, er war allein gewesen, genau wie du, und du hast ihn weggehen sehen, er hat sich einfach umgedreht und ist gegangen. Hat er noch was gesagt? Was hat er vorher zu dir gesagt? Du kannst es nicht greifen.»Das ist von ...« Nein, keine Namen, nie Namen, fang schon jetzt damit an, sie werden dich fragen, gut, dass sie dich noch fragen können, aber sie können dich fragen, bis ihre scheiß Zungen vertrocknen, du atmest die Angst aus und blickst auf deine Beine, die du nicht mehr spürst. Edo, du Drecksau, ich mach dich ... Nein, hör auf, die Neunziger sind ... Aber du weißt, dass du was tun musst, dass du das tun musst, jetzt wieder, wo du dachtest ..., du hast zu viel gedacht, viel zu viel gedacht und zu wenig, bist allein gegangen. Geh nie allein, immer ein Mann dabei, immer ein Mann in der Nähe. Halt dir den Rücken frei, aber er ist nicht von hinten gekommen, kam direkt auf dich zu, wir wollen Geschäfte machen, mehr ist doch nicht, wir wollen nur Geschäfte machen. Edo, du Dreckschwein ... Hat er den Namen genannt, hat er Grüße übermittelt? Du kannst es nicht greifen, du wirst es rausfinden, wirst noch mehr rausfinden, aber wie lange kannst du hier noch liegen?, wenn der Regen nur aufhören würde, es ist schon kühl in den Nächten, aber es regnet doch gar nicht, oder?

Jetzt hast du das Handy aus der Tasche, die Hände zittern, dir zittern die Hände, das ist doch zum Lachen, hast du was genommen vorher, um dich ruhig zu halten oder um dich munter zu machen?, nein, du nimmst nie was, fast nie was, wenn du verhandeln willst. Nur ein kleines Palaver, Sonntag in der stillen Stadt, und dann fällt dir das Handy runter, als du es auf Summen stellst, du bückst dich und hebst es auf, wischst es ab, und da kommt er auf dich zu, was für ein blöder Treffpunkt, du kannst die dunklen Türme des alten Stadions erkennen, ein paar hundert Meter entfernt, jetzt versperren die parkenden Autos die Sicht, der Akku springt raus, und jetzt spürst du den Schmerz im Knie und im anderen Bein weiter oben, nein, du hast nichts genommen, Adrenalin, dein Herz, wie es den Stoff durch deinen Körper pumpt, du wirst müde, aber du musst munter bleiben, darfst nicht einschlafen, und müde bist du, so müde, nicht schlafen, das weißt du, bis sie dich holen, wenn nur die Richtigen kommen und dich holen, aber nein, er war allein und ist weg, und du atmest die Angst aus und siehst die SIM-Karte deines Handys neben dem Akku auf dem Pflaster. Du siehst die kleinen goldenen Metallplättchen auf der Karte. Da blinkt noch was anderes, auch golden, auch auf dem Boden, ein paar Meter entfernt. Eine Münze, denkst du, sieht aus wie der Anhänger einer Kette, ein Talisman, der Schutzengel der Händler, der heilige Michael, und du greifst nach deiner Brust, bist so glücklich, dass du dir über die Brust streichen kannst, bist so glücklich, dass dir die Tränen in den Augen stehen, die Hände zittern dir, und du flennst, das ist doch zum ..., wenn sie dich so sehen würden, und du greifst nach deiner Kette, früher war's ein kleiner goldener Boxhandschuh, damals, als du noch gekämpft hast, Kickboxen, ist auch schon ein paar Jahre her, da warst du ein richtiges As, AK 47 haben sie dich genannt, wie das Maschinengewehr, Arnold Kraushaar, Arnie Schamhaar, das war in der Schule, aber denen hast du schon damals Saures gegeben und sie über den ganzen Schulhof gejagt, nie wieder Arnie Schamhaar, AK 47, im Boxen warst du auch ganz gut, schon damals in der Schule, hast sogar ein paar Amateurkämpfe gemacht, Kickboxen gab's erst richtig nach der Wende, die Beine, die Füße, die Kicks, da warst du besser als nur mit den Fäusten, du hast jeden Tag trainiert, hast die besten Jungs im Ring mit deinen Kicks erledigt, du blickst auf deine Beine, deine hellen Hosen sind schwarz. Wie lange liegst du hier schon? Es können nur Minuten sein, du weißt das. Die Zeit stimmt nicht mehr, wenn das Adrenalin im Körper ist. Ein Taxi fährt vorbei, du willst dich bemerkbar machen, winkst, aber du liegst direkt neben den Autos, und er kann dich nicht sehen. Jetzt reiß dich zusammen!, du versuchst hochzukommen, versuchst, dich mit beiden Armen an dem Auto hochzuziehen, versuchst, den Türgriff zu packen, pack zu, Junge, wo ist deine Kraft, verdammt nochmal, aber deine Arme sind schlaff und weich, Gummi, denkst du, nur mit Gummi, Mädels, wie oft muss ich euch das noch sagen, da können sie hinlegen, was sie wollen, was nützt euch das, wenn ihr euch die Syph und die verdammte Pest holt, habt ihr schonmal was von Aids gehört, Mensch, bist du blöd!, scheißegal, ob es ein Stammkunde ist, kapierst du?, Mensch, Mädel, ich denk doch an dich bei der ganzen Sache! Du weißt, du musst warten, tief atmen, immer tief atmen, wenn du doch nur deine Beine spüren könntest, musst warten, bis deine Kraft wieder da ist, du willst schreien ... Hilfe! Holt doch jemand die Bullen, aber was nützen dir die Bullen, du brauchst einen Arzt, und zwar sofort. Wie blöd musst du sein, mitten in der Nacht, wie in einem billigen Gangsterfilm, du bist unvorsichtig geworden, die Jahre der Ruhe haben dich unvorsichtig gemacht, warum hast du nicht auf Alex gehört, »Ich komm mit«, hat er immer wieder gesagt am Telefon, ist erst eine Stunde her, draußen im Garten, »Nein«, hast du gesagt und hast auf den See geblickt hinter den Bäumen, dein bester Mann, du musst lächeln, du erinnerst dich, wie Alex letzte Woche im Ring wieder seine Show abgezogen hat, »Nimm die Deckung hoch, Alexander!«, wolltest du rufen, aber hast doch den Mund gehalten, weil du weißt, wie gerne er im Ring seine Show abzieht, hat zu viele Ali-Videos gesehen, oder wie hieß dieser Boxer noch gleich, den er so verehrt, ein schwarzer Amerikaner,»der König« nennen sie ihn, Jackson ..., Jones, Jones Junior oder so ähnlich, der lässt die Arme baumeln, erzählt Alex, macht seine Gegner lächerlich, streckt sein Kinn raus, um es im letzten Augenblick zurückzuziehen, wenn der Schlag kommt, aber Alexander der

Große ist kein König, höchstens ein Herzog oder sowas, denn er kassiert jede Menge, taumelt ohne Deckung vor seinem Gegner rum, und du bist dir nicht sicher, ob das noch zu Alexanders Show gehört oder ob er kurz vorm K. o. steht, aber dann in der dritten und letzten Runde hat er ihn umgehauen, wie meistens drehte er zum Schluss richtig auf, »der zweite Atem«, sagt er immer, »le deuxième souffle«, da gibt er immer an, der Spinner, weil er ein bisschen Französisch kann, und du lächelst immer noch und wünschst dir, er wäre hier, und dein Gesicht ist ganz steif, du musst schrecklich aussehen, aber niemand kann dich sehen, warum gibt es keine verdammten Fußgänger um diese Zeit, kein Mensch mehr unterwegs, was für eine miese Stadt, vielleicht der Regen, da sitzen sie lieber im Trocknen, Sonntagabend, »Tatort«-Zeit … Jetzt dreh nicht durch, es regnet nicht, es regnet doch gar nicht, hat die ganze Woche nicht geregnet, dabei war der Himmel heute dunkel gewesen, schon am Mittag zogen Wolken auf, verdammt, wo ist nur dein Riecher geblieben, dein sechster, siebter, achter Sinn, ohne den wärst du nicht dort, wo du heute bist …, auf der Straße, denkst du, im Dreck, und du lachst, und dir klappern die Zähne, Schüttelfrost, und du weißt, dass das kein gutes Zeichen ist.

Als Kind warst du immer der Gangster, der Indianer, der Seeräuber, und du liegst im Gras hinterm Haus und blickst in den Himmel und hörst die anderen, wie sie schreien, hörst die Zündplättchen knallen, Peng! Peng! Peng!, und du denkst, dass Sterben vielleicht ganz einfach ist. Du hast dich immer gefragt, ob es Menschen gibt, die nicht sterben müssen, Halbgötter, von denen hast du gelesen, du hast viel gelesen damals, aber so viel wieder vergessen, konntest schon in der ersten Klasse besser lesen als die meisten deiner Freunde, Herakles, aber ist der am Ende nicht auch krepiert, nach all seinen Prüfungen?, und Thor, das war doch dieser Nordmann mit dem Zauberhammer, ein Gott?, ein Halbgott? oder doch nur ein Mensch? … Mussten die nicht immer die Früchte von diesem Baum essen, damit sie die Zeiten überdauern? Hast du das wirklich geglaubt, als du Kind warst? Einmal bist du in den Botanischen Garten gegangen und hast dir die exotischen Pflanzen und Bäume angeguckt, kurz bevor sie zumachten am Abend, hast extra deinen kleinen Rucksack mitgenommen, Campingbeutel hieß der, war der rot oder blau?, alle hatten so einen Rucksack, so einen Campingbeutel, den gab's nur in diesen beiden Farben, und auf den Wandertagen und Schulausflügen gab es die Roten und die Blauen. Bestimmt hast du Rot gehabt, denkst du, ein guter Witz, das Schicksal, Vorbestimmung, an sowas glaubst du manchmal, auch wenn du die Götter abgehakt hast.

Du hast den Rucksack vollgestopft, wie alt warst du da, neun, zehn?, hast Feigen, Kaktusfeigen, Granatäpfel, Guaven und wie dieses ganze Zeug auch immer hieß, abgerissen, bist über die Absperrschnüre in die Beete gelatscht, die Zweige und Blätter im Gesicht, das sieht gut aus, und das auch!, und diese kleinen steinharten Knollen, deren fremde Namen du nichtmal richtig entziffern konntest ... Und dann die Angst.

Der Pförtner oder irgendein Aufpasser hat dich angesprochen, als du gehen wolltest, ich muss einen Vortrag halten in Biologie, exotische Pflanzen, Bromeliengewächse, hast du gesagt, das hast du in einem Lexikon gelesen, verrückt, dass dir das jetzt wieder einfällt. Gestottert hast du, und dieses Brennen und Ziehen im Unterleib, bis runter in die Eier, das wirst du nie vergessen, weil es später immer mal wiederkam, auch Jahrzehnte später, Jahrzehnte ... Wie gewaltig das klingt, das ist jetzt fast dreißig Jahre her, und damals hattest du noch nicht die Kraft, es als Lust zu empfinden, als Ansporn ... Dann musst du eher kommen, hat dieser Typ gesagt, ein alter Mann, der Wächter der Lebensbäume, du musst eher kommen, da sind unsere Studenten da, die können dir viele hilfreiche Sachen sagen, damit dein Vortrag richtig gut wird. Der Alte hört nicht auf zu erzählen, und er steht ganz dicht vor dir, und hinter dir die Blätter und Zweige, und er spricht so feucht und riecht sauer aus dem Mund, dass du dich abwenden möchtest, und du spürst die Früchte und Knollen auf deinem Rücken durch den Stoff. Der Alte streicht dir durch die Haare, seine Finger sind so hart und schwielig wie diese langen Knollen, die du vorhin erst befühlt und dann abgerissen hast. Komm doch morgen nach der Schule, wann musst du denn deinen Vortrag ..., und dann sind unsere Studenten hier ... Du bist nie mehr in den Botanischen Garten gegangen, und die Finger des

Alten waren noch auf deinem Kopf, als du schon längst zu Hause warst.

In deinem Zimmer hast du deine Beute mit deinem Taschenmesser zerkleinert, wie lange das gedauert hat, und die kleine Klinge war viel zu stumpf. Du bist in die Küche gegangen und hast ein großes Brotmesser geholt, das besonders scharfe, und dann hast du alles in dich reingeschlungen, weil du so lange leben wolltest wie Thor und Herakles. Geschissen und gekotzt hast du, die Götter hätten es nicht besser gekonnt, noch den nächsten Tag, dass du nicht zur Schule gehen konntest, und als du wieder gesund warst, hat Mutter dich geprügelt, und das hat sie sonst nie gemacht, mit dem Pantoffel, und geheult hat sie und geschrien: »Junge, mach mir nie wieder solche Angst!«

Du liegst auf dem Rücken und hörst das Knallen der Zündplättchen, Peng! Peng! Peng!, und blickst in den Himmel, die Sterne ... Alex muss in den Stein, wenn es schlecht läuft, das Pflaster ist kalt unter dir, es war so schön, auf der Wiese zu liegen, ob ihm die Anwälte helfen können? Deine Anwälte sind die besten in der Stadt, und nicht nur in der Stadt, wie oft haben sie dich rausgehauen, wie oft haben sie deine Leute rausgehauen und deine Mädels, auch die Beatriz vor kurzem, als das Mädchen bei Lady Kira halbtot im Schrank hing, aber Alex hat wieder mal Scheiße gebaut, du hast es ihm immer wieder gesagt: »Wenn du nicht aufpasst, musst du weg, und ich brauche dich hier.«

Und diesmal wird's schwer, ihn aus der Sache rauszuhauen, du weißt das, auch wenn er's noch nicht wahrhaben will. Vielleicht wolltest du deshalb nicht, dass er mitkommt heute, in dieser Nacht, und wenn du wieder auf den Beinen bist, wirst du dafür sorgen, dass seine Zeit kurz wird dort. Im Ring ist er kein König, aber ganz gut, nein, du hast keine Sterne gesehen, die Wolken treiben immer noch über den Nachthimmel, und auch wenn sie nicht da wären, man sieht keine Sterne hier, nicht einmal draußen bei dir am See siehst du die Sterne so, wie du sie auf dem Land siehst, in den Bergen, wenn dir hier alles zu viel wird. Im Ring ist er kein König, obwohl er ganz gut ist, ein Graf vielleicht, aber auf der Straße ..., so wie du früher ... Wie oft hast du ihm gesagt in der letzten Zeit: »Einen Kampf gewinnst du am besten, indem du ihn vermeidest.« Du hättest sowas nie gesagt, früher ... AK 47. Was das für Zeiten waren. Ist das jetzt die Quittung für all die Gewalt, das Schicksal, an das du manchmal noch glaubst? Blödsinn, nein! Du wärst nicht dort, wo du jetzt bist, ohne all das, ohne die Kämpfe, ohne die Fäuste, vergiss die Straße und den Dreck, in dem du jetzt liegst, du bist oben, verstehst du, oben! Und du willst noch weiter und höher kommen, und deswegen musst du hier weg und zurückschlagen und alles ins Reine bringen! Und du schreist und wunderst dich, wie hoch und dünn deine Stimme klingt. Vergiss deinen Stolz und schrei! Schrei um Hilfe. Und dann versuchst du, dein Handy wieder zusammenzubauen, aber der verdammte Akku ist unter das Auto gerutscht. Wieso hast du dein anderes Handy zu Hause gelassen? Du wärst früher nie mit nur einem Handy in die Nacht gegangen ... Aber früher war ein Handy groß wie ein Ziegelstein, einen Ziegelstein hättest du auf seinen Schädel krachen lassen sollen, immer und immer wieder, bis er am Boden und im Dreck gelegen hätte, und das Pflaster wäre dunkel geworden unter ihm, und du hättest den Stein mitgenommen und ihn da vorne von der Brücke in den Fluss geworfen.

Jemand muss dich hören, so laut, wie du brüllst, vielleicht hat jemand schon längst die Bullen gerufen, vorhin, als es passiert ist, und laut genug war es ja. Und du erinnerst dich, dass du eine Uhr trägst, du hebst den Arm ein wenig, dass der Ärmel verrutscht, und siehst auf deiner Breitling & Söhne, früher hast du mal eine Rolex gehabt, dass du höchstens zehn Minuten hier liegst, und du wunderst dich nicht, denn du weißt, dass die Zeit ..., als würden die Früchte von damals doch noch wirken, anders, als du gedacht hast ..., du stürmst in die Bar, Alex und die anderen sind neben dir, keine Zündplättchenpistolen mehr, und ihr schlagt und prügelt, mit Fäusten und Knüppeln, und das Krachen und Splittern und Schreien, Typen, die zur Seite wegspringen und doch erwischt werden, Typen, die sich unter den Tischen ducken und verkriechen und doch erwischt werden, das Großmaul, das die Treppe hoch will und doch erwischt wird, und dann spürst du wieder die Hände des Alten, ganz langsam gleiten sie über deinen Kopf.

Ein Kind ist gestorben, da vorne an der Brücke, vor ein paar Wochen. Du hast es in der Zeitung gelesen. Ruderverein für Kinder, sie sind mit ihren Booten zu nah ans Wehr gekommen, und zwei Boote sind in die Strömung geraten und den kleinen Wasserfall runter, die anderen Kinder aus den beiden Booten konnten sie rausholen. Ein Kind liegt noch im Koma. Der Junge ist erst nach Tagen wieder aufgetaucht. Etliche Kilometer weiter. Die Strömung. Du warst an diesem Tag drüben am Straßenbahnhof gewesen, hast bei den Mädchen nach dem Rechten geschaut. Und hast dich gewundert, was der Hubschrauber da am Fluss will. Er kreiste eine Weile über der Brücke, bevor er gelandet ist. Du hast am Fenster gestanden, die Mädchen hinter dir, und das schrille Quietschen der Straßenbahnen, und dein sechster, siebter, achter Sinn hat dir gesagt, dass dort, wo er landet, der Tod ist. Und jetzt liegst du nicht weit davon ... Dein Junge darf nie rudern auf dem Fluss.

Du bist froh, dass er jetzt nicht in der Stadt ist. Du hast ihn auf eine Schule geschickt, außerhalb.

Du siehst die Wolken ziehen. Du spürst, dass es kühl herüberweht vom Fluss. Du siehst die dunklen Türme des alten Stadions. Ein Auto fährt langsam auf der Gegenspur. Es fährt weiter Richtung Ampel, die gelb blinkt.

Du kannst einen Kampf nur gewinnen, indem du ihn vermeidest. Der Bielefelder hat dir das damals gesagt. Aber das ist Unsinn, Bielefelder!, denkst du. Jetzt siehst du, dass es Unsinn ist, Bielefelder. Aber wenn Alex drauf gehört hätte, müsste er nicht in den Stein. Dir ist schwindlig, und du spürst nur noch deinen Kopf und bewegst ihn auf dem Pflaster hin und her. Du hörst Sirenen. Sie kommen, denkst du, endlich kommen sie.

Der Bielefelder wollte damals hier einen großen Laden aufmachen, Anfang der Neunziger, ein Eroscenter, fünfzig Zimmer oder mehr, und später haben's seine Leute auch gemacht. Du hast dich oft mit ihm getroffen in der Zeit. Du hast mit deinen Leuten damals Einiges überrannt. Nach oben und immer weiter, Thor mit seinem Hammer, du wolltest Geschäfte machen, gute Geschäfte, und dafür hast du investiert. Fäuste und Scheine und noch viel mehr. War ein guter Mann, der Bielefelder. Alte Schule, so wie sie drüben im Westen sagten, damals. Aber er ist in den Krieg gekommen, hier

in die Stadt, wo keiner die alte Schule kannte, der Bielefelder, damals.
Dein Freund Schweine-Hans, war er nicht ursprünglich Schlachter oder Fleischer oder sowas gewesen?, hat immer gesagt: »Das Vieh wurde geschlachtet, und jetzt will jeder seine paar Kilo Fleisch!« Er ist zu dir gekommen, der Bielefelder, weil er wusste, dass er mit deinem Rollkommando verhandeln muss. Hat er dir nicht mächtig imponiert damals? Ein großer Kerl, graue Haare, bester Zwirn, und breite Schultern unter dem besten Zwirn, Davidoff Filter, und ein Bein hat er etwas nachgezogen, aber mit Würde, und ein Stock dazu, mit silbernem Knauf, ein Löwenkopf, der Knauf und der Mann, bestimmt schon sechzig. Er wusste, wie er dich auf seine Seite bringt. Hat dir gute Scheine in Aussicht gestellt, wenn du ihn nicht bei seinen Geschäften störst, und deine Leute könnten die Security, und wenn du jemanden kennst, der seine Mädchen unterbringen will, erste Wahl, wenn du das willst, und sein guter Name, gute Kontakte, und einige Leute mit Geld hinter ihm ... Alte Schule, und du hast langsam begriffen, was das heißt.
Und jetzt leckst du dir mit der Zunge über die Lippen, mit deiner Zunge, die taub ist, und du spürst den kalten Schweiß, der dein Gesicht nass macht, das ist also der Regen, die Wolken da oben sind ganz friedlich, und du fragst dich, warum dich der Typ vorhin nicht erledigt hat, und du hörst die Sirenen ganz in der Nähe. Und dann kriechst du ein paar Meter, ach was, Zentimeter, und Peng! Peng! Peng! bist du wieder auf der Wiese hinterm Haus, wie weich das ist, und sagst dir, dass Sterben einfach scheiße ist, und blickst in den Himmel, wo die Sonne und die Sterne und kein Mond und die Planeten, dein Großvater hat dir mal den Mars gezeigt, der glühte rötlich irgendwo ein Stück überm Horizont ... Und schwarz auf einmal, so schwarz, dass dir eine Angst die Eier zerreißt.
Ein dünner Schlauch in deinem Arm. Zwei Sanitäter. Dann eine Decke. Die Sirene fern, als wenn noch ein zweiter Wagen heulend nebenherfahren würde. Das Auto schlingert. Bremsenquietschen? Die Sanitäter hantieren. Du bist noch da. Wieder da. Dann wieder Dunkel. Die Sirene mal laut, mal leise. Du bist noch da. Nicht unter die Decke, bitte. Nicht über den Kopf, bitte. Du willst nicht unter die

Decke und versuchst, dich zu schütteln, die Decke verrutscht, du hebst den Kopf ein wenig und siehst deine Beine, die Hose ist zerschnitten, du siehst dein Fleisch, dunkelrot und weiß und zerfetzt und fast schwarz. Wo hat es angefangen? Deine Augenlider flackern, das Licht wie ein Stroboskop. Oben an der Küste. Du wärst so gern am Meer. Diese Bar. Wie hieß sie noch gleich ... Der Name eines Vogels. Pelikan ... Ein weißer Schwan auf dem Schild über der Tür. Goldmuschi. Und wie sie abkassiert hat. Das hat dir mächtig imponiert. Goldmuschi und die anderen, und alles auf eigene Rechnung, die größte Kuppelbar der DDR, Seemänner aus der ganzen Welt und Dollars, als wäre es L. A. So ein Laden, und die Prozente an mich, irgendwann. Du hörst Goldmuschi lachen, und sie verschwindet mit drei kleinen Philippinos. Short time, nannten sie das, drei hintereinander, hundert Dollar, die waren zweitausend Mark wert bei den Kursen auf dem Schwarzmarkt, im Stehen und nichtmal ein Bett, was für ein Geschäft, hast du gedacht und dein Bier getrunken, Goldmuschi, Koffergriff und die anderen, und du gibst ihnen die Betten, Mister Manager, irgendwann. Du sitzt an der Bar und lachst und glaubst an das Schicksal. Sie sagen was zu dir, fassen dir auf die Schultern und drücken dich vorsichtig auf die Trage, während das Auto rast, und du wirfst dich hin und her, musst alles begreifen, die Decke, und dann beruhigst du dich langsam, warum sollten sie dir die Decke über den Kopf ziehen?, du spürst es bis in deinen Unterleib, wie das Auto rast. Alles ist nass, und sie hantieren, und du willst was sagen, aber dein Mund ist so ausgetrocknet, dass du nichts sagen kannst. Wasser, willst du sagen. Wasser. Du wärst so gerne am Meer.

Das Blut, woran hat dich nur das viele Blut erinnert? Du hast viel Blut gesehen, vor allem Anfang der Neunziger. Du fragst dich, ob der Bielefelder mal jemanden umgelegt hat, er ist seit vierzig Jahren im Geschäft, war auch mal in Hamburg, hat er erzählt. Gewalt schadet dem Geschäft, hat er immer gesagt, aber da ist was in seinen Augen, und dein sechster, siebter und ..., du musstest dein Geschäft erst aufbauen, und das Blut, du weißt, dass das alles nötig war ..., du wärst nicht dort, wo du jetzt bist. Du hebst die Hände ein wenig, hältst sie ins Licht der Deckenlampe, es ist gut, denkst du, dass das

Licht die ganze Nacht brennt. Du bist noch schwach, hast viel davon verloren, woran du die ganze Zeit denkst. Sie hätten nicht viel später kommen dürfen. Du hattest Alex nur kurz am Telefon, darfst noch keinen Besuch empfangen. »Die verdammten scheiß Kanacken!« Was hat er gesagt? Hat Claudia nicht angerufen? Und dein Sohn? Die Tabletten und das Zeug, das in deinen Arm tropft, verwirren dich, du hast über zwanzig Stunden geschlafen, du spürst die Einstiche an den Armen von den Transfusionen. Viel haben sie dir gegeben, neues, unverbrauchtes, und das wird dich stark machen. Hat Alex Namen genannt, wissen sie, ob Edo ihn geschickt hat? Du versuchst, alles in deinem Kopf zusammenzusetzen, aber kannst es immer noch nicht richtig greifen, du weißt, du brauchst Zeit, dann wirst du die Antworten finden. Dieser Typ, der Vater von dem Mädchen damals, hat gedroht, dich umzubringen, obwohl du gar nichts mit der Sache zu tun hattest. Nein, so eine Schweinerei würdest du nie ... Aber dieser Idiot ist dort hingegangen, wo du warst. Nach oben. Aber noch bist du nicht ganz dort, vielleicht wird das jetzt der letzte Schritt, ein Wink des Schicksals, an das du manchmal noch glaubst. Wieso hat er so lange gewartet? Das muss dreiundneunzig gewesen sein. Und er ist vier Jahre später gekommen. Nein, du hattest nichts zu tun damit. Aber du hast es gewusst, alle haben es gewusst. Und dann ist er aufgetaucht und ist zu dir gekommen, weil er dachte ... Was hat er gedacht, dieser Idiot? »Wenn du deine Drecksfinger mit da drinnen hattest, bring ich dich um!« Sie haben ihn nach draußen geschleift, ein kleiner Mann, eins sechzig, Ex-Jockey, Ex-Trinker, wie du später erfahren hast. »Hörst du, Lude! Dann bring ich dich um!« »Sollen wir ihn ...« »Nein. Lasst ihn gehen. Und wenn er nochmal kommt, lasst ihn nicht rein. Mehr nicht. Lasst ihn nur nicht rein.« Du hast ihn schreien gehört, während sie ihn rausschleiften. »Ich bring dich um! Ich stech dich ab!«
Du hast dich umgehört. Wusstest dann, wo seine Tochter ist. Achtzehn war sie damals, also vierzehn neunzehnhundertdreiundneunzig, und alle haben es gewusst. Von ihr und den anderen.
Dir ist kalt, und du schiebst die Hände unter die Decke. Du hättest den Laden kurz und klein schlagen können, so wie du andere Läden kurz und klein geschlagen hast. Wolltest du damals schon an die

Papiere?, Staatsanwälte, Richter und Bullen und Geldsäcke, die auf kleine Mädchen standen. Du bist abends allein durch die Straße gefahren, hast ein paar andere Mädchen nach ihr gefragt. Die meisten kannten dich nicht. Mit diesem Dreck hattest du nichts zu tun. Drogenwracks. Fixer. Solche Mädchen arbeiten nicht bei dir. Da hatte der Bielefelder recht, »Drogenmädchen machen das Geschäft kaputt.« Ein bisschen Koka und sowas hat noch keinem geschadet, in Maßen, in Maßen ..., aber das ... Dir ist schlecht geworden, als du all das kaputte Fleisch gesehen hast. Dunkelrot und weiß und zerfetzt und fast schon schwarz.

Und da stand sie an einer Ecke, direkt vor einem Blumenladen, der auch Zeitungen und Getränke verkauft, die Mädchen, die du nach ihr gefragt hattest, wollten sich in deinen BMW drängen, rieben sich an der Tür, beugten sich über die Motorhaube, und du hättest kotzen können, obwohl, wenn die Nadel nicht wäre, könntest du ihnen ein Zimmer in einem deiner Objekte geben, ein Hurenentzugsprogramm, das wär vielleicht was, aber ohne den Suchtdruck würden sie wahrscheinlich sonstwas machen, Verkäuferin in einem Laden für Blumen und Zeitungen und Bier, was für eine Mischung!, und die meisten haben die Syph oder den Tripper oder vielleicht sogar Aids, die bumsen doch ohne, sonst würden diese ganzen Penner, die hier langsam mit ihren Karren vorbeifahren, die Augen groß wie Fünfmarkstücke, zu deinen Mädels kommen.

Du hast sie gleich erkannt, dein siebter, achter Sinn ..., sieht dem Vater ein kleines bisschen ähnlich, und dessen Gesicht wirst du nie vergessen, wie es geschrien hat. Und dann sitzt sie neben dir, genauso klein und schmal wie der Vater, kurze struppige Haare, Pickel auf der Stirn und im Gesicht, mit Schminke verkrustet, ein Minirock wie ein Gürtel, ein T-Shirt, durch das du ihre mageren Brüste und die Nippel siehst, als wäre sie noch vierzehn, wie damals, aber da kanntest du weder sie noch die anderen, hattest nichts damit zu tun, und sie erzählt dir, was sie alles macht und für wie viel, und das ist wirklich nicht viel, und du überlegst dir, ob sie das auch mit vierzehn gemacht hat und ob sie da clean gewesen ist, als die Säue über sie drübergerutscht sind, erinnerst dich, dreiundneunzig kam man hier auch schon an jeder Ecke an Heroin, überlegst, ob die Papiere und die Filme das wert sind, dass du damals stillgehalten hast, überlegst, ob vielleicht nicht so oder so alles so gekommen wäre, wie es jetzt ist, aber weißt, dass das damals sie kaputtgemacht haben muss. Sie fingert an dir rum, und du sagst: »Lass das« und gibst ihr Geld und sagst ihr, dass sie gehen soll, und weißt, was sie mit der Kohle machen wird, und denkst, dass du wiederkommen musst, aber vielleicht nicht wiederkommen wirst. Du siehst sie über die Straße trippeln, an dem Laden vorbei und dann weiter Richtung Bahnhof. Du hast ihr eine Menge Geld gegeben, wie erstaunt sie geguckt hat, die Augen groß wie ..., aber trüb und rot. Vielleicht ist sie schlau und nimmt irgendeinen Zug, es gibt Nachtzüge nach Paris und Kopenhagen, aber du weißt es besser, der Bahnhof, nachts.

Du hast ein Einzelzimmer, und alles ist weiß und sauber, ein Kunstdruck an der Wand, Blumen, und du erinnerst dich an das Piepen der Notaufnahme, Intensivstation, das gleichmäßige leise Piepen aus all den Betten, dann und wann ein Stöhnen, Schnarchen laut, Schnarchen leise. Der Neuner-Rat, denkst du, die Ritter der Tafelrunde, denkst du, während du schon halb schläfst und woanders bist, du bist weg und wieder da, weg und wieder da, der Neuner-Rat trifft sich bald wieder, und dann musst du fit sein und ihnen zeigen, dass du all das regeln kannst, notfalls alleine, du und Alex und deine Leute. Ein Piepton, langgezogen und nicht enden wollend, und du fasst auf deine Brust und spürst das gleichmäßige Pochen und hörst das gleichmäßige Piepen, der lange Ton wird zu einem Pfeifen, zu einem schrillen Pfeifen in deinen Ohren, in deinem einen Ohr, auf dem anderen bist du fast taub, seit ein Tritt im Ring dir dein Trommelfell zerfetzt hat, und dann die Knarre, die der Typ, der heute kaum noch laufen kann, neben deinem Ohr abgefeuert hat, die Ritter der Tafelrunde, wie gern hast du das gelesen als Kind, König Artus und Parzival, der den Gral gesucht hat, bis er wahnsinnig geworden ist, Sir Galahad und seine Freunde, und du hörst das Trappeln der Ärzte, während du noch halb woanders bist, die Seiten rascheln, die Schwerter klirren, und du am Kopfende mit goldenem Helm, aber wie soll das gehen bei so einem runden Tisch, du hörst ein Husten, ein dumpfes Luftausstoßen, das fast wie ein Brüllen klingt, leben, da will jemand leben, und dann hörst du das gurgelnde Einatmen der Luft. Die Ärzte und Pfleger sprechen leise miteinander, das gleichmäßige Piepen um dich herum, und dein guter alter Sinn kann dir nicht sagen, ob da der Tod war oder ob es weitergeht. Deine Augenlider flackern, das Licht wie ein Stroboskop, und du siehst Schatten um dein Bett herum. Wie spät ist es?, du fühlst nach deiner Breitling, aber die ist weg. Deine Beine sind steif, als wären sie aus Holz, du drehst den Kopf und siehst den Druck mit den Blumen wie einen dunklen Farbklecks an der Wand gegenüber. Du wünschst dir, dass es Tag wäre, aber dann würde das Sonnenlicht ins Zimmer fallen.

Du öffnest die Augen, und du bist nicht allein. Eine Frau sitzt da, auf dem Stuhl an der Wand, direkt unter dem Druck mit den Blumen. Sie ist schwarz, die Haut, und schwarze lockige Haare und ein hellrosa Kleid. Du begreifst nicht gleich, denn das kann nicht sein. Ein paar Afrikanerinnen arbeiten bei dir, am Anfang waren es die Fidschis, jetzt sind es die Afrikanerinnen, aber wieso kommt ausgerechnet diese dich besuchen. Und haben sie dir nicht gesagt, Besuch erst in ein, zwei Tagen. Aber vielleicht hat sie sich reingeschlichen. Ein Mann ist immer unten im Auto direkt vorm Eingang, dafür hat Alex gesorgt, und auch die Bullen passen auf. Aber nur die besten Mädels arbeiten für dich. Du richtest dich halb auf, drehst dich zu ihr. Sie sitzt da, blickt dich an und bewegt sich nicht. Ihr Gesicht wie aus schwarzem Stein. »Arnie«, sagt sie, und ihre Lippen bewegen sich kaum. »Mary«, sagst du, und sie spricht weiter, und das klingt seltsam in dem kleinen Zimmer, das dir vorhin noch so groß vorkam. Irgendetwas stimmt nicht, denkst du, was macht sie hier?, und was sie sagt, ist falsch. Du möchtest dich wegdrehen, und jetzt wäre die Decke über deinem Gesicht vielleicht ganz gut, aber sie ist hier. Und als du irgendwann, vorhin oder gestern oder vor Stunden, an das viele Blut gedacht hast, war sie auch hier. »Wir haben damals alles getan«, sagst du. Und das stimmt sogar. Ihr habt ihn erwischt, ein paar Wochen später, und wenn die Bullen nicht dazwischengefunkt hätten, würde er jetzt irgendwo vor der Stadt liegen, und in ein paar Jahren wäre dort das Gras besonders saftig ... (Nein, das war nur dein erster Zorn damals, sie war eins von deinen Mädchen, in deinen Räumen, und deine Schultern und dein Nacken und deine Brust haben geschmerzt, als hättest du Gewichte gestemmt, die ganze Nacht und den ganzen Tag, aber ihr hättet ihm wahrscheinlich nur ein paar Knochen gebrochen.)»Er hat mich geliebt«, sagt sie. »Vielleicht«, sagst du und versuchst, ganz locker zu sein, aber das Blut und sie kriechen in deinen Kopf, da ist ein Pflaster oberhalb der Stirn, dort, wo du auf die Straße geschlagen bist, vor Tagen, vor Stunden, irgendwann. Der Typ war jung, Anfang zwanzig vielleicht, neunzehn, wie du später erfahren hast. »Du hättest eher kommen sollen«, sagt sie, und das verstehst du nicht und willst es nicht verstehen, denn sie ist doch gekommen. Das Laken unter dir ist nass. »Du solltest nicht hier sein«, sagst du. Und die Schatten, die du vorhin durch deine Augenlider gesehen hast, sind wieder da, und du schüttelst den Kopf, weil da eine Hand in deinen Haaren ist, sie steht jetzt vor deinem Bett, und du ziehst die Decke bis unter deine Nase und spürst deinen warmen Atem auf deinem Gesicht. Wie sie dich anblickt, du kannst das nicht ertragen, du kannst so vieles plötzlich nicht mehr ertragen, und das Zimmer ist jetzt voller Menschen, ihr Atem, ihre Geräusche, ihre Gerüche, sie tuscheln und wispern. »Ich liege vor der Stadt«, hörst du, und du weißt, wo sie liegt, im Moor, weißt es nur ungefähr, hast sonst nichts damit zu tun. »Und bei meiner Arbeit, auf dem Gericht, wie läuft es da ohne mich?« Das hörst du und ziehst dir die Decke bis hoch zu dem Pflaster über deiner Stirn. Denn du weißt, wenn du aufstehst und zwischen ihnen durchs Zimmer humpelst und die Tischschublade aufziehst, liegt dort ein kleiner Mensch drin und lacht dich meckernd an. Lasst mich in Ruhe, denkst du, und vielleicht flüsterst du es auch, geh weg, Mary, denn du hast das alles mitgebracht!

Du stehst vor ihr und blickst auf diese riesige Wunde in ihrem Hals, wie ein schwarzes Grinsen von einem Ohr zum andern. »Da ist ein Typ, Arnie, der kommt immer wieder, der macht mir Angst.«

»Ein Stammkunde, Mädchen, den musst du dir warmhalten, mach ihm ruhig schöne Augen, und wenn es Probleme gibt, ruf mich an.«

Dein Telefon klingelt. Du suchst in deinen Taschen, kein Klingeln, ein Summen und Vibrieren, du hast es leise gestellt. Es fällt runter, der Akku springt raus, wo ist die SIM-Karte?, und du rollst dich auf die Seite. Da blinkt und glitzert etwas neben dir. Du greifst danach. Eine Patronenhülse. Die Sirenen werden leiser. Der Boden unter dir ist nass. Du drehst dich wieder. Da vorne blinkt eine Ampel, gelb. Kühl vom Fluss. Du zitterst. Die Türme des alten Stadions. So dunkel.

## Die Nacht des Reiters

Sie erzählen sich Geschichten über den kleinen Mann. Dass er nie schläft. Und dass er sucht. Seit vielen Jahren. Jede Nacht. Dass er mal ein berühmter Reiter gewesen ist. Ein Pferdemann. Bevor er anfing zu trinken. Manche erzählen, dass er auch schon getrunken hat in seinen großen Zeiten. Andere sagen, dass sie ihn selbst noch gesehen haben, auf dem Rücken der Pferde. Als sie Kinder waren. Der kleine Mann sucht sein Kind, sagen sie. Seine Tochter. Und dass er nicht mehr trinkt, weil seine Leber kaputt ist. Andere sagen, dass er wieder angefangen hat. Und dass er immer kleiner und dünner wird, weil der Schnaps ihn auffrisst. Und dass er einmal das große Derby gewonnen hat, in den Achtzigern, als sie Kinder waren. Genau wissen sie's aber nicht. Die meisten sind zu jung, können ihn nicht gesehen haben, als sie Kinder waren, in den Neunzigern, denn da ritt er nicht mehr. Nur jetzt, in den Nächten. »Da habe ich ihn mal gesehen.«
»Ach, gesehen hast du ihn?«
»Ja.«
»Wo denn?«
»Das muss paar Jahre her sein, zwo-drei, zwo-vier ...«
»Auch schon wieder lange ..., aber nicht so lange. Und seitdem nicht mehr?«
»Aber ich höre ihn manchmal. Hinterm Bahnhof, auf dem Bahnhof.«
»Hören? Du bist doch nicht wieder auf Koks oder rauchst die Diamanten? Kristall?«
»Natürlich nicht, das weißt du doch. Sonst wär ich doch nicht mehr hier, oder?«
»Ja, ja. Nichts gegen eine kleine Nase, wenn du zu Hause bist, ist ja

dein Feierabend, aber wenn du richtig cash machen willst über die Jahre, trink Möhrensaft, ACE. Aber Steine, Kristalle …, schlimmer als jede Nase, die Diamanten brennen dich aus.«
»Ich weiß, ich weiß. Das ist schon lange her, Arnold.«
»Ja, ja, ist immer alles lange her. Und da erzählst du mir trotzdem von Hufen, Hufgeräuschen, in der Nacht.«
»Tut mir leid, Arnold, ich hätte nicht davon anfangen sollen.«
»Schon gut, schon gut. Wir alle träumen mal schlecht.«
»Ich bin dir wirklich dankbar, dass ich bei dir …«
»Tu mir einen Gefallen …«
»Ja?«
»Wenn du arbeiten willst, arbeite. Und zahl deine Miete. Und du zahlst deine Miete. Und wenn du nicht mehr arbeiten willst, sag es mir. Sag es mir einfach. Wenn du nicht mehr kannst. Und wenn du Urlaub brauchst …«
»Ich brauch keinen Urlaub. Und ich bin seit fünf Jahren sauber.«
»Du weißt, dass ich diese Drogenscheiße hasse.«
»Ich weiß das. Und deswegen …«
»Und das ist nicht nur wegen den Bullen oder wegen dem Gesundheitsamt oder wegen irgendwelcher bescheuerter Lizenzen …«
»Nein, ich …«
»Sei still. Lass den Alten bisschen erzählen …«
»Du bist nicht alt, Arnold.«
»Ja, ja. Natürlich nicht. Kennst du das, wenn du im Herbst über alles nachdenkst?«
»Ich weiß nicht. Ja.«
»Ich meine nicht diesen Oktober-Herbst, Indianer-Sommer, wie die Amis sagen …«
»Habe ich noch nie gehört.«
»Wenn alles bunt und golden ist. Und wenn du denkst, der Sommer kommt nochmal zurück.«
»Wie schön du das sagst. Das habe ich immer gemocht.«
»Halt dich fern von diesem Burschen. Denk nichtmal an ihn. Er ist wahnsinnig. Und sucht die Geister, wo sie nicht sind. Nie gewesen sind. Der sucht seine eigenen Geister, aber ist Jahre zu spät dran damit.«

»Die Leute sagen, dass du …«
»Wer sagt das? Wer sagt was?«
»Dieses Haus damals, war das dreiundneunzig?«
»Wie alt warst du da, Baby?«
»Ich weiß nicht. Noch ziemlich jung …«
»Das macht mich wütend. Das macht mich traurig. Dass dir die Leute sowas erzählen …«
»Nein, Arnie, hör zu, das ist doch nur, weil's jetzt wieder in der Zeitung war …«
»Sei kurz still, Baby, sei kurz still. Und fang nie wieder damit an. Ein Freund von mir sagt immer, Coppenrath & Wiese …«
»Die Tortenfirma?«
»Nicht die scheiß Torten. Die Leute, die *du* auch kennst, ganz genau kennst. Die denken, dass sie was Besseres sind. Denen die Augenbrauen zucken, wenn sie uns sehen und von uns hören. Halt kurz die Klappe, Baby! Die denken, dass das alles gleich ist. Günther Jauch, Wer wird Millionär. Die denken, dass der Schmutz rot ist. Und hören was und lesen was und denken, der, der da, das ist einer von denen, die, die da, das ist eine von denen …, und denken, das ist alles gleich, dass das alles gleich ist. Und wissen nichts, und wissen gar nichts. Und gehen zu dir und gehen zu den Mädels und erzählen Scheiße und denken …«
»Dass sie besser sind als wir? Tut mir leid. Ich wollt nicht, dass du dich aufregst, aber das ist, weil doch der kleine Mann seit Jahren … Bin schon still.«
»Ach komm, Mädchen, nicht so. Nicht so. Fang nicht an, dich für irgendwas zu entschuldigen. Nicht bei mir, nicht bei denen. Das hat mit dir nichts zu tun, und das hat mit *euch* nichts zu tun. Das war ein Stück Dreck. Der. Nicht der *Kleine*. Der Ex-Boxer, wie's im Buche steht. Weniger noch als Dreck. Der. Dreiundneunzig. Die Geschäfte waren damals anders als heute. Der Dreck ist verschwunden. *Wir* haben auch dafür gesorgt, dass der Dreck verschwunden ist. Nichts davon, nein, nichts davon ist irgendwo in meinen Taschen. Und dieser Mann reitet …, ach, was sag ich, jetzt quatsche ich schon eine Scheiße wie du …, dieser Bursche, klein und gerissen, wie er ist, wühlt im Dreck und denkt, und denkt, dass da was von dem Dreck

bei mir in den Taschen liegt. In meinem Haus, in meinem Kopf, Herbst oder Winter, oder sonstwo.«
»Ich weiß doch, Arnie, dass bei dir ...«
»Nichts weißt du. Gar nichts weißt du. Ich hab ihn mal gesprochen, den Reiter ..., noch bevor ...«
BUMM BUMM (Die Erdgeschosswohnung erzittert, das Wasser im Whirlpool zittert, kleine Wellen auf der Oberfläche, obwohl keiner mehr drin ist und keine Blasen und keine Bläschen, millionenfach, an den nackten Leibern kitzeln. Feierabend, fast schon zwölf.)
»Sind die nicht verrückt, Arnie? Mit ihrem Tunnel?«
»Ja, ja, ja, das sind sie. Da hast du recht, Mädchen, da hast du wirklich recht, Baby. Geh jetzt nach Hause. Was für eine wahnsinnige Bande, in dieser wahnsinnigen Stadt.« Der Stock, den er an den Tisch gelehnt hat, fällt um, als sie aufsteht und aus dem Zimmer geht. Der Boden bebt und vibriert unter seinen Füßen. Er hat nicht gewusst, dass sie auch nachts bohren. Er nimmt den Stock nur selten mit, aber wenn es Winter wird, kann er spüren, wie sein Bein langsam steif wird. Eigentlich wollte er nochmal auf den Bahnhof, aber nun ist's zu spät. Bisschen was einkaufen, es gibt dort einen guten Wein- und Whisky-Laden. Die Mädels fahren nach Hause oder legen sich hin, wo sie sind. Zeit für Feierabend. Nur in wenigen Wohnungen läuft das Geschäft bis nach Mitternacht. Die Handys werden ausgeschaltet, die automatischen Ansagen auf den Festnetztelefonen angeschaltet. »Hallo, hier ist Sissy, meinen umfangreichen Service kannst du wieder von neun bis ...« Er muss Frank sagen, dass er den Whirlpool leeren und saubermachen soll. »... genießen.« Der Club hat noch ein paar Stunden geöffnet. Zeit, nochmal ins Büro zu fahren. Zeit, schlafen zu gehen. Er muss telefonieren, dass sie nochmal in den Club schauen, Alex anrufen, ist das immer noch Alex nach all den Jahren? Manchmal kann er sich kaum erinnern. Wenn der Boden vibriert. Die Geräusche der Nacht. Das Quietschen von Straßenbahnen und S-Bahnen, die er aus seiner Kindheit kennt. Er reibt sich das linke Bein, spürt seine Kniescheibe hart durch den Stoff.

Er trinkt seinen Kaffee in dieser kleinen Kaffeebude gleich bei den Bahnsteigen. Gegenüber den Bahnsteigen. Er mag diese obere

Ebene des Bahnhofs, so dicht bei den Zügen. Erst dort, in dieser kleinen Kaffeebude, hat er den Geschmack eines guten Americano zu schätzen gelernt. Hatte erst nicht gewusst, was das sein soll. Americano. Amerikanischer Kaffee, oder was? »Ist der süß?«, hat er gefragt, als er es das erste Mal gelesen hat über der kleinen Verkaufstheke. »Nein. Ist nicht süß.« Espresso mit kochendem Wasser aufgegossen. Er mag die Kaffee-Variationen, seit er nicht mehr trinkt. Diese Americanos kann er tassenweise in sich reinschütten, ohne dass ihm die Pumpe geht. Das liegt daran, dass so viel kochendes klares Wasser drin ist. Er hat das vorher nicht gekannt, Espresso mit kochendem Wasser aufzugießen. Espresso gab's auch erst nach der Wende. Expresso, weil's schnell geht. Magenschonend. Herzschonend. Und über Leber und Bauchspeicheldrüse brauchen wir gar nicht zu reden.

Bevor diese Bude an den Bahnsteigen aufmachte vor ein paar Jahren, war er unten bei den Bäckereien. Da war und ist der Kaffee billiger. Er überlegt, wann die den Bahnhof komplett umgebaut haben. Er kennt noch das dunkle Loch. Den schwarzen Sarkophag. Bevor sie alles umgegraben und renoviert haben. Da war er noch in den Kneipen und hat gesoffen. In den Bahnhofskneipen. Eine war unten im Tunnel, der zwischen den beiden Hallen verlief, eine oben bei den Bahnsteigen. Er erinnert sich an das schmutzige gewölbte Glasdach, über den beiden Hallen und über den Bahnsteigen. Jetzt scheint und fällt das Licht durchs Glas, Sonne, Sterne, Flugzeuge; damals, vor Jahren, waren die kleinen gläsernen Quadrate dreckig und schwarz. Das Flattern der Tauben, er hört und sieht es noch. Und hört das Klappern und Klirren von den Bahnsteigen und Gleisen, die Geräusche der Züge, der Schienen, der Fahrt, die verschwanden, als das Licht durchs Glas fiel. Alter Bahnhof. Neuer Bahnhof. Wohin die Tauben wohl verschwunden sind? Die Baugruben kommen und gehen, und die Jahre spielen keine Rolle für ihn. Wenn die Nacht kommt.

Seitdem er aufgehört hat zu trinken, trinkt er Kaffee und raucht. Er hat früher, als er noch getrunken hat, auch Kaffee getrunken und geraucht. Aber längst nicht so viel wie heute. Zumindest nicht so viel Kaffee. Geraucht hat er schon damals wie ein Schlot. Aber anders. Als er noch ritt, war das wegen des Gewichts. Und wegen der Sauferei. Die auch zum Teil wegen des Gewichts war. Weil er nach ein paar Schnäpsen immer rauchen musste. Nicht dass er immer die Gewichtsprobleme gehabt hätte, das begann, als die Vierzig in Sicht kam. Kurz vor der Wende. Und das mit dem Saufen war nur eine Entschuldigung dafür. Das Gewicht. Wenn er heute darauf zurückblickt, sieht er das so. Aber der Schnaps hat immer den Appetit und den Hunger heiß ausgebrannt. Und ihm den Mut gegeben, als seine besten Jahre vorbei waren. Koks gab es damals noch nicht. Aber Apotheker und Veterinäre, die hatten genug Pillen und Tropfen, Pulver und Spritzen. Koks nehmen sie heute doch alle, die Top-Jockeys und auch die Mittelklasse-Jockeys. Denkt er. Weiß es aber nicht genau. Vor kurzem oder vor paar Jahren haben sie den Starke erwischt, in Hongkong, was für ein klasse Mann, was für ein Reiter, aber der Hunger und das Gewicht und der Mut können einem ganz schön zu schaffen machen. Wenn's um so viel Geld geht. Nicht zu vergleichen mit den Erdnüssen damals. Peanuts. Sein Problem war, dass er kein Englisch konnte, sonst wäre er sicher irgendwo untergekommen nach der Wende. Auch daran denkt er, während er seine Hände um den großen Pappbecher Americano legt. Und die Nacht über dem Glasdach und hinter den Ausgängen spürt. Diesen Seitenausgängen. West und Ost. Durch die manchmal der Föhn zieht, der manche Nächte wärmer macht als den Tag.

Er zieht die Aufschläge seines Trenchcoats zusammen. Er weiß, dass er riecht, nicht schlimm, aber ein bisschen zumindest, er und sein Trenchcoat; er hat lange nicht mehr geduscht, spürt sein fettiges Haar, obwohl das immer noch ganz gut aussieht, silbern glänzend, wenn er es kämmt, und er weiß, dass der Stoff, sein alter Trenchcoat, nicht mehr sauber ist. Er hat ihn neunundachtzig in Westberlin gekauft. Wie lange das schon her ist, fast nicht mehr wahr ... Kaffeeflecken. Essensflecken. Kleine Brandlöcher von Zigaretten. Aber es ist Nacht, und hinter ihm, Westseite, das schwarze Loch. Und auf der anderen Seite, im Osten, die Straße der Drogen. Zwei schwarze Löcher, sollten die sich nicht gegenseitig aufheben? Kokain hält ihn munter, ab und an, wenn es sein muss. Er hat auch eine Kanone gekauft, aber die hat er wieder weggeworfen, obwohl sie ihn ..., das muss noch zu Mark-Zeiten gewesen sein, sicher ist er sich nicht mehr. Das sind die Jahre und die Nächte. Und der Kaffee und die Kippen und der Koks. Den er so selten durch seine Nase zieht. Weil er schonmal eine Knarre hatte. Und weil er nie wieder trinken will, muss er auch das Koks sein lassen.

Als er am Fluss stand, die wilden Lichter des Rummels hinter sich, hat er die Kanone in den Fluss geworfen. Achterbahn, Riesenrad, Lichter auf dem Wasser. Die Schreie der durch die Luft Geschleuderten. Seine Erste. Eine Makarow. Von einem Russen, den er durchs Wetten kannte. Der eigentlich ein Jugo war, wie er später rausfand. Aber perfektes Russisch sprach. Und beste Kontakte zu den Russen hatte, die nach neunzig anfingen, ihre Knarren und alles andere zu verscherbeln, bevor sie langsam aus der Stadt verschwanden.

Handgranaten und Panzerfäuste waren billiger, als man dachte. Einen Panzer zu kaufen wäre sicher schwierig gewesen. Er hat sich das manchmal vorgestellt. Er war Panzerfahrer gewesen bei der Asche. Weil er so klein war. Manche seiner Kollegen, bei den Pferden, waren so klein, dass man sie ausgemustert hatte. Zumindest für den Schreibtisch brauchbar. Dreiundneunzig hätte er gerne einen Panzer gehabt. Oder eine Panzerfaust. Mit dem Panzer ins Gericht rein und diese Schweine alle plattgemacht. Durch Wände und Verhandlungen gebrochen, bis in den Saal, wo das Schwein M. vor sich hin grinste, zusammen mit dem Richter und dem Staatsanwalt, und dann immer noch grinste mit seinen nichtmal vier Jahren. Das hätte sicher Kollateralschäden gegeben. Aber die gab es auch vorher, und keinen hat es interessiert. Da hat er noch schwer gesoffen in der Zeit. Und ist ganz froh, dass er nicht an einen Panzer rankam. Nichtmal an eine Panzerfaust. Zwei-, dreimal hatte er die Möglichkeit gehabt, an schwere Artillerie zu kommen. Da gab's auch später einen Tschechen, der ihm ein Bren angeboten hat. Als er schon dabei war, vom Schnaps wegzukommen. »Was, verdammt nochmal, soll das sein?«

»Gutes MG. Schweres MG. Reißt Löcher in Ziegelwände wie Faust.«

Wenn er gewusst hätte, wo das Schwein wohnt, hätte er sich das Bren gekauft, ein paar Reserven hatte er noch, die Erbschaft der

Mutter, und hätte ihn und am besten auch sein Haus pulverisiert. Weil er immer in seinem Kopf hatte, dass das Schwein in einem schönen kleinen, mittelgroßen Haus wohnte. Nicht zu fassen. Das war, als er wieder rückfällig wurde. Man darf nichts nehmen, auch kein Koks, wenn man sauber ist. Aber das Koks ist nur einmal im Monat, ungefähr, höchstens, wenn er nicht aufhören kann, durch die Straßen zu irren, an den Türen zu klingeln, die Nummern anzurufen, den Mädchen ins Gesicht schaut, ganz genau hinschaut, weil er nicht weiß, wie sie jetzt aussieht. Er ist sogar nach Berlin gefahren, als er einen Tipp bekam. Weil der Tscheche, den er durchs Wetten kannte, sich für ihn umgehört hat. Wohin das Schwein verschwunden ist, hat er nie rausbekommen. Hat dies gehört, hat das gehört, dass das Schwein M., als er aus dem Knast raus ist, dies und das gemacht hat, hatte der nicht 'ne Baufirma gehabt ..., aber dass muss in der Phase gewesen sein, als er selbst so tief, so tief geschlafen hat ...

Und in Berlin hat er einige Straßen abgeklappert, hat in einige Clubs geschaut. Weil er nichtmal weiß, ob sie im Freien arbeitet oder in einer Wohnung. Oder in einem Club. Oder vielleicht gar nicht mehr. Aber er hat ein paar Mädchen getroffen in all den Jahren, die sie kannten. Er hat Informationen gesammelt in all den Jahren. Wenn er bei den Frauen in den Zimmern saß, dachte er manchmal, dass es vielleicht sogar gut wäre, wenn sie solche Arbeitsbedingungen hätte. Und er will sie doch nur wiedersehen. Und er weiß, dass die Arbeitsbedingungen nichts ändern. Weil er dreiundneunzig nicht auf sie aufgepasst hat, weil er sie dreiundneunzig nicht beschützt hat, weil er dreiundneunzig nicht mit einer Panzerfaust in diese Hölle im dritten Stock rein ist. Und weil sie keine Wahl hatte. Und weil sie noch ein Kind war. Er hat die Knarre oft genug an seinem Kopf gehabt. Auch als der Rummel hinter ihm flackernde Lichter aufs Wasser warf. Aber er kann nicht so einfach verschwinden. Klack klapp klack. Hufe klappern in der großen leeren Bahnhofshalle, fast schon zwölf. Keine Züge mehr nach Berlin. Wieso verlängern sie den Tunnel, der unter seinen Füßen vibriert, nicht gleich bis in die Hauptstadt? *Eine U-Bahn, eine U-Bahn, eine U-Bahn bauen wir ...*

An der Synagoge standen sie. Am S-Bahnhof stehen sie. Die meisten sind jünger, als *sie* jetzt ist. Der Tscheche hat gesagt, er soll nach Charlottenburg schauen, und meinte den Kurfürstendamm, ist das nicht Schöneberg?, Bahnhof Zoo, zumindest alles in der Nähe, gibt auch noch die Kurfürstenstraße, da irgendwo wäre so ein alter Sack, der hat eine Kleine aus dem Osten, die könnte deine sein, ich geb dir gerne paar Infos, eine Hand ... undsoweiter, dass er jetzt noch Mitte abklappert, hat mit anderen Informationen zu tun, die er sammelt und sammelte in all den Jahren. *Berlin, Berlin, wir fahren nach Berlin* ...

Er geht an Menschen vorbei, Wochenendmenschen, Touristenmenschen, die Kneipen sind geöffnet und leuchten auf die Straßen, er sieht die Frauen und Mädchen an den Hauswänden, am Straßenrand, auf Verkehrsinseln. Er schaut in die jungen Gesichter, ein paar alte Gesichter dazwischen, die Körper in Röhren und Hülsen gezwängt, sie biegen sich im Sommerwind, oder ist schon Herbst, ein goldener Oktober, Indian Summer, wie der Ami sagt, er hat ein Foto von ihr in seiner Geldtasche, nein, er hat es schon längst dort rausgenommen und in die Brusttasche seines Jeanshemdes gesteckt, er trägt seinen Trenchcoat überm Jeanshemd, wie immer, das Foto hat er sich laminieren lassen in einem Schreibwarengeschäft in Berlin, weil's in seinem Schreibwarenladen sowas nicht gab und er auch nicht wusste, dass so etwas möglich ist, bevor er die Werbung im Schaufenster dieses Schreibwarenladens in Berlin sah. Wo er jetzt zwischen Mitte und Kurfürstendamm hin und her stolpert. Die Kuppel des Bundestages verschwindet und leuchtet in der Sonne. Er kennt sich nicht aus in dieser Stadt, zwischen den Jahren. Früher war er oft im Hoppegarten gewesen, die langen Nachmittage der Reiter, manchmal war seine Frau mit dabei, und *sie* im Sportkinderwagen, eine bunte Decke gegen den Wind, wenn Herbst war, und es war oft Herbst, weil in dieser Jahreszeit die Rennen magisch werden, wenn die Sonne tief steht, er spürt den weichen Boden unter den Hufen, sieht die Farben der Bäume und Wälder aus den Augenwinkeln, wie feuchter Ackerboden, hört das dumpfe Trommeln der Hufe, legt sich und schmiegt sich und dehnt sich, auf den warmen Körper, an den warmen großen Körper, *sein* Körper liegt lang überm

Sattel, überm Hals, die Peitsche zwischen den Fingern, die Lederbänder zwischen den Fingern, als er auf der Zielgraden die Peitschenschläge intuitiv zählt, diese kurzen Aufforderungen, fliegt er, fliegen sie, während er sie nach außen dirigiert, lenkt, dort ist die Lücke, der freie Raum, die Spur, wenige Sekunden der Entscheidung, der Boden ist zerwühlt von den Hufen der vorangegangenen Rennen an diesem Nachmittag, auf der äußeren Spur wirst du gewinnen, das weißt du und spürst und siehst, dass du nur noch zwei, drei Gegner, Reiter, Pferde überwinden, überfliegen musst ..., und denkst (im Nachhinein?), dass sie beide da am Zaun stehen und dich anfeuern, dieser dunkle Geruch nach Erde und Gras und Tieren, Leiber, die verschmelzen, er ist nass und schmutzbedeckt nach dem Rennen, sie galoppieren aus, nach dem Ziel, langsamer werdend, um den Bogen herum, an der Tribüne vorbei, und er weiß nicht genau, ob er Erster, Zweiter oder vielleicht nur Dritter geworden ist, das Pferd, dessen Namen er schon längst vergessen hat, macht sich lang, streckt den Hals, weil er sich mit ihm streckt und es mit Händen und Bändern dirigiert, streckt seinen langen Leib ins Ziel, über diese unsichtbare Linie, auf der kurz die Zeit stehenbleibt, aber er spürt und sieht aus den Augenwinkeln, wie sich zwei andere Leiber neben ihm strecken, die Farben wie ein feuchter Acker.

Und er sitzt erschöpft vorm Monitor, vor einem der Fernsehgeräte in dem großen, kleinen Raum, Licht flackert, Menschen flackern neben ihm, keine Fenster, er trinkt alkoholfreies Bier und einen Kaffee, raucht, hustet, sieht die anderen Monitore aus den Augenwinkeln, Staubpartikel und winzige Geschosse, Fußball, Bundesliga, englische Liga, italienische Liga, Hunderennen, Pferde, und er weiß nicht, ob er in Mitte, am Kurfürstendamm oder in seiner Stadt, im Osten, ist. Irgendwann mal, die Luft riecht nach Erde und Rauch, kommen zwei Typen mit Skimasken und Kanonen. Obwohl er sich fast sicher ist, dass das keine echten Kanonen sind. Er hat doch echte Kanonen gehabt, um das Schwein zu erledigen. Und dann, weil er schon eine Weile nichts mehr trinkt und auch die Kokserei sein lässt, weil er auch so nicht schlafen kann, begreift er einiges. Begreift, dass da *was* durcheinander war, durcheinander ist, in seinem Kopf, während er sich lang machte und streckte, in der Bahn-

hofshalle, in der Dunkelheit der Ausgänge Ost und West, in den Straßen, durch die er irrte, unterm Glasdach.
Er gibt Anweisung, das Rohr zu laden. Stickige Luft in diesem verdammten Panzer. Er spürt das Brummen dieses gewaltigen Motors in seinem Körper, in seinem Kopf. Das Geschoss klappert ins Rohr, jemand lädt die Granate, während er die Apparaturen bedient. Der Geschützturm dreht sich und stößt durch die Jahre. Er hört seine Schritte in der Bahnhofshalle. Keine Tauben flattern auf.
»Du musst sie dir ganz genau anschauen, dann erkennst du sie vielleicht.«
»Was denkst du denn, was soll ich denn erkennen auf diesem Foto?«
»Nun schau doch, das ist ein gutes Foto. Wenn man's laminieren lässt, dann kann's doch ewig halten ...«
»Ich weiß nicht, ich weiß nicht, ich möchte lieber wieder gehen.«
»Nein. Scheiße, nichts ist mit Gehen! Ich hab dich für eine Stunde bezahlt, ich will, dass du jetzt genau hinguckst, dass du ganz genau hinguckst!«
»Es spiegelt bisschen ...«
»Nein, nein. Nichts spiegelt. Du musst es nur kippen, so gegens Licht! Schau doch, das ist das Gesicht, das ist ihr Gesicht ...«
»Du sagst doch selbst, dass es alt ist ...«
»Hör auf mit der Zeit, Mädchen, davon verstehst du nichts. Was soll sich denn da ändern, mit dieser Nase, da kann mir doch keiner ..., da kannst du mir doch nicht erzählen, dass diese Nase heute anders aussieht!«
»Nun fass doch ruhig an, fass doch mal an, meine Titten, die sehen heute auch anders ...«
»Die sind nicht gemacht, nun lüg doch nicht, die sind nicht gemacht, du kannst mir nicht erzählen, dass die gemacht sind! Und schau doch auf die Nase, schau auf die Nase!«
»Nichts weißt du über meine Titten, gar nichts. Du denkst, dass du was weißt, weil du bezahlst. Dann fick mich doch wenigstens, du blöder Arsch. Und mach meine Titten nicht schlecht.«
»Deine Titten sind in Ordnung, deine Titten sind wunderbar. Du hast wunderschöne Brüste, wunderschöne Brüste ...«

Sein Trenchcoat riecht nach Pferd, weil es regnet draußen. Er hat ihn auf den Tisch geworfen. Das Zimmer ist so klein. Wie kann man nur zu Fuß fliehen, denkt er, die Scheine flattern über die Straße, flattern über die Kreuzung, während sie zu Fuß über die Kreuzung fliehen, Richtung Innenstadt. Die eine Knarre war Spielzeug, die andere Schreckschuss, wahrscheinlich aufgebohrt. Das war im Sommer, in jenem heißen Sommer, alle schwitzten, nicht nur die, die rannten. Scheine kleben auf dem Asphalt. Skimasken auf der Haut. Er schwitzt unterm Leder, spürt die Peitsche im Rücken. Und fragt und fragt und kriegt doch keine Antwort. »Hast du noch nicht genug, du Drecksau?«
»Nimm deine Pfoten weg, du Stück Dreck, ich bin nicht schwul.« Kurfürstendamm oder Mitte oder seine Stadt? »Ich wollt sie immer machen lassen, bitte, sag niemandem, dass meine Titten scheiße sind, ich lass sie bald schon machen ..., ich hab schon jemanden in Polen, Doc Poland macht mir die Titten ...«
»Deine Brüste sind schön, jetzt hör doch auf damit ..., die sind ..., die sind doch in Ordnung!«
»Du musst mich ficken, sonst ist es nicht richtig.«
»Lass mich, lass mich doch ..., du hast doch gesagt, dass du diese Nase vielleicht kennst.«
Ist das Nebel, oder ist er müde? Die Luft ist feucht, als wäre dort ein Fluss hinter den Häusern. »Ich will, dass sie groß sind und dass sie alle lieben. Dass mich alle lieben.«
Er sieht das Mädchen an diesem Imbiss stehen. Sexy Coras Titten schwellen in seinen schlimmen Träumen. Die träumt er am Tag, wenn er in der Straßenbahn sitzt, wenn er im Zug sitzt, wenn er im Waschsalon sitzt und auf das runde Fenster schaut, hinter dem sich sein alter Trenchcoat dreht und im schaumigen Wasser wirbelt. Wie schön das ist. »Ich hab auch einen Schwanz. Willst du meinen kleinen Schwanz streicheln? Mach ihn schön hart, dann fick ich dich!«
»Lass mich in Ruhe, du Ledertier, und sag mir, ob du ...«
Wer hat ihm erzählt, dass sie am Kurfürstendamm steht? In der Hauptstadt, von der er nur den Hoppegarten kennt. Er ist neunundachtzig in Westberlin gewesen und hat sich den Trenchcoat ge-

kauft. Er denkt, dass das im KaDeWe war, Kaufhaus des Westens, aber sicher ist er sich nicht. Da war seine Karriere grad vorbei, Pause, dachte er damals noch und saß irgendwann mit einem Beutel Bierbüchsen auf einem Zugklo, Flachmänner in den Taschen, während sie draußen in den Gängen und Abteilen auf- und übereinander lagen, im Zug Richtung Westen. Sie sind zu dritt zum Bahnhof gefahren, zu dieser Höhle aus schwarz gewordenem Granit, dunkles schmutziges Glasdach, Tauben flatterten auf, Menschenmassen an den Gleisen, Klirren und Rumpeln der Züge, und da haben sie sich aus den Augen verloren. Er sieht *sie* noch an ihrer Hand und stolpert in den Zug. Und auf dem Klo war er nicht allein. Zu dritt hockten sie dort auf- und übereinander, bloß gut, dass er so klein ist, Reiter, Ex-Jockey, und da wollen sie auch noch was von seinem Bier abhaben! Finger weg! Aber nur 'n Schluck ... Die Tür ist offen, und die Leiber schlängeln sich zu ihm rein, und Hände greifen nach ihm, und er spürt seine alten Narben, Stürze und Brüche, auf der Kloschüssel. Schwitzend. Und halbnackt.

Was soll er bei den Transen? Was können ihm die Transen erzählen? Wo er doch sein Mädchen sucht. Aber er weiß nicht, wo er ist. Und er weiß nicht, wo sie ist. Sie hält sich an ihrer Mutter fest, krallt sich ins Bein ihrer Mutter, die winkt, und *sie* winkt, und er dreht sich und wendet sich und windet sich zwischen den Leibern und kann nicht einmal springen, der kleine Mann, der Reiter, der Ex, und im KaDeWe ist er so besoffen, dass er alles für einen Trenchcoat ausgibt. Begrüßungsgeld. Ersparnisse. Und er versucht, sich daran zu erinnern. Und ihm fällt ein, wie er vor den Vitrinen mit dem Schmuck und Diamanten gestanden hat. Was für ein hartes und kaltes und wunderschönes Glitzern.

Weil da doch was nicht stimmt. Mit den Jahren, nach all den Jahren. Weil dreiundneunzig zu achtundneunzig wird. Weil das eine Schwein doch das andere Schwein wird. Aber weit oben drüber, über den beiden Schweinen, den Todeskandidaten, *er*, den er erledigen muss, aber erst, nachdem er *sie* gefunden hat; weit oben drüber, in seinem Kopf, seinem Hirn, das anschwillt wie Sexy Coras Titten, sitzt *er*, der Mann mit dem Plan, der Mann mit dem Geld, *Mutter, der Mann mit dem Schmott ist da, jawoll, mein Junge, das weiß* ich ja, der die Informationen hat, die er braucht, dreiundneunzig, achtundneunzig, und der ihm vielleicht sagen kann, wo genau er jetzt im Kalender steht, zweitausendeins oder zweitausendzehn, und ob die verdammten Mayas nicht doch recht haben. Weil sich die Luft seit Jahren dunkel und feucht anfühlt, wie ein Acker im Herbst.

»Das ist doch Schwachsinn. Wer braucht diesen Scheiß?«
»Warte, warte kurz, ich mach mal leiser, da stimmt was nicht mit der Anlage. Kann ja kein Mensch hören, aushalten. Das muss am ..., das klingt ja, als wenn 'ne Horde ...«
»Was sagst *du*, Hans, was sagst *du* zu dieser Scheiße?«
»Wir sollten mal hin zu unseren serbischen Freunden ..., vielleicht, wir sollten ihn uns mal ...«
»Und dann? Er hat's mir persönlich. Mir persönlich. Mir hat er auf den Fuß gepisst!«
»Hat er? Hat er? Ja, hat er.«
»Wolltest du nicht das Ding abstellen? Sind wir auf der Rennbahn?«
»Ellen! Ellen, geh doch mal hinter und zieh einfach den Stecker ..., hält ja kein Mensch aus!«
»So ist's besser. Die Abmachungen, die Abmachungen sind doch klar! Da kann keiner kommen und sagen: Das sind jetzt meine Geschäfte!«
»Natürlich hast du recht. Seine Geschäfte sind keine Geschäfte.«
»Ja. Ja. Jeder weiß doch, dass bei mir alles ruhig läuft. Alles nach Regeln läuft. Regelkunde bei AK. Das weiß doch jeder. Und deshalb kommen sie zu mir. Zimmer, Miete, Kohle, Schutz. Da brauch ich keinen, der meine Mädchen abkassiert.«
»Du sagst es, du sagst es! Zimmer, Miete, Kohle, Papierkram, Schutz. Hat alles seine Ordnung.«
»Man darf nicht den Kopf verlieren. Das führt nur zu Chaos. Und Chaos, das weißt du ...«
»Ist nicht gut fürs Geschäft. Nur für den, der Chaos stiftet. Vorsätzlich. Hab ich von dir gelernt.«
»Sag ich keinem sonst, dass mein Arsch auf der Schulbank. War

früher ja anders. Lernen, lernen, nochmals lernen, so blöd das klingt.«
»Lenin?«
»Kann schon sein. Und wenn's Karl Marx wäre. Wir sind nicht die Gewerkschaft, und wir schleppen keinen Schmarotzer mit.«
»Können wir uns nicht leisten, was?«
»Ist nicht unser Geld. Wir haben Tagesmiete. Aber da geht's auch ums Prinzip. Da kommt Jenny, da kommt Moni, und die sagen, da ist dieser Typ ..., da ist dieser Wichser, der zweigt ab.«
»Wenn man's so nimmt, könnt's uns, also könnt's *dir* egal sein ...«
»Nein, natürlich nicht.«
»Natürlich nicht.«
»Das *Geschäftsmodell Miete* kann nur so gehen und kann so nicht gehen! Dann kommt da einer, der sagt, dass sind *meine* Mädels, ich nehme fünfzig Prozent, oder was weiß ich, von deinen Mädels. Das sorgt für Stress im Betrieb. Das ist nicht Karl Marx, das ist nicht Erhard oder Keynes und auch nicht Lenin, das ist Scheiße, das ist unmodern!«
Der Boden vibriert. Die Scheiben klirren. Geräusche auf der Straße, die sie nicht kennen. (»Du darfst eins nicht vergessen, Arnold, diese Typen sind nicht ganz sauber, die kommen aus ihrem Krieg hierher ... Die haben die Hand am Abzug und wollen Geschäfte machen.«)
Sie tragen den kleinen Mann, dass er den Boden nicht mehr berührt mit den Füßen. Schmeißen ihn wieder raus, weil der Boss jedes Mal sagt, dass sie ihn in Ruhe lassen sollen. »Der quatscht, der quatscht zu viel!«
»Lasst ihn reden. Wir haben andere Sorgen. Oder denkt ihr, dass da was dran ist?«
»Woran? Natürlich nicht.«
»In wenigen Monaten stecken wir mitten in der Zweitausend. Wenn die Computer durchhalten. Wir halten durch. Wir brauchen Ruhe, die Märkte brauchen Ruhe ... Wir lassen uns die Geschäfte nicht stören von irgendwelchen Wichsern.«
»Wir fahren, wohin wir fahren?«
»Weit und hoch.«

Er beobachtet diesen Imbiss schon seit einigen Tagen. Zweitausendzehn. Er fühlt sich alt, fühlt sich müde. Sucht seit Jahren. Immer weiter, kleiner Reiter. Jemand hat ihm ein Foto gezeigt. Eine junge Frau. Wegen der Nase ist er sich nicht sicher. Ist das der kleine Knubbel kurz vor der Spitze, der Nasenspitze, dieser kleine Knubbel in der Mitte ihrer Nase? Sie müsste jetzt einunddreißig sein. Er ist in Berlin und beobachtet den Imbiss. Er hat sie schon am Abend vorher dort gesehen. Hat sich aber nicht getraut hinzugehen. Weil er denkt, dass sie es doch nicht ist. Weil er denkt, dass sie es ist. Er steht auf der anderen Straßenseite an einem Bauzaun. Er sieht den Mann hinterm Verkaufstresen. Er kann die Currywürste und Pommes frites riechen. Ob der Typ was damit zu tun hat? Die Mädels, die hier auf der Straße arbeiten, machen oft Pause bei ihm. Trinken einen Kaffee. Essen ein Brötchen oder eine Wurst. Manchmal denkt er, dass sie tot ist. Manchmal stellt er sich vor, dass sie irgendwann mit dem Zug nach Paris gefahren ist, sie wollte doch immer nach Frankreich, als sie noch klein war, seit er ihr vom großen Prix Arc de Triomphe erzählt hat, wo die besten Pferde und Reiter der Welt antreten und dem großen Millionen-Preisgeld entgegenfliegen. Als die Mauer fiel, hörte sie gar nicht mehr auf, von Paris, Frankreich zu erzählen. Da war sie erst zehn, und er nur noch besoffen. Der Imbiss ist rund um die Uhr geöffnet.
Am Vorabend, als sie wieder weg war, in der Dunkelheit verschwand, Minirock, viel zu eng und kurz das alles, wo doch im Oktober die Nächte so kalt werden schon. Aber es ist Juni, und es regnet. Regnet seit zwei Tagen. Hat auch schon in seiner Stadt geregnet, als er in den Zug nach Berlin stieg.
Seine Tochter trug keinen Minirock, sondern schwarze Stoffhosen und eine Bluse. Er ist vor paar Monaten über den Kurfürstendamm geirrt, weil er einen Tipp bekommen hatte, dass da ein junges Mädchen aus dem Osten, sogar aus seiner Stadt ...»Aber sie ist nicht mehr so jung.«
»Na ja, die kann auch schon dreißig sein, oder was weiß ich, könnte die sein, die du suchst.«
Er weiß, dass er sein Geld verschwendet. Sie bringen ihm Tipps, und er bezahlt sie dafür. Er weiß, dass er bald pleite ist. Vielleicht kann

er die Knarre verkaufen. Er hat schon einen original Emil Volkers verkauft, den er von einem alten Zocker bekommen hatte, vor fast fünfzehn Jahren. War ein schönes Bild. Zwei Pferde, ein braunes und ein weißes, galoppierten mit ihren Reitern durch eine grüne Hügellandschaft. Manchmal träumt er noch von diesem Bild. Er sitzt auf einem alten Pony und versucht, den Pferden zu folgen. Die Reiter drehen sich um und lachen. Die bescheidene Erbschaft seiner Mutter ist fast aufgebraucht. Er weiß nicht, wie es mit der Scheidung steht und wem er da noch Geld schuldet. Seine Ex-Frau ruft er jede Woche an und fragt nach seiner Tochter. Sie weiß nichts. Oder sagt nichts. Will nur Geld. Er wohnt in der Wohnung eines Freundes, der vor ein paar Jahren gestorben ist. Magendurchbruch. Ex-Jockey. Manchmal denkt er, dass er sie erschießen muss. Weil sie das alles zugelassen hat. Weil sie nicht aufgepasst hat auf sie, als er nicht aufpassen konnte. Er hat die Knarre auch schon an *seinem* Kopf gespürt, als würde sie ein Fremder dagegen pressen. Als er sie in den Fluss schmeißen wollte, hinter sich die Lichter des Rummels.»Die ist nicht mehr im Geschäft«, hat ihm der Typ erzählt, als er an dem anderen Imbiss stand, in der Nähe der Kurfürstenstraße, wo der Bahnhofsvorplatz und die Straßenecken nach Pisse rochen, dass er es kaum aushielt. Aber Kurfürstenstraße und Kurfürstendamm sind doch ein ganzes Stück auseinander, oder?, oder?, Frankfurt/Main, Bahnhofsviertel, wo hat er nur die Pläne der Städte, scanne die Straßen, scanne die Menschen, scanne die Haut ... Türkenkanacken, nee, Libanesen im Mercedes Benz kreuzen die Kurfürstenstraße. »War früher immer hier, immer unterwegs, war sehr beliebt. Sind viele wegen ihr gekommen. Die hat sich ganz schön Ruhm erfickt. Rumgefickt, verstehste, nun lach doch mal. Weil doch die Ostweiber besser ficken, sagt man doch, nicht wahr?, Alter?, und weil die alles machte. Spitzen-Service. Die lief für Kurti, wenn dir das was sagt.«

Er hätte auch den am liebsten erschossen, nicht Kurti, der ihm nichts sagte, den auch, wenn das alles wirklich stimmte, was dieser Typ ihm erzählte. Ihn wollte er am liebsten umlegen, den Schwätzer, den Currywurst-Fresser, dem der Ketchup schon in den Mundwinkeln festtrocknete. Der jedem Mädel hinterherglotzte und jedem

jungen dürren Kerl. Minirock, enge Hosen, kurze Pullis, regennasse Haare, Beate-Uhse-Center, Wichskabinen, Fußballkneipen, graue flache Plattenbauten, Schlecker, verwirrte Penner mit steifen Jeans, beklebte Schaufenster, blaue Neonschrift, Dönerbuden, Wettbüros, Taxis nach Tegel, Flughafenstraße, Mülleimer, Mülltüten, Stadtrundfahrten, Millionen Zigarettenkippen neben dem Bordstein, kleine Füße, große Schuhe, Sport, Krampfadern, eine Frau mit Schnurrbart, Flachmänner, Mutter Beimer, Transe mit Beule in der Hose, blau-weiß gestreifte Tüten, Schultheißeck, Kindl, fünfzig Jahre und kein bisschen ..., Zeitungskiosk, Minirock, Lederhaut, Videokabinen, Müllermilch, Autos am Straßenrand, laufende Motoren, nachts unterwegs, Weltzeituhr, Mitte, Zoo, Mädchen, Stoffkügelchen, Papierkügelchen, Billig-Rum, Reisebüro, Keller mit U-Bahn-Anschluss, »Wo is Kugel, wo is Ball«, Neutrinos im Licht der Laternen, Mädchen, Jungs, alte Frauen, »Alles muss raus!«, Achtziger, Neunziger, größte Hits, Grüße aus der Kneipe, Licht in der Nacht, Licht am Morgen, August, altes Bullenauto, Billig-Friseur, der zerbrochene Turm einer Kirche hinter den Häusern, Dämmerungen, Hair-Cut. »Ich komm vom Dorf«, sagt er. (Viel später erfährt er, dass das Mädchen, das er für seine Tochter hielt, vom Dorf kam.)
Um die große dunkle Kirche reitet er immer und immer wieder. Setzt sich dann auf eine Bank. Weil ihm schwindlig ist. Im Kreis herum, im Kreis herum. Wenig Licht, zwischen den Bänken, zwischen den Bäumen. Die dunkle Kirche. Der Norden der Stadt. Wo er sie seit Jahren immer wieder sucht. Wo er sie suchte, bevor er bis hoch zum Meer fuhr, Rostock, bis weit in den Osten in die Stadt an der Grenze. Bis nach Berlin, wo sie den Bundestag aus Glas und Stahl und Beton bauen, um neue Gesetze für die Huren zu verabschieden. Klapp klack klapp. Er reitet durch seine Erinnerungen, während er den Torbogen der alten leeren Schule beobachtet, die schwarz ein Stück neben der Kirche liegt. Wo die Mädchen manchmal stehen. Erst Jahre später, in the year 2525, hat er begriffen, wie alles zusammenhing; in seiner Stadt, hinterm Bahnhof, an der Kirche im Norden, glaubte er zu verstehen, dachte er, sah er Strukturen, Linien der Macht und des Geldes, Straße und Politik, der Genosse der Bosse und umgedreht. KLAPP KLAPP KLAPP, das Trommeln der Daten,

Zahlen, Stimmen verwirrt ihn, weil jeder Hufschlag etwas Neues bringt, KLAPP KLAPP, die wilden Horden wie einst die Mongolen, konzentrier dich, kleiner alter Mann, du musst das Portal der Kirche in den Augen behalten.

*Es gibt nicht die eine Familie in Berlin, die das Sagen hat / Jede der hier genannten Familien spielt eine gewisse Rolle in den kriminellen Strukturen der Stadt / Und wenn man sich als Unbedarfter mit einer der Familien anlegt, kann man Ärger bekommen / Aber nur einen Boss in dieser Stadt gibt es nicht, und die Strukturen ändern sich ständig / Das hat selbst Winne in der Oranienburger auf die harte Tour lernen müssen / Auch die beiden MC-Gruppierungen mischen mit / Aber die werden noch schlimmer von den Organen überwacht als die arabischen Familien / Und so schlau sind die alle nicht / Immerhin sitzen 3 der Abou-Chacker gerade in Haft / Einer fährt ständig ohne Führerschein und hat einen Haftbefehl, einer hat den Pokerraub organisiert und wartet auf sein Urteil (wirklich, wie dilettantisch das war), der andere wurde gerade verhaftet wegen Einflussnahme auf einen Zeugen / Das Oberhaupt der El bzw. Al-Zein Familie habe ich selber in Haft kennengelernt / Über Jahre hat er sich nicht brechen lassen, und dann hat er doch klein beigegeben / Jetzt hat er den größten Teil seiner Macht verloren / Aber mal zurück zum Thema: Bei den vorgenannten Familien kann man immer an den Falschen geraten, aber eigentlich sind die alle harmlos, wenn man das mit anderen Ländern vergleicht / Und wenn man Ärger haben will, kann man das auch mit den Albanern haben, die halt einfach in einem anderen Bereich fischen und sich so nicht mit den arabischen Familien in die Quere kommen / Ich bin ein ganz normaler Junge aus dem Leben mit einer ehemaligen kriminellen Vergangenheit, für die ich bezahlt habe / Aber Berlin ist halt multikulturell, und als Berliner muss man sich damit arrangieren / Die Polizei hat längst aufgegeben / Die versuchen zwar immer wieder einmal die eine oder andere Aktion, aber die Polizei hat in Berlin keinerlei Macht. Stopp.*

Er sitzt in der U-Bahn-Station, sitzt ganz still auf der Bank, spürt die Sonne und den Tag, die die Leute an ihm vorbeitragen, die U-Bahnen fahren und bringen die Winde mit aus den Schächten. Er lacht. Eine Zeitung auf den Knien. Die nimmt jemand weg. Aber er sitzt ganz still. Er erinnert sich an diesen Schimmel, dessen Bein brach, während des Rennens, und als er zu Boden ging, sich abzurollen versuchte vom stürzenden, einknickenden Schimmel, und als er dann

auf dem Rasen liegt, dem feuchten Grün, sieht er ihn weiterhumpeln, weit hinterm Pulk der Pferde, die Richtung Ziel galoppieren, sieht, wie der rechte Vorderlauf, nur noch von Haut gehalten unterm Gelenk, hin und her schlenkert. Wo gehst du nur hin.
*Und abschieben lassen sich diese Familien längst nicht mehr / Aber Angst haben vor den Familien muss niemand, der Eier hat / Die sind auch alle nicht kugelfest. Heute kommt doch jeder an eine Waffe heran, wenn er denn will / Die Deutschen sind halt nur meist schlauer und wollen nicht in den Knast / Das kann man auch als Schwäche auslegen / Aber es gibt genug Deutsche, die sich durchaus gegen einzelne Araber wehren könnten. Stopp.*
Und er sieht sie im Schatten, sieht sie wie durch zwei kleine Spinnennetze hindurch, die seine Pupillen bedecken, Iris I, Iris II, Mädchen, zwei, jung und dünn, später hält ein Auto, er umklammert die Pistole, die er nicht in den Fluss geworfen hat, was interessiert ihn die Hauptstadt, dort ist jetzt Winter, er trägt zwei Pullover übereinander unter seinem Trenchcoat und fragt sich, wie die beiden Mädchen sich nur so dünn anziehen können bei dieser Kälte und warum sie nicht in einer Wohnung sitzen, aber in den Wohnungen hat er nicht solche Wracks getroffen, und er hofft und betet nach irgendwo in die oberen, kälteren Schichten der Luft, wo die Vögel und das Wasser gefrieren, dass sie in einer Wohnung sitzt, dass sie im Warmen sitzt, besser tot als auf der Straße, denkt er manchmal, er steht auf und geht zu dem Auto, die alte Kirche im Rücken, er ist in seiner Stadt, das weiß er ganz genau, holt seine Stabtaschenlampe aus seinem Trenchcoat, sieht, wie der Freier zurückschreckt, die Tür seines Wagens zuziehen will, wahrscheinlich denkt, das ist eine Kanone, eine von diesen langen Schalldämpferknarren, plopp, plopp, er schaltet die Maglite an und leuchtet den beiden Mädchen direkt ins Gesicht, viel zu jung, viel zu jung, er sieht und hört den Wagen wegfahren, sieht, wie sie ihn mit großen, aufgerissenen Augen anschauen, ins Licht seiner Maglite blicken, weiße Gesichter, kein Solarium, Pickel auf der Stirn, kaum zugeschminkt, sie drehen sich weg, überlegen wohl, ob sie einfach abhauen sollen, in der Dunkelheit verschwinden, vor diesem kleinen, abgehetzten Mann, der doch unmöglich ein Bulle sein kann, und als sie das dann merken, kein Bulle, nur er allein mit seiner langen Maglite, fangen sie an, ihn

zu beschimpfen: »Blöder Wichser, vertreibst uns die Kundschaft, schwule Sau«, ihm ist aufgefallen, dass sie in den Wohnungen das Wort »Gäste« bevorzugen, »Kunden und Kundschaft gibt's beim Fleischer«, hat ihm mal eine nette mittelalte Hure gesagt, bei der er vor einigen Jahren gewesen ist, das Bild seiner Tochter als Vorwand für diese Flucht aus der Einsamkeit, die Frau kam aus Polen, war zumindest dort geboren, er hat im Internet von ihr gelesen, ja, das war dieser Ecki, diese Legende, dieser Alles-Schecker, nix geht mehr bei Schlecker (also diesem Drogeriemarkt, Mondos und Gleitcreme, wozu nur, ach, wozu nur), meine Fresse, was er alles nicht weiß, und da saß er dort rum, wie ein dummer Schüler saß er bei der Polin auf der Bettkante, die ihm erzählte, dass sie Krebs hat, Innendrinnen-Krebs hat, und da glaubte er zu verstehen, warum sie AV so offen in ihrer Annonce anbot, oder hat sie ihm das auch erzählt, weil sie ja Krebs hatte, *angeblich*, denn er glaubt längst nicht mehr alles, was sie erzählen, da drinnen, vorne, GV, und sie gab ihm, nach OV, das hat sie ihm förmlich aufgezwungen, gab ihm dann später eine kleine Tüte mit Erdnüssen mit Schokoüberzug, polnische Erdnüsse mit Schokoüberzug, mit polnischem Namen auf der Tüte, die knistert heute noch in seiner Manteltasche, gut geschmeckt haben die, und die Frau hat gejammert die ganze Zeit, wo sie herkommt, wo sie ... herkommt und wo sie gewesen ist. Dass sie da, irgendwo an der Grenze, Grenzstadt, Grenzfluss, dass sie in diesem Haus über Monate und länger, viel länger noch, kein Sonnenlicht gesehen hat. Und erzählte dann später, am selben Abend, in derselben Nacht, diese Stunde, diese fünfzig Minuten, »Nein, nein, ich hab noch zehn«, vergingen, als wäre sie jenseits von ... Eden City, die Stadt des Vergessens. (So hieß ein Buch, das er in den Achtzigern gelesen hat, irgendwas Utopisches, später sagte man »Science-Fiction«.) Zeit, Zeit, vergiss, reit durch den Abschaum, aber das war so eine nette und liebe Frau gewesen, dass er sich neben sie legen wollte und schlafen. Schlafen.

Und da schlief er wirklich. Ist eingeschlafen neben ihr. Die trocknende Wichse auf seinem Trenchcoat aus Berlin, aus der Hauptstadt. Dabei hatte er den ein paar Tage zuvor erst in der Reinigung gehabt.

»Sie haben da noch was in der Manteltasche.«
»Hab doch alles leer geräumt.« Das war in den guten Tagen, als er noch eine Reinigungskarte besaß, als er seine Hemden und Pullover immer in diese Reinigung brachte. Das war so eine Kette gewesen, sie hatten einige Filialen in der Stadt, und eine war gleich neben der Bude, in der er damals wohnte. »Sie haben da noch was in der Manteltasche.« Und er greift in den Mantel, wühlt in den Taschen, findet eine Tüte, halbleer, mit schokoladeüberzogenen Erdnüssen. Mit der Karte konnte er preiswert reinigen lassen, eine Bonus-Karte. Bonus-Bums-Karte. Ein Stempel für jeden Fick. Bumm bumm bumm. Das geht ihm durch und durch. Er hat mal gehört, dass sie früher den Boden, den sie bestellen wollten, mit Hilfe von Sprengstoffen aufgelockert, umgegraben haben. Sowas war damals noch üblich.

Wenn er durch die Straßen der Hauptstadt und durch die Straßen der Stadt läuft, knistert die fast leere Naschtüte in seiner Manteltasche. *Ich fiel in ein Delirium aus Angst. Hab doch alles leer geträumt.* Er erinnert sich an die Container bei Rostock. Diesen Containerpuff bei Rostock. Wie ist er dahin gekommen, und war das nicht Mitte der Neunziger gewesen, oder sechsundneunzig oder siebundneunzig. Als kurz darauf dort das große Umlegen begann. *Wer reitet so spät nach seinem Kind.* Er denkt, dass irgendwas mit den Zeiten nicht stimmt. Als es das Schwein hier in der Stadt erwischt hat, das muss neunundneunzig gewesen sein, ein Jahr bevor die Nullen das Chaos auslösten, das bis heute andauert, warum haben sie ihn nicht endgültig weggeblasen, eine Zeitlang ging ja das Gerücht, dass ..., und warum fährt das Schwein heute noch durch die Straßen, kein Projektil mehr im Fleisch, Informationen machen genauso schuldig, Dokumente und Fotos machen genauso schuldig, obwohl ihm genug Leute gesagt haben, dass das Schwein nichts damit zu tun hat und dass es kein Todesurteil sein kann, Informationen zu verwenden, wo doch keiner weiß, ob er die Informationen überhaupt hält.

Aber der kleine Mann im Trenchcoat, in diesem schmuddelig gewordenen Trenchcoat, weiß, dass der Aufstieg ohne Informationen, ohne Fotos und Dokumente nicht möglich gewesen wäre. Er denkt, dass er weiß. Auf seinen Wegen zwischen den Straßen und Jahren und Städten. Er sucht seine Tochter, die auf einem der Fotos sein muss, die das Schwein haben muss. Die dort nicht allein drauf ist. Er hat Informationen bekommen, wo der ist, der dort war, der Herr der kleinen Mädchen, M. Für den das Wort Schwein nicht reicht. Für den keine Worte reichen. Den er so viel mehr hasst als den, der seinen Aufstieg mit Informationen und Fotos ... finanzierte. Schulden. Er wird ihn nie finden, den Herrn der kleinen Körper. Immer wenn er nah dran zu sein scheint, die Knarre in der Tasche, ist der verschwunden, als würde er immer wieder durch Falltüren im Asphalt in Fluchthöhlen kriechen. Ob der Mann mit den Informationen, *der große Vermieter*, ihn schützt, ihm die Tunnel gräbt? Obwohl, er hat Männer und Frauen getroffen in diesen Jahren, die haben ihm ganz andere Dinge erzählt, dass der Vermieter dem Schwein M. nur *einen* Tunnel graben würde, mit einem Stein drauf, und sagten dann: *Das ist das*, als wäre es die einzige Wahrheit. Aber er muss ihn und ihn vergessen, muss sie alle vergessen, Eden City, muss sein Kind finden. Findet anderes. Andere. Steht an der Imbissbude, in der Nähe dieser einen Straße in Westberlin, wischt sich einen Ketchupfleck von seinem Mantel, er muss sich bald mal einen neuen kaufen, bevor der ihm wie ein Fetzen um den Leib schlottert, der Mantel bauscht sich im Wind, wenn er reitet, so wie er früher geritten ist, ohne Angst, mit Angst, wer reitet so spät durch Nacht und Licht, so oft war er in dieser Straße im Osten der Hauptstadt, die nie seine Hauptstadt war, ist durch diese geschwungene, schmale Straße flaniert, obwohl er dieses Wort jetzt nicht benutzen würde, vorbei an den Mädchen, die an den Abenden kommen, Sonne und Wind und Schnee aus den Schächten, wie jung die sind, die Alten stehen meist drüben im Westen, verwitterte Frauen, die Bäuche gebläht unter den engen Stoffen, *am Eckstein, am Eckstein, jede will gedeckt sein*, wenn die Hengste kommen, Hurenparaden, *the great race, it's post-time*, abends, wenn die Kassen schließen, das Klappern und Rauschen der Scheine in den Automaten, die Schlitze zahlen aus; und er flaniert an den Gesichtern vorbei, ach, ihr blonden Barbies, mit den sanften Gesichtern, im Abendlicht, im Morgenlicht, *Ken kann*, hört Stimmen, »Wir müssen das Netz abschaffen, wir müssen es zumindest

sabotieren«, er versteht nicht, »sonst bumsen sie nur noch im Netz«, schaut nur, Gesichter, Haare, Stoffe, Haut.
»He, Süßer, bist du einsam?«
»He, Süßer, willst du mich einsamen.« Nein, das hat er nun doch nicht gehört, aber es kann auch so gewesen sein. Eine Pension, dort um die Ecke, er hört den Muezzin von der Synagoge rufen, großer barmherziger Gott, hoch oben auf den Kuppeln der Stadt, Kupplerinnen, Kupplungen verhaken, Wohnwagen *woanders* und *wannanders*, wenige Autos auf diesen Straßen, »Schau sie dir doch genau an, schau genau auf das Foto, und bitte, sag mir ...«, bis diese Typen kamen und ihn wegtrugen. Nichtmal allzu unfreundlich. Engel. Aufnäher oder Logos auf den Lederjacken. Geflügelte Schädel, hoch über der Stadt. Er kann das sogar verstehen. Touristen und Dörfler flanieren durch diese geschwungene Straße, er stört. Die jungen Damen haben sich beschwert. Er kann das verstehen. Wischt sich den Ketchup mit einer Serviette von seinem Mantel. Er hat Pommes gegessen. Und einen kleinen Kaffee dazu getrunken. Der Mann hinter der Imbisstheke hat eine große rote geschwollene Nase. Auch sein Gesicht ist rot, die Haut sieht ungesund aus. Das liegt sicher daran, dass ..., denkt der kleine Mann und steckt die Serviette ein, die leere Schokonusstüte knistert in der Manteltasche, das liegt sicher an den Fettdünsten, den Frittierdünsten, die er täglich einatmet. Ein Freund von ihm hat einen Imbiss aufgemacht, kurz nach der Wende, dort in seiner Stadt, in die er wieder zurückfährt, bald, in die er nie wieder zurückfährt, bald, hat einen Pommes-Imbiss eröffnet und viel Geld verdient, damals nach der Wende, hat ihn, so erinnert er sich jetzt, bevor er mit dem Mädchen, endlich unendlich, redet, hat ihn doch dieser Freund damals, der wie er in den Stallungen gearbeitet hat, gefragt, ob er nicht mit einsteigen will in das Geschäft mit den Fritten. Der Frittenmarkt war groß im Kommen damals, noch kein RonaldMcDonald on the road überall und kein Burger-König, und so ein Imbiss, an der richtigen Stelle, war ein Goldesel, oder besser: eine Gold-Marie, aber er war nach dem Ende seiner glorreichen Karriere am Ende seiner glorreichen Karriere. Erinnerungen an die wenigen Siege, die immer mehr wurden in den Jahre der Erinnerungen, und seine Toch-

ter, sein kleines Mädchen, weit weg. So weit, und als er das merkte, noch viel weiter.
Undsoweiter. Ihm tat die Leber weh, ihm tat das Herz weh.
Es war an einem sehr warmen Tag. Die Pollen flimmerten durch die Luft dieses warmen Tages. Es war einmal, könnte man bald sagen, nicht wahr? Wohin gehst du. »Was du liebst, lass frei. Kommt es zurück, gehört es dir – für immer.«
Es war an einem sehr warmen Tag. Die Pollen flimmerten durch die Luft. Einmal musste sie sehr lachen. Unten in der U-Bahn. Weil sie das in einer Zeitung las: *Große Aufregung um ein kleines Verkehrsschild. Zwei Polizisten montierten in W. ein Verkehrsschild ab, da sie es für eine Fälschung hielten. Eine Prüfung ergab, dass das Schild echt ist. Die Polizisten mussten es wieder anschrauben!*
Dann wird die Sehnsucht immer größer. Endlich Berlin! Und der Tag war sehr warm, und die Pollen flimmerten ... Hatschie, hatschie, streichle die bebenden Flanken. Hunde schwitzen nicht, Pferde schon.
»Ich bin längst nicht mehr dabei.«
»Kannst du dich an sie erinnern?«
»Du scheinst nett zu sein, aber ich kann dir nicht helfen.«
»Du bist ein hübsches Mädchen. Und ich habe gedacht ...«
»Tut mir leid. Weißt du, was *ich* gedacht habe?«
»Nein.«
»Der alte Gast kehrt zurück. Oder noch schlimmer ...«
»Was wäre noch schlimmer.«
»Das weißt du doch. Jemand fragt nach mir. Ich bin längst nicht mehr dabei. Ich fahre jede Woche zu meinem Kind. Jedes Wochenende.«
Er hält ihr die Pistole an den Kopf, aber sie ist es nicht. Und sie weiß nichts. Was für ein warmer Tag, und wie die Pollen flimmern.
»Wie meinst du das, mit diesem Spruch, deinem sogenannten Lebensmotto? ..., für immer.«
»Ich weiß nicht, was du meinst. Und weißt du, was mir am meisten Angst gemacht hat?«
»Als du mich sahst?«
»*Er* ist in deinem Alter.«

»Woher weißt du kleine Sau, wie alt ich bin?«
»Du bist nett. Zum Essen hat mich lange keiner mehr eingeladen.«
»An dieser dreckigen Frittenbude konnten wir ja schlecht reden.«
»Die machen gute Fritten, kleiner Mann.«
»Ich bin einsfünfundsechzig!«
Ich war eine Gärtnerin. Ich liebe die Blumen. Da ist sehr viel Natur in unserem Dorf. Ich war auch mal in der Stadt, von der du mir erzählt hast. Aber da war ich schon lange hier. So fein essen war lange mehr keiner mit mir. Meine Oma ging immer in den Landgasthof mit mir. »Als du noch klein warst.«
»Als ich noch klein war.«
»Und ich dachte, ich hätte dich gefunden.«
Tulpen waren meine Lieblingsblumen. Ich hatte eine gute Freundin, die ist dann für immer in die Stadt gegangen, von der du mir erzählt hast und in der ich auch kurz war. Die wollte hier weg aus der Riesenstadt, aus der Stadt der Riesen, und dort richtig und in Ruhe Geld verdienen. »Du hast sicher auch gut Geld verdient. Zeig mal deine Nase her.«
»Anspritzen kostet extra. Und fass mir nicht ins Gesicht.« Und es war so ein warmer Tag, dass ich mir wieder meinen kurzen Rock angezogen habe. Das Blümchenkleid. Da muss ich hin, da bin ich frei.
Einhundertzwanzig Kilometer sind's bis Berlin. Ich bin gerne Gärtnerin. Und ich wollte irgendwann wieder arbeiten, als Gärtnerin, aber erstmal gucken. In der Schule war ich ja nicht schlecht. Und die Lehre fiel mir auch leicht. Weil ich war gerne … Was für ein warmer Tag. Mit den Pollen hatte ich nie Probleme. Das wäre ja sonst gar nicht gegangen. Die Pflanzen, die Bäume, die Blumen und ich.
»Hat er noch andere Mädchen gehabt?«
»Er hat mich nicht gehabt, kleiner Mann.«
»Guck sie dir genau an. Du warst doch sicher nicht die Einzige.«
»Ich bin weg davon. Ich will davon nichts mehr wissen.«
»Du brauchst keine Angst vor mir zu haben. Wozu geb ich dir Sekt aus, wenn du nichts erzählst, du kleines Miststück.«
»Ich hab doch ein Kind jetzt, das ist bei der Oma.«
»Als du noch klein warst.«

Party in der Hauptstadt. Ich war fleißig, um mir alles leisten zu können. Ich war das Kioskmädchen. Ich war das Imbissmädchen mit den Blumen im Kopf. Ich war Julia Roberts mit dem flachen Bauch.
»Du hast wohl Angst, dass er wiederkommt?«
»Ich hab keine Angst. Vor niemandem mehr.«
»Wenn sie auch bei ihm war, kann ich ihn totmachen für dich.«
»Du bist doch krank.«
»Trink noch einen Sekt mit mir und denk genau nach.«
»Wo hast du eigentlich das Geld her? Er hat mir sogar Champagner gekauft.«
Wenn man ein Kind hat, braucht man doch viel mehr Geld. Die Oma hat immer aufs Kind aufgepasst. Aber sooft es ging, bin ich zu meinem Kind gefahren.
»Ich hatte auch mal ein Kind.«
»Ich kann dir nicht helfen, kleiner Mann. Wo hast du eigentlich das viele Geld her?«
Als ich schwanger war, habe ich nie was genommen. Ich habe nie was genommen. Nur manchmal, nachts, wenn wir unterwegs waren. Hier und da. Aber nicht viel. Nein, es war ein Junge. Da bin ich froh, wenn ich jetzt so drüber nachdenke, da bin ich irgendwie froh drüber. Nein, das will ich nicht sagen, wie er heißt, das will ich dir nicht sagen. Weil es mein Kind ist und weil das privat ist und weil das hier in der Welt niemand wissen darf. Das war dann so, dass ich eigentlich nur noch müde war. Dass ich nur noch sitzen oder liegen wollte, nein, liegen eigentlich nicht, aber vielleicht ganz für mich alleine, ich wollte mich immer hinsetzen oder irgendwo anlehnen, weil ich so müde war. Er hat gesagt, dass das vorbeigeht und dass er sich mit mir zusammen um das Kind, um den Jungen, kümmern will, wenn wir genug Geld zusammenhaben.
»Wenn das Kind von mir wäre, ich hätte dich nie allein gelassen. Dich und deinen Jungen.«
Manchmal hab ich sogar gedacht, wenn ich drauf war, dass es ein Mädchen ist. Weil ich ganz früher mir immer vorgestellt habe, dass ich mal ein Mädchen kriege, weil Blumen und Pflanzen, das ist ja nun doch nichts für Jungs. Anfangs hat er mir Blumen geschenkt.

Nein. Das stimmt nicht. Das denke ich mir aus, weil's schön gewesen wäre.
»Du sollst mich doch nicht anlügen, verdammt nochmal.«
Ich kann dir nicht helfen. Vielleicht habe ich sie wirklich mal gesehen, vielleicht habe ich sie sogar mal ..., und mit ihr gesprochen. Aber versteh doch, alles leer, alles müde. Ich hab doch keine Ruhe, weil er mich sucht. Erzählen sie hier.
»Ich denke, du bist raus, Mädchen?«
»Bin ich auch. Aber wenn man die Leute hier kennt ...«
Und ich geh manchmal noch vorbei hier, wenn ich von der Arbeit bei Karstadt komme, ich arbeite nämlich jetzt wieder richtig, obwohl ich Angst habe, dass er hier auf mich wartet. Er ist sechsundfünfzig. Und am Anfang war er so gut zu mir.
»Red's dir nicht schön, verdammt nochmal, hier, trink noch einen Sekt. Und du hast dir wirklich nie die Nase operieren lassen? Und lüg mich nicht an, du kommst doch nur hierher, um dir ab und an etwas Schorre zu besorgen. Lüg mich nicht an, du ...«
In paar Wochen bin ich hier weg. Dann gehe ich zu Oma, und dann will ich versuchen, wieder Arbeit zu finden, irgendwo bei uns in der Nähe. Da ist Natur und Tourismus, da will ich wieder Gärtnerin ...
»Ein Dreck ist dort! Verrecken kannst du dort! Nur Wald und Idioten. Wie willst du da jemals ... Lüg dich doch nicht selbst an, Mädchen.«
»Du bist ein guter Mann. Mir hat lange keiner mehr zugehört.«
Und ich hab eine Freundin, dort in der Stadt, wo du herkommst, kleiner Mann. Ich habe schon gedacht, ob ich nicht dorthin gehen kann. Aber sie arbeitet in einer Wohnung, verdient richtig gut Geld, aber ich will damit doch gar nichts mehr zu tun haben.
»Du bist ein sehr schönes Mädchen. Jemand sollte sich um dich kümmern, ich meine, du bist was ganz Besonderes.«
Als er aufwacht, ist er wieder im Containerpuff in der Hafenstadt. Weiß nicht, in welcher Zeit seiner Suche er sich befindet. Plüsch über den Metallwänden. Bläuliches Licht. Vielleicht Schwarzlicht. Ein rotes Herz, auch Plüsch. Er liegt auf dem großen Bett. Seine Tochter ist nackt und sitzt auf ihm. Ihre Zähne leuchten im offenen Mund. Sie hat sich die Nase operieren lassen, aber er erkennt sie

trotzdem. Als er aufwacht, ist sie weg. Er blinzelt, erkennt nicht sofort, wo er ist. Er taumelt durch einen langen halbdunklen Gang, Wasser tropft von den Wänden. Vor sich und hinter sich hört er Schritte, oder ist das der Widerhall seiner eigenen? Er erkennt verrostete Eisentüren in den Wänden, links und rechts. Die Wände, die Decke, der Boden, die Türen vibrieren, ein Grollen irgendwo über dem Stein, oder ist es das Dröhnen des riesigen Bohrers, der sich durch den Grund frisst, die Stadt unterhöhlt, Projekt City-Tunnel, warum nicht gleich bis Berlin, was wäre das für eine Hurenpipeline, »Nein!«, ruft er immer wieder, und endlich hört er seine Stimme in dem verklingenden Dröhnen der Bohrer, der Züge, »das sind nicht meine Gedanken, das sind Fremde in meinem Kopf«, und als er eine der verrosteten Türen aufreißt, mit einem endlosen Quietschen öffnet sie sich, mit einem furchtbaren Kreischen in den alten Scharnieren, sieht er seine Tochter, festgeschnallt auf einem Krankenhausbett, nackt, die Beine auseinandergerissen, sie glänzt, ihr Körper glänzt, er steht in der Tür, sieht die Männer, die in langen Reihen neben dem Bett stehen, sie bespritzen, ihre steifen Schwänze an ihr reiben, andere Männer drängen ihn zur Seite, drängen vom Gang her in den Raum, drängen von allen Seiten in sie, nein, er erkennt sie nicht, will sie nicht erkennen und läuft weiter, alles wird kleiner, wie das schrumpfende Bild einer kaputten Fernsehbildröhre, Räume, Zimmer hinter eisernen Türen, Wasser tropft von den Wänden, und er wischt sich über seine kühle, feuchte Stirn.
Sein Kopf liegt neben der Sektflasche. Er hatte zwei Träume, an die er sich erinnert, obwohl er nur kurz weg gewesen sein kann. Leere Teller, leere Gläser, leerer Stuhl. Paris, Frankreich. Er träumte, dass er Geld in den Händen hielt, viele Scheine. In irgendeinem Raum, in irgendeinem dunklen Gang, eher so halbdunkel. Die Pistole hängt irgendwo schwer in seinem Mantel. Ein Mädchen in einem kleinen Bett im Schatten. »Gib das scheiß Geld her, du Miststück. Und lüg mich nicht an, dass du sie nicht kennst.« Er sieht alles verschwommen, schlechtes Bild auf altem Schwarzweißfernseher, als wären kleine Spinnenweben auf seinen Pupillen. Die Kirche, die dunklen Straßen hinter dem Bahnhof. Die langgezogenen Signale von Zügen hört er in der Nacht. Er wird weitergehen müssen. Er sieht nicht die

Blaulichter, die Krankenwagen, weil das später ist, aber nicht sehr viel später. Hauptstadt. Eden City zwo. Er bezahlt und setzt sich dabei auf ihren Stuhl, der noch warm ist. Pollen treiben über den Fußweg und Asphalt. Sie hätte *sie* sein können, und er hätte es nichtmal gemerkt. Schüsse? Hörte er keine. Er verschwindet in die andere Richtung, den zweiten Traum noch in seinem Kopf, auf seiner Netzhaut. Obwohl es Nacht ist, bildet sich ein Ring aus Leibern um den Imbiss. Um die Bullen, um die Krankenwagen, um *sie*. Den grimmigen Alten werden sie später erwischen. Zwei Löcher im Blümchenkleid. Dichter und dichter rücken sie auf. Wenn sie auf den Kuppeln und Türmen stehen könnten ...

»Und wenn ich dir sage, dass ich ihn sogar gesehen habe ...«
»Erzähl nicht, Mädchen. Schlaf dich mal wieder aus. Und mach was gegen deine schlechten Träume.«
»Ja, du hast recht. Gute Nacht.«
»Nun renn doch nicht weg, ich fahr dich nach Hause.«
»Mein Auto steht doch unten.«
»Lass gut sein, ich seh doch, dass du zu viel Sekt ...«
»Prosecco, Arnie, wir trinken jetzt immer Prosecco.«
Klapp klapp klapp. Große, endlose Halle unter den Bögen aus Stahl und Glas. Die Tauben flattern auf. Langsam, weil Schlafenszeit ist.

In the year 2525

I
Zuhälter? Nein. Nein.

II

Das Jahr hat 365 Tage, meine Damen und Herren, und gehen wir einmal davon aus: pro Tag 5000 Euro Umsatz. Plus X. Geschätzt. Genauer: Wenn in ca. 50 Wohnungen jeweils mindestens 2 Dienstleisterinnen arbeiten. Also 100 Dienstleisterinnen. Und das wäre ca. ein Siebtel der offiziell in der Stadt Gemeldeten, entsprechend den Zahlen, von denen wir ausgehen. Jede dieser 100 zahlt 80 Euro Tagesmiete. In Euro: 8000. Umsatz. Das sind im Jahr: 2920000. (In Worten: zwei Millionen neunhundertzwanzigtausend) Euro. Umsatz. Plus minus. Wobei, wie wir wissen, es sich oft um ein Vielfaches der Summe handelt, da das Unternehmen X expandiert. Wir müssen uns vor Augen führen, was diese Zahlen an Steuereinnahmen bedeuten. Dazu die zu versteuernden Einnahmen aus dem Kundenbetrieb der Dienstleisterinnen! Überschlagen Sie das einmal *scherzeshalber* bis zum Jahr 2025. Meine Damen und Herren. Jetzt ganz intern, unter uns, aber behördenübergreifend, zum Wohle des Staates, des Bundeslandes und der Stadt: Der Rubel muss weiter rollen!

(Finanzamt I, Sektion B2, Zimmer 001)

## III

Früher hätte ich gesagt, und das sicher mit der entsprechenden Lautstärke, und da wärst du schön nass geworden: Willst du mich rollen, Arschloch?
Oder vielleicht doch etwas höflicher, weil *offiziell* oder *inoffiziell*, das ist hier die Frage: Sie Pimmel wollen mich wohl verarschen? Überlegen Sie mal, wann hat Sie jemand das letzte Mal als Pimmel bezeichnet, wenn das überhaupt schonmal vorgekommen ist. Das Wort Fotze habe ich als Schimpfwort nie benutzt, da habe ich viel zu viel Respekt vor den Frauen. Aber zurück zum Thema: Sie haben doch keine Ahnung, überhaupt keine Ahnung. Ich kann Ihnen was erzählen, kann Ihnen jede Menge erzählen über Zuhälter, passend zum Anlass ..., kann Ihnen da viel erzählen, aber ich, mein Beruf, oder sagen wir: das, was ich mache, mein Job, meine Profession? Nein. Und was soll das hier überhaupt darstellen? Eine Art Ausschuss zur Untersuchung unamerikanischen, will sagen *unmoralischen* Verhaltens? McCarthys Hurenjagd, Rotlicht im Jahre null? Da staunen Sie, Herr Kraushaar ist gebildet! Ach, kommen Sie, als wenn mich Ihr Aufgebot beeindrucken könnte, Sie kennen doch die Olsenbande, das dänische Gaunertrio mit seinen genialen Coups, natürlich kennen Sie die Olsenbande, aber andererseits weiß ich nichts über Sie, wo Sie herkommen, denn die Olsenbande ist doch eher eine Ostsache, über die Bullen jedenfalls haben wir immer nur gelacht, seit der Olsenbande, im Kino und später. Obwohl ich ganz gut auskomme mit den Bullen in der Stadt. Mit fast allen. Gutes Verhältnis, würde ich sagen. Mehr noch zur Justiz. Politik. Und ich habe ganz andere Marken gesehen, *die Firma*, wenn Sie das verstehen. Staatssicherheit. Aber das klingt ja heute schon so wie in einem Science-Fiction-Film, »Blade Runner« oder was weiß ich, Totalitärstaaten der Zukunft wie in »Judge Dredd«, kennen Sie den, mit Stallone. Staatssicherheit, Big Mother, Robotzuhälter, Replicanten, träumen wir bald von *elektrischen* Frauen?
Als Kind habe ich manchmal davon geträumt, dass mich Außerirdische entführen. Nein, nicht wegen E.T. Denn das muss ja so Anfang der Achtziger gewesen sein, dass »E.T.« in der Zone lief, und

da war ich schon Anfang zwanzig, also sagen wir zehn Jahre eher. Anfang der Siebziger. Irgendein Film muss mich dazu gebracht haben, obwohl, ich habe viel gelesen damals, utopische Literatur hieß das, »Science-Fiction« war mir lange unbekannt als Wort. Da gab es jede Menge Klassiker, DDR-Literatur, die Russen, nehmen Sie nur »Solaris« von Stanisław Lem, Sternentagebücher, der war ein Pole, wenn ich mich nicht irre. Das hat mich beeindruckt, richtig beeindruckt, viel mehr noch als diese germanischen Göttersagen, die mich davor interessiert haben, Thor, Odin und wie sie alle hießen, mein Großvater hat mir ein Buch geschenkt damals, Anfang der Siebziger, zu Weihnachten, ein altes Ding, mit Illustrationen, Thor schwingt seinen Hammer Smjolnir, die große Weltenschlange am Ragnarök, Buri der Schaffende, die Nornen waren schon vor den Göttern, Orlog, das Schicksal, die ewige Weltordnung über den Göttern und Menschen, Odin, der die Sterne am Himmel ordnete, gen Ginnungagab, den kalten Weltenabgrund, Nacht und Mond, Urd – die Vergangenheit, Werdandi – die Gegenwart, Skuld – die Zukunft, *Wild toste das Wasser in steigender Flut, / Es brausten die Wellen in zügelnder Glut, / Dann stürzte das All, / Ein riesiger, mächtiger, flammender Ball*, ja, was für eine pathetische Scheiße, und warum ich das alles noch so gut weiß, wollen Sie wissen?, weil die Worte und Zahlen durch meine Synapsen rattern, Jahr um Jahr, und das können Millionen sein, aber »Solaris« oder dieses andere von den Russen, »Picknick am Wegesrand«, genau!, da habe ich immer gedacht, bevor ich sterbe, irgendwann mal, wie man das eben so denkt als Kind, also bevor ich sterbe, möchte ich einmal diese außerirdischen Wesen kennenlernen, das riesige flammende All, einmal möchte ich aufgehen in diesen Weiten. Dieser Ozean in »Solaris«, dieser intelligente Ozean, da wollte ich immer reintauchen als Kind, eintauchen, weil ich dachte, dass dort die Unendlichkeit drin ist und man im Prinzip dann da drin aufgeht. Habe ich mir also vorgestellt, wie die Außerirdischen mich holen ..., habe mir richtig vorgenommen, dass das nachts in meinen Träumen auftaucht, und manchmal hat's auch geklappt, und ich war weit draußen im All mit ihnen.

Will damit sagen, auch wenn Sie das vielleicht jetzt nicht begreifen,

ich war früh damit vertraut, die Dinge mit etwas Überblick zu sehen. Von oben, denn wenn du den Überblick nicht hast, bist du ganz schnell weg in unserer Branche. Aber das ist nun natürlich keine branchenspezifische Weisheit, ist überhaupt keine Weisheit, ist nur so, dass ich viel über die Standpunkte nachgedacht habe. Wo stehe ich, und wo will ich hin, und von wo aus habe ich die beste Sicht. Auf meinen Kram und den der anderen. Auch deswegen habe ich studiert Anfang, eher Mitte der Neunziger, vierundneunzig? Sechsundneunzig?, da stimmt doch was nicht, dass ich das jetzt nicht sofort im Kopf habe, ich habe Zahlen und Daten und Summen und Jahre immer sofort parat. Ratternde Synapsen.
Das würden Sie vielleicht Paradox nennen. Das mit dem Studium und den Zahlen, aber ich bin Unternehmer! Jeder weiß, dass ich früher beim Fußball dabei war, dritte Halbzeit, wenn Sie verstehen, unsere Brigade war sofort präsent nach der Wende. Ich habe darin nie einen Widerspruch gesehen. Firma Coppenrath & Wiese hat das nie verstanden. Damit meine ich die ..., wie soll ich das jetzt nennen, »Bürger«? Also Coppenrath & Wiese, wie die Tortenfirma, habe das von einem bescheuerten Luden, der Anfang der Neunziger hier kurz mal sein Glück versucht hat. Und das war einer aus dem Bilderbuch, *Luden. Frühe Neunziger*, so wie ich vorhin meinte. Also genaugenommen bin ich auch ein Bürger, ein unbescholtener Bürger, wie man das so sagt. Hab meine Firma. Bau und Vermietung. Wollte eigentlich noch in Werbung und Logistik machen, wozu habe ich denn all die Jahre ..., na ja, so lange war's dann auch nicht ..., studiert. War ja auch nebenher, Fachhochschule, Fachuni. Dafür musste ich mein Abitur nachmachen. Mit fast dreißig. Weil ich früher ..., weil es früher nicht so einfach war, auf die EOS zu kommen, die erweiterte Oberschule. In der Zone. Musste man angepasst sein. Ich würde sagen, ich war immer ein Individualist. Jedermanns Freund ist jedermanns Narr.
Die ganzen Frührentner, nichts gegen die Rentner und die wirklichen Frührentner, mein Vater ist auch oder bald Frührentner, Pensionär, sagt er immer, obwohl das so nicht ganz stimmt, für die Frührentner, und Sie verstehen schon, dass ich da alle möglichen Altersklassen mit meine, Coppenrath & Wiese, immer war und bin

ich für die der Zuhälter. Der Rotlichtmann. Der Ludenkönig. Was soll der Scheiß? Vermietung. Ich bin in der Vermietungsbranche. Habe zwei gutgehende Firmen. Investiere in mein eigenes Fitnessstudio mit Gym. Geschäftsmann. Manager. Ja. Aber Zuhälter? Lude? Der den Mädchen die Kuppe maust? Der die Mädchen für sich ackern lässt? Pfui Deibel. Nein, dann verstehen Sie nichts, aber auch gar nichts vom Geschäft. Von der Szene. Oder sagen Sie »Milieu«, wenn Sie unbedingt wollen. Bin ich auf der Anklagebank? Nein. Wo ich bin? Wo ich bin. Wo. Ich. Manchmal wache ich nachts auf, und dann bin ich erschrocken über die Dunkelheit. Diese tiefe Dunkelheit, in der man nachts manchmal zu sich kommt. Dann berühre ich mich. Nein, nicht *so*, verdammt nochmal. Berühre mit den Fingerspitzen meinen Arm, drücke mit den Fingerspitzen in die Haut, damit ich spüre, dass ich noch da bin.
Milieu. Was soll das sein, bitte? Die Muschi besitzt ein feuchtwarmes Milieu. So steht das in den Büchern, in den Schulbüchern, Biologiebüchern. Vagina. Scheide. Feuchtwarm, ja, in der Tat. It's all about Muschi, hat mal …, wer hat das gesagt, dieser Japaner, it's all about Sushi, der immer zu Hans in den Club kam? Das kam mir gerade in den Sinn, bei Milieu. Möse. Auch nicht schlecht als Wort. Fotze, na ja. Nein, nicht wirklich. Hatten wir ja vorhin schon. Respekt. Pussy. Hm. Hm. Sagte man neunzehnhundertneunundneunzig noch nicht, war noch nicht so üblich, in einigen Pornos schon. Ein paar von den Mädels, die für mich arbeiten, also in meinen Wohnungen arbeiten, haben …, verdammt, jetzt ist der Faden weg, was wollte ich gleich nochmal …, Pornos, ein wirklich gutes Geschäft, habe ich lange drüber nachgedacht und hatte nie was dagegen, wenn die Mädels …, hartes Geschäft, aber gutes Geschäft. Immer mit Zukunft. Immer. VHS. DVD. Netz.
Zuhälter gibt es fast keine mehr in der Stadt, wenn Sie das so genau wissen wollen. Ob die eine oder andere nun für ihren Mann das Geld nach Hause schleppt, kann man nie wissen, genau wissen zumindest. Und ich will auch nicht zu hundert Prozent ausschließen, dass hinter paar von meinen ausländischen Mädels nicht eine …, sagen wir mal eine Vermittlungsgesellschaft steht, die …, sagen wir mal *mitkassiert*. Aber ich habe kein Interesse daran, dass meine Mädels,

ich nenne sie jetzt mal »meine Mädels«, denn sie mieten ja bei mir nur den Arbeitsraum an, das muss ich ja immer wieder betonen, also gar kein Interesse habe ich daran, dass da etwa Druck ausgeübt wird, dass da Schweinereien laufen, dass da psychischer Druck herrscht, und Zwang, Zwang auch, denn dann, und das weiß jeder gute Manager und Vermieter in unserer Branche, wird das Geschäft nicht besser, im Gegenteil. Da würde ich Maßnahmen ergreifen. Hundertmal, ach was, tausendmal und noch viel öfter habe ich immer wieder, immer wieder gesagt: »Gebumst wird immer«, ja, das auch, so simpel, wie das ist, stimmt es auch, aber ich muss aufpassen, ein wenig zu viel Konfusion, ich wollte auf etwas ganz anderes hinaus, Chaos brauchen wir nicht, das schadet dem Geschäft, Sie müssen entschuldigen, mein Bein ...
Warum erzähle ich das überhaupt alles? Ach ja, ich vergaß, das große Ausmisten ..., die Saubermänner wollen wissen, ob wir Dreck am Stecken haben ..., aber warum, verdammt nochmal, ist es dann da draußen, ich seh doch das Fenster, so stockdunkel und der Himmel so voll mit Leuchtelementen wie in einem Planetarium?
*Der Erfolg der neu gegründeten Existenz wird sich erst dann einstellen, wenn das sachliche Unternehmensumfeld ein solides Fundament darstellt. Hier sind das Marktumfeld sowie Standort- und Finanzierungsfragen zu prüfen.*
Wollen Sie mich testen? Erstes Semester. Natürlich. Solide. Was sonst? Gebumst wird immer. Schon ein Tag nach dem elften September wird weitergebumst, o. k., wir haben neunzehnhundertneunundneunzig, aber das ist jetzt nicht zu weit weg, um drüber zu reden, und Sie haben die Regeln gemacht und mich in diese ..., was ist das überhaupt? Eine Raumkapsel? Verhörzimmer zwischen den Sternen? Und wenn Sie den Kölner Dom sprengen, am nächsten Tag klingeln die Telefone und Türklingeln bei den Mädels, dass sie Überstunden schieben müssen. Ja, ja, das Marktumfeld. Kennen Sie die Taxi- und Hurenformel? Der Goldene Schnitt für den goldenen Schritt. *Der kapitalistischen Produktion genügt keineswegs das Quantum disponibler Arbeitskraft ...* Was soll der Scheiß, das gehört hier nicht hin. Das bringen wir weiter hinten. Beziehungsweise unten. Nichts kapiert ihr, nichts versteht ihr:
Eine Hure und ein Taxi auf eintausend Einwohner. Das sind bei sie-

benhunderttausend siebenhundert. Plus minus. Bei drei Millionen schon dreitausend. Also sollten in Berlin ungefähr dreitausendfünfhundert Huren Geld verdienen. Es sind mehr. Ich weiß das. Wenn ich hier in der Stadt die Hälfte abdecke, also Wohnungen und Clubs für zweihundertfünfzig Frauen stelle, muss ich natürlich aufpassen, dass von anderswo nicht noch mehr dazukommt. Ich bleibe konstant. Solides Fundament. Was nicht heißt, dass ich nicht investiere und moderat expandiere. Aber die Konkurrenz? Also eine Situationsanalye? Informationen über Marktlage, über Kunden- und Konkurrenzstruktur, über das bestehende Lieferangebot. *Der Wert der Ware aber stellt menschliche Arbeit schlechthin dar, Verausgabung menschlicher Arbeit überhaupt. (…) Alle Arbeit ist einerseits Verausgabung menschlicher Arbeitskraft im physiologischen Sinn, und in dieser Eigenschaft gleicher oder abstrakt menschlicher Arbeit bildet sie den Warenwert. Alle Arbeit ist andererseits Verausgabung menschlicher Arbeitskraft in besonderer zweckbestimmter Form, und in dieser Eigenschaft konkreter nützlicher Arbeit produziert sie Gebrauchswerte.*

Oh ja, Gebrauchswerte, das haben wir analysiert Anfang der Neunziger, Mitte der Neunziger. Als die Gucci-Luden alle langsam wieder verschwanden. Back to the West. Die Ausländer kriegten auch ihre Finger nicht weit genug in die Tür, dann RUMMS, Tür zu, Finger AUA. Edo? Ich kenne keinen Edo. Mein Bein? Was soll sein damit? Man hat mir was in den Tee getan, deswegen erzähle ich und erzähle ich, und draußen fliegt die Nacht vorüber. *Here comes the sun, here comes the sun, little darling …*

Scheiße, die Beatles! Also doch psychischer Druck. Im physiologischen Sinn. Natürlich. Davon profitieren wir. Druck. Trieb. Sicher wie die Bank of England. Einer meiner Fahrer hat immer erzählt, dass sein Vater die Beatles persönlich kannte. Star Club, Hamburg. Der war Seemann, der Vater von meinem Fahrer. Ich fand das jetzt nicht so spektakulär. Wenn er sie selbst getroffen hätte, ja. Aber Frankie war erst paarundvierzig, vielleicht fünfzig, aber eher noch drunter, als er die Mädels rumfuhr. Keine Ahnung, wo er jetzt ist, manche erzählen, er hat im Lotto gewonnen, andere sagen, der hatte Krebs, Gehirntumor, böse Sache, war ein richtig netter Kerl. Frankie goes to Hollywood. Vielleicht. Ich bin müde. Ich weiß nicht, was ich hier soll. Aber ich kann nicht schlafen. Wie heißt diese Schleife, in der man festhängt. Lipsiusschleife? Nein. Ich bin in einem kalten Tunnel, zwischen den Jahren und Sternen, und draußen fliegt das All vorüber.

## 4

(»Ich meine, ich bin nicht bescheuert, ich hab meine Schulbank abgedrückt bis zur Zehnten, und auch bisschen was gelesen, immer schon, obwohl mein Vater 'n einfacher Arbeiter war in der Stahlstadt, aber diese römischen Zahlen, diese römischen X, V undsoweiter, eins bis drei, vollkommen o. k., aber danach muss ich immer überlegen, wie jetzt, minus 1, plus 1, V wie vier oder wie fünf, und ab zehn wird's ganz bescheuert, o. k., so weit geht das meistens gar nicht ..., aber trotzdem, wir sind doch in Deutschland, also finde ich, wir sollten deutsche Schrift, also Zahlen, ja, ja, ich weiß, lateinisch, nee, oder arabisch oder wie man das auch nennt ..., ach, Scheiße.« Hans Pieczek im Gespräch mit Arnold Kraushaar, Februar 1998)

Abends lernte er. Saß in seinem Büro in der Nähe seiner Wohnung, die Bücher und Hefte vor sich auf dem Tisch. Das Telefon immer in der Nähe. Schon neunzehnhundertzweiundneunzig hatte er sich eins von den riesigen Loewe-Handys besorgt, obwohl er es dann kaum benutzte. Die Stadt war nicht so groß wie Berlin oder Hamburg, und jeder wusste, wo er zu erreichen war im Notfall. Eine Flasche Rotwein oder Cognac (Hans brachte ihm manchmal eine gute Flasche mit vom Großhandel), Kaffee und ein paar Kippen, ab und an eine kleine Nase Speed, aber nicht zu viel, und so saß er oft bis in den Morgen über den Büchern und Heften. Wenn man mehr wollte als die Luden und die Halbseidenen und die Großschnauzen mit den großen Uhren, die irgendwann ihre Uhren zum Pfandleiher brachten oder ihre Koksnasen zurück in die Gosse, wenn man mehr wollte, musste man mehr tun. Das mit dem Abitur ging ganz schnell ...,

aber das Studium war härter, als er gedacht hatte. Natürlich lernte er was über die Märkte und das Kommen und Gehen des Geldes, über Steuermodelle und Analysen verschiedenster Markt-Situationen. Dass im Jahr zweitausendzwei das Prostitutionsgesetz vieles einfacher machen würde, konnte er nicht wissen. Das Geld ist die Droge. Mit Koks ist er kaum noch dabei. Er sitzt in dem großen weißen Raum, vor sich seine Bücher und Hefte, hört dem Dozenten zu, beobachtet die Mädels vor sich, Anfang zwanzig sind die höchstens. Das Geld ist die Droge. Für neunzig Prozent der Frauen, die in seinen Wohnungen arbeiten. Die meisten Menschen arbeiten für Cash und nicht, weil es ihnen Spaß macht. Ein paar von den Frauen, die in seinen Wohnungen arbeiteten, haben sich vorher auch in der Pornobranche versucht, und was er so gehört hat …, härtere Arbeit oder mindestens genauso hart. Eine Zeitlang hat er überlegt, ob er nicht in diesen Geschäftszweig investieren soll, er hatte damals, kurz nach der Wende, den Pornopapst kennengelernt, der in einer riesigen Halle seinen Kram verkaufte, seine Leute machten den Sicherheitsdienst. Der Typ hat Zehntausende abgeschöpft an einem Wochenende. Wie hat der gesagt? Gebumst wird … Nee, anders: Aktie Fick steht immer oben! *Der Wert einer Ware ist gleich dem Wert des in ihr enthaltenen konstanten Kapitals, plus dem Wert des in ihr reproduzierten variablen Kapitals, plus …*
Bevor er zur Abendschule fuhr, um sein Abitur zu machen, hat er immer noch im Club und bei den Mädchen nach dem Rechten gesehen, hat seine Leute instruiert, das ist jetzt ein, zwei Jahre her, aber die Zeiten ändern sich schnell in seinem Geschäft, das Geld fließt und fließt, und deswegen braucht er solide Fundamente. Chaos ist ein Feind des Geschäfts und nutzt nur dem, der übernehmen will. *Auf den Punkt gebracht. Danke, Herr Kraushaar.* (Das hat er alles schon vorher gewusst, zumindest mit dem Bauch und der Faust, hat ja das Chaos ergründet in den Jahren nach der Wende, aber jetzt geht ihm das alles ständig durch den Kopf, seit er in den Nächten sitzt und lernt, er begreift jetzt die Dinge anders, gleicht die Geschehnisse und Erinnerungen ab mit den Lehrsätzen und Theorien aus den Büchern und den Seminaren, versucht, das Geheimnis des Marktes zu begreifen, und es ist überall derselbe Markt, das begreift und

sieht er immer mehr und immer klarer, ob Bumsen, Badelatschen oder Millionen made by Ackermann.) Er lacht, gießt sich etwas Schnaps in den Kaffee und blickt aus den Fenstern seines Büros in die Nacht. Er sieht die Lichter der Straße hinterm Zaun des Gewerbegebietes, Scheinwerfer blenden, Rücklichter verschwinden im Dunkeln, sicher fahren einige von denen in seine Clubs, zu seinen Wohnungen.

Der Dozent geht mit einem Zeigestock über die Tafel. »Wachstumsstrategien«. Ja, das interessiert Arnold Kraushaar. Da hört er zu und beobachtet nicht mehr die beiden Mädels, die schräg vor ihm sitzen. Die eine würde er »scharf« nennen, das ist was anderes als »hübsch« oder »schön«. Typ Sexbombe. Blond, jung, große Titten, aber nicht zu groß. Fünfzig Wohnungen, denkt er, das sollte machbar sein in dieser Stadt in den nächsten Jahren, er kennt die goldene Formel, und er kennt sein Ziel. Fünfzig Prozent. Und dann die nächste Etappe. Er ist jung. Er hat gute Leute. Und Visionen. Und er bringt das Geld zur Bank, fünfzig Prozent, und den Rest investiert er, plus minus, denn: *Das Bankkapital besteht 1. aus barem Geld, Gold oder Noten, 2. Wertpapieren. Diese können wir wieder in zwei Teile teilen: Handelspapiere, Wechsel, die schwebend sind, von Zeit zu Zeit verfallen und in deren Discontierung das eigentliche Geschäft des Bankiers gemacht wird; und öffentliche Wertpapiere, wie Staatspapiere, Schatzscheine, Aktien aller Art, kurz zinstragende Papiere, die sich aber wesentlich von den Wechseln unterscheiden. Hierzu können auch Hypotheken gerechnet werden. Das aus diesen sachlichen Bestandteilen sich zusammensetzende Kapital scheidet sich wieder in das Anlagekapital des Bankiers selbst und in die Depositen, die sein banking capital oder geborgtes Kapital bilden.*

Der Dozent legt den Zeigestock auf »Spezialisierer« und erzählt. Und Arnold Kraushaar hört gut zu und beobachtet nicht mehr die beiden Mädels, die schräg vor ihm sitzen. Er muss keine Mädels anquatschen. In der Größenordnung, in der er jetzt arbeitet, findet er genug, kommen genug, wollen viele in seinen Wohnungen Geld verdienen. Er ist dabei, sich einen Ruf aufzubauen, und das ist unbezahlbar und mit keiner Werbung zu erlangen. *Mundpropaganda.* Wenn sie sagen: »Bei Arnie, bei AK, läuft alles fair. Und wenn's Ärger gibt, ist er da.« Unbezahlbar. *Die allgemeine Wertform, welche die Arbeits-*

*produkte als bloße Gallerten unterschiedsloser menschlicher Arbeit darstellt, zeigt durch ihr eigenes Gerüste, dass sie der gesellschaftliche Ausdruck der Warenwelt ist.*

Aber mehr noch interessiert ihn die Kleine neben der Kleinen mit den großen Titten. Blond interessiert ihn privat eher weniger. Er glaubt auch nicht daran, dass die Haarfarbe entscheidend ist. Trotzdem müssen immer genügend Blonde da sein. Weil es Männer gibt, die einfach auf Blondinen stehen. Das ist immer mal wieder angesagt und dann wieder weniger. Wenn gerade eine Blondine Schlagzeilen macht, eine Schauspielerin durchstartet oder irgendeine halbbescheuerte Tante auf RTL ihre blondierten Titten zeigt. Die Kleine da vor ihm ist eher so Marke graue Maus, oder besser brünette Maus. Ein angenehm dunkles Dunkelbraun. Fast schon schwarz. Er mag ja Frauen mit Brillen, aber die, die sie trägt, ist eindeutig zu groß. Aber vielleicht ist das ein Zeichen von Intellektualität. Oder ein Sprung in die Moden der Zukunft. Es gibt so eine Liga der Weiber, da tragen sie große schwarze Brillen. Heute und morgen. Und da kennt er sich nicht so sehr aus. Aber das Mädchen würde die Männer abkriegen, die Männer verrückt machen, dass die das Geld aus der Tasche holen, ohne nachzudenken, mehr als die Sexbombe neben ihr. Das weiß Arnold Kraushaar. *Diese Unternehmen bewegen sich in schmalen Marktsegmenten und bieten hochwertige Güter zu einem guten Preis-Leistungs-Verhältnis an, die auf spezielle Kundenbedürfnisse zugeschnitten sind.*

Er mag den Dozenten, ein Wessi, um die fünfzig, der weiß, wovon er spricht. Sieben Jahre nach der Wende und sechs nach der Vereinigung rennen immer noch jede Menge Idioten durch die Stadt, die keinen Plan haben, wie das Spiel jetzt läuft und laufen muss. Die sich über den Tisch ziehen lassen von Treuhandärschen und Immobilienwichsern.

Die Kleine ist recht flach, hängende Schultern, die Haare auch bisschen zu kurz. Mit etwas längeren Haaren würde sie ein wenig aussehen wie Adrian aus »Rocky 1«, als die noch so 'ne richtige Maus war. Er stand immer auf Adrian. Ganz oft hat er es schon erlebt, wenn ein Mädel vorsprach, die einen Raum bei ihm mieten wollte, und das war eine ganz Hübsche, eine Granate, dass die noch eine Maus mitbrachte, die auch gerne …, aber nur zusammen und am besten in derselben Wohnung. *Kostenführer stellen große Mengen an Produkten her. Der Effizienzgedanke steht daher im Mittelpunkt. Dementsprechend muss sich auf der höchsten Führungsebene ein Geschäftsführer finden, der sich um ebendiesen Bereich intensiv kümmert. Die Prozessorganisation ist möglichst straff organisiert.* Weil sie Sicherheit brauchen für den Anfang. Und eine Maus, eine Unscheinbare, eine kleine graue Mutti, gibt dann erstmal der Hübschen, der Sexbombe, das Gefühl, dass die Männer auf sie, dass denen der Zahn tropft … und dass sie die Begehrenswerte wäre, und all so ein Psychokram. Und die Unscheinbare fühlt sich bei ihrer hübschen klugen Freundin gut aufgehoben, weil die sich ja auskennt mit den Männern. Aber meistens stehen dann die Männer bei der kleinen Unscheinbaren Schlange, die da schräg vor ihm sitzt und jetzt ihre runden Brillengläser putzt. Und sich kurz zu ihm umdreht und ganz kurz lächelt, unsicher, so scheint es Arnold, und sich dann wieder dem Dozenten zuwendet, die Brille zurechtrückt, und Arnold denkt, dass die der Renner wäre. Er steht auf Adrian. Weil die Männer, und da ist er sich sicher, obwohl er noch nicht so lange im Geschäft ist wie zum Beispiel der Bielefelder, der anscheinend doch nicht aus Bielefeld kommt, weil die Männer, die Gäste, die Kunden, sich selbst auch sicherer fühlen bei einer kleinen süßen Durchschnittsmaus, der man auf der Straße bestimmt nicht gleich hinterherpfeifen würde. »Das betrifft die Wachstumsstrategie der Kostenführer«, sagt der alte Dozent und tippt mit dem Stock an die Tafel. Er blickt über seine Brille hinweg in die Klasse, und irgendwie mag Arnold den alten Mann. Die Brille, die er trägt, ist sogar ziemlich schick, hat Stil, der alte Wessi, möchte wissen, wie's den hierher verschlagen hat, Strenesse oder Porsche, der Bielefelder trägt manchmal so eine ähnliche, verdammt teuer. Aber der Kuchen ist groß genug im Moment. Auch wenn der Bielefelder, der gar nicht aus Bielefeld kommt, ihn immer warnt, dass die Zeiten und der Markt schlechter werden. »Der Tag wird kommen, und wir müssen vorbereitet sein.« *Der kapitalistischen Produktion genügt keineswegs das Quantum disponibler Arbeitskraft, welches der natürliche Zuwachs der Bevölkerung liefert. Sie bedarf zu ihrem freien Spiel einer von dieser Naturschranke unabhängigen industriellen Reservearmee.*

Die Kostenführer. Die Wachstumsstrategien. Die Reservearmee. Preiskriege hat er genug gesehen in den paar Jahren nach der Wende. Macht man sich gegenseitig kaputt. Und was soll er den Mädels die Preise diktieren, die machen das schon selbst, auch wenn er's versucht, das Netzwerk der Muschis untereinander ist permanent aktiv und ist kaum zu kontrollieren, die wissen schon, wie sie ihren Schnitt machen, damit er seinen macht, er hat seine Vertrauensmädels deswegen, mit denen er sich hin und wieder trifft und die ihn auf dem Laufenden halten, was es so Neues gibt, wer welche Probleme hat, wer in eine andere Stadt weiterziehen will und was die Kunden von der Konkurrenz erzählen.

Er sitzt in seinem Büro, den Kopf über den Büchern, und blickt zum Fenster, sieht sein Spiegelbild dort, blass gegen die Nacht, von den Lichtern der Autos zerschnitten, Scheinwerfer, Rücklichter, das Gewerbegebiet ist dunkel, Schatten, Gebäude, Zäune, und irgendwo zwischen den LKW der Spedition Z sieht er die Taschenlampe eines Wachmanns, er blickt auf die Uhr, Breitling & Söhne, ist keiner von seinen Leuten, er steht auf, geht zu dem Fenster, lehnt kurz die Stirn an die Scheibe und sieht, wie das Glas vor seinem Mund beschlägt, dann zieht er die Jalousie runter. Ein Gefühl der Angst. So viel da draußen. Zu viel da draußen. Drinnen. *Der Kuchen ist groß genug, und wer tot ist, kann nichts mehr davon essen.*

Recht hat er, der gute Mann, denkt Arnold, aber der Markt ist ruhig und konstant im Moment, die Zeit der Schüsse auf der Allee der schönen Augen scheint vorbei zu sein, er wusste schon früh, dass die Zukunft nicht auf der Straße, sondern in der Immobilie liegt, und er blättert in seinen Heften, während der Dozent immer noch erzählt und erläutert, der Bielefelder hat viel gesehen, und er hat Visionen, Ideen, Einfluss, hat seine Ohren überall, Frankfurt/Main, Frankfurt/Oder, er kennt die Leute in der Immobilienbranche, weiß, wie man die weichkochen kann oder auf seine Seite bringt. Er liefert gute Informationen, damit wir seine Burg beschützen und beliefern. Man muss im Hintergrund bleiben, denkt Arnold Kraushaar und hat plötzlich Lust auf die Brünette schräg vor ihm, auf die unscheinbare, unberührbare Brillenschlange, aber er hat keine Lust auf den Stress zu Hause, Claudia kriegt alles raus, und solange es nichts mit den Geschäften zu tun hat, kann sie ihm ganz schön die Hölle heiß machen, nein, verdammt nochmal, das braucht er nicht. Genug Stress mit der Lernerei und den Geschäften, und sein Sohn ..., *ja, ja schon gut, unser Sohn, Claudia, unser Sohn,* ist er ein guter Vater? Manchmal fragt er sich das, aber er wird sich kümmern, mehr kümmern, in wenigen Jahren, wenn Stefan sieben, acht Jahre alt ist, wenn er in die Schule kommt, dann braucht er mich am meisten, und dann werde ich da sein. Und ich bin doch auch jetzt da, denkt er und fragt sich, ob er ein »Innovations-Champion« ist, jede freie Minute, wenn es denn mal freie Minuten gibt, kümmert er sich um seinen Sohn. Denn wenn es anders wäre, würde sich Claudia schon aufregen, ihm die Hölle heiß machen, und das kann sie, aber sie gibt ihm die Zeit, die er braucht. Und wenn Arnold Kraushaar, aka, AK47, eins weiß, dann, wie er mit Frauen umzugehen hat. (Ja, selbstverständlich, da gibt es nichts zu lachen! Wer lacht denn? Der Alte, der junge AK, greift nach seinem Stock. Er ist drin im Deal. Die Engel fliegen.) *Solche Unternehmen kennzeichnen sich durch eine Tätigkeit in einem schmalen Marktsegment mit innovativen Produkten und umfangreichem Service.* Der Alte, der Dozent da vorne, hielt sie ganz schön auf Trab. Innovations-Champion. Was für ein selten bescheuertes Wort. Und schmales Marktsegment, na ja. *Der Gesamtprozess stellt sich dar als Einheit von Produktionsprozess und Zirkulationsprozess; der Produktionsprozess wird Vermittler des Zirkulationsprozesses und umgekehrt ...* Aber man wird etwas bieten müssen in den nächsten Jahren, bis jetzt waren ein schneller Fick und ein schneller Blowjob das, was die meisten wollen. Vielleicht wird es ab zweitausend bei denen am besten laufen, die ohne Gummi blasen. Das ist jetzt noch anders. Wenn sie's ihm sagen, wird er das so für sie inserieren. Französisch ohne. »Innovativ« und »Service«, denkt er. AV aktiv/AV passiv, Arschficken in beide Richtungen, klassisch Mann bockt Frau auf, oder aber Frau mit Umschnallriemen bockt Mann auf, ist groß im Kommen, und er wird darauf achten, dass immer ein paar von den Mädels, denen er einen Raum vermietet, das im Angebot haben ... SM, NS, alles im Kommen, KV auch, was für eine Sauerei, von wegen *gebumst wird immer.* Das Jahr zweitausend ist noch fern. Aber er hat große Pläne, Service und Innovation, Sextempel, Internet, Gangbang Specials,

die Zeit wird kommen, er wird investieren müssen, Geld muss fließen, damit Geld fließt. Fast muss er laut auflachen, weil das alles so simpel erscheint. *In diesem Fall ist der Marktwert oder der gesellschaftliche Wert der Warenmasse – die notwendig in ihnen enthaltene Arbeitszeit – bestimmt durch den Wert der mittleren Masse.*
Manchmal hat Arnold Kraushaar das Gefühl, dass ihn alle anglotzen in den Seminaren, oder wenn er kommt und geht. Dann möchte er am liebsten sagen: »Was glotzt'n so, Arschloch.« Die Mädels können ruhig glotzen, das ist schon o.k. Die meisten seiner Kommilitonen wissen, wer er ist. Er ist mit der Älteste in den Kursen und Seminaren, BWL, was die anderen wohl später mal anfangen werden, mit dem Abschluss in der Tasche? Karriere machen? Das wollten sie doch alle irgendwie und irgendwann. Ihm geht es nicht so sehr um den Abschluss, obwohl der sich gut machen wird im Lebenslauf und bei den Immobilienfritzen, den Banken, den Bullen, der Justiz, all den Leuten, die ihm das Leben schwermachen können. Er spürt, wie sein Arm hochfährt. Na, da hat er sich doch schon wieder gemeldet und will antworten und will erzählen, was er weiß und denkt über die Mechanismen des Marktes und die Chancen auf die Marktführerschaft. Aber seine Stimme ist plötzlich ganz hoch und brüchig, als wäre er im Stimmbruch, und er hört sich selbst sagen, schnell und atemlos und ohne Pause fast: »Wenn es außerirdisches Leben gibt, haben die dann auch den Sozialismus auf ihren Planeten? Vielleicht gibt es noch andere Systeme, von denen wir gar nichts wissen, Wesen ohne Geschlecht. Weil das ja keine Menschen sind. Und wenn sie irgendwann auf die Erde kommen, vielleicht in fünfzig Jahren oder hundert Jahren, und uns zeigen wollen, dass sie besser leben als wir, wenn sie den Sozialismus gar nicht brauchen, wenn sie uns dann verschmelzen wollen, Mann und Frau zu einem Wesen, das ewig leben kann?«
Er spürt, wie er nicht die Lehrerin anguckt bei seiner Frage, die keine Frage ist, Biologieunterricht, sondern Katrin, die zwei Reihen vor ihm sitzt. Direkt an der Wand. Er kann ihre linke Gesichtshälfte sehen, manchmal lehnt sie den Kopf an die Tapete über dem Stein. Er weiß, dass links bei ihr links ist, weil sie dort ein kleines Muttermal hat. Auf dem Jochbein, direkt unterm Auge. Das Wort Jochbein

kennt er aus der Box AG. Der Kopfschutz schützt das Jochbein. Das kleine Muttermal ist ganz flach, sonst wäre es ein Leberfleck. Kommen Leberflecken von der Leber? Er weiß, was ein Leberhaken ist. Er ist zwölf Jahre alt. Einmal hat er ihr Muttermal berührt. Vorsichtig, mit den Fingerspitzen. Hinter den Häusern, am Kanal. Er blickt sie an, hört die anderen lachen, hört auch die Lehrerin lachen, »Über Zwitter reden wir ein andermal«, spürt, wie er rot wird, und stellt sich vor, wie er die Alte mit einem Leberhaken erwischt. Später erzählt er Katrin von seinen Träumen, und sie fragt ihn, ob er Bumsen meint. Aber er redet vom Jahr 2525 und dass dann die Erde von einem riesigen Ozean bedeckt sein wird, der aus einer Art organischem Plasma besteht und in dem alle Lebensformen zu einer einzigen verschmelzen. Sie schmeißt einen Stein in den Kanal, dessen Wasser schmutzig ist und stinkt, aber sie haben sich dran gewöhnt, sitzen fast jeden Nachmittag hier.

Und ich glaube, dass wir uns nur einbilden, dass wir da sind, sagt Arnold. Wie alt muss man sein, damit man bumsen kann, sagt Katrin, aber er blickt an ihr vorbei in die Nacht. Sieht die Lichter der Autos hinterm Zaun. Drückt seine Zigarette aus. Er raucht kaum noch, ist dabei, es sich abzugewöhnen. Er sagt manchmal den Mädels, dass sie nicht zu viel rauchen sollen. Manche rauchen Kette, und die Gardinen und Betten und Klamotten stinken. Regelmäßig lässt er alles waschen und auswechseln. Bergeweise Wäsche. Er hat einen guten Deal mit einer Wäscherei. Wenn er sich nicht kümmern würde …, manche von den Mädels sind extrem reinlich, die meisten; aber um das Bettzeug, die Handtücher und den ganzen Textilkram muss er sich kümmern, also einer seiner Leute, sonst würden die Buden verrotten. Der Wäschemann kommt, der Wäschemann kommt, macht alles weg, bei neunzig Grad! Steuern, Wäsche, Werbung, das Studium, sein Sohn, Claudia, die Baufirma, die Spielotheken, das Gym, die Weiber, die Investitionen, die Verträge, Papierkram, Absprachen … Er zündet sich wieder eine an, steht auf und geht zum Fenster. Er lehnt die Stirn an die Scheibe, die Zigarette im Mundwinkel. Er bläst den Rauch an die Scheibe, dann zieht er die Jalousie runter. Über den Spiegel. Er dreht sich um, lässt die Zigarette fallen. *Was, verdammt nochmal, wollen Sie hier?*

## 5

Nun hat das Prostitutionsgesetz von 2002 die Dinge etwas verändert, wie Sie alle mit Sicherheit wissen! Grundsätzlich. Und nehmen wir die bereits angesprochene Umsatz- und Einkommensteuer dieser bereits genannten ca. 100 selbständigen Dienstleisterinnen, von denen jede im Durschnitt monatlich ca. 6000 bis 9000 Euro umsetzt. Tatsächlich wird natürlich eine viel geringere Summe an Umsätzen angegeben, über das tatsächliche einkommensteuerpflichtige Einkommen brauchen wir da gar nicht zu reden, das wird Sie jetzt nicht überraschen, meine Damen und Herren, werte ..., ein Glas Wasser, bitte! Wir versuchen dem mit der Pauschaltagessteuer von 25 Euro ... Danke. Ah. ... mit der Pauschalsteuer von 25 Euro pro Tag entgegenzuwirken. Wenn wir von den Schätzungen ausgehen, arbeiten deutschlandweit ca. 400 000 Frauen, wobei Insider von weit über einer halben Million sprechen, einige Quellen sogar von nahezu einer Million. Umsatz 9,125 Milliarden Euro. Wie Sie sehen, geht es hier um Summen und Zahlen, die wir unter unsere Kontrolle bringen müssen, nichts anderes kann das Ziel sein. Wenn der Staat aus wirtschaftlichen, juristischen, organisatorischen und moralischen Gründen nicht das Monopol übernehmen kann, dann, meine sehr geehrten Damen und Herren, kann unsere Direktive nur lauten: Die Syndikate müssen weiterexistieren, aber wir müssen abkassieren!
(Finanzamt I, Sektion B2, Raum 001)

## 6

Sex.
Business. Manchmal denke ich, das ist ein und dasselbe. Sternbilder, Großer Wagen, Großer Bär. Komische Sache. Venus, Mars, die Ringe des Saturn, dem Weltall ist das scheißegal, da wird nicht gebumst, nirgendwo, kalt und leer, das schwarze Loch von Cygnus X-1, so weit weg und doch hier bei uns, hier bei uns ... Man denkt doch sein

halbes Leben an nichts anderes, fünfundsiebzig Prozent, wenn das reicht. Und das hängt, denke ich mir, auch mit der Kälte und Leere da draußen zusammen. Cygnus X-1, sechs Millionen Jahre alt, sieben Milliarden Wege zu sterben, Mann, Frau, das spielt überhaupt keine Rolle. 6070 Lichtjahre entfernt. ... ist die ganze Sache doch mit einem gewissen Druck verbunden, männlich, rein physisch jetzt, *die Materie sammelt sich in einer flachen Akkretionsscheibe,* und damit auch psychisch, versteht sich. Da ist man arm dran. Wenn das anders wäre, also bei den Frauen genauso mit einem physisch-psychischen Druck verbunden wäre, hätte ich nochmal zwanzig, dreißig Wohnungen (also das sind jetzt nur Zahlen, theoretische Expansionen) mit Kerlen drin, Mietrammlern. Hetero versteht sich. Nichts gegen Schwule, aber die Homos suchen sich ihre Ficker schon so. Und die Frauen eben auch. Stammtisch? Evolution. Darwin. Biologieunterricht. BWL. Das wird 2121 so sein und war auch schon zu Christi Geburt ... Nein, ich bin nicht religiös. Bin im Sozialismus sozialisiert. Was denken Sie, wie da gefickt wurde. Gefickt und gebumst. Was aufs selbe rausläuft, nicht wahr? Aber keine Huren. Kein Business. Nur am Rande.
Nur bisschen Messe-Sex, paar Kneipen-Luden in Berlin, und oben in Rostock gab's diese Bar. Wozu auch? Man heiratete früh, man bumste früh, und dann heiratete man jemand anderes, und dann wurde hier mal schnell und da mal schnell ... Gab ja auch keine Pornos, offiziell, ich glaube schon, dass das damit zusammenhängt. Dass jetzt das Business so floriert, meine ich, wegen der Pornos, Sex, überall Sex. Also neunzehnhundertneunundneunzig. Ist natürlich gut für mich. Wo das noch nicht im Netz frei verfügbar und wo auch noch nicht im Netz die Bumstreffen so frei und ohne finanzielle Interessen ... Pädophilenscheiße auch in vielen Foren versteckt, also ich bin ja schon für die Todesstrafe, obwohl ich meinen Kant sehr wohl gelesen habe. Im Jahr 2322 wird das Netz sich selbst auflösen. Neulich, verdammt, das war doch neulich, wollte mir jemand eine Achtzehnjährige unterjubeln. Ich hatte zwei neue Objekte günstig angemietet und konnte noch gut und gerne ein oder zwei Mädels gebrauchen. Und er hätte da eine, die braucht dringend einen Raum, einen Job, bisschen Kohle, die ist gut, die ist hübsch, hat schonmal

undsoweiter. Ja, natürlich, sag ich, wie alt ist sie denn? Zweiundzwanzig? Gut, gut. Schon mit einer Neunzehn- oder Zwanzigjährigen kann ich verdammt viel …, also Ärger, weil dieses bescheuerte Gesetz bis zweitausendzwei den Zwang nicht richtig definiert.
*Ebenso wird bestraft, wer eine Person unter einundzwanzig Jahren zur Aufnahme oder Fortsetzung der Prostitution oder zu den sonst in Satz 1 bezeichneten sexuellen Handlungen bringt.*
Natürlich arbeiten bei mir trotzdem Achtzehnjährige. Volljährig, und Schluss! Ich habe noch keine Frau zu etwas gebracht. Erzwungenermaßen. Wozu? Ich vermiete nur. Es gibt Heerscharen von Mädels, die bei mir die große Kohle verdienen wollen, Business. Die bringen sich von ganz alleine. Das ist das! Das ist das, was sich Firma Coppenrath & Wiese nicht vorstellen kann. Annoncieren sie: Begleitdamen für exklusiven Nachtclub gesucht. Ihr Telefon wird klingeln – all night long, tagsüber, immer. Aber bitte, fragen Sie! Die Mädels. Gehen Sie rum, Commander, beamen Sie sich runter und fragen Sie. Und nehmen Sie *das* weg, verdammt nochmal, das ist zu hell, das ist viel zu hell!

Zwei Frauen. Eine Dreiraumwohnung. Magda aus Cottbus und Lilli aus Jena. Inserate in 3 Zeitungen. Künstlernamen: Anna (24) & Babsi (23). Zwei süße Mädels vom Lande. 9.00 – 23.00. Französisch ohne, GV, Kuscheln, KB, Dildospiele, heißer Duschspaß, NS, Mehrfachentspannung. Tel: 0173XXXXXX. Und da klingelt das Telefon auch schon wieder. Beide sitzen im Wohnzimmer, das das Wartezimmer ist. Aufenthaltsraum klingt besser. Da lachen sie, und das Telefon klingelt. Magda, also Anna, geht ran. Jaaaa? Ja. Sehr gerne. Anna und Babsi. Ich bin die Anna. Hmmm. Wir warten auf dich. Also das ist in der Bauhausstraße 72. Ich freu mich! Bei Engel. Bis gleich.
Sie haben die Wohnung einfach eingerichtet. Ikea-Möbel. Ein Sofa mit Couchtisch im Aufenthaltsraum. Wo sie nun beide warten. Einfache Doppelbetten in jedem der Zimmer. Die Jalousien sind runtergelassen. Rote Glühbirnen in allen Lampen. Ikea-Teppiche. Lavalampen auf dem Fensterbrett. In Annas Zimmer eine und in Babsis Zimmer eine. Gedämpftes Licht ist immer wichtig, dann fällt vieles

nicht so auf. Wird dann alles automatisch bisschen lockerer. Sie haben beide schon im Business gearbeitet und wissen, wie sowas am besten läuft. Magda in einem Laufhaus in Cottbus, aber nach einigen Monaten war ihr das zu viel Stress, die polnischen Mädels waren aggressiver beim Kundenangeln, und irgendwie gefiel ihr die Atmosphäre in dem Laden auch nicht. Lilli hat in Jena studiert, hat das dann aber abgebrochen, wusste kurzzeitig nicht, wie's weitergehen soll, hat sich von ihrem Verlobten getrennt und dann in Berlin als Messehostess gearbeitet und in der Gastronomie, da hat sie dann Magda kennengelernt. Und jetzt die Wohnung in der großen Stadt, die nicht ganz so groß ist wie Berlin, und das Telefon klingelt, und die Geschäfte laufen nicht schlecht, drei Wochen jetzt schon. *Wie lange ziehen wir das durch? So lange, wie's geht!* Die Mieten sind preiswert hier, kein Vergleich mit Berlin. Oder München erst. Oder Hamburg. Und Frankfurt/Main, oder? In Frankfurt/Oder ist die Welt zu Ende. Und das Telefon klingelt. Und dann klingelt's an der Tür. *Wer geht?* Magda hatte heute schon drei Gäste, also geht Lilli. Hatten sie so ausgemacht. Sie arbeiten immer zusammen, nicht im Schichtsystem wie andere. Und ausgemacht ist ausgemacht. Der Kuchen ist groß genug. Hausgemacht. Magda überlegt, ob sie AV anbieten soll in ihren Annoncen oder ob das unfair Lilli gegenüber wäre, müssten sie aber sowieso absprechen, Lilli würde das nicht machen, das weiß Magda, sie selbst hat's paarmal gehabt, aber noch nie mit Gästen, aber wenn sie die Annoncen in den Zeitungen durchblättert, sieht sie, dass das immer öfter angeboten wird, muss was mit dem neuen Jahrtausend zu tun haben, das seit zwei Jahren läuft. Sie kann sich an die Freaks und Spinner erinnern, die gesagt haben, dass die Welt untergehen wird, wenn die Nullen kommen. Wo ist sie gewesen zur großen Jahrtausendwende, die irgendwie doch ein Jahr später erst wirklich und richtig war, weil das mit dem Zählen anders geht, als man denkt, irgend so etwas war da doch gewesen, sie versucht, sich zu erinnern. Und mit Freaks und Spinnern kennt sich Magda aus, die jetzt sieht, wie Lilli ihre Adidas-Trainingsjacke auszieht und mit blankem Busen zur Tür geht. An der es inzwischen nochmal geklingelt hat. Da kann's aber einer wieder mal nicht abwarten. Sie haben schon ganz schön diskutiert, bis sie das mit dem FO, also dem Französisch ohne, beschlossen haben. *Ich meine, es bringt doch nichts, wenn eine mit macht und die andere ohne.* Aber selbst im Jahr zweitausenddrei ist das noch was Besonderes, FO, obwohl es um sich greift, und wenn es die einen anbieten, fragen die Kunden, also die Gäste, wir sind ja hier nicht aufm Markt!, obwohl manche Gäste ganz schöne Kunden sind, also nicht »hübsche« oder »ansehnliche«, die sind nämlich manchmal die schlimmsten, siehe oben, Freaks und Spinner, und Magda hört, wie Lilli den Summer drückt, nachdem sie »Ja, hier ist die Babsi« in die Gegensprechanlage gehaucht hat, ganz und gar unnötig das Ganze, findet Magda, aber sie will eben schonmal klarmachen, wer da jetzt oben an der Tür steht. Manchmal sitzen sie auch beide im Wohnzimmer (Das klingt am besten. Wooohnzimmer. So wie: gemüüütlich.) und schwatzen ein bisschen mit dem Gast, fragen, ob er vielleicht einen Kaffee oder ein Glas Wasser möchte, Kaffee ist eh immer welcher da auf der Kochplatte der Maschine, manchmal kommt es Magda so vor, als würden mehr Gäste dann zu Lilli ins Zimmer gehen, die kann irgendwie besser quatschen, hat eben studiert, aber dann zählt sie nach und merkt, dass das mal so und mal so ist, und jetzt sind sie am Diskutieren seit ein paar Tagen, ob sie *heißer 3er* mit in die Annonce reinnehmen beim nächsten Mal, weil gefragt haben schon welche, und da haben sie nicht nein gesagt, weil der fünfhundert zahlen wollte für eine Stunde, und was ist schon dabei, und gegenseitig streicheln ist meistens besser, als wenn die Gäste, die sind doch sowieso meist Grobmotoriker, ist ja nur für die Show, und die meiste Zeit sind sie mit dem Typen beschäftigt, aber ganz sicher sind sie sich nicht, aber in der Stadt arbeiten bestimmt fünfhundert Frauen, da muss man schon was bieten, also von wegen Konkurrenz und so, und manchmal liegen sie nach Feierabend noch ganz dicht nebeneinander und streicheln sich, keine Musik, kein Fernseher, nur das Summen des Kühlschranks aus der Küche, aber das ist was ganz anderes, und das würden sie nie weggeben und verkaufen und hat mit lesbisch nichts zu tun, auch wenn sie sich schon geküsst haben.

Magda sieht, wie Babsi, die eigentlich Lilli heißt, rückwärts zur Couch zurückkommt, Schritt für Schritt. Ein kahlköpfiger Mann betritt ihr Wohnzimmer. Er trägt einen offenen schwarzen Ledermean-

tel, beide Hände hält er in den Taschen des Mantels. Er bleibt stehen, blickt sich um. Geht ein paar Schritte, es scheint ihnen, dass er ein wenig das Bein nachzieht, dreht sich, blickt zu den Türen ihrer Zimmer, nickt, zieht langsam die linke Hand aus der Manteltasche und streicht sich übers Kinn. Er ist nicht glattrasiert, und seine Bartstoppeln schimmern silbern, als würde er schon grau werden. Er ist vielleicht Anfang, Mitte vierzig, könnte aber auch schon älter sein, tiefe Falten auf der Stirn und neben den Mundwinkeln. Er ist nicht besonders groß, schlank.
Setz dich, sagt er zu Lilli. Sie setzt sich. Seine Augen sind leer. Ihr fällt kein anderes Wort dazu ein. Blau. Leer. Als wäre er irgendwo weit weg. Und es ist kalt dort. Er geht zu dem Sessel auf der anderen Seite des kleinen Couchtisches, nimmt die Zeitschrift »Bild der Frau« und legt sie auf den Tisch neben den Aschenbecher und die Zigarettenschachteln, das Telefon und die Vase mit den Plastikblumen, dann setzt er sich. Langsam. Er legt die Aufschläge seines Mantels über die Lehnen des Sessels, zieht das schwarze Leder glatt, schaut sich wieder um, nickt.
– Ihr macht gute Geschäfte.
– Es geht so.
Lilli schaut zu Magda, Magda schaut zu Lilli.
– Wie lange seit ihr schon in der Stadt?
– Drei Wochen.
– Wie lange wollt ihr bleiben?
Lilli zuckt mit den Schultern. Magda zuckt mit den Schultern.
– Wo kommt ihr her?
– Berlin. Sagt Lilli.
– Cottbus. Sagt Magda.
– Ich bin hier geboren. Berlin ist eine große Stadt.
Das Telefon auf dem Tisch klingelt. Das Display leuchtet auf. Der Mann hebt eine Hand. Zeigt ihnen zwei Finger, den Zeigefinger, den Mittelfinger, wie das Victory-Zeichen.
– Es gibt zwei Möglichkeiten.
Sie schweigen, blicken sich an. Magda greift nach der Zigarettenschachtel auf dem Tisch und nimmt sich eine raus. Das Telefon hat aufgehört zu klingeln. Sie nimmt das Feuerzeug, raucht.

– Ihr kündigt diese Wohnung. Ich gebe euch eine neue. Alles da. Alles drin. Ich kümmere mich um eure Annoncen. Ich kümmere mich ums Finanzamt. Gesundheitsamt. Wäsche. Verträge. Papierkram. Meine Leute. Ihr zahlt Tagesmiete. Hundert. Du. Und du. Wie jede andere. Ihr bleibt frei. Könnt verdienen, wie viel ihr wollt. Könnt machen, was ihr wollt. Fünf Tage, sechs Tage, fulltime. Acht Stunden, zehn Stunden, zwölf Stunden. Duo oder Schicht. Eure Entscheidung, nur muss ich's wissen.
Sie blicken sich an. An ihm vorbei. Wann hat Lilli wieder ihre Adidas-Trainingsjacke angezogen? Asche fällt von Magdas Zigarette auf den Teppich, und sie zerreibt sie mit der goldenen Spitze ihres Schuhs. Sie trägt offene schwarze hochhackige Schuhe von Versace. Peep-Toe-Pumps. Mit der berühmten goldenen Lasche um die Spitze. Die hat sie sich in Berlin gekauft. Fast fünfhundert Euro. Manchmal wollen die Gäste, dass sie die anbehält, wenn sie ficken. Es sind ihre Lieblingsschuhe. Am Anfang hat sie die nie während der Arbeit getragen. Aber jetzt gibt ihr Versace ein gutes Gefühl. Sie hat die Schuhe an, sie ist die Lady. *Kiss my Versace, Kleiner!* Und sie will sich neue Schuhe kaufen. Für die Freizeit.
– Der Vermieter …, sagt sie und drückt ihre Zigarette aus.
– Kümmere ich mich drum.
Er steht auf. Geht zum Fenster. Schiebt die Lamellen der Jalousie mit den Fingern auseinander.
– Ist nichts Persönliches. Aber was soll ich machen? Heute seid ihr es. In einer Woche vier andere. Ich habe Wohnungen. Ihr könnt auch in einen Club gehen, wenn ihr wollt.
– Wir möchten zusammen …, sagt Lilli.
– Gut. Gut. Kein Problem. So wie ihr es wollt. Ich sage nicht: morgen. Ich sage nicht: übermorgen. Ich kümmere mich um alles. Ich könnte auch sagen: Ab heute, oder rückwirkend, zahlt ihr mir die Tagesmiete. Du und du.
– Wir …
– Nein. Nein. Da draußen …
Er tippt mit dem Finger gegen die Scheibe.
– Da draußen herrscht die Pest. Und die Cholera. Und der Abschaum wackelt durch die Straßen, als wäre er der neue Adel unse-

rer verseuchten Zeit. Das Telefon klingelt. Und dann klingelt es an der Tür. Und der grimme Schnitter ist auf dem Weg zu euch.
– Wir ...
– Ja. Wir.
Er dreht sich zu ihnen um. Die Jalousie bewegt sich, klappert gegen die Fensterscheibe. Draußen schneit es, aber das können sie nicht sehen.
– Du?
Er zeigt auf Lilli.
– Lilli.
– Und du?
– Magda.
– Babsi und Anna.
Er lächelt. Seine Augen sind bei ihnen und woanders. Blau. Leer.
– Die Zeiten haben sich geändert. Die Gesetze haben sich geändert. Aber es gibt Regeln. Und meine Firma bietet das, was ihr alleine nicht könnt. Sicherheiten. Ihr seid kluge Frauen. Ihr habt keine Schmarotzer zu Hause auf dem Sofa, für die ihr euch die Pussy wund arbeitet! Hart, aber fair. Hart, aber fair. Es gibt andere in der Stadt. Die würden gerne auf diesem Sofa sitzen, oder auf einem anderen, und jeden Cent umdrehen, den ihr hier macht. Die Geschäfte gehen gut, nicht wahr?
Sie nicken. Blicken sich an. Blicken auf den Teppich.
– Schöne Schuhe. Versace?
Sie nickt.
– Trägt meine Frau auch. Anderes Modell. Die machen das beste Design. Fast wie aus der Zukunft.
Er lächelt und streicht sich übers Kinn.
– Ihr könnt natürlich hier wohnen bleiben. Das ist nicht meine Sache. Vielleicht habt ihr eine andere Wohnung, zum Wohnen. Das geht mich nichts an. Ihr könnt dort wohnen, später, wenn ich euch sage, wo. Arbeiten, schlafen, wie ihr wollt. Jeder macht das anders. Manche fahren nur am Wochenende nach Hause. Manche arbeiten am Wochenende. Ich muss es nur wissen. Für die Annoncen, für den Papierkram.
Er geht wieder zu dem Sessel und setzt sich hin.

– Ich halte euch den Rücken frei. Versteht ihr?
Sie blicken sich an. Lilli hat die Arme vor ihrer Brust gekreuzt, berührt ihre Schultern mit den Händen. Umgreift ihre Schultern mit den Händen.
– Versteht ihr?
Sie nicken.
– Ja, sagt Magda, das klingt fair.
Lilli stößt sie vorsichtig an, ganz kurz nur das Bein mit der Schuhspitze, aber wieder sagt sie:
– Ja.
– Ihr müsst gar nichts. Ihr könnt jederzeit nach Hause fahren. Cottbus. Berlin. Hawaii. Der Weg zu den Sternen ... Aber ihr seid klug. Ihr seid smart. Clever & Smart, aber nicht wie diese Deppen in dem Comic. Ihr kennt doch das Comic? Clever & Smart? Und ihr wollt Geld verdienen. In meinen Räumen könnt ihr Geld verdienen, ohne dass euch irgendein Bulle, irgendein scheiß Jugo oder Russe oder irgendein perverses Arschloch an die Wäsche oder an die Geldtasche will. Oder sonstwas will, was ihr nicht wollt. Ihr arbeitet auf eigene Rechnung in meinen Räumen. Das ist mein Vorschlag, wir verstehen uns.
Und sie verstehen sich. Es ist Donnerstag. Montag kommt er wieder. Er hat seine Karte dagelassen, er hat eine Adresse dagelassen, er hat eine Telefonnummer dagelassen, die gehört einem Mädchen, das bei ihm arbeitet, »in meinen Räumen«, wie er sagt, die können sie anrufen. Lilli steht am Fenster, sieht, wie er über den Fußweg zu einem BMW geht, der vorm Haus parkt, sieht, dass es angefangen hat zu schneien, sieht den anderen Mann, der im Auto sitzt, auf der Beifahrerseite, sieht, wie der Mann im schwarzen Ledermantel einsteigt, spürt, dass Magda hinter ihr steht. Spürt ihren Atem im Nacken, riecht die Zigaretten in ihrem Atem, *du rauchst zu viel*, weiß nicht, ob die Dinge gut sind, so wie sie sind, Magda hat ihr schon oft gesagt, wie die Dinge laufen können im Business Sexuelle Dienstleistungen, hat ihr erzählt, dass man in Cottbus oder anderswo die Konkurrenz einfach aus der Stadt rausbrachte, *so oder so*, irgendeinen pisst man immer an, die anderen Weiber beißen, und die Manager wollen managen. Aber hier im kleinen Metropolis der Bürger

und Händler hatte sich der Markt beruhigt in den letzten Jahren, und Magda hatte ihr von einer Freundin erzählt, die seit Jahren in München auf eigene Rechnung in einer eigenen kleinen Wohnung arbeitete. Und was in München geht ...
Sie blicken dem Auto hinterher. Der Schnee fällt und schmilzt an der Scheibe. Er schaltet den Scheibenwischer ein. Bin ich weich geworden?, denkt er und sieht sein Gesicht im Rückspiegel, es ist bald Weihnachten, aber ..., aber ... das stimmt doch nicht. Februar zweitausenddrei. Lichter blenden ihn. Alex, sagt er und dreht sich zu seinem Beifahrer, zu seinem jungen Soldaten und Begleiter und Chef of Security, Alexander der Große, sag mir ganz ehrlich ...
Ja, sagt Alex, du kennst mich doch. Ehrlich, bis es weh tut.
Nun ... Habe ich mich sehr verändert in den letzten Jahren, oder meinetwegen Monaten.
Du bist tot, Chef. Das ist dein Problem.
Verdammter Witzbold! Pimmel! Und als sie anfangen zu lachen, blendet ein Licht von irgendwo, und als er noch versucht nachzudenken, ob die Schneeflocken immer so lang und golden sind wie Patronenhülsen und dass das an den seltsamen Veränderungen des Lichts im Winter liegen muss ... Fass mich mal an, Alex, berühr mich einfach, leg mir die Hand auf die Schulter, damit ich weiß, dass ich noch da bin.


# 7

So weit sind wir noch nie gekommen.
Und du hattest einen Vortrag vorbereitet. »Irrationales Einkaufen«.
Als ob nicht alles irrational wäre. Darauf läuft es doch hinaus. Mit oder ohne Stein. (Was fürn Stein? Woher weißt du von dem Stein?) Oder Sein.
Einstein. Eckstein. Nicht-Sein. Alles muss perfekt sein.
Die Engel kommen in die Stadt. Nein. Das ist später. In the year ...
Du stehst vor der Klasse. *Wenn man so will, war Katrin meine erste große Liebe.*

War klar. Das kommt immer irgendwann. Mit der großen Liebe. Die ist dann immer an allem schuld.
Blödsinn. Irrational. Wie das Einkaufen. Nicht Biologie. BWL. Du sitzt also wieder mal in der Schule.
Die Vergangenheit ist nicht totzukriegen, was? Und die Zukunft auch nicht. Irrational. Nicht vergangen, nicht begonnen.
NA, NU IS ABER MAL WIEDER GUT JETZT. Die ewige Wiederkäuerei ... What the fuck ist ein Wiederkäuer-Ei? EL? Eierlecken. Service haben die da, vom Feinsten. Schrieb so einer im Netz. Stammkunde. Ecki 1. Hurenplattform. Internet. Davon wussten wir noch nichts in den Neunzigern.
Du hattest also einen Vortrag vorbereitet. Am Vortag.
Nee. Von langer Hand. KV. Kurzvortrag. Da draußen herrschen Pest und Cholera. Die Drecksäue lassen sich echt in den Hals scheißen. KV. Kaviar. Oder auf den Kopf. Oder wollen zugucken, wie die Wurst kommt. Aus dem Arschloch. Da kommt mir die Suppe, wenn ich nur dran denke. Herzen wie Diamanten, die Mädels. Denn die kommen ja nicht auf solche Ideen. Coppenrath & Wiese. Clever & Smart. Die sind das. Wackeln durch die Straßen und mästen ihre Perversionen. Heeme natürlich auch. Porno und was weiß ich, muss ja irgendwo herkommen. Nichts Genaues weiß man nicht. Da erzählte mir die Babsi ...
Lilli?
YEP. Dass da mal einer kam und wollte, dass sie in ihre Peep-Toe-Pumps pisst, damit er draus trinken kann beziehungsweise ablecken, weil ja offene Schuhe, fließt ja raus. Aber ich glaube, die hieß anders. Und wenn da einer sagt: hundert extra. Oder zweihundert, was weiß ich. O.k., Versace. Und die Schuhe kann man ja saubermachen. Sagrotan. Die sollten meine Firma sponsern. Aber wenn man das alles so sieht und hört über die Jahre, Jahre, Jahre, da denkt man doch ...
Dass die Mayas vielleicht doch mal hätten recht haben sollen mit ihren Prophezeiungen für zweitausendzwölf?
Nee. Nee. Nee. Herzen wie Diamanten. Und wenn ich nachts manchmal aufwache, dann berühre ich mich, kneife mich, drücke den Zeigefinger gegen die Rippen, wegen der Angst, nicht mehr da zu sein.

Du stehst also vor der Klasse.
Immer und immer wieder.
Hast du dein Russisch eigentlich noch drauf?
Darum geht's doch nicht. Verstehen tu ich's noch ganz gut.
Gut fürs Geschäft?
Gut fürs Geschäft. Und was soll ich sagen, ein großer Redner bin ich nie gewesen. Ach ..., dieses verdammte Russisch haben wir alle gehasst. Dann ist der Russe weg, und dann ist er plötzlich wieder da. Gorbatschows Muttermal, Kopfzeichen, Pest und Cholera.
Du klingst müde.
Bin ich auch, verdammt nochmal. Und wenn wir schon bei den Russen sind, wir haben dafür gesorgt, dass diese Tante, die mit ihrer Tochter da ganz in meiner Nähe, also wo ich auch Objekte hatte, diesen Laden betrieb. In ein paar Jahren ist das, also von neunundneunzig aufwärts. Da haben wir auch dafür gesorgt, dass sie diese beiden Hexen hochgenommen haben ...
Aha. Lampenbauer?
Willst du mich verarschen, Commander? Willst du mich ...
Rollen? Das hatten wir doch schon. Schieben wir es doch auf deine guten Beziehungen ...
Dieser Sarkasmus, diese ewigen Verurteilungen. *Die* hatten da Mädchen, die sie weiß der Teufel wie hierher gelockt haben ...
Das weißt du schon, wie sowas funktioniert ...
Und wieder. Und immer wieder. Natürlich weiß ich es. Schalte den Fernseher an, und du weißt es. Vom Netz, also später dann, wollen wir gar nicht reden. Wärt ihr froh, wenn die Russen und Jugos hier alles übernommen hätten? Und von den Fleischmärkten im Kosovo importiert hätten? Natürlich weiß ich, aber ich versuche sauber zu bleiben. Im Verhältnis. Und denken wir doch mal weiter ..., ich meine Ackermann, der größte Geldlude ...
DAS SPAREN WIR UNS JETZT. (Was soll das? Mir den Mund verbieten, dort wo die Sterne verglühen bei Cygnus X-1? Wo die den Leuten das Schlafzimmer wegpfänden unterm Arsch? Wo die drauf wetten, dass die Systeme verbrennen im Sternensturm? Und dabei so tun, als wären sie besser als die, die am Monitor für kleines oder auch mal großes Geld wetten, also bei die Pferde, ja, ich hatte ein-

mal einige Spielotheken, so fing es an, wenn ich so wäre, wie ich nicht bin, ich würde auf den großen Fall setzen, ach was, nicht die Griechen, denn Arschficken läuft immer, jenseits der großen Spülung, wir setzen auf das Leben, wenigstens auf das Leben, die Banken verkaufen jetzt Pakete mit amerikanischen Versicherungen, wo es darum geht, dass die Versicherten früh sterben, weil dann das Gold flüssig wird ... Wir dealen wenigstens mit dem Fleisch und dem Leben ...)
Ja. Ja.
Ich wähle CDU und FDP, seit Jahren. Wegen den Steuern und dem Mittelstand. Und weil die Linken nur Scheiße im Kopf, nix mit rot und Rotlicht, aber ...
DAS SPAREN WIR UNS JETZT.
Du stehst also vor der Klasse. Wenn nur das Licht nicht so hell wäre. Die besten Deals macht man im Hinterzimmer und im Dunkeln. Binsenweisheit. Aber wie sagt man? Das geht alles in die Binsen?
Binsenmarkt und Binnenmarkt.
Ja. Ja. Willy, wink doch mal!
Wir staunen. So weit weg. Und heißt das nicht: Willy ans Fenster?
Erfurt. Neunzehnhundertsiebzig. Da war ich acht Jahre alt. Willy Brandt zu Besuch. Und ob du's glaubst oder nicht, meine olle Mutter mit mir in den Zug und ab nach Erfurt. Wollte dabei sein. Vater keine Zeit. Immer am Schuften. Da oben steht die freie Welt. Hat sie mir ins Ohr geflüstert.
Wirklich?
Hat sie. Ganz leise. Und das war gar nicht so einfach, mal fix eben rüber nach Erfurt. Umsteigen, und gedauert hat's. Drei Stunden bestimmt. Und dann kommt der Stoph, der Vorsitzende des Ministerrates, auf diesen Balkon, der hieß ja auch Willy, oder Willi. Fünfe gegen Willi haben wir immer gesagt. Später. Katrin. Hm.
Wichsen?
Na ja, was sonst? Aber die wollten den Brandt sehen. Da habe ich gedacht, als er dann da oben stand in diesem Hotel, gleich am Bahnhof war das, ich sag immer, ich habe eine Erinnerung, das ist schon so Richtung 3-D, da habe ich gedacht, jetzt pusten die den weg, wie Kennedy.

So wie dich?
DAS SPAREN WIR UNS JETZT.
Gut gekontert. Gleiche Waffen, gleiches Recht.
Nee. Nee. Nee. Wenn nur das Licht nicht ...
Ist doch dunkel. Und kalt.
Zweitausenddrei. Das wird oder war ein verdammter Winter. Januar. Februar. März. 3-D-Kälte. Hart. Herzen wie Diamanten.
Zum Dritten.
Wir haben nie eine versteigert. Jede hatte ihre Chance. Jede hat ihren Schnitt gemacht, damit ich meinen Schnitt machen konnte. Fair geht vor.
Kann ich fragen? Kann ich jede einzeln fragen? Kann ich mich runterbeamen, Käpt'n o Käpt'n?
Wegen Willy Schneider. Deswegen. Das muss mir keiner sagen, dass da was ohne Plan war. Nur deswegen der Willy. Mein KV.
Immer rein mitten in die Scheiße, was? Kaviar. Der Mann mit dem Plan.
Na siehst du, da verstehen wir uns. Und meine Frau, Versace ...
Peep-Toe-Pump?
Nee. Python-Ankle-Boot. Peep-Toe-Ankle-Boot. Scheißteuer.
Aber das beste Design?
Kann man so sagen. Waren schöne Geschenke. Shoppingtour am Geburtstag. Zukunftsschuhe.
Und nun wieder zurück. Kurzvortrag. Aber schön langsam. Hat schon so manch einer das große Kotzen gekriegt zwischen Schall und Licht.
Ach was. Seit Alfons Zitterbacke wollten alle plötzlich Kosmonauten werden.
Alfons who? Ich dachte seit Gagarin oder Sigmund Jähn?
Ja. Auch. Aber Zitterbacke ..., das ist jetzt wieder so 'ne Olsenbanden-Sache. Ich dachte, die Informationen fließen.
Solange das Geld fließt.
DAS SPAREN WIR UNS JETZT.
Deine Joker sind langsam weg. AK.
Die hab ich nie gebraucht. Nichtmal für die Hurenfrage bei der halben Million.

Findet man heute auch alles im Netz. Vicky P. Dia.
So weit sind wir noch nicht. Nein, so weit sind wir noch nicht. Neunzehnhundertneunundneunzig. (Dieser kluge Hippielude in Hamburg erzählt's mir später. Weiterbildung. *Hure*. Indogermanisch, sagt der, *die Liebliche*. Sage ich doch die ganze Zeit. Nix Fotzen. Herzen wie …)
Und du stehst vor der Klasse, und der Alte sitzt vorne am ersten Tisch und nestelt an seiner schicken Brille, und alle blicken dich an.
Und du spürst, dass du hier alleine bist und weit weg, und du denkst an Alfons Zitterbacke, der einer der Helden deiner Kindheit war, und wie der einmal in einer dieser Geschichten (Kapitel?) Kosmonaut werden wollte und auf Tubennahrung umstieg und, da es die ja nicht einfach so gab in der Zone und sicher auch nicht in Moskau oder Silicon Valley, USA, anfing, Senf und Zahnpasta zu fressen, bis ihm das große Kotzen kam, und da musst du lachen, und dann legst du los, die Kladde mit den Notizen vor dir. Und du erzählst über Willy Schneider, seine Thesen, und über das mächtige Instrument des Rabatts und wunderst dich, irgendwo ist da noch Platz in deinem Hinterkopf, warum du da so hemdsärmelig stehst, weißes Hemd von Hugo Boss, yes I'm the Boss, wo es doch da draußen irgendwo den harten Winter des Jahres zwo-drei oder wann auch immer geben muss, weil doch deine Füße, und vor allem der eine, noch so kalt und klamm sind von dem Schnee auf den Straßen und Fußwegen, du parkst immer ein Stück weit weg mit deinem BMW, nicht dass du was zu verbergen hättest, aber sicher ist sicher, und du brauchst die frische Luft, wenn du zur Hochschule für Wissenschaft und Technik läufst, wo du dich eingeschrieben und beworben hast, irgendwann in den Jahren, und du sprichst laut und deutlich über die Farbstrategien und die Beeinflussung durch die Farben beim Kaufmoment und der Kaufentscheidung und über das Werbemoment der Farben und über die Marktforschung, die das *Irrationale* mit zu erfassen sucht, und über Handelsprofessor Willy Schneider, mit dem du tatsächlich am Telefon über die von ihm aufgestellten Thesen sprechen konntest, ein feiner, kluger Mann, wie du findest, Weiterbildung, Weiterbildung, aber hier geht es um mehr. Und du blickst zum Fenster und siehst den Schnee fallen und sprichst mit

seinen Worten, und der Klang deiner Stimme verwirrt dich, weil du doch sicher und tief und kenntnisreich und männlich klingen willst, *bei roten Preisschildern denken die Konsumenten beziehungsweise die angehenden Konsumenten, dass die Ware billig ist, aber,* aber das stimmt eben nicht und ist Teil der ..., und dass das von Schneider (warum heißen eigentlich so viele kluge Leute Schneider, wie der Immobilien-Mann mit dem großen Plan, der auf das *Chaos* vertraute und genau wusste, dass Firma Coppenrath & Wiese bis hoch in die höchsten Etagen existiert?) so genannte Belohnungszentrum des Gehirns des Konsumenten ... Du musst Luft holen und auf die Notizen und Stichpunkte blicken und siehst das anerkennende Nicken des Alten ..., und dein dicker Batzen Gehirn (»Nix mehr als ein Batzen darmähnlicher Graufleischstränge!« Hans Pieszek, der Ex-Butcher, am 22. 10. 1999 im Gespräch mit Arnold Kraushaar) gleicht alles ab mit deinem Business, so wie an den Abenden und in den Nächten, als du lerntest und dich vorbereitet hast auf deine große Stunde.
Und Enge macht Angst. Sagt Willy. Und die Unsicherheit des Konsumenten ist der Feind des Konsums. *Allen drei Kreisläufen ist gemeinsam: Verwertung des Werts als bestimmender Zweck, als treibendes Motiv.* Und alle starren gebannt auf dich, und der Alte nickt wie ein Wackeldackel. Und du erklärst das Prinzip des »open space« und der Räume und Gänge und dass die ganze verdammte Wirtschaft »linksherum« läuft. Die Konzerne müssen die Geschwindigkeit des Kunden verlangsamen.
Du hockst vorm Klo und kotzt. Die große Sause ist vorbei. Wie hat dein Freund Willy dir am Telefon gewinkt, während du draußen vorm Fenster die Mädels beobachtet hast, und Alex, der den Laden schmeißt, während du lernst, und hinten im Hof die Baumaschinen, wie willst du das alles koordinieren? *Die Rationalität der Konsumenten wurde früher viel zu hoch eingeschätzt.*
KV. NS. AV. Aktiv/Passiv. SM. EL. FO. KB. GB. HE. AD. FS. TS. H&H. (Eierlecken, Französische ohne, Körperbesamung, Gesichtsbesamung, Handentspannung, Analdehnung, Facesitting, Transsexuell, Haus und Hotel) Je größer der Einkaufswagen, umso mehr denken wir, da fehlt doch noch was, verdammt nochmal! Wenn nur dieses riesige Handy, Anno sechsundneunzig, nicht so laut klingeln würde.

Aber er kennt die Nummer, das Finanzamt ist dran. Wie konnten Sie damals so viel investieren? Wir finden keine Einnahmedaten über diese Summen. Gradlinig und durchschlagskräftig und immer abschlussbereit, wie Marschall Olaf, die Stürmerlegende vom FC Lok. Nur dass der Verräter dann zu Dynamo gegangen ist. Aber lasst mich in Ruhe mit diesem Ostscheiß. So lang her. So weit weg. Orion. Ringe des Saturn. X-1. AHF. FE. DP. (Achselhöhlenfick. Fußerotik. Doppelpenetration.)
*Doch glauben Sie mir, Herr Kraushaar, inzwischen weiß die Forschung, und das ist das, was auch ich denke, dass der Konsument, also auch wir, hormon- und triebgesteuert sind.*
Ist das nicht wunderbar? Katrin will, dass er Wein besorgt, dabei ist sie, sind sie erst vierzehn. Und das Wasser im Kanal ist mit Schaum bedeckt. Wie schmutzig. Eisblumen am Glas. Alex geht in die Eisen, dabei fährt er doch selbst, oder ist das die verdammte Fahrschule? Sein Kopf knallt aufs Lenkrad. Er sieht bleich und weiß aus im Rückspiegel, als wäre er leer geblutet. Tu doch Schneeketten drauf, Alex. Schneeketten? Alpentour oder was? Scheiß auf Coppenrath & Wiese.
Falsch. Vollkommen falsch. *Das* ist unsere beste Kundschaft.

# 8

(»... und ab zehn wird's ganz bescheuert, o.k., so weit geht das meistens gar nicht!«)
(»Die ganze verdammte Wirtschaft läuft linksherum. Der Mensch geht eben gerne im Uhrzeigersinn.«)
(»Ein Schnitt, und dann sind die leer geblutet. Runter in die Rinne. Literweise. Der Geruch. Vergisst du nie.«)

Und da er nicht religiös ist und sowieso glaubt, dass die Moslems ihm auf der ganzen Welt das Geschäft kaputtmachen wollen, obwohl er weiß, weil ihm das der kluge Hippielude in Hamburg erzählt hat, dass die Huris und die Harems undsoweiter ..., aber da

muss man ja aufpassen, weil ab 2525 spätestens weltweit die Regeln in Mekka von den Schächtern gemacht werden und die Syndikate und Firmen verdammt viel zahlen müssen, um halbwegs Ruhe vorm Halbmond zu haben, bis irgendwann die Sonne implodiert ...
Katrin, warum schwitze ich nur so im Winter?
Du verreckst in deinem Koma. Ledermantel. Das Geld fließt weiter. Unser Sohn ist zu jung. Oder war es. Kein Erbe deines Fleisches. Man hat sich arrangiert, seit du weg bist.
Alex? Nein? Der hinter den Spiegeln? Der ist doch noch eine kleine Nummer. Die Jugos? Die bleiben doch immer auf der Straße. Der Bielefelder?
Wer wird Millionär.
Nein. Nein. Dieser Hochstapler, der immer so fein tut? Der von seiner Burg erzählt? Der seit hundert Jahren in Hamburg, Berlin und Frankfurt/Main und sonstwo die Geschäfte macht, erzählt er doch immer mit seinen smarten Sprüchen, und Geld investiert und jeden Politiker und jeden Luden kennt von der Maas bis an die Esch? Als wäre er der Highlander. Wenn wir nicht zugelassen hätten, dass er sich hier einkauft, dass er hier Deals machen kann und seinen Laden aufmacht und mit den Politikern Sekt trinkt, während wir ihm den Arsch versichern, der Mann aus dem Westen ... Der Repräsentant eines ach so mächtigen Syndikats. Der? Warst du mal drin in seiner Burg? Die immer mehr verkommt? Wo die kleinen Fidschis mit der Hand zwischen den Beinen die Kunden abmelken, als wären die Pussies vernagelt? Die kommen dann ganz sicher wieder, die lieben Gäste, die bei ihm nur Kunden sind. Fließband. Und wo die deutschen Arbeiterinnen mehr kosten als die Ausländer? Wo's nichtmal Bier gibt an der Bar, weil's kein Schankbetrieb ist? Kaffee und Becks ohne. Kein Sekt, kein Schampus, kein Cognac VSOP, und die Gäste müssen durch ein Drehkreuz. Die Kaufhalle oder der »Supermarkt«, wie man jetzt sagt, des Fleisches. Innovation? Visionen? Gammelfleisch. Alles nur Legenden. Ich weiß von nichts. Keine großen Taten, keine Heldenmythen an Bord des Raumschiffs Ragnarök. Vielleicht in einem anderen Universum. Parallel, verstehst du.
Lass mich mal raus, Alex, halt mal da an. Ich muss an die frische Luft. Nur kurz Luft holen.

Er blickt in den Himmel, und der Schnee fällt kühl auf sein Gesicht. Er öffnet den Mund. Spürt Salz auf den Lippen. Hört Musik aus dem Auto, die Tür noch offen. Alex fummelt am Radio rum. Oldie-FM. Er muss die Dinge ordnen in seinem Kopf. Lichter blenden ihn. Er taumelt gegen die Hauswand. Vor ihm, ein Stück die Straße runter, der Bahndamm, der das Viertel zerschneidet, und eine eiserne Brücke. Eine S-Bahn oder ein Zug rumpelt über die Gleise. Er sieht ihn noch nicht. Die Dämmerung hinter den Häusern. Morgen oder Abend. Er blickt zum Auto. Er sieht, wie ein kahlköpfiger Mann im schwarzen Mantel den Rückspiegel mit beiden Händen justiert. Wenn er in den Himmel blickt, weiß er ... Sterne. Diamanten. Astronauten. Und er irgendwo dazwischen, und längst nicht mehr hier oder dort, in einem kleinen Raum aus glänzendem Chrom.

# 9

(»Aber durch die ewige Nacht funkelt
Sternenlicht von unendlich weit her.
Vielleicht ist es dort gerade gestern.«
»Von dir, Hans?«
»Nee. Im Internet übesetzt, Songtext, USA.«
»Feine Sache.«)

(»Wie ist Arnold Kraushaar Anfang und Mitte der Neunziger so weit nach oben gekommen?«
»Immer druff. Immer feste druff.« Mallorca-Frank, Ex-Mitarbeiter, im Interview, Mai 2018, Mallorca.)

Blödsinn. Vollkommener Blödsinn. Könnt ihr mich hören? Ich kenne diesen Frank überhaupt nicht! Und auf Mallorca war ich nie. Ibiza. Dominikanische Republik. Ich fahr doch nicht zum Pöbel.

# 10

(»Sag mal, Arnold, hast du eigentlich 'ne Rechtsschutz?«
»Hm. Advocaat.«
»Anwalts Liebling?«
»Genau. Kann ich nur empfehlen!« Arnold Kraushaar im Gespräch mit Hans Pieczek, August 1997)

Eigentlich wollte ich hier noch etwas vom Aldi-Prinzip erzählen und wie die ihre Mitarbeiter ausspähen und reglementieren, und vom Ackermannprinzip und dass, wenn es einen Nachruf gegeben hätte ..., und dass der Vorwurf des Mietwuchers gegenüber AK doch nicht recht haltbar wäre, weil doch die Dinge, sagt man das so?, die Vorteile, ja, die er bietet, und dass die Sicherheitsfrage, also was die Frauen betrifft ..., und dass es doch eine feine Sache ist, dass er den Markt so lange in deutscher Hand gehalten hat ..., und dass, als dann später die Engel, weil die Kanacken ..., und dass, wenn man jetzt mal die Märkte vergleicht, und damit meine ich jetzt eine Art Moralitätsvergleich, doch so oder so zuungunsten der ...
In the year 2525.

– Mandy, das Bett bricht!
– Nein, Mister, das Bett nicht,
es ist ein Band von meinem Herzen,
das da lag in großen Schmerzen.

Ich mache mir nicht viel aus Sex. Habe mir noch nie viel draus gemacht. Da habe ich wohl immer die falschen Typen gehabt, wenn ich so zurückdenke. Nur einmal, da war ich achtzehn, der war immer sehr zart zu mir, aber das hat nicht lange gehalten.
Der Typ schraubt an meinen Brustwarzen rum. Und ich tue so, als würde mich das antörnen, sein Gefummel, dieses Teenie-Gekicher habe ich ganz gut drauf, dieses Film-Gekicher, ständig laufen Filme im Fernsehen, wo diese Ami-Girlies ganz genauso bescheuert kichern, kann man üben, kann man lernen, stehen die Gäste drauf, die meisten, in Japan bedeutet Kichern Masturbieren, hat mir mal jemand gesagt, und das stimmt sogar, ich habe im Internet geguckt und dort erstmal nichts gefunden und dann aber in der Stadtbücherei, da gab's ein Buch über Geishas, diese japanischen Liebesdienerinnen, ich habe schon ewig nicht mehr masturbiert, vielleicht stimmt da was nicht mit mir?, aber mir geht's ja ganz gut so weit, ich bin zufrieden, wenn man das so sagen kann, und ich stöhne und winde mich ein wenig unter ihm, damit er endlich zur Sache kommt. Ich könnte auch einfach so daliegen und die Lampe anblinzeln und warten, bis er mit der Schrauberei fertig ist. Aber ich habe ihn schon paarmal unten gesehen, ist ein Stammgast, da hat er mit der Kohle rumgeschmissen, ist meistens mit der Steffi hoch, aber die ist nicht mehr da jetzt, arbeitet jetzt in 'ner kleinen Wohnung, und ich beneide sie um die Ruhe, die sie da hin und wieder hat. Immer das Sektgetrinke unten an der Bar, und immer dieselbe Marke,

ich kann's schon nicht mehr sehen, und wenn ich nicht arbeite, trinke ich überhaupt keinen Sekt mehr, nichtmal Silvester. Schampus ja, aber auch eher selten, ist eben teuer, aber auch was Besonderes. Silvester bin ich eh fast immer allein, gucke zu Hause Filme oder lese in meinen Büchern, esse Pizza und trinke ein Glas Wein. Ich mache mir auch nicht viel aus Silvester. So auf Knopfdruck abfeiern? Nee.
Ein Piccolo für dreißig Euro, und wir sitzen an der Bar, die Musik dudelt mal wieder die Achtziger hoch und runter, danke, Hans!, und er trinkt Gin Tonic, du süßes Rotkäppchen, flüstert er später oben aufm Zimmer in mein Ohr, dass es ganz feucht wird und ich mir das auswasche und auswasche, als er weg ist, weil ich da nun keine Spucke will, sonst ist's, wie's ist, aber im Ohr?, bis die ganze Ohrmuschel brennt. Und er trinkt Gin Tonic und raucht und bietet mir eine an, und ich sage: »Nein, danke«, seine Schachtel liegt aufm Tresen, und ich nehme mir dann doch eine raus und lächele ihn an. Ich rauche nicht viel, aber das spielt eh keine Rolle, passiv und aktiv, und die ganze Belegschaft qualmt, und der Chef qualmt und die meisten Gäste auch. Als wenn das mit den ganzen Rauchergesetzen an uns vorbeigehen würde, also am Markt, am Club, ich denke manchmal, wie das war, als ich früher noch im Zug rauchen konnte, weil ich manchmal nach Berlin musste, und da stand ich im Bistro, ist ja nicht weit, und trank Kaffee und rauchte eine, dass da die ganzen Kinder durchmussten, hat gar keinen gestört, das muss schon noch so zweitausendsechs oder zweitausendfünf gewesen sein, da habe ich nämlich mal wieder angefangen, hatte aber fast zwei Jahre ohne durchgehalten. Zweitausendsechs habe ich Geld verdient wie nie wegen der WM. Und da musste ich ja wieder anfangen bei dem Stress.
Ja, danke, gerne, nee, die Steffi ist heut nicht da, ja, also die Silvana mein ich, ja. Und ja, nein, die Schweiz kenn ich nicht, war noch nie …, und was er da jetzt erzählt von wegen meinem Bubikopf, wie die …, nee, hab ich noch nie gehört, Österreich?, nein, auch nicht, das ist ja ganz nett, aber …, dass ich ihm schon immer aufgefallen bin, was das für 'n komisches Wort ist, »Bubikopf«, das sagt doch heute keiner mehr …, aber wenigstens nett bist du, und ich lege

meine Hand auf dein Knie, na klar geh'n wir gleich nach oben, und ich schlage meine Beine fast so gekonnt übereinander wie Sharon Stone in diesem Film. Es sind nur die kleinen Gesten, und ich leg mich nicht so ins Zeug wie manch andere von den Mädels, die ja sonstwas für Shows abziehen, ich bin eher zurückhaltend, aber das mögen eben auch manche Gäste, und von wegen die Beine gekonnt wie ..., ich wünschte manchmal, ich könnte so verführerisch sein, so in dem Sinne, dass ... Hab das einfach nicht in mir drin, nur das blöde Kichern hab ich geübt, aber bisschen still sein ist doch auch was Schönes ... Und wenn er nicht mit hochkommt?, na ja, wird ein anderer kommen, der Abend ist noch lang, und die Steffi, die Silvana, ist doch ein ganz anderer Typ als ich, vielleicht will er erstmal die Lage sondieren, wer alles so da ist heute, und einen viel größeren Busen hat sie, obwohl, ganz viele Männer mögen meine kleine Handvoll, sind schön fest, ja, das kommt, denke ich, auch vom vielen Schwimmen. Ich schwimme sehr gern, manchmal gehe ich direkt nach der Arbeit, weil ich dann nicht gleich schlafen kann, oder ich wache nach zwei, drei Stunden wieder auf, früh am Morgen, da ist die Schwimmhalle noch schön leer, und ich schwimme ganz alleine meine Bahnen.
Du bist sehr schön, du bist sehr süß. Danke, du bist lieb. Sekt, Sekt, jeden Abend Sekt, ach, Großmutter ..., ja, mein Kind?, und natürlich gießen wir die Hälfte weg oder nippen nur, aber es läppert sich doch ...
Das kennt er nicht, das Wort, ist einer von außerhalb, also »läppert«, weißt du, das heißt sowas wie ..., aber da ist er schon an meinen Brüsten und schraubt an ihnen rum. Ich weiß, dass die Silvana richtig laut ist und so, und ich versuche schon, es ihm recht zu machen, weil er ja dann vielleicht wiederkommt, und dass er oft in der Stadt ist, hat er erzählt.
Und wir sitzen immer noch und wieder und immer wieder unten an der Bar, und die Beatriz sitzt schon auf der anderen Seite neben ihm und wartet, dass ich ihn langweile, und ich trinke und lache und neige den Kopf und gebe mir doch richtig Mühe jetzt, so wie ich's kann, aber die Beatriz hat wirklich Feuer, so ein Latina-Typ, kommt ja auch aus Bolivien, ist bestimmt schon Mitte vierzig, sieht aber

nicht wirklich so aus, ganz ehrlich, also wenn ich vierzig bin und noch so gut aussehe wie sie, und zwei Kinder hat sie auch, von denen erzählt sie manchmal, der eine Junge ist schon sechzehn, was sie dem wohl sagt, vielleicht habe ich auch zwei Kinder, wenn ich mal vierzig bin, ach, na ja, eins wär schon schön, ein kleines Mädchen (Hat der jetzt echt »Du süßes Fötzchen« in mein Ohr geflüstert, manchmal denke ich, ich krieg einen Sekt-Koller, und er stößt und stößt und kommt nicht zum Ende) oder auch einen Jungen, einen kleinen Jungen, aber ich habe einen ganz unschönen Traum, den habe ich komischerweise oft, und ich finde nicht raus, warum das so ist, da träume ich, dass da jemand kommt, in das Haus, in dem ich dann wohne, dass ein Mann kommt, der ist nackt und hat überall Haare, fast wie ein Fell, und der nimmt mir mein Kind weg ..., ein Mädchen ist das.

Also die Beatriz macht wirklich fast alles, und wenn der das weiß, geht der bestimmt mit ihr hoch, die hat auch mal als Domina gearbeitet, war sogar angestellt bei der Lady K., glaube ich, die war stadtbekannt, ist aber im Gefängnis jetzt, wegen so einer Geschichte, die in dem Studio passiert ist, und ich habe auch schon gehört, dass Beatriz auch kurz im Gefängnis gewesen ist wegen der Sache ..., hast dich im dunklen Wald verlaufen ..., und da wache ich auf und will schwimmen gehen, will mich in dem lauwarmen Wasser treiben lassen und liege dann doch nur in der Badewanne, weil ich so fertig bin, und starre an die Decke und überlege, ob ich mir den Mini mit der Englandfahne auf dem Dach jetzt oder doch erst nächstes Jahr kaufe – der fetzt nämlich, aber der Verkäufer kann ihn nicht mehr allzu lange für mich zurückhalten.

Und da liegt er wieder auf mir und fummelt und schraubt an meinen Brustwarzen rum, seinen Gin Tonic hat er mit hoch genommen, und mir dreht der Kopf von den drei Piccolos unten an der Bar, obwohl ich, wenn's hoch kommt, vielleicht die Hälfte getrunken habe, aber er hat so komisch geguckt, hab ich mir eingebildet, als ich immer nur so dran nippte, manche Mädels trinken ja gerne, und es gibt Tage, da geht bei mir auch was, aber dann eher ein Glas Wein. Habe heute schon schön mit den Piccolos verdient, deswegen will ich gar nicht meckern, weil doch vorhin schon einer mit mir am

Tresen saß und mir ein Fläschchen spendiert hat, der ist dann aber mit der Anette auf Zimmer, die ist ein bisschen dicker, da kann man nichts machen, aber manchmal fühle ich mich dann doch ein wenig leer, so alleine, das ist blöd, ich weiß, ist gar nicht so sehr wegen dem Geld, nee, der nächste Gast kommt bestimmt, und ich würde jetzt auch nicht sagen, ich bin deprimiert, dass der jetzt die Anette stößt, nee, ist einfach so ein kurzer Moment der Einsamkeit. Schwer zu sagen, und schnell vorbei. Fünf Piccolos, wenn ich richtig zähle, da habe ich ja schon bisschen was verdient, krieg ja Prozente, und die Nacht ist noch lang. Manchmal, an ganz blöden Tagen, bleibt kaum was über, obwohl Hans nur seine Gebühr kassiert, wenn ich auf Zimmer geh, und je nachdem, für wie lange die Gäste zahlen, Model M/L nennt er das manchmal, weiß nicht, wie er das meint, was das bedeutet, also kassieren wir beide nichts, wenn ich keinen Gast habe, der mit mir hoch geht. Im »Penthouse deluxe« in Berlin, wo ich mal kurz gearbeitet habe, kassierte der Chef fünfzig Prozent. Schon viel, finde ich, wo wir doch die meiste Arbeit machen.

Siehst du, jetzt gefall ich dir doch, und ich hab nämlich gesehen, wie du immer zu Beatriz rübergeguckt hast, direkt über meine Schulter. Meine Brüste hältst du immer noch fest, während du mit dem Gesicht an mir runterrutschst. Ach, ich weiß, das hat die Steffi manchmal erzählt, wie gern du leckst. Und dass du ganz gefühlvoll leckst, hat sie gesagt, nicht so hart und fest wie mit 'nem Hobel, hat sie gesagt, weil da gibt's Kerle, die saugen und drücken da an dir rum ..., aber weißt du, ich mach mir nicht viel draus, so oder so, o. k., kneifen muss es ja nicht, und auch wenn ich jetzt stöhne, ist eher so ein leises Piepsen, weil das mögen die Männer, ich piepse wie ein kleiner Vogel. Und du versuchst, meinen Kitzler zu finden, ihn genau mit der Zunge rhythmisch zu treffen, aber das ist nur sowas wie ein ganz leises fernes Pochen irgendwo in mir drin, nicht unangenehm, nicht angenehm, ist so, wie's ist, und ich piepse wie ein ..., hatten wir schon. Und plötzlich bin ich müde.

Ach, die Beatriz, was hättest du bei der Beatriz gewollt, und ich mach eben nur das Übliche, was ja schon viel ist, und weil man das auch erstmal richtig machen muss, nur das, was ich ihnen sage, was ich vorher, also meistens auf dem Zimmer erst, sage, wenn sie nicht schon unten am Tresen fragen, aber meistens reden wir erst auf dem Zimmer richtig und reden darüber, was du denn willst, na ja, manchmal auch unten schon, das kommt immer drauf an, wer sich da schon was traut, nur ganz selten lass ich mich küssen, also auf den Mund, und mach den Mund dabei auf, fast nie eigentlich, aber …, irgendwie kann ich da mit umgehen, dass das manchmal passiert, schon komisch, weil die meisten Mädels sagen, nee, nie. Wie die Steffi. Die Silvana. Nie. Die hat immer, also zu mir, gesagt, dass sie das nicht weggibt.

Die Beatriz, ja warum denn die schon wieder in meinem Kopf drin ist, will ich gern mal wissen. Wir haben immer was zu lachen, wenn sie von ihrer Zeit bei der Domina erzählt, und sie war wohl auch noch woanders und öfters aktiv als Domina und in so Studios, vor der krassen Sache oder nachher, weil wir alle anscheinend nicht genau wissen, wann das nun genau war. Und ich meine, dass wir da lachen, mit ihr zusammen, und sie da wie 'ne alte Showmasterin, *mit allen Wassern gewaschene* Showmasterin in unserer Mitte sitzt, ich meine, da finde ich die Lästerei, wenn sie mal nicht da ist, schon blöd. Schon scheiße. Ja.

Weil wir da lachen müssen. Das glaubst du nicht. Wie die mal einen Gast gehabt hat, der wollte ihr Hund sein, der wollte das und hat sich nichts so sehr gewünscht und auch da richtig viel Geld für gezahlt, sagt sie, und ich glaub das sofort, weil man ja selbst auch so Gäste und Kunden, die man so gehabt oder abweisen und wegschicken musste, weil man das ja nicht anbietet, Kacke und sowas, sie führt den also spazieren, so richtig an der Leine mit Halsband, und der nur in T-Shirt und Shorts, weil der wollte das, dass die ihn spazieren führt, dass die mit ihm Gassi …, da mussten wir immer so lachen …, und einmal ist die mit ihm raus, weil sie sich Zigaretten holen wollte, in so einem kleinen Spätverkauf, oder, ich glaub, das war ein Konsum, so einer von den Eck-Konsums, wie's sie kaum noch gibt, Nachbarschaftsläden nannten die das, also die Konsum-Leute, die Konsum-Chefs, so einer, wo die ganzen Alten immer hingehen, weil's eben um die Ecke ist und sie alle kennen, die Verkäuferinnen und die anderen Alten, die da auch hingehen, und sie leint den da draußen an, an 'ner Regenrinne, glaub ich, an so einem Rohr, und vorher ist er hinter ihr her auf allen vieren über die Straße. Und wie sie ihn da anleint und in dem Laden drin ist, fängt er an zu jaulen und zu winseln, aber wie. Und als sie wieder rauskommt, da springt der Hundemann an ihr hoch, schreit fast, also so ein Freudenjaulen, leckt ihr die Schuhe, leckt ihr die Beine, kriegt sich gar nicht wieder ein. Ich glaub, wenn hier so einer wäre, wenn hier so einer einen auf Hund machen würde, der Hans würde ihn am Kragen packen und raus auf die Straße schmeißen. Obwohl …, wenn der Gast zahlt. Aber wir haben hier kein SM-Zimmer. Wird vielleicht noch.

Olaf hieß der, als ich achtzehn war, der so zart und lieb zu mir war, das kannte ich nicht so, und da habe ich schon gelitten, als der weg war. Und dann kam er wieder, zwei Jahre später. Und der war eigentlich, wenn ich so zurückdenke, der Einzige, bei dem ich was gespürt habe. Ist blöd. Ist komisch. Aber ist, wie's ist. Oder war. Hab eben immer die falschen Typen gehabt. Manchmal glaube ich, dass da was nicht stimmt mit mir. Aber da suche ich und find nichts, und es ist eben nicht immer die Küchenpsychologie. Wo's mir doch gutgeht. Und ich jede Menge Zeit so für mich habe. Nach der Arbeit.

Er rutscht wieder an mir hoch, Zunge wohl müde geworden. Und ich sehe, dass er fast steif ist. Das wird leicht. Manchmal muss ich sie bearbeiten wie verrückt, dass mir fast der Arm abbricht, weil sie zu viel getrunken haben. Oder wenn ich sie ewig blasen muss, ich hab nunmal einen kleinen Mund, dann knackt das, wenn ich mir selbst die Wangen und die Kieferknochen massiere und meinen kleinen Mund öffne und schließe. So kommt's mir jedenfalls vor. Verspannt, verkantet und verkannt. *Ach, Rotkäppchen … Ja, Großmutter? Warum hast'n du so einen schiefen Mund, mein Mädchen.* Bleib mir bloß weg mit dem Sekt. Ob ich ihn dir lutsche? Na klar. Süßer, was denkst du denn, wo du bist? Das Letzte sage ich nicht, weil er natürlich genau weiß, wo er ist. Plus Träume. Plus Illusionen. Da lächele ich und ziehe ihm einen Gummi drüber. Manche Mädels können das mit dem Mund, ich möchte das auch mal probieren.

Die Gäste sollen ja drauf abfahren, habe ich gehört. Eigentlich egal. Ging immer so. Ja.

Er wird jetzt richtig hart. Und während wir noch unten und vorhin und dann später und immer mal wieder an der Bar sitzen und die

Achtziger um uns rum dudeln, beobachte ich dich. Wie du doch ein bisschen unruhig bist. Nur ein bisschen. Wir sind beide routiniert. Das passt schon.
Nach der Arbeit geh ich nach Hause, mache meine Tür zu und zähle mein Geld. Also virtuell. Immer schön aufs Konto. Das meiste. Vieles lieber cash. Ich kenn den Hans schon lange. Da finden wir immer einen Weg. Wegen der Steuer. Letztens waren hier wirklich welche vom Arbeitsamt. Die Sitte, wie man so sagt, also die Bullen von der Sitte, filmmäßig, die kommen eigentlich nicht mehr. Ist auch alles sauber hier. Aber vom Amt, die sind die Schärfsten, die wollen Papiere, die checken alles. Hab ich kein Problem mit. Die wollen eben sehen, dass keiner doppelt kassiert. Also Staat macht und Club. Doppelt kassieren? Nee. Da wär ich ja schön blöd. Verdiene genug. Trotz Steuer. Und zahl privat in die Continentale. Keine Schleichwerbung. Eine von vielen. Krank werden möchte ich nie. War's auch nicht weiter groß bis jetzt. Was ein Glück. Bin ja auch noch keine …, also noch längst nicht dreißig. Fünfundzwanzig, sechsundzwanzig, vierundzwanzig, siebenundzwanzig, wie schnell das geht. Muss keiner wissen. Sehe mich auch immer noch ganz zufrieden in den Spiegeln.
Dass es da welche gibt, die auf den Prinz warten oder wie immer man so jemanden nennen will? Schon möglich. Glaub ich aber nicht. Kann's mir nicht vorstellen, obwohl eine winzige Nische oben im Hirn sicher immer offen ist für so einen Blödsinn.
Er wird jetzt richtig hart, als ich ihn im Mund hab, ja, ja, schön mit Gummi, da bin ich mittlerweile schon old school, obwohl ich ihn immerhin ohne Gummi anlutsche, kurz nur, aber dann ziehe ich ihm das Teil drüber, mit beiden Händen, schön vorsichtig, vielleicht ist er enttäuscht, dass ich nicht ohne Gummi weiterblase, weil's eben noch kurz ohne war, aber er ist immer noch hin und weg, drin und weg, in meinem Mund, und ich sehe, wie sein Kehlkopf sich auf und ab bewegt, sein Stöhnen ein leises Gurgeln. Ich kann nicht sagen, wer von den Mädels, außer der Beatriz, aber das ist eben auch viel Geschwätz, jetzt bläst und bläst ohne Gummi, ich meine komplett.
Gute Nacht, mein Prinz, lass dich fallen.

Was soll das sein? Ich bin doch kein Bubi. Wir hatten mal einen Wellensittich, hieß der nicht auch Bubi? Ich und meine Schwester. Oder hieß der Rudi? Ich müsste drüber nachdenken, und dann fällt's mir ganz bestimmt wieder ein. Ich weiß nur, dass sie auf ihn draufgetreten ist, aus Versehen. Wir haben schrecklich geweint, und Blut lief ihm ausm Schnabel, bis er dann endlich tot war.
Ich versuche, ihn schön weit hinter zu nehmen. Dann geht's schneller. Dieses Deep Throat ist wirklich eine Kunst. Kann's mir nicht vorstellen. Und glaube auch nicht, dass Miss Alleskönnerin B. das so kann. Nein, wirklich nicht. Würgereflex abstellen. Hallo. Wie das? Nein. Man hört und liest das jetzt überall, dass das jetzt hier und da auf den Sedcards auftaucht. Nutten-Punkt-Net. Eckis Radio. Undsoweiter. Ich bin müde und würde jetzt gerne Filme gucken bei mir zu Hause oder in meinen Büchern lesen.
Und vor kurzem habe ich mit den Mädels vor Schichtbeginn diesen Film gesehen, dieses alte Ding, aus den Achtzigern oder sogar aus den Siebzigern war der, glaub ich, wo's darum geht, dass da die Mädels die Klitoris, den ach so kitzligen Kitzler, was für ein bescheuertes Wort eigentlich, dass die den hinten, wie sagt man das?, in der Kehle drin haben. Und dass die nur kommen können, wenn die Kerle da so richtig reinstoßen tun, na ja, das war schon was zum Lachen. Haben wir gelacht auch. Weil die dann Atomraketen gesehen haben, wenn sie dann gekommen sind ..., im Hals natürlich. Ja, Kehlenorgasmus. Schöner Unfug. Aber immer noch besser, aber nicht wirklich, denn der war wirklich zum Wegschmeißen, dieser andere Uralt-Porno, wo so ein Typ eine Flasche findet, mit einem Flaschengeist drin, und der muss ihm, also der Geist, Wünsche erfüllen. Wie das eben nun mal so ist. Und der wünscht sich erstmal Frauen, ja klar. Schöne, willige Frauen, ja klar. Große Brüste undsoweiter, ja klar. Aber weil ihm das irgendwann nicht reicht, was für ein Idiot, möchte er gerne einen zweiten Schwanz haben, ein Typ mit zwei Schwänzen, was für ein Albtraum, da waren wir uns alle einig. Und Hans nervte, weil gleich Schichtbeginn. Aber er hatte zu tun, weil vom Großhandel die Piccolos undsoweiter geliefert wurden. Bleib mir vom Hals mit Rotkäppchen. Und da ist ihm fast das ganze Zeug zu Bruch gegangen, ist ihm fast runtergefallen, und paar

Fläschchen konnte er echt nicht halten, so hat er sich erschrocken, weil wir mehr brüllten, als dass wir lachten. Weil dem Mister Wünschelrute der zweite Schwanz nämlich auf der Stirn steif wurde. Wie ein Einhorn sah der aus. Sah wirklich echt aus, also in dem Film, nicht nur wie ein Umschnalldildo aufm Kopf.
Da war die Steffi noch da, als wir diesen Unsinn auf dem Fernseher über der Bar gesehen haben. Schade, dass sie woanders ist jetzt. Mit ihr habe ich manchmal noch einen Absacker genommen. Einen Campari oder einen Southern Comford oder einen Pernod, um den blöden Sekt wegzukriegen. Und den Gummi. Da nimmt man schon die, die am besten schmecken, oder sich zumindest nicht wie'n großer Gummifinger von 'nem Fingerhandschuh anfühlen.
Ich glaube, dass sie, also Steffi, Sekt und Schampus und all das Prickelwasser ganz gerne gemocht hat, ganz gerne getrunken hat. Hat mich ja manchmal in den Star-Club eingeladen, der heißt eigentlich anders, aber wir haben ihn immer Star-Club genannt, da haben sich paar von den Mädels manchmal noch getroffen, wenn sie Feierabend hatten oder am Wochenende. Da war auch der Hans manchmal da und der Alte und paar von den Leuten von den Securities oder die auch kleine Clubs oder paar Wohnungen haben. Da war damals richtig Party, auch mit Koks und so, aber ich bin nicht oft mit ihr dahingegangen, ich bleib ganz oft lieber zu Hause oder gehe schwimmen.
Komm, ich bin scharf auf dich, steck ihn mir rein. Ich drehe den Kopf ein wenig, während er sich auf mich legt, während wir unten am Tresen sitzen, ich drehe den Kopf ein wenig und lächele, so wie ich immer lächele, er wird langsam schwer auf mir, ich sage: Komm Baby, ich reite dich. Ich sehe die Uhr auf dem Nachttisch, zweite Runde noch knapp fünfundzwanzig Minuten, ich höre die Musik dumpf und leise von unten, sehe die roten Jalousien, ob man die Sterne sehen kann, ob die Nacht klar ist, ob es Regen geben wird bis zum Morgen? Wie das wohl ist, in so einer Wohnung zu arbeiten, wie die Steffi jetzt? Ich bin seit zwei Jahren in Hans seinem Club, ich war vorher ein halbes Jahr in W. bei M. Ich habe damals angefangen in diesem kleinen Laufhaus bei J., da warn die Berge ganz in der Nähe, und ich bin manchmal wandern gegangen, jetzt fehlt mir das

manchmal, obwohl ich viel schwimme und spazieren gehe auch manchmal, aber die Stadt ist so flach, weit muss man fahren, bis man in die Berge kommt, ja.

Und dann ist man wohl immer alleine. Ich meine, wenn keine Gäste da sind. Und wie viel Gäste da wohl kommen müssen, damit man bisschen Geld weglegen kann, schon richtig was bei rauskommt, wenn das so hundert Miete kostet am Tag, wenn man eine Wohnung beim Alten mietet, hab ich gehört …, aber o. k., da ist wohl dann alles mit drin, und kann alles in mein eigenes Portemonnaie tun, und die Gäste wären nicht so oft besoffen oder angetrunken …, die Steffi war schon clever, ja, das war sie, und sie wird sich schon was bei gedacht haben, als sie hier raus ist und in 'ne Wohnung rein ist. Hat der Hans nicht gerne gesehen, dass sie wegwollte, weil sie gut mit ihm auskam, mehr als gut, wenn du verstehst, wie das Bett wieder mal knarrt heute, als ich mich immer schneller immer schneller auf ihm bewege, ihn abreite, obwohl, mal bisschen langsam, sind noch zwanzig Minuten, und nicht, dass er dann nochmal will oder kann, wobei ich mir das bald nicht vorstellen kann, weil er ja nun auch keine zwanzig mehr ist, *ich mache mir nichts aus …, hörst du!*, und eigentlich bin ich doch gerne allein, oft allein, aber wenn ich auf Arbeit noch die meiste Zeit allein wäre … Und da spritzt er. Ich spüre ihn pumpen, spüre seinen Schweiß. Und da beugt er sich zu mir rüber, legt seine Hand kurz auf meine, die neben dem Ascher auf dem Tresen liegt, und dann gibt er einen aus. Hey, Rotkäppchen. Danke.

Und ich möchte gerne mal wieder am Tag arbeiten. Abends nach Feierabend dann in der Bahn sitzen und mit den anderen Feierabendfahrern nach Hause …, früh schweigen wir, abends reden wir und tuscheln wir, weil wir uns auf zu Hause freuen, die ganze Straßenbahn freut sich auf zu Hause, Feierabend. Und dann könnte ich auch mal abends wieder weggehen, könnte vielleicht mal wieder ins Kino gehen, ein paar Freundinnen besuchen, aber wenn ich so drüber nachdenke, die meisten sind weg aus der Stadt, und die anderen wohnen in meiner Heimatstadt, das ist nämlich nicht hier, und die Mädels von Arbeit …, na ja, die will ich nun nicht ständig sehen, obwohl wir früher manchmal schon was zusammen gemacht haben, aber die meisten hingen dann bloß im Star-Club ab.

Dort um die Ecke, wo Steffi in der Wohnung arbeitet, ist immer der Rummel. Ich war noch nie bei ihr, also bei ihr auf der Arbeit, aber ich weiß ungefähr, wo das ist. Wir sind da als Kinder immer hin. Ich, meine Mutti und meine Schwester. Und in der Geisterbahn, wie wir da gekreischt haben manchmal. Wir waren immer ganz wild auf den Rummel und vor allem auf die Geisterbahn. Obwohl die eigentlich nicht wirklich gruselig war. Und da gab's auch so eine kleine Eisenbahn, die haben so zwei alte Leutchen betrieben, sie hat die Fahrkarten verkauft, und er war der Schaffner, und links und rechts waren lauter Holzfiguren und Gebäude, Ritter und Zauberer und Schlösser und Hexenhütten, ein kleines Märchenland, Runde um Runde sind wir da durchgerattert, und manchmal kam's uns vor wie Stunden und länger noch, und da könnt ich mit Steffi doch mal hingehen, also nicht unbedingt in die Eisenbahn, sowas gibt's da bestimmt auch nicht mehr, aber Achterbahn und richtig schnelle Karussells, ich bin manchmal dran vorbeigegangen oder mit der Bahn dran vorbeigefahren, und hab das Knallen der Luftgewehre gehört, vielleicht konnte man das gar nicht hören in Wirklichkeit, also die Luftgewehre, aber ich hab's genau gehört, weil ich doch so gut Luftgewehrschießen kann, und ich hab lange überlegt, einfach mal reinzugehen, mich da treiben zu lassen, von Bude zu Bude, von Fahrgeschäft zu Fahrgeschäft, und eben mal den größten Bären, oder was die da haben, zu erschießen. Also den mir zu erschießen. Aber wäre mir blöd vorgekommen, mit so 'nem Riesen-Pink-Bär durch die halbe Stadt, obwohl das vielleicht auch irgendwie schön gewesen wäre.

Und Steffi, die würde staunen, die würde aus dem Staunen gar nicht mehr raus …, wie ich da uns Plüschtier um Plüschtier und Sangria und Kulis und Aschenbecher, der Olaf hat mir das damals beigebracht. Nein, Vater hat's mir beigebracht. In der kleinen Stadt, wo ich herkomme, da gibt's auch 'ne Sternwarte. Waren wir mit der Schule drin, war ich auch mal mit Olaf drin. Wir haben viel zusammen gemacht, auch wenn's nur kurz war. Vati hat mir das beigebracht, das mit dem Luftgewehr. Ganz früher, als ich noch klein war, vor der Wende, da ist er oft jagen gegangen mit so Leuten aus der Politik oder so, hat er manchmal von erzählt, aber nicht so viel jetzt. Aber er hatte kein richtiges Gewehr mehr, nur das Luftgewehr noch. Das sah schick aus, glänzendes Holz, wie so Edelholz, der Kolben. Im Garten haben wir oft geschossen. Meine Schwester war nicht so gut. Ich glaube, dass sie das Gewehr jetzt hat. Sie hat das meiste von Vati mit zu sich genommen, als er gestorben ist. Möchte ich nicht dran denken. Ich würde sie gerne mal besuchen fahren. Ist aber nicht mehr so einfach, seit Mutti das weiß. Mutti, sage ich, ich tanze da nur. Meine Schwester wohnt wieder im Haus, seit sie den Job nicht mehr hat. Könnte ja hier anfangen, jederzeit. Aber nee …, ich bin müde langsam. Sitze an der Bar und warte auf einen Gast, der nett ist und mit mir 'ne Stunde nach oben geht. Oder zwei, drei Quickies. Nach Mitternacht kommt immer noch 'n Schwung.

Mein Handy hat die ganze Zeit geklingelt, und ich bin nicht rangegangen, kannte ja die Nummer. Mutti schreibe ich oft noch. Im Juli hatte sie Geburtstag. Ich arbeite in einer Bar, Mutti, habe sogar einen Cocktaillehrgang gemacht. Warum ich es ihr nicht erzählen kann …, ich bin sechsundzwanzig und hab mich selbst entschieden. Und wie sie mich angeguckt haben, als sie's wussten. Als hätt ich irgendwas, als wär ich krank. Weil's jemand im Internet gesehen, weil mich da jemand erkannt hat, irgendeine von Muttis blöden Freundinnen. Ich würde gern wieder mal in die Sternwarte gehen. Wir durften durch das große Fernglas schauen. Planeten und Sterne. Wenn man mit sowas in die Sonne schaut, wird man blind.

Manchmal beneide ich Steffi, weil die mit ihrer Familie nichts mehr zu tun hat. Und auch gar nichts mehr zu tun haben will. Ich hoffe und glaube, dass Mutti das akzeptiert, dass ich das mache, was ich mache, weil ich mich entscheiden kann. Jederzeit.

Und ich kann das verstehen, dass die Steffi da keinen Kontakt mehr hat und will. Ihre Eltern sind in den Westen gegangen, abgehauen, da war sie noch ganz klein. Und da musste sie dann eine Zeitlang ins Heim, in so eine Art Heim, und dann zu einer Pflegefamilie. Sie ist dort dann ein paarmal abgehauen, hat sie mir erzählt, als wir mal auf einen unserer eher seltenen Absacker waren, an die ich so gerne zurückdenke. Die Frau hätte ihre Großmutter sein können. Was o. k.

gewesen wäre, sagte sie, aber sie war wohl einfach 'ne furchtbare Alte. 'ne richtige Vettel muss die gewesen sein. Und da hat sie die Speisekammer leer geräumt, alles in den Rucksack rein, was da eben so reinpasste in den kleinen blauen Campingbeutel, und ist abgehauen. Und da das nicht so einfach war, in der DDR abzuhauen, ich meine, heute geht das auch nicht richtig, mal eben so als Neunjährige abzutauchen, aber Bahnhof Zoo und Co., nein, Mutti, das hat überhaupt nichts, aber auch gar nichts mit meiner Arbeit zu tun.
Renn, Mädchen, und versteck dich im Wald …
Ich kann mich kaum noch an was aus dem Osten erinnern, war eben noch zu klein, fünf Jahre zur Wende, aber Vater hat oft erzählt. Hat Zeit gehabt, war meistens zu Hause, hat mir's Luftgewehrschießen beigebracht.
Er wird immer schneller, na komm, na komm, spritz, spritz, ja, ja, ja! Meistens kommen sie ja schneller, wenn man sie anfeuert. Kann ein Stammgast werden. Der sieht zufrieden aus. Stammgäste sind echt wichtig. Da geht vieles leichter. Wenn sie denn halbwegs sympathisch und vor allem gepflegt und sauber sind. Einen Stammkunden habe ich, der ist mir richtig unangenehm. Fragt jedes Mal, ob ich nicht doch ohne Gummi blase. Komm in fünf Jahren wieder, vielleicht muss ich …, nee, müssen tu ich nix, aber vielleicht mach ich's dann wirklich oder habe mich zur Ruhe gesetzt. Kleines Haus. Müsst mir einen suchen, der nett ist, Geld hat und mir viel meine Ruhe lässt. Sex können wir schon haben, denn aus Sex mach ich mir nichts … Die Steffi, die hat immer gerne Sex gehabt. Viel. Schon zeitig. Bei mir ist das eben alles rein …, klingt jetzt blöd …, mechanisch, und dann eben professionell, dass mir das nicht nahegeht. Normal, sag ich mal. In meiner Kindheit …, ich war immer spät. Meine Schwester, die ist anderthalb Jahre jünger, die hat masturbiert, da habe ich …, ach, was weiß ich. Vielleicht verpass ich ganz viel, und vielleicht kommt das noch. Glaub ich aber nicht. Weil ich doch mehr Sex gehabt habe als die meisten, rein geschäftlich. Streicheln, kuscheln, ja. Schön ist das, ja. So wie mit Olaf. Damals. Ist nicht so, dass ich da nicht dran denke, manchmal.
Der Behaarte fragt mich manchmal, ob ich ihn nicht auch privat besuchen könnte, also natürlich wäre er da auch entsprechend spen-

dabei. Er hätte ein Haus, eine Villa, am Stadtrand. Na klar, und bestimmt gibt's da auch einen Keller. Er ist paarmal mit Beatriz aufs Zimmer, und die hat erzählt, dass er ein Switcher ist. Hat ich noch nie gehört. Dass er von ihr mit 'nem Dildo hart gestoßen werden will und dass er aber auch gerne ihren Po stößt und sie beschimpft dabei. Irre. Da wird mir kalt.
*Nicht das Geringste habe ich dir gestohlen!* Was? Nein, nichts, es geht Richtung Feierabend. Manchmal denke ich, hier spukt's. Spuk unterm Rotlichtbogen. Wie hieß dieser Film, dieser DDR-Kinderfilm gleich nochmal? Spuk unterm Riesenrad? Spuk im Hochhaus? Oder warn das zwei Filme, zwei verschiedene Filme? Ich habe die später, also nach der Wende, im Fernsehen gesehen, auf dem Zonensender bringen sie ja immer diese alten Dinger, aber sehr schön, nein, wirklich. Da habe ich Vater verstanden. Dass der so ..., traurig wär da jetzt das falsche Wort ..., nach der Wende, als die Wende kam. War ich noch sehr klein. Bald ist Weihnachten. Lichterbögen in den Fenstern. Quatsch, was erzählst du, Mädchen, noch über 'n Vierteljahr. Manchmal denke ich, hier spukt's. Wie in einem großen alten Schloss. So wie die Kollegin B. immer von diesem Studio erzählt hat, hab ich mir das immer als Schloss vorgestellt. Zumindest wie 'ne große alte Villa. Wo die dieses Mädchen, diese Frau, diese Sub, fast tot gemacht haben. Die sie da als Zofe ausgebildet und in den Schrank gehängt haben. Mit Nadeln gespickt. Und lauter so Sachen. Und irgendwie ist das dann wohl außer Kontrolle geraten. In diesem Film konnte der eine mit dem Kopf durch die Wand, und einmal kam er aus dem Abfluss vom Waschbecken, und da haben ihm die Kinder immer wieder eins mit der Bratpfanne übergebraten. Das war sowas wie ein Geist, der mit seiner Frau, die auch Geist natürlich, gute Taten vollbringen müssen in diesem DDR-Hochhaus, weil sie vor hundert Jahren oder länger einen Polizisten umgebracht haben, der ihnen auf die Schliche gekommen ist, weil sie Räuber waren. Hatten eine Schenke und haben dort die Gäste ausgeraubt und auch gleich totgemacht. Und haben sie die nicht auch in den Schrank gehängt erst, aber vielleicht kommt da jetzt was durcheinander bei mir. Im Kopf im Kopf. Da klopft's. Nee, natürlich nicht. Und dann könnte ich mir ja eine Wohnung mit der Steffi teilen,

wenn ich jetzt so drüber nachdenke. Er ist fertig. Liegt neben mir. Ruh dich nur aus, hast dich ganz schön abgerackert.
Und dann könnten wir auch mal ins Kino gehen, nach Feierabend, gemeinsam. Was war das nur für ein Film, den wir mit den Mädels damals gesehen haben zusammen? Die meisten sind weitergezogen inzwischen. Manchmal kommen sie wieder, und dann gibt's 'n Hallo, du wieder! Ist schon ein Kommen und Gehen. Das fahrende Volk. Aber ich hab irgendwie meinen Platz gefunden hier. Sitze an der Bar, lasse mich treiben im Strom der Musik, der Lichter, der Stimmen, die Tür öffnet sich, Gäste, Kundschaft, Gäste, Hans musste vor kurzem eine neue Lüftung einbauen, wegen der Rauchergesetze, das ist schon deutlich besser, und ich habe mir echt vorgenommen, mal ganz aufzuhören, aber noch bin ich jung und kann das alles ab. Der Rauch und die Nacht und der Sekt, das zehrt auf Dauer. Muss mir keiner was erzählen. Aber ich mag die Nacht.
Ja. Man ist irgendwie auf der anderen Seite. Auch wenn das komisch klingt jetzt. Was Besonderes. Nachtarbeiter. Wir sind mit der Stille verbündet. Ich denke manchmal, dass wir alle Schlafwandler sind. Auch wenn's hier immer und oft hoch hergeht.
Halt das Kondom nur schön fest, das war ein Fest, was?, warte, ich nehm's sofort in die Küchenrolle.
Hans wollte, dass ich mich Mandy nenne. Fand ich erst blöd, aber hab mich dran gewöhnt. Wie die Mandy, sagte er anfangs manchmal. Relativ oft. Weil da vor Jahren schon mal eine Mandy in seinem Club gearbeitet hat. Ich glaub, dass er in die verliebt war. Jedenfalls stell ich mir das manchmal vor. Und denke dann, dass ich auch wieder gerne verliebt wäre. Dass dann vielleicht alles anders werden würde. Mit Sex und Spaß und Rock 'n' Roll. Aber ich glaube, das ist durch. Obwohl ich ja noch jung bin. Dort, wo ich herkomme, da gibt's den Max, der war bis letztes Jahr Jungfrau. Mit Ende zwanzig, muss man sich mal vorstellen. Obwohl, ich kann's. Also mir das vorstellen. Und jetzt hat der geheiratet. War seitdem nicht mehr da. Und als ich da war, und kurz auf seine Hochzeit, da habe ich Mutter auch nicht gesehen. Weil sie's nicht wollte. Alles geht irgendwie immer weiter.

Leicht verdientes Geld, sage ich mir oft. Der Typ sitzt auf der Bettkante und zieht sich an. Sein Rücken ist feucht. Wer verdient schon hundertzwanzig in der Stunde. Zehn Minuten auf der Uhr. Jetzt redet er. Sagt, er heißt Holger. Bietet mir eine Zigarette an. Danke. Er gibt mir Feuer, und ich reiche ihm sein halbvolles Glas Gin Tonic. Er trinkt und raucht und erzählt so dies und das.
Während ich kurz abschalte und in mir versinke und Kraft sammele, kleine Fünfzehn …, und so ein hübsches Mädchen wie du … Ach, nee. Hör auf bitte. Fang jetzt bloß nicht an, dass ich das nicht nötig hätte. Ich mach's nämlich, weil ich will, verstehst du?
Und unten an der Bar und oben auf dem Zimmer, Bar, Zimmer, *die größten Hits der 80er*, Hans, dieses supergute Gel ist alle!, Rotkäppchen, nein, Großmutter …, vor kurzem ist Maike hier aufgetaucht, *Hans, ich glaube, das Bett ist mal wieder hinüber*, hat dann paar Wochen hier gearbeitet. Letztens waren Engländer hier und die Japaner. Ich glaub, mein Englisch ist noch ganz gut. Ist eine Freundin von Olaf, die Maike. Oder war's jedenfalls. Bin ich aber schon längst drüber weg. Im Prinzip. So lange her schon. Die Maike ist schon in Ordnung. Hat mir damals im »Deluxe« alles gezeigt, alles erklärt.
Und wieder wird es Morgen. Und wieder wird es Morgen. Und später, im warmen Wasser des Schwimmbeckens drehe ich mich auf den Rücken, liege einfach, ohne zu sinken, treibe und fühle eine große Ruhe in mir, als ich durch das gewölbte Glasdach in den bewölkten, trüben Himmel blicke. Der dann blau wird, in dem ich mich spiegele und sehe, wie ich da treibe und liege. Wie gut sich das anfühlt.

# Amalgam

Der Flic, *le* Bulle, der Hauptmann, der ewige Greifer, der Schnüffler, der alte Cop liegt im Herzen der Meere, als sie draußen vor der großen Stadt die Moore ausräumen, trockenlegen und *urban* machen (wie einst die Bauern das Land *urbar* machten, seine Großväter den Boden, die harten Erden einst noch mit Hilfe von Sprengstoffen lockerten), neues Bauland erschaffen, weil dort die Stadt hindrängt, die Vorstädte expandieren, Waben von Einfamilienhäusern, Siedlungen, durchbrochen von den flachen Quadern der Großmärkte, Supermärkte, Baumärkte, er erinnert sich, während er langsam aus diesem Traum auftaucht, den er immer träumt, von einer unendlichen Fläche Wasser, kein Schiff, kein Land, nur hin und wieder ein Fisch, ein Wal, etwas *Großes* zumindest, das aus der Tiefe kommt, diesem *Blau*, diesem *Schwarz*, er erinnert sich und spürt das Kribbeln seiner eingeschlafenen Hände.
Als sie die Körper finden, im Boden, im Moor, wälzt er sich von der großen dicken Frau, mit der er sich abquält, als wollte er sich selbst quälen, denn für sie scheint das alles keine Qual zu sein, aber was weiß man schon, sie versteckt sich ja inmitten ihres ungeheuren Fleisches. Er taucht auf, aus den Tiefen, Tausende Meter.
Bluthochdruck. Stechen im Kopf. Er spürt seine Gefäße und sein Hirn hinter den Glaskörpern seiner Augen, ein Druck, hinter der Aderhaut, hinter der Netzhaut, wo sich alles spiegelt, wo der blinde Fleck sitzt. Punkte, Striche, Ellipsen flimmern vor ihm durch den Raum. Er muss eine Tablette nehmen. Kommt sicher von dem Sekt.
Er war hinabgesunken in diesem Traum, tief ins Blau, ins dunkelblaue Schwarz. Dort sieht er manchmal Ruinen, Mauern, der Boden ist faltig, diese Reste von Städten, oder was immer das sein mag, sind halb versunken im zerklüfteten, faltigen Boden, Tempelanla-

gen vielleicht, denkt er manchmal nach dem Erwachen; er ist sechsundfünfzig, seit siebzehn Jahren in der Stadt, und seitdem hat er diesen Traum. Er hat schon oft überlegt, sich versetzen zu lassen, zurück nach Köln, vielleicht zum BKA, zurück zum BND, wo er einst als junger Mann in den Kellern hockte und forschte, Fotos, Materie, Fleisch, oder er könnte sich pensionieren lassen und irgendwo an die Küste ziehen. Die Luft des Meeres würde ihm guttun. Er hat eine kleine Hütte, eine Datscha, wie sie *hier* und *dort* sagen, in der Nähe der Grenzstadt, am Grenzfluss, oben im Nordosten. Billig gekauft vor zehn Jahren. Weit weg von *hier*. Im Niemandsland zwischen Polen und Deutschland. Er hat ein kleines Motorboot dort, das im Winter in einem winzigen Schuppen steht, seinem Bootshaus, er nimmt sich seit Jahren vor, einmal bis hoch zur Mündung zu fahren, ins Haff, diesem großen verzweigten Becken, aus dem drei schmale Arme ins Meer führen. Er ringt nach Luft, wie jedes Mal, wenn er aus dem Traum von der Tiefe erwacht. Sein Handy auf dem Nachttisch. Neben den zerrissenen Verpackungen der Gummis. Er hört sie im Bad, hört das Rauschen der Dusche. Sie hat nicht viel Kundschaft, das weiß er, und deshalb ist ihre Haut nicht trocken wie Pergament, die Mädchen, die nach jedem Gast duschen, meistens machen sie das sowieso nur am Anfang, wenn sie noch neu sind. Bei ihr, denkt er, glaubt er, ist es ein Zeichen, dass es ihr gutgeht, dass sie gute Laune hat. Weil sie auch singt. Das muss am Sekt liegen. Aber den trinkt sie immer. Schon beim ersten Mal, wie lange ist das jetzt her?, öffnete sie die Tür im Morgenrock, oder war es ein seidener Unterrock?, oder wie immer man das auch nennt, ein Sektglas in der Hand, lachend, dass ihre Titten und ihre Hüften wie Götterspeise bebten: »Mein Guter, komm rein, die Sonne geht auf!« Und es war wirklich am Morgen gewesen, aber ein Wintermorgen, die Sonne ein fahler zerrissener gelber Fleck hinterm Dunst und für sie sicher nicht zu sehen, Erdgeschoss, die Jalousien geschlossen, nur in der Küche fällt etwas Tageslicht durchs Küchenfenster, ein kleiner Hinterhof, das sieht er im Vorübergehen durch die angelehnte Tür.
Er hat immer noch Kopfschmerzen und spürt den stolpernden Schlag seines Herzens. Er weiß nicht, wer nach ihr hier arbeitet,

wenn sie um sechzehn Uhr geht, oder ob ab zwölf schon jemand kommt. Er sieht die zwei Anrufe auf dem Display, sieht, dass er beim ersten rangegangen sein muss. Ein kleiner Briefumschlag blinkt, und er öffnet die SMS, liest die Wegbeschreibung. »Waterworld«, sagt sie plötzlich und sitzt neben ihm. Wasser tropft aus ihren Haaren auf seine Beine und seinen Bauch.
»Was?« Er richtet sich auf, und sie massiert ihm die Eier, streicht durch sein graues Schamhaar. »Lass.« Er schiebt ihre Hand weg. »Ich bin keine fünfundzwanzig mehr.«
»Ach, mein Gutster, ich mach ihn dir ratzfatz wieder hart.«
»Ich muss los.«
Er ist sehr sparsam mit den Viagra, eine viertel Pille, eine halbe Pille, nie mehr, aber er merkt es trotzdem und setzt sich wieder hin. Es ist unvernünftig, noch Sekt dazu zu trinken. Er wird Blocker nehmen müssen, nachher, um das System etwas runterzufahren. Ihm ist schwindlig, aber die Kopfschmerzen verschwinden langsam. Das Blut sinkt.
»Na, dieser Film mit Kevin Costner, wo sie die ganze Zeit auf dem Meer sind, wo die so durchs Wasser, und er kriegt schon Schwimmhäute am Ende. Zwischen den Zehen.«
»Und was hat das mit mir zu tun?«
»Wegen deinem bösen Traum.«
»Was weißt du von meinem Traum? Woher weißt du, was ich träume?« Er will ihre Hand wieder wegschieben, aber sie hockt schon vor ihm.
»Weil du's mir erzählt hast, mein Guter!«
Er blickt kurz auf das metallische, stumpf glänzende, schwärzliche Silber ihrer Plomben, als sie den Mund öffnet und anfängt, seinen halbsteifen Schwanz zu lutschen. »Du bist der Einzige«, nuschelt sie, und sein Schwanz federt mit einem *Plopp* aus ihrem Mund, »der Einzige, dem ich's ohne Gummi mache, meine Sonne.« Er weiß, dass sie lügt. Er kennt ja ihre Annonce, *Französisch ohne, Französisch beidseitig*. Er erinnert sich an ihren Geruch, als sie das erste Mal nackt vor ihm lag. Und wie er erschrocken ist, als sie die Tür öffnete. Das Sektglas in der Hand. Früh halb neun. »Ohhh, die Sonne geht auf, komm rein, mein Guter!« Er hatte kein Frauenbild, das ihm behagte, das er be-

vorzugte. Blond, dunkel, schlank, vollschlank, große Titten, kleine Titten, lange Beine, großer Arsch ... Aber mit so einem dicken Weib hatte er noch nie gebumst. Und er hatte auch nicht damit gerechnet, eine Hundertzwanzig-Kilo-Frau anzutreffen, unter »fraulich«, wie in ihrer Annonce zu lesen war, hatte er sich etwas anderes vorgestellt. Er mochte das altmodische Wort »bumsen«. Oder war sie es, die es benutzt hatte? »Komm, bums mich richtig durch!« Warum nur ging er seit diesem ersten Mal immer wieder zu ihr? »Wo ist eigentlich deine Katze?«, fragte er, als sie im Bad war. Er hörte, wie sie seinen Saft ins Waschbecken spuckte und sich den Mund ausspülte und gurgelte. *Französisch total* stand nicht in ihrer Annonce. Und wahrscheinlich log sie nicht, wenn sie sagte, dass er der Einzige war, bei dem sie das machte. Es ist gut, einen Bullen bei Laune zu halten. Sein Telefon klingelte, keine Melodie, nur ein Art Tonleiter, er konnte sich nicht erinnern, das so eingestellt zu haben. Er packt sie an den Schultern, als er kommt. Krallt seine Finger in ihr Fleisch. Sieht rote Sterne, weil ihm der Kopf fast platzt. Er hustet, sein Hals kratzt. Wie alt sie wohl ist? Schwer zu schätzen. Anfang dreißig, Ende dreißig. Vielleicht auch älter. Nein, eher jünger. »Was für eine Katze?« Sie streckt den Kopf ins Zimmer, eine Zahnbürste im Mundwinkel. Schaum am Kinn. Er fährt mit den Fingern durch ihre Zellulite, durch ihre Wachstumsnarben auf den Oberschenkeln, während sie sich vor ihm auf dem großen Bett bewegt. »Ich hab keine Katze, und schon gar nicht hier, mein Guter! Die einzige Katze ist die hier!« Sie lacht und wiegt sich in den Hüften und zieht ihre Schamlippen mit beiden Händen auseinander, verschiebt dabei die Wellen ihres Bauches. *Give me pink.* Dann verschwindet sie wieder im Bad. Er nimmt seine Unterhose von dem Stuhl, dann seine Hose. Er sucht die Blocker in seinen Jackentaschen. Er braucht was zum hinterspülen, will aber keinen Sekt mehr. Er will ihr Champagner mitbringen, seit einer ganzen Weile schon hat er sich das vorgenommen. Seit über einem Jahr schon. Aber immer Rotkäppchen halbtrocken. Dann nimmt er doch einen kleinen Schluck aus seinem Glas und würgt die Tablette runter. Setzt sich wieder aufs Bett und lehnt sich mit dem Rücken an die Wand. Nach wenigen Sekunden schon spürt er, wie sein Herz ruhiger schlägt. Wie sich Ruhe in

seinem ganzen Körper ausbreitet. »Ich gehe nachher Kaffee trinken mit meiner Mutti. Ich mach heut zeitig Feierabend.«
»Machst du richtig.« Er könnte schwören, dass er anfangs diese Katze hier rumstreichen sah. Vielleicht ist die Katze in dem verschlossenen Zimmer. Die Wohnung hat zwei kleine Zimmer, die Tür des einen ist immer verschlossen, wenn er am Morgen oder Vormittag kommt. Er weiß nicht, wer die Wohnung vermietet, hat nie gefragt. Der Alte sicher. Der Mann im Schatten, der Mann hinterm Spiegel, hat nur wenige Wohnungen, in denen die Frauen sitzen. Die Frauen sitzen in seinen Clubs. Aber vieles kann sich ändern, von heute auf morgen, und der Bulle, der ewige Cop, der Hauptmann, ist sich nicht sicher, ob er auf dem neuesten Stand ist. In Clubs oder Laufhäusern ist er seit Köln nicht gewesen. Vielleicht arbeitet sie allein hier und auf eigene Rechnung. Er müsste das doch wissen, nach all den Monaten, Jahren. Es gibt nicht viele Frauen in der Stadt, die auf eigene Rechnung arbeiten. Beziehungsweise in der eigenen Wohnung. Ohne Tagesmiete. Das weiß er.
Waterworld. Er hat noch nie davon gehört. Kennt sich nicht gut aus mit Filmen. Kann sich nichtmal erinnern, wann er das letzte Mal im Kino gewesen ist. Köln? Nein, das ist nun doch zu lange her.
Er dachte, dass er nie jemandem von dem Ertrinken in diesem dunklen Meer, in und auf und unter dieser schwarzblauen Fläche, erzählt hat. Sie summt und singt, während sie sich draußen anzieht. Er fährt mit seiner Zunge durch die Wachstumsnarben auf ihren Oberschenkeln. Oder was er dafür hält, diese schneeweißen Spurrinnen in ihrem Fleisch. Es würgte ihn fast, als er sie das erste Mal leckte. Die Zunge brannte ihm, so feucht, so nass und so sauer war sie. »Oh, mein Guter, die Sonne geht auf.« Der antiseptische Seifenspender auf dem Rand des Waschbeckens. Das breite Feld ihrer kurzen Stacheln auf seinem Gesicht. Jetzt klingelt *ihr* Telefon, irgendwo im Flur. Später hält er an einer Tankstelle und trinkt eine Dose Cola. Es ist dumm, denkt er, darüber nachzudenken, wer *so etwas* mag. Wer sie wohl mag. Wer außer ihm zu ihr geht. Anfangs wollte er manchmal umdrehen, die paar Stufen runter zur Haustür gehen, Hochparterre, und wieder verschwinden. Zurück ins Präsidium. Zurück zur Arbeit. Aber da war etwas in ihrer Stimme, in ihr, an ihr,

wie sie ihn lachend ansprach, ihr dickes rundes Gesicht, ihre riesigen, hängenden Brüste. Die er jetzt leckt und küsst. Sekt am Morgen, Sekt am Vormittag. Es war die einzige Annonce, in der *8.00* stand. Die meisten der Mädchen beginnen die Arbeit um neun oder um zehn. Die Luft und die Stadt kalt, die fleckige Sonne hinter den Häusern, Berge von schmutzigem Schnee an den Straßenrändern. Sein Auto zwei Seitenstraßen weiter. So wie jetzt auch. Er hat für drei Stunden bezahlt, wie immer, und möchte bleiben. Spürt, wie der Blocker ihn beruhigt. Den Kampf gewinnt gegen die rosa Pille, die halbe Pille, die er genommen hat nach dem Aufstehen, aus dem kleinen Lederetui, in dem er früher seine Zigaretten aufbewahrte, ein Geschenk von …, *Oh my lover*, ist das Musik aus der Küche?, ein jaulender englischer Schlager. Sie werden gleich wieder anrufen. Vor siebzehn Jahren, und auch noch vor fünfzehn Jahren, konnte er sagen, dass er sich verfahren hat, im Aderwerk der Straßen und kleinen Straßen, Stau, Baustellen, weil die Stadt sich bewegte und bewegt, damals machte er einmal einen Zeppelinrundflug und staunte über die glänzenden Eisenbahnschienen, die sich tausendfach verzweigen, schnurgerade, aber auch in wilden, harmonischen Bögen, Kurven und Ellipsen. Das war in einem unglaublich heißen Sommer gewesen, und das Zentrum der Stadt leuchtete blau und rosa in den Abendstunden, aus dieser Höhe gesehen. Als wäre es eine andere Stadt und nicht die, aus der sie aufgestiegen waren. Er sah die Bewegungen und das Ineinander-Verwachsen der Häuser und Straßen und Vororte. Den Bahnhof, die tempelartige Kuppel, die tiefer gelegenen Strecken, wie Schluchten, durch die die Züge und S-Bahnen langsam fuhren, die hochgelegenen Bahndämme, Brücken und steinernen Viadukte, sah die dünnen Rauchfahnen aus und über den Kleingartenanlagen, Angrillen, Abgrillen, saß in der langen, schmalen Gondel unter dem aufgeblähten Leib des Zeppelins und dachte, dass er … »Meine Sonne, dein Telefon!«
Er hat sich jetzt ganz angezogen, sie sitzt neben ihm und streicht den Stoff seiner Jacke glatt und erzählt von dem Kaffeetrinken mit ihrer Mutti. Er hat den Anruf weggedrückt und das Handy in seine Innentasche gesteckt. Drei Körper im Moor. Im Sumpf. Draußen im Wald. Den sie jetzt abholzen. Ein Wäldchen eher. Unterwegs wird er

halten und eine Dose Cola trinken. Vielleicht noch einen halben Blocker nehmen. Er geht vorsichtig um mit dem Zeug. »Wir fahren raus zu den Seen. Da gibt's ein schönes Restaurant am Pier, direkt am Pier. Mutti hatte Geburtstag gestern.«
»Welche Seen?«
»Die großen Seen, mein Gutster. Da solltest du auch mal hin, da kriegst du bisschen Farbe!«
»Die großen Seen sind in Amerika.« Aber er wusste, welche Seen sie meinte, draußen vor der Stadt, wo sie einst den Boden aufgewühlt hatten, riesige Bagger, die nach Braunkohle wühlten. Er hatte die Gruben noch gesehen, als er in die Stadt kam vor siebzehn Jahren, am südlichen Rand, direkt hinter den Häusern der Vorstädte, riesige Gruben, in denen die Bagger demontiert wurden, die Flutung sollte schon bald beginnen, und jetzt, nach all den Jahren, war es zur Mode geworden, sich eine Jacht zu kaufen oder ein Boot, um über die Seen und die Kanäle zu schippern, wie Meerbusen, wie ein Bodden oder ein Haff wirkten sie auf die Ferne, als wäre man durch seltsame Portale von der flachen, flusslosen Stadt bis an die Küste gereist.
»Mach's gut, Schimanski!«
»Viel Spaß mit der Mutti.«
Er würde sie gerne fragen, wie alt sie ist. Mitte dreißig, hatte er von Anfang an geschätzt. Aber er wusste, dass man sich da gut täuschen kann, wie bei den Toten. Er erinnert sich, wie sie einmal in Köln zu einer alten Frau gerufen wurden, die saß hinterm Hauptbahnhof, seitlicher Blick auf den Dom, in einer kleinen Nische zwischen Mauer und Fußweg, die war neunzehn, wie sie später feststellten, aber die Haut durchfurcht wie ein Acker und strohiges graublondes Haar. Sie war einfach gestorben, keine Überdosis, der Körper voll mit Giften, sie hatte sich in diese Nische gesetzt, die so winzig war, dass sie sie förmlich hinaushebeln mussten. Er schüttelt den Kopf, verortet sich wieder in der Wohnung, der Straße, der Stadt, *Gewinnen Sie eintausend Euro, nur auf zweiundneunzig Komma drei, der Montag wird golden*, das Radio flüstert heiser aus der Küche, die Tür angelehnt wie immer, ein kurzer Blick in den Raum, etwas Licht fällt auf den Tisch, der am Fenster steht.

»Was sie jetzt wohl für mich haben?«, denkt er, fühlt sich müde nach den Stunden bei ihr, der Blocker wirkt gut an diesem Vormittag, sie legt ihre Hand auf seine Schulter, bevor er die Tür öffnet und geht. »Komm bald wieder, Schimanski, und pass auf dich auf.«
»Und du auf dich.«
Anfang der Achtziger gehörte er einmal für kurze Zeit zu einer Art Filmberatungskommission, die für den »Tatort« gearbeitet hat, *Kommen Sie mal mit, junger Mann*, um die Morde und die Aufklärungen realistischer zu machen. Er hielt nicht viel davon. Tote am Bahnhof, Raubmord im Trinkermilieu, Drogen, Ehepartner, wen interessierte sowas schon? Dann lieber die Dramen, die dramatischen Seifenopern, Schimmis Faust, Cognac und Zigaretten für Haferkamp, lange her, er kann sich noch erinnern, wie er Anfang der Siebziger staunend diese Serie sah, wie hieß die noch, »Der Alte«, nein, »Der Kommissar«, staunend über die unzähligen Gläser Wein, Bier, Weinbrand, Korn, Whisky, die die Ermittler, stets rauchend, konsumierten, München, Stadt des Lasters, mondäner als Köln, er kann sich an das kleine blaue Büchlein erinnern, das damals von Hand zu Hand ging, auf der Akademie, »Der Quartiermacher für erotisch interessierte München-Besucher«, er nähert sich der Kreuzung, wo es Richtung Autobahn geht, Richtung Hauptstadt, die Autobahn nach Süden, Richtung München, kreuzt am anderen Ende der Stadt ihren zerfransten Rand, schwarze Lettern SALON-NUTTEN, HOSTESSEN UND SONSTIGE SOLISTINNEN DES HORIZONTALEN GEWERBES auf hellblauem Grund, ein Türkis fast, obwohl er sich nicht ganz sicher ist, ob das, was er für Türkis hält, auch wirklich Türkis ist, Farbenlehre, eine blonde schlanke Dame neben den Buchstaben, Rücken Beine Arsch, eine Brust gerade so zu sehen, die Spitze einer Brust neben dem ausgestreckten Arm. Er kann sich an die Überschriften der Kapitel erinnern, in denen die Mädchen vorgestellt wurden, am Ende eine Telefonnummer. »Michaelas Brust ganz ausgezeichnet« oder »Michaelas Brust ist ausgezeichnet«, »Das junge Vötzchen«, »Kleopatra in Schwabylon«, da muss er lachen und bremst, obwohl er das Gelb sicher noch geschafft hätte, aber es treibt ihn nicht dort hinaus, wo die Körper liegen müssen, wo sie auf ihn warten und langsam die ganze Maschinerie beginnt, sich in

Gang zu setzen, Autos, Experten, viel viel Absperrband, von wegen einfach mal das Blaulicht aufs Dach. Er bewegt sich langsam im Strom der Fahrzeuge, vielspurig der Verkehr, das Gewimmel der Vorstädte, die schon bald in die Nachbarstadt hineinreichen werden, Baumärkte dazwischen, Felder, der Flughafen, der nachts wie ein leuchtendes UFO auf dem Feld liegt, er schaltet und fährt langsam in das Grün hinein, ein Müllauto auf der Spur neben ihm, hat das damit zu tun, dass die Nadel in seinem Kopf springt wie auf einer alten kratzigen Platte? Blocker, Viagra, Sekt. Die schwarze Dame im Müll ... In einen grauen Metallcontainer gestopft. Wie hat der Junge es nur geschafft, sie dahin zu schleppen? Am helllichten Tag. Sie haben ein Kopfgeld ausgesetzt damals, der Alte und die anderen, die Jungs von der Tafelrunde, der Müllmann fand sie. Ihr Fenster ging hinten raus. Sie war allein zu dem Zeitpunkt. Oder nein, die Kollegin im Nachbarzimmer. Aber bei der Arbeit, und das nicht leise.

Er hat sie dann aus dem Fenster geworfen, das ergaben die Untersuchungen der Gerichtsmedizin, zahlreiche Knochenbrüche, sie muss noch etwas Leben in sich gehabt haben, also nichtmal postmortem, aber das Hirn wohl schon tot oder am Einschlafen, keine Nadel, die zurück und vor springt, aber wer weiß das schon so genau, Afrika, Geld, Glück, Liebe, der Junge, der seine Hände plötzlich um deinen Hals legt, du stirbst und fliegst, nicht lange, nicht weit, weil nur zweiter Stock, dann geht er in aller Ruhe, schließt das Fenster vorher, geht in die Seitenstraße und stopft sie in den Container. Wie alt war er? Einundzwanzig? Zweiundzwanzig? Und sie? Den Namen hat er längst vergessen. Aber nicht das Gesicht und die Augen. Rot von geplatzten Äderchen. Sexualstrafrecht an der Akademie. Das Recht auf sexuelle Selbstbestimmung. Strafnormen für Verhaltensweisen mit Sexualbezug. Die sogenannte Sehstrahlung bringt die letzten Bilder von der Netzhaut über die Sehnervenkreuzung bis in ihr Hirn, *Weil ich dich doch so sehr liebe, Mary*, da ist er doch wieder, ihr Name, er fährt, hat das Navigationssystem nicht eingeschaltet, will keine fremden Stimmen in seinem Wagen, er weiß, dass er *dort* ankommen wird, spürt und hört das Klingeln und Vibrieren seines Handys in der Jackentasche, er weiß, dass sie auf ihn warten, die Lebenden und die Toten, dass eine der Toten fast nackt ist, weiß er noch nicht, und es ist auch das erste Mal, wird das erste Mal sein, dass er im Moor konservierte Körper sieht. Oder halbkonserviert. Dem Mann wird ein Bein fehlen, was er lange nicht verstehen wird. Sauber abgetrennt wie mit einem Fleischerbeil, einer Knochensäge, geübt, glatt. Aber warum? Postmortem, so werden sie *noch* später mit Sicherheit sagen können. Todesursache: sechs Schusswunden im Oberkörper, großkalibrige Waffe. Das sieht er sofort. Drei Körper in einem kleinen Moor. Einer aber, beziehungsweise eine, länger dort ruhend als die anderen beiden. Eigentlich ein gutes Versteck, ein guter Ort. Auch wenn die Körper und Indizien nicht zügig zersetzt werden, die Würmer draußen bleiben. Moore und Sümpfe sind tief. Niemand schwimmt, keiner angelt, keiner fährt mit einem Boot durch das moorastige dicke Wasser. Früher hatten die Leute Angst, Irrlichter würden sie dort hineinlocken. Erscheinungen wurden gesehen. Trotzdem legte man Moore trocken, Landwirtschaft, Ackerboden. Aber das ist lange vorbei, wer konnte ahnen, dass die Stadt so schnell dorthin drängt und die Toten aus dem Schlamm pult. Er steht an der Tankstelle, vor seinem Wagen, trinkt eine Dose Cola, spült sich den Mund und gurgelt, um *ihren* Geschmack loszuwerden. »Fünf Minuten«, hatte er in den Hörer gesagt, ohne abzuwarten und zu hören, wer dran war. Er hatte seinen Rhythmus, und das wussten sie. Die letzten Bilder gehen ihm wieder durch den Kopf, der Junge im Zimmer. Sein hektisches rotes Gesicht. Die dunkle Haut, die ihn erregt. Die Brüste, das *Rosa*. Er geht seit Wochen zu ihr. Mord aus Liebe sozusagen. Es dauerte nicht lange, bis sie ihn erwischten, genug Zeugen, das andere Mädchen, die im Nachbarzimmer bumste, während die Äderchen in den Augen der schwarzen Frau platzten, Fingerabdrücke, eine Telefonnummer in einem Notizbuch, eine Karte mit Melodie, I'm singing in the rain, wenn man sie öffnet. Mord aus Liebe sozusagen. Eifersucht. Keine Erfüllung. Gedanken und Ideen von Liebe und Erfüllung, die sich nicht mit den Räumen der Realität deckten. Dummer Deckhengst. Armes Mädchen. Und als er vor den drei Körpern steht, die in einer Art Verschalung aus Brettern liegen, zu der ein provisorischer Steg führt, Baumaschinen, Schaufeln, Baggerarme, wie in der Bewegung erstarrt, kommt es ihm vor, als wären zwischen seinem Cola-Stopp an der Tankstelle und seinem Eintreffen am Fundort Tage vergangen, Monate vergangen. Ein Wäldchen. Ein Sumpf, ein Geflecht aus mehreren kleineren Mooren. Nur ein Feldweg, der von der Landstraße dorthin führt. Zu diesem Ausläufer der Heidelandschaft, die sich weiter im Nordosten erstreckt, hier und da die Vororte berührt, der beiden fast eins gewordenen Städte, bin ich der Einzige, der das sieht?, dass sich die Märkte und Marktplätze mehr und mehr verbinden, Rathäuser aus Stahlbeton, die Fleischmärkte expandieren, der Stein wächst, im roten Kreis, wo alles miteinander verbunden ist, das Müllauto, die fette Frau, die Cola, die Viagras, die Blocker, Upper und Downer, verschwundene Katzen, das Recht auf sexuelle Selbstbestimmung, Erinnerungsstücke wie alte Dienstmarken, die Engel auf den Motorrädern, Torfmoose, Hochstraßen, sechsundsechzig städtische Bordelle im Jahr 1865, Chroniken des Handels, er wühlt in den alten Akten, Immobilien an silbernen Drähten, die bis nach Italien führen, und der Fall des Immobilienchefs Silvio Lübbke, drei Kugeln, bumm bumm, die Allee der toten Augen, Häuser für Taschengeld, Spuren, Spuren, wie gut die Landluft tut, bald werden sie hier bauen, aber wir halten den Betrieb noch auf, die Frage ist, wer bringt drei Leichen in dieses Moor, diesen versumpften Tümpel, wo man doch weiß, dass die Zersetzung nicht einsetzen wird, wo man doch Löcher graben kann im Sandboden der Heide oder zu Waldseen fahren kann wie dem »Blauen Auge«, und dort sind wohl die Angler, die selbst die abgelegensten Seen für sich entdecken, die Wälder bewegen sich in einem Bogen um den nordöstlichen Gürtel der Vororte und eingemeindeten Dörfer bis nach Süden, flach wie ein Teller das Ganze.

Er zieht sich die Gummistiefel an, die eine junge Kollegin, die er nicht kennt, ihm gegeben hat, riesige gelbe Stulpen, wahrscheinlich noch aus der Zone, er schlappt unsicher in den viel zu großen Stiefeln über den kleinen Holzsteg, einige zusammengenagelte Bretter, schon früh am Morgen sind die Bagger auf die Körper gestoßen, das Wasser war schon in den Tagen zuvor abgepumpt worden, nur noch braunschwarzer, zäher Schlamm und Torfmoose, uraltes, versteinertes Astwerk, grün und weiß an den Spitzen, die aus dem

Oberflächenwasser ragten, überall grüne Inseln von »Entengrütze«, so nennt man das doch, so nannten sie es als Kinder, wenn sie in den Waldseen baden gingen, die Kollegen haben dann die Feinarbeit übernommen, die Spurensicherung, der Erkennungsdienst ist vor Ort, Tatort, Fundort, Bein ab; er hockt sich auf den Steg, beugt sich vor, blickt in das holzverschalte Rechteck, *passt doch*, denkt er, drei in einem Sarg, es sind zwei Frauen, die eine liegt deutlich entfernt von den beiden anderen Körpern, es gibt nur diese eine Stelle am Ufer, wo er jetzt steht, wo sie den Steg gelegt haben, wo man etwas entsorgen kann in diesem Moor, diesem Sumpf, was ist der Unterschied?, müssen wir Biologen hinzuziehen, Vermoorungsexperten?, er nimmt an, dass das Wasser, das da abgeführt wurde, früher ein Teich war, Wasserlachen, die im Lauf der Jahre oder Jahrhunderte zu versumpfen begannen, zu Moorland wurden, der Boden hier ist sandig und tonig, das weiß er aus anderen Untersuchungen im Umland, das sind nicht die ersten Körper, die man vor der Stadt ablegte, vergrub, versenkte. Er erinnert sich an den alten Bauern, das kann nicht so weit weg gewesen sein, der seine Frau ertränkt hat in einem Wutanfall, in einem Streit, der ihren Kopf in die Regentonne drückte, wo sie später die silberne Kette der Frau fanden, auf dem Grund des Fasses, und er hat sie in die Heide geschleppt und versucht zu vergraben, ist dann aber schon kurze Zeit später selbst zu ihnen gekommen, so viele Selbststeller, die zwischen ihren Albträumen hin und her stolpern.

Er sieht die schmalen länglichen Betonteile mit den kleinen Löchern unter den beiden beieinanderliegenden Körpern, an denen man sie befestigt hat, Standfüße für Bauabsperrungen, denkt er, ziemlich schwer. Ziemlich schwer für einen Mann. Aber machbar. Wäre vielleicht gar nicht nötig gewesen. Aber die Wasserlachen auf der Oberfläche machten ihn, sie, unsicher. Kannte er diesen Sumpf? Der eine Körper, die Frau, die allein liegt, ist länger hier als die beiden anderen. Sieht zumindest so aus. Die Haut ledriger. Dunkel. Rotbraun das Gesicht. Der Körper wie geschrumpft. Die hochhackigen Schuhe an den Füßen sehen riesig aus. Die andere Frau ist barfuß. Er steigt vorsichtig zu ihnen hinunter. Seine gelben Stiefel versinken schmatzend im Boden. Fast bis zum Schaft sinkt er ein. Sieht dann das schlammverschmierte Brett, mehrere Bretter nebeneinander, auf die er steigt. Er bekommt die Stiefel kaum aus diesem saugenden Grund. Von hier aus haben die Kollegen wohl die drei, diese drei Fragezeichen, vorsichtig freigelegt. Schlamm und Erde und Torfmoose stehen in Kunststoffkisten und zwei Zinkbadewannen am Ufer. Um sie später durchzusieben, auf der Suche nach dem Gold oder wenigstens dem Goldstaub eines Indizes. Das Bein ist verschwunden. Oder an einer anderen Stelle im Schlamm? Nachträglich im hohen Bogen hineingeworfen vom Entsorger, beschwert oder unbeschwert. Ein Sumpf gibt nichts mehr frei. Das Eigengewicht allein zieht dich in die Tiefe. Die Frau, die allein liegt, ist nicht beschwert. Zumindest nicht sichtbar. Sie haben ihm gesagt, dass sie schon halb auf der Schaufel des Baggers gehangen hat, der sich, vom Ufer her kommend, immer weiter in den schon zur Hälfte trockengelegten Sumpf grub. Ein Schreck am Morgen. Er kippte die Schaufel an, wie im Affekt, zurück mit dir!, und der Körper glitt wieder zu den beiden anderen. Er zieht sich die Gummihandschuhe über. Kein Geruch nach alten Leichen, nach zerfließenden Körpern, den er so oft schon gerochen hat. Er hat immer eine dieser kleinen Döschen mit Chinasalbe einstecken, die er sich dann unter die Nasenlöcher reibt. Ist auch gut gegen Kopfschmerzen. Oder wenn man erkältet ist. Ein Klassiker. Er berührt das Gesicht der Frau, die auf der Seite liegt, zusammengekrümmt neben dem Mann. Wie Holz, wie Leder, Stirnfalten noch erkennbar, die Lippen leicht geöffnet. Die Zähne schwarz. Aber vielleicht ist das nur das Moor, das in ihre Mundhöhle eingedrungen ist. Wieder berührt er ihr Gesicht mit den Fingerspitzen und wundert sich, wie weich und elastisch sich ihre Haut anfühlt. Er spürt und hört, wie er leise vor sich hin summt. *Oh my lover.* So gut erhalten, wie die drei aussehen, muss dieser Teil des Moores relativ trocken gewesen sein. Später bestätigt das der Moorexperte, der seinen Vortrag über »Moorleichen und die Konservierung in Mooren« im Präsidium hält, die »SOKO Moorleichen«. Sie lernen alle eine Menge. Ein wenig ratlos hockt er auf den Brettern zwischen den Körpern. Immer noch beugt er sich über die Frau. Es ist für ihn nicht zu erkennen, wie sie gestorben ist. Ihr Hals scheint ein wenig deformiert zu sein, aber ihr ganzer Körper ist verkrümmt, als hätten die chemi-

schen und biologischen Vorgänge in diesem luftdichten Raum ihren Knochen den Halt genommen ... Keine Haltung jedenfalls.
Jetzt erst sieht er, dass sie nackt ist. Was er für ein Kleid hielt, ist angetrockneter Schlamm. Pflanzenpartikel. Wenn sie schon auf der Gabel des Baggers hing, dann lag sie sicher vorher anders, aber es scheint ihm, dass sie seit Jahren so auf der Seite gelegen hat. Eine Hand, einen Arm auf den Bauch gelegt, unter ihre Brüste, als wollte sie sich schützen, jetzt sieht er etwas auf ihrem Leder-Dekolleté, das ein Loch sein könnte, eine Schusswunde, eine Stichverletzung, aber das müssen andere feststellen, Gerichtsmedizin, er hebt ihren Körper kurz an. Was passiert mit dem Fleisch der Toten, wenn sie einmal in diesen schlammigen Tiefen verschwinden? Später hört er sich die Sätze auf seinem Diktiergerät an. Und hört das Hintergrundgezwitscher der Vögel. Und ist ein wenig durcheinander, weil er später den Vortrag des Moorkundigen aufgenommen hat. Nicht alles, aber immer mal wieder, wenn es ihm interessant schien, drückte er auf die Aufnahmetaste.
Da liegt ein Mann ohne Bein. Festgebunden auf einem kleinen Betonsockel. Das linke Bein ist direkt unterhalb der Hüfte abgetrennt. Die Konservierung hat auch hier bereits eingesetzt. Die Hautfarbe ist stellenweise noch erhalten. Braun, dunkelbraun. Weiß und gelb durchsetzt. Die andere Frau, die weiter weg liegt, sehr dunkel, sehr schwarz. Keine helle Haut. Mehr wie Bitumen. Bei Berührung fühlt sich auch diese Haut sehr weich an und beinahe elastisch. Drücke meinen Finger rein. (...) ja, ist gut, ich schaue, wirf runter, wo denn sonst!
Große Löcher in der Brust dieses Mannes. Eindeutig sichtbar. Einschusslöcher. Sieht großkalibrig aus. Die Kleidung weitflächig zerfetzt, die Einschusslöcher teilweise faustgroß. Beide Körper haben den gleichen Betonsockel untergeschnallt. Sieht aus wie Wäscheleine. Wäscheleinen. Wie das befestigt ist. Direkt unterm Rumpf. Was mir auffällt, ist ..., als wenn die Frau, und das ist eindeutig eine jüngere Frau als die andere, als wenn die von ihm wegkriechen will, von dem Mann mit den großen Löchern in der Brust, beide Körper auf dem Rücken, aber sie dreht sich weg oder versucht das. Krümmt sich von ihm weg auf ihrem Sockel. Nicht dass sie noch ge-

lebt hat. Möglich so etwas. Soweit das möglich ist. Vielleicht auch der Bagger. Der die Körper auseinandergebracht hat.
Die nackte Frau wohl vorher und eindeutig separat hier entsorgt. Circa anderthalb Meter liegt *Paar* von *Frau* entfernt. Zufall möglicherweise. Nein. Zusammenhänge immer möglich. Der Ort. Kein Zufall. Unmöglich. Die Nackte hat rote, als rot erkennbare, hochhackige Schuhe an den Füßen, an ihren Füßen. Bei der anderen Kleider, aber keine Schuhe. Barfuß. (...) Ja, ja, ist gut, lasst mir meine Zeit, Kollegen. Ich brauch Akten, über alle verschwundenen jungen Frauen der letzten zwanzig Jahre. (Lachen) Das sieht aus wie ein glatter Schnitt. Sucht nach dem Bein, Kollegen, sucht nach dem Bein, bitte.
Die Gerichtsmedizin sagt, dass das ein Schnitt ähnlich wie beim Schlachten wäre. Beim Zerteilen eines Rindes beispielsweise. Sauber, sauber. Tag drei.
Die im Moor vorhandenen Torfmoose bewirken, dass Moore ein stark saures Milieu besitzen.
Das Torfmoos ist maßgeblich für diese extremen Lebensbedingungen in den Hochmooren verantwortlich. Auch im Niedermoor.
Fuck you, geh heeme. Ich höre mein Band ab. Wieder und wieder. Ich habe Stunden auf dem Gerät. Kein Band. Wenn ich weit zurückspule, bin ich in Köln. Bin ich bei der Frau, wo ich oft bin. Meist wird der Körper zufällig gefunden. Bald ist wieder Sommer. Wieder Herbst.
Es gibt eine Spur zu der Frau. Der Frau ohne Kleider. Sie wurde erwürgt und erstochen. Ihr Freund, also ihr Ex-Freund, hat sie identifiziert. Moormoose sei Dank! Justizsekretärin Bärbel Kahn. Verschwunden neunzehnhundertsiebenundneunzig. Ihr Auto voller Blutspuren, blutverschmiert die Vordersitze, fanden wir damals vor einem Baumarkt, drüben im Süden der Stadt. In der Nähe der großen Seen. Die damals noch halbgeflutete Tagebaugruben waren. Wieso wurde sie nicht dort abgelegt? Nur ihre Fingerabdrücke im Auto. Ihre Finger sind in einem so guten Zustand, dass wir vergleichen konnten. Nicht hundertprozentig. Aber es sind mit sehr großer Wahrscheinlichkeit die Finger der Justizsekretärin Bärbel Kahn.
Riesige Sümpfe, tiefe Moore, undurchdringlicher Urwald, giganti-

sche Bäume, die mehr als hundert Meter in den Himmel wuchsen. Dazwischen haushohe Farne, Halme, Gewächse und Sträucher ... Was hat dieser Mist mit der Spezifik von Moorleichen zu tun? Aber der Mann, der Experte, ging zurück bis zum Anfang. Holte weit aus. Gewaltige Moore, verrottete Wälder in den Schichten unter uns. Überstunden. Vorträge. Gerichtsmedizin. Akten. Papiere. Daten und Fleisch.
Dieses Moor ist wie der Wal aus dem alten Märchen, der die drei Menschlein wieder ausspuckt. Blödsinn. (Lachen) Ich muss Eliot Ness besuchen, den sie kaltgestellt haben. Informationen. Sie wollen den Fall Bärbel Kahn in die Beziehungsecke abschieben. Tat aus Eifersucht. Aber wer? Ihr Ex-Freund. Ganz bestimmt nicht. Er sagte, dass sie an was dran war. Dass sie an irgendeiner großen Sache dran war. Immobilien. Alte Geschichten inzwischen. Hast zu lange geschlafen im dunklen Moor, Justizsekretärin Bärbel Kahn. Neunzehnhundertsiebenundneunzig. Ein anderes Jahrtausend.
Der Mann ist identifiziert. Kleine miese Nummer. Drogen. Drogenstrich. War vor vielen Jahren mal Hauptverdächtiger in der Mordsache Professor. Endete aber mit Freispruch. War nicht besonders beliebt. Hing wohl auch im Objekt Kolumbusfalter mit drin. Am Rande. Nie nachgewiesen. Als die Bosse des Fleischmarkts sich sauber gaben, sich die Hände säuberten, als der große Frieden begann, der Geschäftsfrieden, war er schnell weg vom Fenster. Ich denke, dass er mit seinen kleinen Drecksgeschäften jemanden verärgert hat. Das große Kaliber sieht nach verdammt viel Wut aus. Wer tötet mit einem tschechoslowakisch-englischen Maschinengewehr? Eine Hinrichtung. Ein Rätsel. Das Mädchen starb an Herzversagen. Medikamente. Drogen. Die muss drinnen so schwarz ausgesehen haben wie draußen. Hat sie auch. Es wird schwierig sein, in diesem ganzen Chaos, das zurzeit herrscht, die Täter zu finden. Den Täter. Ich gehe immer noch davon aus, dass es verschiedene Täter sind. Nicht nur auf Grund der Jahre, die dazwischenliegen. Eliot Ness meint, der Mann mit der zerfetzten Brust wusste zu viel. Genau wie Bärbel. Aber das sagt Eliot Ness, seit ich ihn kenne. Geheimnisse. Zu viel Wissen. Irgendjemand wird irgendjemandem gefährlich. Durch Wissen. Durch zu viel Wissen. Schmutzwäsche der Vergangenheit. Ge-

heimnisse. Belastendes. Materialien. Der hält sich nur *da oben*, weil ... Der ist nur verschwunden, weil ... Wir sind nicht in Hollywood, sage ich immer zu Eliot Ness. Aber er schweigt und bohrt sich weiter in die letzten beiden Jahrzehnte. Obwohl sie ihn kaltgestellt haben. Die Kleine im Moor war mit Sicherheit eine Hure, wenn auch in einer ganz anderen Branche als seine dicke Hure, in einem ganz anderen Umfeld, Gift und Bordstein, gar nicht zu vergleichen mit seiner Dicken und ihrem gemütlichen Warten im Warmen, sie haben immer noch nicht ihre Identität feststellen können, keine Fingerabdrücke, keine Vorstrafen, keine Akte, die zu ihr passt, keine Vermisste der letzten Jahre, die ihr ähnelt, sie kann von außerhalb sein, Hepatitis C, unschöne Sache, er war auch um den Bahnhof herumgefahren, den Zentralbahnhof, der im Herbstlicht in anderen, weicheren Farben leuchtet, wie das Laub der Bäume, Ocker, Rot und Braun, aber in den Nächten, wenn es auf den Winter zugeht, wenn der Atem schon anfängt zu dampfen, wird der Monolith schwarz. Von oben gesehen ein silbernes Aderwerk, das zum dunklen Klumpen des Herzens führt. Ob das Mädchen hier arbeitete? Arbeiten ist vielleicht das falsche Wort. Sein fideles Dickerchen, seine Lieblingshure, die arbeitet. Vernünftig. Geschützt. Zumindest halbwegs. Versichert. Gemeldet. Hygienisch. So denkt er sich das, während er, die Augen halbgeschlossen, sich mit seinem Wagen durch die Straßen treiben lässt. Aber was weiß ich schon von ihr, denkt er. Er versteht ja nicht einmal, warum er bei ihr bleibt. Als stetiger Gast. Er ist bei *vielen* gewesen in den Jahren, Jahrzehnten, hat den Wandel der Sitten und Gebräuche als Gast erlebt, hat hier in der Stadt den Wandel erlebt, hat versucht, darauf zu achten, dass ..., auf was eigentlich? Dass er nur dort ist, wo die Hygiene ist, wo die Schatten nicht zu sehen sind? Fahren durchs Rot, Grün, Gelb. Das Blinken der Phasen. Der Winkel des einfallenden Lichts fast waagerecht inzwischen. Wie es sich rot und rötlich färbt ganz langsam.
»Versumpfungsmoore bilden sich vor allem in flachen Landschaften mit sandigen oder tonigen Böden durch den Anstieg des Grundwasserspiegels ...« Ja, verdammt nochmal, er hatte genug von diesem Fachidioten. Was sollte das bringen? Natürlich wusste er, dass es manchmal sinnvoll war, sich über die Umwege beziehungsweise

den *Ursprung* den Dingen anzunähern, aber was hatte dieses Kauderwelsch mit ihren Leichen zu tun? Außer, dass sie erfuhren, wie Jahre und Jahrhunderte in diesen Schichten erhalten blieben, entstanden, sich bewegten ... Er war der Einzige in der Truppe, der sich von dem Moorvortrag eine Weile berieseln ließ, auch auf seinem Diktiergerät, weil er hoffte, dass das seine Gedanken zur Sache in Schwung bringen würde. Aber er löschte fast alles, bevor er zu Eliot Ness fuhr. »Als sich vor zwölftausend Jahren die Saale-Eiszeit aus dem von ihr geformten Schliebener Becken zurückzog, hinterließ sie eine ausgedehnte Sumpf- und Moorlandschaft. Doch vor allem in den letzten fünfhundert Jahren wurden die meisten Gebiete trockengelegt und so fruchtbar gemacht.«

Er schüttelt die Stimmen aus seinem Kopf. Er sieht die kleine Glaskuppel des kleinen sandsteinfarbenen Bahnhofs, des Nachbarbahnhofs der Nachbarstadt, die langsam zur Vorstadt wird, neben der Hochstraße, über die er jetzt fährt. Das verzweigte Schienennetz, das das letzte Licht auffängt. Ein dunkles Silber. Wer schneidet einem Mann das Bein ab, nachdem er ihn getötet hat, ihm fast die Brust zerhackt hat mit einer antiken Riesenwumme; versenkt ihn dann zusammen mit einer Frau, einer jungen Frau, die zwischen fünfundzwanzig und dreißig ist, die schon tot ist, gestorben, verreckt an ihren Jahren der Gifte, wenn das Herz plötzlich stillsteht, auf schmale Betonblöcke geschnallt mit Wäscheleinen, weil beide scheinbar zusammengehörten, auch wenn sie sich noch im Tode von ihm wegzudrehen versuchte, was er gut verstehen konnte, wenn die Dinge so lagen, wie er dachte.

Sie wussten inzwischen, wo er abgestiegen war. Also wo er wohnte, in welcher Absteige er gewohnt hatte. Hinterm Zentralbahnhof. Und dass das Mädchen dort mit ihm war. Die junge Frau.

Wir leben im Jahrhundert der Gifte, dachte er und denkt dann, dass ja schon längst ein neues Jahrhundert, Jahrtausend, also wie man's sieht ... Kleine Einraumwohnung, die jemand ausgeräumt hatte, bevor der Vermieter nachschaute, als die Miete nicht mehr bezahlt wurde. Ein Typ, der Wohnungen und Zimmer an Bauarbeiter vermietete. Nicht nur an Bauarbeiter, natürlich. Sie hatten ihn sich lange vorgenommen. Ohne viel zu erfahren. Natürlich. Ein Jahr,

sagte die Gerichtsmedizin. In dem Zimmer wohnten jetzt zwei Bosnier. Die auf dem Bau arbeiteten. Sogar mit Vertrag. Aber selbst wenn die beiden schwarzgearbeitet hätten, wäre das nichts gewesen, was sie interessiert hätte. Sie hatten die Bude trotzdem auseinandergenommen. Einbaumöbel. Dielen. Tapeten. Nischen und Zwischenräume. Nichts. Natürlich. Der Täter, oder ein zweiter oder dritter Mann, hatte wohl zuerst versucht, den Körper zu teilen. Um die Teile einzeln zu entsorgen. Hier nicht, kein Blut, nirgends. Aber aus irgendwelchen Gründen davon Abstand genommen. Weil der Sumpf plötzlich auftauchte in ihren, seinen Gedanken. Warum? Weil er, sie die Justizsekretärin Bärbel Kahn dort schon neunzehnhundertsiebenundneunzig entsorgt hatten? Oder weil sie darüber Bescheid wussten? Aber dann wäre es doch dumm, auch diese Körper dorthin zu bringen. Oder war man sich sicher, dass erst kommende, zukünftige Eis- oder Wärmezeiten die schwarz gewordenen Leiber umwälzen und vielleicht irgendwann an die Oberfläche bringen würden? Oder im Gegenteil noch weiter umschichten würden, immer tiefer in den Grund.
Die Sache mit dem Immobilien-König, sagte Eliot Ness. Welchem Immobilien-König? Der die alten Handelshäuser und Passagen der Stadt mit großen Krediten wieder aufbaute? Der sich verspekulierte? Den die großen Banken und die großen und kleinen Politiker liebten? Im ganzen Land. Dessen Imperium der Kredite und Grundstücke zusammenbrach, als die Stadt wieder zu glänzen begann? Vor so vielen Jahren. Obwohl, so viele sind es nicht, sagen wir *einige*. Vier, fünf Jahre vorm neuen Jahrtausend. Damals. Er sieht die Deutschlandfahne oben auf dem Dach dieses Altbaus, direkt hinterm Bahnhof der Nachbarstadt, wie sie flattert und knattert im Wind, obwohl er das Knattern des Stoffes natürlich nicht hören kann in seinem Wagen.
Das Chaos kommt. Alles nur eine Frage der Zeit. Beziehungsweise schon da. Auch hier. Die Schienen glitzern nur noch matt im Licht der Oktobersonne, die fast verschwunden ist. Eine rote Sichel hinter den Häusern, nur zu sehen, wenn man in die Seitenstraßen und Gassen schaut, zwischen die Häuser. Mond, Sonne. Schwarz Rot Gold. Er kennt die Frau in diesem Haus. Die sie »die Chefin« nennen. Obwohl sie nur bedingt die Chefin ist. Komisch, dass die Fahne so in

Bewegung ist, denkt er. Wo doch kaum ein Wind geht, wenn er das Fenster runterkurbelt. Wie froh er ist, dass er schon vor Jahren aufgehört hat zu rauchen. Und auch die Trinkerei im Griff hat. Wie man sowas eben im Griff haben kann. Er kurbelt die Seitenscheibe runter. Vielleicht haben sie eine Windmaschine oben auf dem Dach installiert, hinter der Fahne. Das war ein großer Coup damals, wie die Chefin diese Fahne ersteigert hat. Original Bundestag. Original Reichstag. Er kann sich an die Prozession der Huren erinnern, gar nicht so lange her, da hatten sie diese Fahne dabei, da war das Dach leer, Berlin Berlin, wir fahren nach Berlin!, all die Huren vorm Reichstag, vorm Bundestag, wie hat er gelacht, als er das im Fernsehen sah, und wie haben sie beide gelacht, sein Dickerchen, die gerne dabei gewesen wäre, aber sich dann doch da raushielt, aber es gut fand, dass es da abging, dass da die Rechte eingefordert wurden. Schilder und Transparente, der Chorus der Huren und dazwischen die Fahne, die jetzt wieder hier anzeigt, dass die Geschäfte immer noch gehen, dass die Frauen aufeinander bauen, aber das ist auch irgendwie nur eine Utopie. Aber eine schöne. Die wenigstens halb wahr ist, halb wahr geworden ist. Mit dem Marsch nach Berlin.
»Außerdem ist der Zersetzungsgrad äußerst gering, und der Grundwasserspiegel ist innerhalb des Moores höher als in der weiteren Umgebung. Auf den Hochmoorflächen befinden sich meistens kleine Erhebungen, Bulte, und wassergefüllte Senken, Schlenken, sowie kleine Seen, die auch ›das Moorauge‹ genannt werden.«
Er schüttelt den Kopf, damit die Stimmen verschwinden. Er drückt und piept sich durch die Dateien seines Diktiergerätes. Er hat zwar vieles gelöscht, aber das befindet sich noch zu Hause auf seinem Rechner. Nicht im Präsidium. Hat ihn denn Eliot Ness schon irre gemacht? Er findet Dateien, die kennt er nicht. Er findet Daten und Fakten, die kennt er nicht. Er fürchtet sich, dort reinzuschauen, und tut es doch. Schließen und Öffnen. Vielleicht alles löschen. Irgendwo hier in der Nähe werden sie den Chef der Gruppe der Outsiders anschießen. BUMM BUMM. Die dem Alten vom Berge, so nennt Eliot Ness den Vermieterkönig Kraushaar, den Rücken freihalten. Geschäftlich. Geschäfte für dieses Geschäft. Handel. Was hat das mit seinen Leichen zu tun? Letztens rief er Mondauge in Berlin

an, um sich zu verabreden, um ein paar Informationen zu bekommen. Aber der sagte ab.
Er weiß, dass er die Grenzen überschreitet. Er will nicht so werden wie Eliot Ness. Er ist nicht zuständig für diese Geschäfte. Er will nur Häkchen machen hinter seine drei Körper. BUMM BUMM. Ein blutverschmiertes Auto. Mehr oder weniger. Ihm ist schwindlig. Vor kurzem hat er hier, im Haus der Madame Gourdan, an der Bar was getrunken. Weil er die Chefin kennt. Neue Jungs an der Tür. Gruppe Outsiders. Er hat noch seine alte Marke aus Köln, nur zur Erinnerung. Glücksbringer. Was soll hier werden, wenn die Großfamilien aus Berlin anrücken? Das Syndikat der Los Locos ist bereits hier. Was hat das mit seinen moorgegerbten Körpern zu tun? Er sollte verschwinden. Er spürt seine Marke mit der Kette dran in der Innentasche seines Jacketts. »Pass auf dich auf, Schimanski.«
Er weiß, dass er das Chaos bald nicht mehr überblicken kann. Ist auch nicht sein Bier, an und für sich. Eliot Ness wartet auf ihn.
Wie die Chefin stolz war auf diese Fahne, die sie ersteigert hat. Wie sie sie mit den Mädchen zusammen präsentierte, der Presse, den Gästen. Aber erstmal der Presse, weil die Gäste erst wiederkamen, als die Presse verschwunden war. Die nackten jungen Ärsche neben Schwarz Rot Gold. Titten links, Titten rechts. Und dann die aufgeregten Bürger in Berlin und hier. Die Deutschlandfahne aufm Puff, der Verfall der Sitten.
Eine wunderbare Frau, die Chefin. Die genau weiß, wie sie sich zu arrangieren hat. Die richtigen Leute an der Tür. Die richtige *Gruppe* auf ihrer Seite. Presse, für korrekte Geschäfte, Hygiene undsoweiter. Öffentlichkeit. Sauberer Barbetrieb. Saubere Steuerzahlerin. Er denkt, dass seine kleine Leiche, die Frau, deren Herz aufhörte, hier doch besser aufgehoben wäre, aufgehoben gewesen wäre als bei diesem Hund, der sie nur mit den Giften versorgte, die sie brauchte. Oder in einer Wohnung des Alten vom Berge oder in dem kleinen Laden, wo er einmal mit einem Japaner getrunken hat. Drüben in der Zentralstadt. In die er jetzt wieder fährt.
Er muss lachen, als er die Nachrichten hört. Info-Radio. Sie melden eine Explosion, nicht weit von dem Fundort. Wo die Kollegen dann später was ausheben unter den Trümmern. Ein Feuer von Chemika-

lien. Hat nichts, aber auch rein gar nichts mit seinem Fall zu tun. Und er denkt, dass das ein Sperrfeuer der Ablenkung ist. Ein anderes Geschäft, das weder ihn noch Eliot Ness, den er gar nicht kontaktieren darf, interessieren sollte. Ein kleines Meth-Labor. Ein kleiner Bauernhof, wo die Tschechen mit drinhingen. Expansion von der Crystal-Grenze im Erzgebirge, was gar nicht so weit weg ist. Wie sie das verschlüsseln im Info-Kanal, da muss er lachen. Fast Nacht inzwischen. BUMM BUMM. Die Projektile eines Bren. Tschechisch-englisches Fabrikat. Brno und Enfield. Daher der Name. Leichtes Maschinengewehr. Zufall möglicherweise.
Zwei Kocher verbrannt in diesem Inferno. Eine Frau. Ein Mann. Zwölf, dreizehn Kilometer vom Moor entfernt. Zufall möglicherweise.
Diktiergerät: Tag zwanzig. »Warst lange nicht da, Schimanski.«
Er klingelte bei Eliot Ness. Das Arbeitszimmer des auf Eis gelegten Bullen, ein Chaos aus Pinnwänden. Fotos, Blätter voller Notizen, Gerichtsakten, Zeitungsartikel, Stimmen, Worte, Bilder. Sie sind fast gleich alt. Aber darüber reden sie nicht. Ehemaliger Chefermittler im Bereich Organisierte Kriminalität. Der Kriminalhauptkommissar. KHK OK. »Nix ist o.k.«, sagt der Mann inmitten seiner Pinnwände. Sie trinken einen Cognac. »Was macht die Arbeit?«, fragt der KHK Ness.
»Wir stecken fest.«
»Alles steckt fest«, sagt Ness. »Schon gehört von dem kleinen Feuerwerk in der Meth-Schmiede?«
»Schon gehört.«
»Die Crystal-Grenze rückt vor«, sagt Ness, »die Front ist in unserer Mitte.«
»Ist sie das?«
»Mein Lieber, mein Lieber, alles hängt zusammen, der Klüngel regiert, das musst du doch aus Köln kennen.«
Und wie Eliot Ness dieses »Mein Lieber, mein Lieber« in der Mundart der Einheimischen sagt, denkt er, der alte Bulle, an das »Meine Sonne, mein Gutster«, das sein Dickerchen ihm immer über die ewige Grenze der Türschwelle entgegenruft. »Komm rein, die Sonne geht auf.« Er übertritt diese Grenze, geht zu ihr und *lässt seinen Dra-*

*chen steigen*, ein Lied, das manchmal im Radio kommt, wenn sie den Oldie-Sender in der Küche eingeschaltet hat, ein Lied, von dem sie ihm erzählt, ein Lied ihrer Jugend, obwohl sie so alt noch gar nicht sein kann, aber ein Oldie eben, ein Ost-Oldie, ein Immergrün. Er denkt oft in den letzten Woche und Monaten, dass er sie gern hat. Diese dicke Frau mit den wunderbaren dummen Sprüchen. »Schreite ein, mein holder Ritter«, welche Grenzen soll er überschreiten, denkt er, die Toten sind mit mir, und der Boden tut sich auf an ganz anderen Orten.

Er sitzt, und das ist nur eine Form der Erinnerung, an der Theke des beflaggten Hauses, trinkt ein Bier, weil ein Bier immer geht, trinkt dann ein zweites, als sie eintreten, einer nach dem anderen, während er mit der Chefin redet. So und so, die Dinge, was passiert, was hört man, wie geht's den Frauen, dies und das und jenes, unverbindlich, weil er als Bulle hier keine Fragen stellt. Weil er gelernt hat in all den Jahren, dass man Antworten eher bekommt, wenn man nicht fragt. »Scheiße«, sagt Eliot Ness, »man muss bohren.« Die Gruppe Outsiders, er hat ihre Motorräder, ihre »Mopeds«, wie sie selber sagen, kaum gehört, kaum kommen gehört, und er weiß auch, dass nichtmal die Hälfte von ihnen Mopeds hat, Eliot Ness bestätigt ihm später, dass sie die Vorhut des Alten vom Berge sind, aber dass auch das bröckelt. Dass sie den Engeln nahestehen. Aber auch das bröckelt. Aber alles nicht sein Bier. Während er sein Radeberger trinkt.

Und da marschieren die sieben, acht, neun Männer ein bei der Chefin, und die Fahne flattert oben im Wind. Herzen wie Diamanten. Wo hat er das schonmal gehört? Von wegen, dass die riechen, dass er ein Bulle ist. Weil sie gesehen haben, dass er mit der Chefin im vertraulichen Gespräch gewesen ist, als sie reinkamen, geben sie ihm sogar die Hand. *Dabei sein ist alles.* Die Mädchen marschieren langsam auf, es wird Zeit, es wird Abend. Die Chefin sagt: »Ich muss mal kurz« und geht mit den Männern an einen der Tische, im Schatten, im Halbdunkel, und die Mädchen sitzen neben ihm an der Bar. Lederjacken. T-Shirts. Große Kerle. *Outsiders* eingebrannt, eingeschrieben. T-Shirts, Jacken, Haut. Er nippt an seinem Bier, und eine der Frauen geht hinter die Bar. Vertretung sozusagen. Er legt Geld auf die Theke und gibt aus. Eine junge Frau neben ihm. Dunkle Haare. Du könntest meine Tochter sein, denkt er. Du könntest mein Vater sein, denkt sie. Und denkt es natürlich nicht. Weil sie den alten Bullen schonmal hier gesehen hat. Weil sie weiß, dass er nur ausgibt. Weil die Chefin ihr gesagt hat, dass der Alte nur ausgibt. Dass sie aber trotzdem nett zu ihm sein soll. *Nett.* Wie nett? Sie weiß, dass er bald verschwindet, jetzt, wo der Abend sich in die Nacht verdunkelt, stört er bloß.

Er versucht, sich an den Namen der Blume zu erinnern, die da am Rand des Moores wächst. Fünf rote Blütenblätter kommen aus einem Kelch, gelblich, wie eine kleine Vase dieser Kelch. Jetzt erst wird ihm bewusst, dass rings um das Moor, das sie ausgehoben haben, unzählige Blumen blühen und verblühen, dabei ist schon Herbst, aber in der Abgeschiedenheit und der Dämmerung des kleinen Waldstücks vor der Stadt ist die Zeit vielleicht ein wenig hinterher. Denkt er. Ist das eine Heidenelke? Er sieht die Kollegin, deren Namen er nicht kennt, auf der anderen Seite der Moorsenke, wie sie sich bückt und ein paar Blumen pflückt. Er weiß nicht genau, wie lange er schon bei den Körpern hockt, wie viele Minuten oder Stunden, es dämmert bereits, er sieht die Abendsonne zwischen den Zweigen und Blättern der Bäume, wahrscheinlich lassen sie mehr Licht durch im beginnenden Herbst, und deswegen blüht es hier noch. Denkt er. Und wegen des nahrhaften Bodens. »Heidenelken«, hört er die Kollegin von dort drüben rufen. Vielleicht sagt sie es auch nur zu sich selbst. Sein linkes Bein ist eingeschlafen. Es ist das rechte Bein, das dem Mann fehlt. Jemand wollte ihn zerteilen, ließ es aber dann. Denkt er. »Sumpfwurz«, hört er die Kollegin, »Augentrost«.

Wer bist du, Mädchen? Und warum kriechst du im Tode noch von diesem Einbeinigen weg. Was sie hier wohl bauen wollen? Und werden. Die Toten verschwinden, und die Häuser und Grundstücke wachsen. Ob sie hier schonmal siedelten? Die Reste der Häuser und Körper in den Schichten unter ihm. Und vielleicht noch ein Moor und noch drei Körper. Und vielleicht die Spuren eines Mannes, der dort einst am Rand stand und auf die dunkle Fläche des Sumpfes starrte.

Die roten Lichter der Windräder verschwinden in der Nacht, blinken wieder auf, dort und woanders, unterschiedliche Intervalle, ein Blinken und Erlöschen, Aufleuchten und Erlöschen, von dem er kaum den Blicken wenden kann. Er fährt. Sein Diktiergerät flüstert vor ihm auf dem Armaturenbrett, die Stimmen mischen sich mit der leisen Musik eines Lokalsenders, er hört Daten und Tage, Moorgeschichten, Eliot Ness. »Herbstzeitlose«, wie kommt die Stimme seiner Kollegin aufs Band?, »Bein anscheinend mit einer Art Knochensäge abgetrennt«, jemand erzählt von gewaltigen Farnen, abgestorbenen Bäumen und Schichten über Schichten, trocken und feucht, er hört das Stöhnen der Dicken, wann bin ich das letzte Mal bei ihr gewesen?; *Nehmen Sie sich Urlaub und fahren Sie ans Meer*, was soll der Blödsinn, es ist Herbst und die Saison längst vorbei. Kühl geworden auch. »Trollblume«. Eine andere Frauenstimme, die er nicht kennt. Anfang November hat er ein paar Tage Urlaub. Vielleicht fährt er dann endlich mal ins Haff. Und weiter zum Meer, die Oder stromabwärts. *Auf zweiundneunzig Komma drei ... Hast du dich schonmal gefragt, wer die Papiere Valachi besitzt ... Was für Papiere? ... Warum er aufsteigen konnte und die besten Immobilien besitzt und vermietet? ... Wenn Weihnachten ist ... Der Typ läuft schon wieder frei rum, obwohl ich ihn festnageln konnte. Nur dreieinhalb Jahre ... Es ist wieder Piemontkirschen-Zeit ... Ein rituelles Versenken von Leichen im Moor ... Die Outsiders halten dem Alten den Rücken frei ... Herbstzeitlose.*

Sie sitzen im Wintergarten von Eliot Ness. Es ist dunkel draußen, die Nacht kommt schnell. Als er das letzte Mal bei ihm war, an einem Sonntagnachmittag, schien draußen die Sonne, als wäre noch Sommer, aber das Licht war golden und schwer. Ness raucht. Sie reden eine Weile über Betablocker. Ness' Frau wohnt seit einigen Jahren in Berlin. Hat wohl das alles nicht mehr ausgehalten. Ness wohnt in einem Mehrfamilienhaus am südlichen Rand der Stadt. Weit weg von dem Moor, wo sie bald schon Fundamente legen werden, der Fundort war kein Tatort, die Investoren wollen vorankommen vorm Winter. Sie trinken Cognac, wie immer, wenn er Ness besucht. Die lichten Momente des ehemaligen Chefs der Abteilung Organisierte Kriminalität werden seltener. So oft hat er

ihn gar nicht besucht in den letzten Jahren. Er überlegt. Drei-, viermal. Dafür zweimal in den letzten Wochen. Er muss aufpassen, dass er sich nicht in dem Netz des Eliot Ness verliert. Er hat drei Leichen. Und keine Täter. Sie reden eine Weile über neunzehnhundertneunzig. Und neunundachtzig. Wo sie waren, was sie machten. Was sie wollten. Später. Die großen Seen können nicht weit sein. Wenige Lichter in den Häusern um sie herum. Der Wintergarten ist der einzige Ort in der Wohnung, der frei vom Chaos ist. Obwohl Ness es nicht als Chaos bezeichnen würde. Dieses Netz aus Dokumenten, Zetteln, Zeitungsartikeln, Aktenkopien, Namen und Chiffren, mit Pfeilen verbunden. Mit Notizen übersät. Der alte Bulle will nicht, dass seine drei Körper dort hineingehören. Aber er weiß, dass zumindest die Justizsekretärin Bärbel Kahn in dieses Netz gehört.
»Sie war dem großen Monopoly auf der Spur.«
»Diese kleine Angestellte? Bist du sicher? Sie hatte doch keinerlei Einfluss.«
»Sie hatte Material. Wer Material hat, hat Einfluss. Ob er will oder nicht. Ist gefährlich und gefährdet. Ob er will oder nicht.«
»Und was wollte sie?«
»Vielleicht wollte sie gar nichts. Vielleicht ist sie nur der Sache auf die Spur gekommen. Hat zu viel gesehen, hat zu viel gehört. Und hat das gesammelt. Vielleicht wollte sie ihr Wissen zu Geld machen. Vielleicht war sie auch einfach nur empört. Über die Sache.«
Er will Eliot Ness wieder einmal fragen, was genau die *Sache* ist. Aber er weiß, dass dann das Chaos auf den stillen kühlen Wintergarten übergreifen wird. Seit Jahren forscht und gräbt und wühlt Ness nur noch für sich, Akten, Daten, Geld, Namen, Verbindungen, Verschiebungen.
»Noch einen Cognac, Kollege?«
»Aber gerne, Mister Ness.«
Eliot Ness steht auf und geht zu dem altmodischen Bar-Wagen, der an der Glaswand steht. Zwei der großen Fenster sind angekippt, und es scheint ihm, dass er das Rauschen der Bäume draußen hört. Ein Garten mit verschiedenen Bäumen, Apfelbäume, einige schon alt und verkrüppelt, und eine große Kastanie, um die die Apfelbäume

wachsen, kreisförmig fast, die Kastanie in der Mitte wie der Mutterbaum. Oder Vater. Als seine Mutter neunzehnhundertneunzig starb, rauchte er noch. Es ist schwer, nicht zu rauchen, wenn die Angehörigen gehen. Ness gibt ihm da recht. Hinter ihnen an der Wand, links und rechts neben der Tür, hängen zwei Bilder unter Glas, Graphiken oder sowas, er kennt sich da nicht so aus. Der alte Bulle hat das Diktiergerät in seiner Jackentasche. »Leg doch ab.«
»Danke. Ich fühl mich besser mit Jacke.« Was für ein blöder Spruch, denkt er.
»Dann lass uns doch in den Wintergarten gehen.«
Und da sitzen sie nun. Das Diktiergerät ist aus. Was soll er auch aufnehmen, sein Gedächtnis ist noch ganz gut.
Ness bringt die beiden Cognac-Schwenker zu den Baststühlen und dem kleinen Tisch. Stellt sie auf die Marmorplatte. Passt irgendwie nicht zusammen das Mobiliar, denkt der alte Bulle. »Warst du bei ihr?«
»Bärbel Kahn? Bei ihrem damaligen Freund. Der weiß nichts.«
»Der sagt nichts. Ich weiß.« Ness setzt sich. Er raucht wieder. Prince of Denmark. »Ohne Zusatzstoffe, reiner Tabak«, wie ihm Ness einmal sagte.
»Schonmal was von den ›Outsiders‹ gehört, Mister Ness?«
»Hm.« Ness nickt. Schwenkt den Cognac im Glas. Fast schon bizarr groß sind diese Cognac-Tulpen, der alte Bulle hat solche riesigen bauchigen Cognac-Schwenker noch nie gesehen.
»Alles im Wandel. Aber auch die werden aus der Stadt verschwinden. Was wird mit den Engeln, musst du dich fragen.«
»Und der Alte?«
»Vom Berge …« Ness lacht. »Wird vielleicht auch verschwinden.«
»Einfach so?«
»Nein. Dafür sitzt er zu lange dort, wo er sitzt.« Auf seiner Schulter leuchtet das blonde Haar der Bärbel Kahn. Gut sieht sie aus für eine Achtundvierzigjährige. Das ist ein gutes Alter, um gut auszusehen. »Ich habe dir doch erzählt, von den Valachi-Papieren. Was denkst du, warum der Mann dort sitzt, wo er sitzt. Über all die Jahre.«
»Immer feste druff?« Der alte Bulle grinst, weil er den Tonfall der Einheimischen imitiert.

»Das auch, mein Freund, das auch. Zumindest zu Anfang. Aber die Silberfäden greift man sich nicht einfach so.«
»Du meinst ...«
»Er weiß. Und er hat Material. Du kannst dich doch an diese böse Sache erinnern, dreiundneunzig. Das Haus. Die Wohnung. Im Winter dann flog alles auf.«
»Der Alte hatte damit nichts zu tun, soweit ich weiß. Nein, definitiv hatte er damit nichts zu tun.«
»Richtig, Herr Anwalt. Aber andere. The Princes of Denmark. Nicht königlich zwar, aber weit oben. Und gerngesehene Gäste in diesem dunklen Haus.«
»Und mein Fall ...« Er bereut sofort, dass er zu schnell war. Er trinkt einen Schluck Cognac aus dem riesigen Glas, atmet den Duft ein, alt, dunkel und schwer.
»Hat nichts damit zu tun, im Prinzip.« Sie blicken schweigend auf die Fenster, sehen ihre blassen Spiegelbilder, die mit den Schemen der Bäume und des Gartens zu verschmelzen scheinen. Nur eine kleine Stehlampe neben ihnen gibt Licht. VSOP – very superior old pale.
Ness tippt auf die kleine Bronzestatue auf dem Tisch. »Ist ein Puma. Habe ich mal in Amerika gekauft. Ist von einem berühmten Künstler, Bildhauer und Maler, seine Pferde und Cowboys und Tiere sind einzigartig. Selbst im Oval Office steht eine Arbeit von ihm.«
»Jetzt klingst du selbst wie der Alte vom Berge oder die Prinzen mit den Silberfäden ...«
»Wenn ich ein Machiavelli wäre, würde ich jetzt nicht hier sitzen. Und Cognac trinken mit dir. Und über die Toten reden.«
Und die Toten liegen in der Rechtsmedizin, der veralteten Gerichtsmedizin, liegen in Metallschubfächern, ihr Verfall beginnt durch den Sauerstoff, der ihnen in den Jahren ihrer Ruhe im Moor kaum zu nahe kam, unaufhaltsam, im Kalten erhalten sie sich halbwegs bis zur Beisetzung, aber die Stunden im Freien haben ihnen zugesetzt. *Ach, legt euch nieder, ihr müden Glieder.* Dennoch sind es die Häute, die Hautschichten ihrer Augen, die ihn interessieren. Die letzten Blicke. Ein Blick nur auf diese letzten Blicke. Manchmal denkt er, dass er träumt, dass er schläft, und schreckt hoch, ringt nach Luft.

Er versinkt immer noch im Wasser, in diesen Tiefen, aber es ist anders jetzt. In den Trümmern und Resten von Tempeln oder Betonbauten, genau kann er es nicht erkennen, sieht er Menschen. Er wirft den Kopf auf dem Kissen hin und her, was ist das für ein Blinken?, Positionslichter von U-Booten?, als er aufwacht, sitzt sie nackt neben ihm, beugt sich über ihn, er spürt ihre Brüste auf seinem Bauch, auf seiner Brust, und es geht ihm besser, er atmet und atmet, erleichtert, obwohl sie sich mit all ihrem Fleisch auf ihn wälzt und ihn umarmt.

»Aber die anderen beiden ...«
»Sind uninteressant.«
»Sind uninteressant ... Sind zu jung für dich?«
»Was soll das heißen, mein Lieber, zu jung? Wie lange?«
»Ein Jahr ungefähr.«
»Dann müssten sie frisch sein, wie ein Stück Eierschecke, das man in einen Eimer Teer wirft. Das könnte man essen nach einem Jahr. Wenn man es säubert.«
»Eierschecke, Mister Ness?«
»Sie wollen mir doch nicht sagen, dass Sie in all den Jahren nicht diese Spezialität der Backkunst schätzen gelernt haben.«
»Quarkkeulchen kenne ich.« Seit wann siezen sie sich? Ist das der Mond hinter den Bäumen?
»Und die Dresdner Eierschecke, ich war drüben in Dresden, als sie den Mann aus der braunen Zelle weggeschossen haben.«
»Ich hab davon gehört. War das nicht auch dreiundneunzig?«
»Ein bewegtes Jahr. Bewegte Jahre. Aus allen Himmelsrichtungen kamen sie. Die Karawane, Tausendundeine Nacht.«
»Aber ...«
»Dein Fall, ich weiß. Aus Böhmen kam dieses wunderbare Backwerk. Ursprünglich. August der Starke importierte es. Aber wir wollen keine Geschichtsstunde.«
»Wenn die Geschichte uns dorthin führt, wo wir die Antworten finden ...«
»Wir suchen, hin und zurück. Im Kreis herum. Warte ...« Eliot Ness stellt sein Glas ab und geht zur Tür.
Und dann sitzen sie wieder, zwei Teller neben ihren Cognac-

Schwenkern, zwei Kuchengabeln neben den Tellern, weißgelbe Eierschecke auf den Tellern, große Stücke, frisch. Der alte Bulle hat fast fünfzehn Minuten allein im Wintergarten gesessen und nachgedacht. Die Toten und das Moor. Die Täter, die er nie zu fassen kriegen würde. Wie auch? Die Kugeln des Bren müssten zum Bren zurückfinden. Rückwärtslaufend beziehungsweise *fliegend*, hinein in die Explosion. Kein Bren in der ganzen Stadt. Die Spur führt nach Tschechien? Aber dieser Fall scheint Eliot Ness nicht allzu sehr zu interessieren. Bärbel Kahn, ja.
Er erinnert sich, dass Eliot Ness sogar Verbindungen zum damaligen Fall »Kino« vermutete, nein, nicht nur vermutete, darlegte, weil dieselben Mechanismen in der Stadt unten an der Elbe abliefen, »Wer hat Interesse, dass die sich gegenseitig ausschalten?« Er selbst wusste zu wenig darüber und glaubte nicht an alle Zwangszusammenhänge des Eliot Ness. Zwei kleine Zuhälter irgendwo aus dem Ruhrpott schießen einen braunen Kameraden weg, weil der ihren Geschäften in die Quere kommt, im neuen Deutschland darf es keine Huren und keine Huren-Verwalter geben. Was für eine bescheuerte Idee. Weil doch das Tausendjährige Reich der Tausendundeinen Nächte das mächtigste ist. Und der braune Kamerad kam selbst aus dem Ruhrpott. Um hier zu agitieren. Ironie, könnte man sagen. Aber die Versuche der Kameraden waren schnell beendet. Ruhrpottluden weg, braune Kameraden weg. (»Na ja, weg nicht, aber nicht mehr marktstörend zumindest.«) Zu groß der Markt, zu neu der Markt, zu viel zu holen für zu viele, die Braunen werden von innen ausgebremst. Zu groß der Markt, zu neu der Markt, noch ungeordnet. Er kann sich an die ausgebrannte Bar erinnern, in der ein Gast verbrannt ist. Kann sogar im selben Jahr gewesen sein. Erste Hälfte der Neunziger. Der hockte zusammengesunken vor der Treppe. Erstickt. Kollateralschaden. Fall »Hotelbar«. Weil dort die Mädels saßen und das der Konkurrenz nicht gefiel. Er hat mit den Kollegen in der Stadt unten an der Elbe damals kommuniziert. Wenn er endlich Auskunft von seinen Quellen bekäme, wer ein altes Bren verkauft oder gekauft hat in den letzten Jahren ... Die Elbe runter, die Oder rauf, die Elbe runter. Die Flüsse münden alle in die Sache, sagt Eliot Ness.

Und dann essen sie ihre nächtliche Eierschecke wie zwei alte Tanten. Und ihm ist immer noch nicht ganz klar, was denn nun die *Sache* sein soll. Obwohl er es schon weiß, so ungefähr. Einen Körper kann er einordnen. Aber die anderen beiden? Seine anderen beiden Schäfchen? Sicher, es gibt genug neue Fälle inzwischen. Und keiner hat Interesse an diesen alten Geschichten. Von denen zwei gerade mal ein Jahr her sind. Als er neben ihnen im Moor hockte, hätte er nicht gedacht, dass sie so frisch sind. Der Moorexperte hat es genau erläutert, dass es Sauerstoffeinschlüsse oder so etwas Ähnliches gab. Alles auf Band, alles auf Band.

Der Mann ohne Bein, ein kleiner Schmierlapp, den die Großen fallenließen. In den Neunzigern an der Tür aktiv. Verstrickt in die Schüsse auf diesen Punk. BUMM BUMM. War nicht sein Fall, aber er erinnert sich gut. Im Kreis herum, im Kreis herum ..., wenn er sich denn schließen würde! Den Schwiegervater des Schmierlapps, den Professor, haben sie damals ordentlich verknackt. War ja auch seine Wumme, Jagdgewehr, und sein Auto, Mercedes, ein riesiger Schlitten, den der Punk gestohlen hatte. Zumindest dachte das der Schwiegervater – tödlicher Irrtum. Und der Schmierlapp und die Freunde vom Schmierlapp sind zusammen mit dem Professor losgezogen, um das Auto zurückzuholen. Dabei löste sich ein Schuss.

»Schmierlapp«, so nannten sie früher die kleinen Fische in Köln. Fische. Kein gutes Wort dafür. Es erinnert ihn an diese Vorabendserie. St. Pauli. Die Folklore von den guten Bullen und den goldherzigen Huren. Alle meine Huren. *Kleine Fische, große Haie.* Alles Unsinn. Geschäfte, wie überall. Und ob er im dunklen Haus aktiv war, wissen sie nicht. Vielleicht am Rande, so wie er immer am Rande war, Mister Schmierlapp.

»Lieber Freund, wie schmeckt es Ihnen?«

»Gut, sehr gut. Ich glaube jetzt doch, dass ich diesen Kuchen schon einmal gegessen habe, in all den Jahren, die ich jetzt hier bin. Kühl und cremig zugleich.«

»Ich hätte es nicht besser sagen können. Es sind die Schichten und der Quark im Teig, der die Dresdner Schecke so einzigartig macht. Und wie Sie sehen und schmecken, auch hier in dieser Stadt.«

Ohne eine Antwort abzuwarten, spricht er weiter: »Es gibt noch eine

Nebenart der Dresdner Eierschecke. Die Freiberger Eierschecke. Die, lieber Freund, ist weitaus flacher und enthält, leider leider!, keinen Quark. Aber auch sehr schmackhaft. Waren Sie schon einmal in Freiberg?«
»Wenn Sie das Freiberg mit der Bergakademie meinen, nein.«
»Hm, hm.«
Dann sitzen sie, zurückgelehnt in ihre Korbstühle, und starren durch den Spiegel hindurch in die Dunkelheit des Gartens.
»Wenn Sie wissen, wer von ihrem Tod profierte, damals wie heute ...«
»Das sollten eine ganze Menge Leute sein, wenn es stimmt, was Sie sagen.«
»Sie haben Zweifel.«
»Wenn ich die nicht hätte, wäre ich nicht hier.«
»Sie werden keinen Täter finden, weil es keinen gibt.«
»Für alle drei?«
»Natürlich gibt es den Mann mit der Waffe, den Mann mit der Pistole, den Mann mit dem Dolch ...«
»Und den Mann mit dem Bren.«
»Und den Mann mit dem Bren, meinetwegen. Ja, vielleicht. Erinnerst du dich an den *Steinmann*, Mister Lübbke, den Verwalter der Häuser und Grundstücke.«
»Der Hauptabteilungsleiter für Immobilien- und Eigentumserklärung? Natürlich. War ich mit dran an dem Fall. Frau Kahn, ja. So weit waren wir schon.«
»Frau Kahn, natürlich. So weit waren wir schon. Sie wissen es doch alles selbst.«
»Wenn ich alles wüsste, wäre ich nicht hier.«
»Gemach, gemach. Trinken Sie noch einen mit, Herr Kollege?«
»Aber sehr gerne, Mister Ness.«
BUMM BUMM. Der letzte Blick. Der Steinmann. Auf den sie viermal geschossen haben. Lübbke, Schnauze! Der trotzdem immer noch lebt. Weit weg jetzt. Und ganz woanders. Die Abteilung OK hat damals den Fall übernommen. Andere waren noch mit drin. Die A, die Ämter. BKA. LKA. Lange her. »Und wer hat damals weggeschaut? Wer hat gewusst, dass die Schüsse fallen, und die anderen machen

lassen, AK und die anderen ...« Das Netz legt sich über ihn. Er weiß, dass sein Körper noch schläft. Apnoe. Hat er öfters. Er hört, wie er immer wieder nach Atem ringt. Der Silberfaden zwischen den Immobilien und denen, die investieren. Die Immobilien wollen. Denen der Hauptabteilungsleiter im Weg steht. Präteritum. Lange her. Eliot Ness hat recht. Es gibt keinen Täter. Die Geschäfte haben sich selbständig gemacht. Er will nichts davon wissen. Jetzt nicht mehr. Die Valachi-Papiere. Was für ein Scheiß. Legenden und Märchen. »Natürlich gibt es den Mann mit dem Dolch, den Mann mit der Pistole ...« Ja, aber wo, verdammt nochmal, ist er? Die Steinmann-Killer haben sie erwischt. War auch sein Fall damals. Jeder wusste, dass da mehr dahinter war als diese vier kleinen Negerlein, die vielleicht nur Warnschüsse abgeben sollten, vielleicht ins Bein, vielleicht aber auch in den Kopf. Gewarnt werden immer auch andere. Sie schwiegen. Auch eine tschechische Waffe. Nur paar Kaliber kleiner. Die Crystal-Grenze. Er will, dass das alles Zufall ist, und schlafen, schlafen ... Wo immer er auch ist, wo immer er auch liegt. Schlafen, bis das alles vorbei ist.
Alle drei müssen sie zu tief dort hineingeschaut haben. So wie Eliot Ness, den sie kaltgestellt haben. Und seine kleine Truppe liegt in den schmalen metallenen Kühlschränken der Rechtsmedizin. Frau Kahn damals, die beiden vor nicht allzu langer Zeit. Also was sie dahin gebracht hat. Bei den beiden ist er sich nicht sicher. Dieses Todespaar, an die Betonsockel geschnallt, sie, von ihm wegkriechend. Selbst im dunklen Moor noch. Die Einzige, von der sie nichts wissen. Sie haben ein Bild angefertigt von ihr, basierend auf den Fragmenten ihres Gesichts. Und es überall verteilt. Hinterm Bahnhof, bei den vergifteten jungen Huren des Straßenstrichs. *Spieglein, Spieglein an der Wand* ... Es kann auch sein, dass man ihr die Gifte vorsätzlich verabreicht hat. Alles kann sein. Ihr Bild hängt an seinem Kühlschrank. Kurzes dunkles Haar. Schmale Oberlippe, volle Unterlippe. Was schmollst du mir, Mädchen?
Der Mann schien froh, als Bärbel jetzt wieder auftauchte. Nach so vielen Jahren. »Ich hab gewusst, dass sie tot ist.« Papiere fanden sie nicht, finden sie nicht. Keine Hinweise auf ihre angeblichen Entdeckungen, Ermittlungen im Monopoly der Immobilien. Er schreckt

hoch, ringt nach Luft. Seine Augen gewöhnen sich an die Dunkelheit. Ein Bett. Sein Bett? Er riecht die Frische der Laken und Bezüge. Jemand liegt neben ihm. Er tastet und fühlt, Haut wie Leder, glatt und rau, und als er sich umdreht, liegt das Moormädchen neben ihm und lächelt ihn an mit einem schiefen Spalt in ihrem braunen, faltigen Gesicht.

Ihr letzter Blick: Das Zimmer, in dem sie mit ihm wohnte. Klein, schmutzig. Nein, eigentlich nicht allzu schmutzig. Ein Bett, ein Tisch. Flaschen auf dem Tisch, spärliches Licht durch die Gardinen vorm Fenster. Draußen, nicht weit, der Zentralbahnhof, den sieht sie nicht. Sie spürt, dass sie stirbt, hört Schritte auf der Treppe, blickt auf die zwei Flaschen auf dem Tisch, das Licht bricht sich in ihnen, es sind diese Lichtvorgänge, die sie fesseln, während sie langsam verdämmert. Ob das die Sonne ist oder eine Straßenlaterne oder die Scheinwerfer eines Autos oder eine Leuchtreklame. Sie hat sich auf den Boden gesetzt, an die Wand gelehnt, vor einigen Stunden. Sie hat einige Tabletten genommen und alles, was sonst noch da war. Sie ist seit Wochen drauf, und jetzt will ihr Herz nicht mehr. Ihr letzter Blick. Dieses Gefunkel auf den Flaschen am Fenster, das in Wirklichkeit weit weniger spektakulär war.

Das Bild auf den Häuten des Augapfels.

Der Totendoktor lässt ihn wieder mal allein. Das ist ihr Deal. Dafür fährt er ihn an manchen Wochenenden in die Berge, Richtung Kristall-Grenze, wo der Totendoktor ein Wochenendgrundstück hat, eine Datscha, wie sie hier sagen. Der Doktor hat keinen Führerschein mehr, seit Jahren, aber sie sagen, dass er trocken ist. Manchmal ist der alte Bulle stundenlang bei seinen Toten. Diesmal allerdings nicht, er hat schon sehr viel Zeit bei ihnen im Moor verbracht. Zu viel. Sie sind auch nur noch zu zweit. Justizsekretärin Bärbel Kahn ist schon seit einigen Tagen unter der Erde. Beziehungsweise zurück in ihr. Er war auf ihrer Beerdigung. Ihre Mutter war da. Ihr damaliger Lebensgefährte mit seiner Frau. Ihr Sohn aus einer frühen Ehe. Sonst nur Friedhofsangestellte. Und der alte Bulle stand im Hintergrund, wollte sich nicht zu der kleinen Gruppe stellen, zu denen, die gekommen waren. Man war wohl eher erschrocken, dass sie wieder auftauchte, dachte er sich. Über zehn Jahre verschwunden, man versucht, das irgendwann und irgendwie zu vergessen, und dann, plötzlich, wühlen sie vor der Stadt, am Rand der Stadt, zwischen den Städten, im Boden, im Moor, legen trocken, um zu bauen, was für eine Ironie, wo sie doch laut Ness den faulen Immobiliengeschäften auf die Spur gekommen sein muss, damals, und dann, Jahre der Ruhe, Jahre, in denen das Suchen und Fragen sich langsam in ein Vergessen wandelte: Hallo! Ich bin wieder da. *War nie richtig weg, hab mich nur versteckt.* Jetzt wissen sie wenigstens, dass sie tot ist. Keine unnötigen Träumereien mehr. Er geht zwischen Reihen der Grabsteine hindurch, auf diesen kleinen Wegen, die ihn wieder zum Hauptweg bringen sollen, zumindest zu einem der Hauptwege, er blickt über Hunderte, Tausende Gräber und Steine hinweg, wie eine Miniaturstadt, denkt er. Bäume dazwischen, Bänke dazwischen, weite und schmale Wege dazwischen, er verliert die Orientierung. Er kann sich nicht erinnern, schon einmal auf diesem riesigen Friedhof gewesen zu sein. Er dreht sich um und erkennt Eliot Ness, der am Rand steht, aber direkt neben der Gruppe der Angehörigen und Offiziellen, und zusieht, wie sie den kleinen Sarg hinablassen. Ihre Mutter wollte nicht, dass sie verbrannt wird. Er überlegt kurz, ob er noch einmal zurückgehen soll. Er hatte ja auch nicht vorgehabt zu verschwinden, bevor sie verschwindet. Er hatte sogar einen kleinen Blumenstrauß mitgebracht, den er dann aber auf ein anderes Grab legte auf seinem Weg, als er die kleine Prozession schon erkennen konnte aus der Ferne. War ein vertrocknetes, verwildertes Grab, das ein paar Blumen nötig hatte, den Namen sah er nur aus den Augenwinkeln.

Was will Ness hier?, denkt er. Abschied nehmen von den großen Fällen? Weil es keine Lösungen mehr gibt? Weil die Silberfäden bis ganz nach oben führen, wo immer das auch sein mag. Unten. Oben. Eliot Ness redete immer weiter, immer mehr Namen, Daten, Vorgänge und Nummern und Zahlen drangen aus seinem sich pausenlos öffnenden und schließenden Mund zu ihm, legten sich wie ein Netz um ihn, um sie beide, um alles, denn es ging um alles, wie Eliot Ness immer wieder sagte, die Welt, die Kartelle, die Krisen, oh nein, keine Krisen, ein Krieg, seit über zwanzig Jahren. In dem sich alles ineinanderschiebt, die Legierungen der Macht und des Geldes.

Der alte Bulle denkt an die großen Reden des Eliot Ness, der ihn an der Schulter packte, als er begann, langsam zu verdämmern, zu viel Cognac, zu viel Zeit, der ihn an der Schulter packte, ihm mit verzerrtem Gesicht Akten über Akten zeigte, ihm mal flüsternd und mal brüllend erklärte, wer ihm wann die Ermittlungen erschwert hatte, damals. Oder hat er die ganze Zeit geflüstert? In der nächtlichen Stille des Wintergartens. Die beiden Burgen. Das Rathaus, das die Bürger »die Burg« nennen, und das große Laufhaus, die Burg, das Bordell in der Nähe der Allee der schönen Augen, Autobahnauffahrt, Autobahnabfahrt. Dort läuft es nicht gut, hat er gehört. Die Jahre haben alles abgenutzt. Vergiss die Burgen, vergiss die Provinz, flüstert Eliot Ness. Die Grenzen wurden in der Vergangenheit überschritten. Dem alten Bullen reicht es. Zu viel Theorie. Zu viel Verschwörung. Selbst wenn Ness recht hat mit allem, seine Toten bleiben ohne Töter.

Er sitzt auf dem Schemel, sieht die Reihen der leeren oder belegten Kühlkästen. Das Licht der Neonröhren fängt an, seinen Augen weh zu tun, und er nimmt die Sonnenbrille aus dem Etui und setzt sie auf. Er weiß nicht genau und denkt auch später nicht darüber nach, warum er dann von dem Schemel aufstand, seinen Mann herauszog aus der Kälte und die Hände des Mannes noch einmal ganz genau untersuchte. Weil doch alles schon getan worden ist. Abdrücke, Faserreste, DNA. Nichts. Kein Verkrallen in den Körper des Täters. Wie auch, bei der Riesenwumme. Die ihm den Brustkorb förmlich zerfetzt hat. Schon ein Schuss wäre tödlich gewesen. Da war wohl jemand mächtig wütend auf ihn. Er muss die Sonnenbrille abnehmen, um wirklich zu begreifen, was er sieht. Muss sie dann wieder aufsetzen, um wirklich zu begreifen, was er sieht.

Und wieder sinkt er. Sinkt in diese dunkelblaue Tiefe. Schreckt hoch. Herzen der Meere, oder was? Zwei Sonnen über dem Wasser, oder ist das eine der Mond?

Später denkt er, dass das wahrscheinlich ihr *Mondgesicht* war, als sie sich über ihn beugte, als er nach Luft rang.

Später erzählt er ihr von seinem Großvater, der, und das hat er, also sein Großvater, von seinem Vater gelernt, also seinem Urgroßvater,

sie lacht, und sie trinken Sekt, der ihm das Herz rasen lässt, trotz der Blocker, die er nimmt, er erzählt ihr von seinem Großvater, der auf seinem Stück Land, nicht weit vor Köln, wenn man auf den Kirchturm der Dorfkirche stieg, konnte man den Dom sehen, der dort, auf seinem Land, den Boden mit Hilfe von Sprengstoffen lockerte. Nein, sagt sie, das glaube ich dir nicht.
Aber ja, das war früher üblich. Vor hundert Jahren ungefähr, Gang und gäbe.
So alt bist du doch noch gar nicht.
»Unser Ackerboden ist bekanntlich nichts Totes.«
Auf dem Grund sieht er die sich bewegende Ebene der Gräber, das Sichheben und -senken der Hügel, auf denen sich das endlose Feld der Steine erstreckt. Aber es ist nur das Wasser, das sich bewegt.
Bevor er aufwacht, sieht er diesen altarähnlichen Grabstein mit der Figur, der Statue. Ein bärtiger, grimmiger, zerfurchter Mann aus Stein oder Bronze, so genau kann er das nicht erkennen, der eine Weltkugel stemmt. Große Flügel, die bis zum Boden reichen, wachsen aus seinem Rücken. Jemand steht vor der Figur, vor der Grabstelle, die wohl für einen bedeutenden Mann errichtet wurde, steht dort, während Blasen aus seinem Mund dringen. Ist er das selbst? Nein. Er kennt den Mann. Der Alte oder der Mann hinter den Spiegeln? Schon früher hat er versucht, diese tempelähnlichen Anlagen genauer zu erkennen. *Du sollst diese Stadt, die du nicht kennst, erforschen.* Aber immer wieder fuhr er gurgelnd, nach Atem ringend, aus diesem Traum.
*Amalgam*, das Flattern und Knattern der Fahne im Wind auf dem Hurenhaus, die Outsiders, die Engel, »Kanacken-Attacken«, sagen sie in den Puffs, Diskos, Hurenhäusern und verteidigen den Markt, die Grenzen bleiben; *Kristall*, denkt der alte Bulle zuerst, als er den kleinen schimmernden Stein zwischen Daumen und Zeigefinger hält, er ist kalt, weil er in der Kälte lag zusammen mit dem Einbeinigen, fast schien er eingewachsen in die Haut, in die Hand, abgestorbene Schichten, letzte Bilder, vier Schüsse auf den Immobilienmann, den Herrn der Steine, damals, Messerstiche in Brust und Hals der Justizsekretärin, nachdem sie gewürgt und fast erwürgt worden war, blinkende Windräder, Zeppeline über der Stadt, Post aus Berlin, Verstärkung aus Hannover, die Einwohnerzahlen nehmen stetig zu, *Leb*

wohl, *Schimanski*, nächtliche Fahrten, OK, KO, große Mercedeslimousinen voller Kanacken, die langsam durch die Stadt rollen, als wäre hier die Kurfürstenstraße oder *fucking Berlin*, Flaneure, die Presse vergisst die Leichen im Moor, der alte Bulle liest die Hurenanzeigen in der »Bild«, werden das mehr oder weniger?, alles *on-line*?, die beiden werden eingeäschert, und niemand kommt, er liegt bei seinem Dickerchen und riecht ihren Schweiß und ihren Saft, er trinkt Gin Tonic mit der Chefin und den *schönen Augen* vor Schichtbeginn, »Ich wollte mich sexuell engagieren«, Eliot Ness sortiert seine Fäden, die plötzlich Stricke werde, Seile, armdicke Schlangen, »... als das überschüssige Wasser von dem Elbe-Urstromtal abgeflossen war, lagerten sich auf dem Grund des übriggebliebenen Sees über Jahrhunderte und Jahrtausende allmählich Reste organischer Substanzen ab«, die Lautsprecheransagen treiben unter den großen stählernen Rundbögen und verhallen, im »Toten Eisenbahner« zeigt das Skatblatt ein Grand Ouvert, weswegen das Lachen immer noch und immer weiter ... Jemand könnte es stehlen, der auf der Durchreise ist, Kindheitserinnerungen einer Hure auf der S-Bahn-Fahrt zur Schicht an jenen verlorenen Jungen Thaler, die silbernen Fäden verzweigen sich gemeinsam mit den silberglänzenden Schienen, wer fällt?, und wer sitzt hinter den Spiegeln? Züge fahren ein, und Züge fahren aus, und das Lachen seines Dickerchens kratzt ihm in den Ohren, dieses heisere kratzige Lachen, »Komm, noch ei Gläschen Prickelwasser, mei Gutsder!«, Rotkäppchen, Rotkäppchen, immer nur Rotkäppchen, »Die Sonne geht auf!«, Kapitaldelikte, Straftaten gegen die sexuelle Selbstbestimmung, Vermisstensachbearbeitung, Bandendelikte (Betäubungsmittel, Glücksspiel, organisierte Kriminalität, Falschgelddelikte), der alte Cop, *le Bulle*, erinnert sich an seine Zeit auf der Akademie, wie ihn sein Großvater einmal besuchte, kurz bevor er starb, die Hände schwielig, der alte Erdarbeiter, der noch den Boden mit Hilfe von Sprengstoffen lockerte, so wie er es einst gelernt hatte, ein kleines Büchlein über diese fast vergessene Verfahrensweise lag immer auf seinem Schreibtisch in der Bauernstube, neben dem Pfeifenständer und der selbstgeschnitzten Holzschatulle mit den bunten Muscheln, die, wie er immer erzählte, von der Hochzeitsreise waren, Deauville, Frankreich, davon erzählte er bis zum Schluss, weiter ist er nie rumgekommen in der Welt, hatte auch kein großes Interesse daran, rumzukommen in der Welt, der alte Cop, den seine Frau früher »Hauptmann« nannte im Scherz, denkt an das Haff oben im Nordosten, denkt an seinen nächsten Urlaub, fährt durch die nächtliche Stadt, die Nacht beginnt schon sechzehn, siebzehn Uhr im Spätherbst, im Frühwinter, die Facettenaugen einer sterbenden Schwebefliege sehen das Bild des Zimmers in unzähligen Bruchstücken, »Geldgier, natürlich auch oder vor allem Geldgier, oder ein ..., nennen wir es mal so ..., undifferenziertes Freiheitsbedürfnis, ja, ja, es war so, dass ich dachte, ich müsste mich sexuell engagieren«, Stimmen Stimmen, er erinnert sich an die Stunden, die er im Moor hockte und in die halbmumifizierten Körper der Toten lauschte, in denen er davon träumte, ihnen die Häute der Augen abzuziehen, um einen Blick auf ihre letzten Blicke werfen zu können, Miniaturbilder, Leuchten unterm Elektronenmikroskop, die Vergangenheit durchdringt alles, aber was soll das sein?, wenn er plötzlich irgendwo beziehungsweise irgendwann in diesem Kreis aufwacht, aus dem Schlaf und dem Traum, den sie, sein Dickerchen, in einem plötzlichen Anfall von Gefühligkeit, »im Herzen der Meere« nannte, er ist nicht anfällig für Kitsch, »... mehrere enge und abgelegene Straßen, wie die Zimmerstraße, das Kupfer- und das Sporergässchen für feinere Ansprüche, die Ulrichsgasse für Soldaten und Arbeiter, sind reich an solchen Häusern, wo er vor jedem, sage jedem Hause derselben von Dirnen in phantastischen Kostümen angerufen und zum Eintritt aufgefordert wurde«, er hört seine Bänder ab und denkt über den neuen Fall nach, Leichenteile im Fluss, ein junger Mann ganz oben auf der Liste, *Mord im Computerspielerausch?*, Täter und Töter, »Die Ruhe in der Stadt täuscht«, sagt ein V-Mann über die motorisierten Syndikate, welche Ruhe?, denkt er, aber natürlich ist es eine Ruhe, denkt er später, als er am Flughafen vorbeifährt, der in den Nächten wie ein großes UFO auf dem Feld ..., aber das hatten wir schon, es ist doch der natürliche Gang der Dinge, denkt er und freut sich auf seinen Gin Tonic bei Madame Gourdan, der Chefin der flatternden Fahne, er hat das Gefühl, er trifft außer ihr und den anderen bei ihr keine normalen Menschen mehr, mit denen er sich unterhalten kann.

Und als er den kleinen Diamanten aus den eingerissenen Hautschichten der Hand seines einbeinigen Toten holt, der ihn so fest gepresst haben muss im Moment des Sterbens, dass er sich durch die Schichten der Haut tief in sein Fleisch schob, ihn gegen das Licht der Neonröhren hält, fast geblendet wird von den winzigen und wunderschönen Brechungen und Strahlungen, *wie die Facettenaugen einer Schwebefliege*, weiß er, dass das endlich eine Spur ist. Aber es ist Nacht draußen, und er fährt mit einem Boot aus Mahagoni den Grenzfluss stromabwärts ins Haff.

Und als sie neben ihm schläft, schnarchend, weil die Arbeit anstrengend ist in jenen Vormittagsstunden und der Sekt und der Kreislauf und das verdammte Geficke miteinander kollidieren, legt er den kleinen Diamanten zwischen ihre riesigen Titten, auf denen noch sein Sperma klebt, »Spritz, mei Gutsder, ja, jaaa, spritz schön, meine Sonne, spritz mich voll, du geiler Hund!«, und beobachtet, während in Sekunden nichts passiert in der Stadt und in dem größer werdenden Kreis, sieht mit angehaltenem Atem, wie der Stein sich bewegt im unruhigen Schlag ihres Herzens.

# Ewigkeit zwo

HALLO, MEINE LIEBEN,
hallo, hallo, hallo!, und einen schönen guten Abend, eine wunderweiche Nacht wünsche ich allen, die jetzt live dabei sind, bei »Eckis Edelkirsch«! Setzt die Kopfhörer auf, dreht die Boxen leise und schickt eure Frauen ins kalte Ehebett oder dreht die Boxen laut, wenn ihr allein seid. Ecki bringt euch die nächtliche Stadt in die Herzen und Hosen, und wir bringen den Huren unsere Rosen, Applaus, Applaus, dreißig Minuten direkt in die Netze der Kavaliere und Suchenden, Wanderers Nacht-Glied.
Es gibt Gerüchte, und das sind ganz üble Gerüche, dass ich nicht mehr unter euch bin, nicht mehr weile mit meiner immergeilen Eile, ich bin erschüttert, bis tief ins Mark, meine Lieben, dass der geile Ecki angeblich keine Kirschen mehr testen kann für euch. Für euch, für uns und für sich selbst, ganz selbstverfreilichst! Moment ...

*Anja P., geboren 1988 in Weißenfels, Realschulabschluss 1994 (mit 2,1), Lehre als Bürokauffrau 2004 bis 2007 in Magdeburg, 2006 und 2007 gelegentlich tätig im Escortservice, Aufenthalte in Berlin, 2009 Umzug nach ..., dort gemeldet, ab 2009 Arbeit in einer Wohnung in der G.-Straße, Arbeitszeit Montag bis Freitag, 10 bis 20 Uhr.*

Oh nein, Ecki glüht rot und ist noch lange nicht tot!, steif steht der Mast des Lebens, und die Mädels blasen meine Fahne tief in den Wind hinein! Da wird euer Ecki, der ewige Ecki, ganz sentimental. Keine große Flatter, der tote Eisenbahner fährt immer noch und immer doch auf den Schienen der Lust. Lust, Lust, Lust und ab und an mal Frust, weil dem geilen Ecki nicht alle Kirschen den großen

Kick …, meine FICK … geben können, weil euer Ecki unbestechlich seinen Stich macht, oder eben auch nicht, ihr Kreuzritter der Nacht, ihr fahrendes Volk, habt Acht und lauscht und tauscht, also die Tipps, Eckis Tipps für geile Stunden … oder auch mal Minuten, denn auch ein Quickie ist mal schickie!

Ich habe gelesen und gehört, wie das eben so flüstert im Netz, in unserer kleinen weltumfassenden Kommune, dass gerade jetzt die große Frage nach den Puszta-Pussies. Und ob ich euch da nicht die Schwanz- und Lust-Versicherung geben kann. Und der Ecki kann.

Die Ungarn-Welle hält an, wie damals neunundachtzig, als die Hunderttausende in Zügen und Autos gen Buda und Pest strömten, weil die Tore in den Westen sich dort öffneten, jetzt aber Wirtschaftskrise in Hungary, der Staatsbankrott gerade mal so abgewendet, sagen die Zeitungen und die Zeitungen, der Sommer ist heiß, der Herbst ist heiß, und wenn die Mädels bleiben, wird auch der Winter heiß … Schweiß, Schweiß, Schweiß, so wahr ich Ecki heiß.

Aber dazu gleich, meine Lieben, denn in den letzten Wochen und Monaten hat euer Ecki getestet, dass der Gummi raucht, man könnte sogar sagen: auf der heißen Haut und in der heißen Braut schmilzt und verglüht! Bei der hammergeilen Ariella vom Balaton zum Beispiel, die findet ihr wie immer bei Nutten-Punkt-Net oder auf unserer Seite unserer rot belichteten Zeitung, gleich hinterm Sport, Fick dir deine Meinung, oder auf den Seiten von Sex-Punkt-Punkt-Punkt- … Netz wie Netzstrümpfe, ihr wisst schon, Städtenamen sind wie Gesichtsbesamen, aber ihr wisst auch so und so von welchen Punkt-Punkt-Punkt euer Ecki spricht und schreibt in der großen großen Stadt, Online-Radio, Sex on the City-Beach, ja, ja, ja.

»Hammer Body« wirbt die Hammer-Braut beziehungsweise lässt sie werben von unserem legendären Manager der Lust, und für hundert die Stunde beziehungsweise hundertfünfzig, wenn sie euch besuchen soll in eurem Liebesnest, da will man nur noch den Hammer, den Bello, versenken in ihrem geilen steingemeißelten Körper. Jawoll und wollja! Und den hat sie, obwohl ich an den vierundfünfzig Kilos in ihrer Sedcard bei Nutten-Punkt-Net zweifele. Da packt nochmal fünf bis zehn drauf, und wenn der Gummi voll ist, und ihr könnt ihr auch auf die … uups Titten spritzen, ist sie sicher bei knappen siebzig. Aber sie ist kein Vollweib, geiler Arsch und Hammer-Titten. Daumen nach oben. Daumen rein. Reine Daunen-Ware. Deutsch kann die Kleine so weit ganz gut, Ficken, Blasen, Natursekt passiv, Zungenanal passiv, das lese ich jetzt bei einigen, das ist auch so ein Trend, und die Rosette ist echt zum Abschleckern, JA, JA, JA. Und der Akzent ist allererste Sahne, da steigt der Saft, wenn die Süße so rumgeilt beim Abficken.

Und weil hier jemand fragte, durchs Hintertürchen ist sie leider nicht begehbar, aber sie reißt euch den Arsch auf, wenn ihr das wollt, und ihre kleine Faust ölt sie gerne ein für FF passiv.

Der Mannie-Fuchs aus Geithain schrieb mir gestern, er hat zehn Meter weit gespritzt, als ihre kleine Faust in seinem Arsch war. Ja, meine Lieben, für unsere offenen Worte sind wir beliebt, ganz offiziell. Wie die Worte, so die Löcher.

*Zuzsa F., geboren 1991 in Budapest, Vater Offizier, Mutter Dolmetscherin für Englisch und Deutsch, 2008 Verlust des Ausbildungsplatzes im Zuge der Staatskrise, der Wirtschaftskrise, 2008 Partyszene in Budapest, 2009 Reise mit zwei Freundinnen nach Prag, Tätigkeiten in Tabledancebars, als Bedienung in einem Casino, Kontakte zur Vermittlungsagentur des Zoltan M., ab 2009 erste Tätigkeiten im Bereich sexuelle Dienstleistungen in einer Wohnung in der K.-Straße in Dresden.*

Aber die Unruhe kocht ein wenig hoch in unserem noch heißen Spätsommer, was geht, was passiert, können wir noch in Ruhe ficken? Fremde Frauen, samthäutige, schwarzhäutige, türkischer Honig, Blumen aus Hanoi, das lieben wir, und auch die deutsche Hausmannskost und die deutsche kleine Drecksau und russisches »Krieg und Liegen«, wenn sich die süßen Körper verbiegen, aber Hauptsache, die Auswahl ist da, und der Markt saugt uns aus bis aufs Mark, und die Preise bleiben, wie sie waren, das gute Bewahren, nicht wahr? Aber alles wird teurer, und die Renten sind sicher. Und da kriegt auch euer Ecki, euer ewiger Ecki, es mit der Angst zu tun. Wenn das wilde Kurdistan hier durchkommt, durch unsere … Punkt-Punkt-Punkt große Stadt. Locos aus nicht unserer Herren Län-

der. Abschaum aus der Hauptstadt. Aber unsere Stadt hat den Abschaum satt. Wir sind liberal und politisch Konfekt. Und weil wir ja hier den offenen Worten wie den offenen Löchern huldigen: Schickt sie heeme, am besten ohne Beene.
Da stehen wir voll hinter unserem fast schon legendären Manager der Lust, unserem Alten vom Berge, ich weiß noch, als sie ihn vor über zehn Jahren fast erledigt haben, da ist er wieder aufgestanden und hat die Jugos und Kanacken (Ich hab nichts gesagt, da war nur so ein *Knacken* in der Leitung) ordentlich eingeölt und zurück durch ihr Schlüsselloch geschoben, wenn ihr wisst, was ich meine. Da blieben nur Gebeine. Was man so hört, unter den Straßen, in den Salons.
Aber die Tagespolitik und der Verfall der deutschen Sitten sollen nicht unsere Tagesthemen sein, ihr hört »Eckis Edelkirsch«, Ecki auf der Pirsch. Ich will nur sagen, ängstigt euch nicht, die Schüsse sind gefallen, der Rauch ist verdampft, die *Situation* schon fast entkrampft. Aus der Hauptstadt und aus Hannover-City nahet Hilfe, der Markt wird wieder reguliert, und dann können wir wieder ungestört wandern gehen, wandern durch die Nacht, Bumm-Bumm ohne BUMM BUMM, Girl Girl Girl, wolln mal sehn, wie die Sterne heut stehn.
Und zurück zu unserem Balaton-Girl, unserem Puszta-Mädchen. Wer die Romantik liebt und leibt, kommt bei Wachs- und Kerzenspielen auf seine Kosten, ich hab's selbst noch nicht ausprobiert, der alte Ecki steht mehr auf den guten alten Reinsteckefuchs. Frei nach Goethe, reinecke die Flöte.
Aber was für eine Schönheit, kann ich euch sagen, hört, die Uhr hat zwölf geschlagen. Die Ariella hat scheinbar Kiemen, so tief nimmt diese kleine Meerjungfrau den Aal in den Mund und nuckelt euch in einen samenlosen Schlaf. Kehle, leider nein. Aber fast, könnte man wagen. Die großen Sagen.
Wer tiefer noch in die Mundfotze ficken will, der wird woanders fündig, dazu gleich, ihr Freunde des gepflegten Deep Throat, aber ich kann und will nicht aufhören, die rassige Ariella zu rühmen und zu loben, denn sie küsst auch und zeigt euch, wie euer Schwanz schmeckt, denn sie bläst natürlich ohne, will aber keinen

Schuss in ihrem süßen Mund. Und dass sie vierundzwanzig ist, will ich ihr und unserem legendären Manager der rotleuchtenden Pussycats fast glauben, der Paria der Paviane, verzeih, Meister!, vierundzwanzig, denn ihre Haut und ihre runden Winkel zwischen Arsch und Muschi, zwischen Oberschenkel und Hüfte, sind samtig und glatt und weich, dass ich gleich wieder ihre Nummer wählen will. Achtzehn bis Mitte zwanzig. Und keine Eile macht sie, und keinen Stress hast du, oh Gast, oh spendabler Freund der Lust, wenn du die volle Stunde bezahlst, denn zärtlich und geil, wie wir es wollen und brauchen, ein Zigarettchen, einen Kaffee, ein paar nahe Worte in ihrem Bett ..., dem Genießer schlägt dort keine Stunde ..., heh ..., der alte Ecki wird noch zum Poeten, wenn er an Ariellas heißen Atem denkt. Wer ihre Pussy geschleckt hat, wie die Geile vor dir hockt, ihre Arschbacken auseinanderzieht beim Ficken ..., heh, die Frau scheint Spaß zu haben, Eckis ganz besondere und besamte Edelkirsche für unseren heutigen Abend, eine weitere Oase für unsere Wanderungen durch die Wohnungen und Straßen der Nacht.

Und ihre ebenfalls ungarische Kollegin Aruscha saugt eure Schwänze bis tief in die Kehle, ohne Gummi versteht sich (allerdings nur beim Saugen, nicht beim Ficken, ist ja klar), das wollt ich euch vorhin noch sagen! Wo ich letztens in der Wohnung in Punkt-Punkt-Punkt war, bei unserer Ariella, war Aruscha im Nachbarzimmer, das ungarische Doppel-A, Arschficken leider bei keiner von beiden, trotzdem der Hammer-Hammer, aber macht schnell, ihr Lieben, mir ist zu Ohren gekommen, dass Aruscha, dieses blonde, ob Natur kann ich nicht sagen, Kehlenfickwunder, bald schon wieder weiterwill. Ich habe sie beide getestet, in den Hals spritzen darf man Aruscha allerdings nicht, sie gurgelt zwar schön, wenn sie euren Aal verschlingt, spürt aber ganz genau, wenn euch der Saft kommt beziehungsweise wenn er langsam aus den Eiern nach oben wandert, unbezahlbar dieses Nachtlied im Abendkleid, all inklusive nimmt sie allerdings einen HuFu für die Stunde, dafür darf man ihr auch das süße, etwas rundliche Gesichtchen besamen. Geil, geil.

Schreibt mir doch letztens jemand, was das mit »Eckis Edelkirsch« auf sich hätte, also mit dem Namen.

War sicher ein junger Ficker, ein junger Nachtwanderer, der noch nie was von diesen göttlichen Pralinen Namens »Eckes Edelkirsch« gehört hat, ein Klassiker, den gab's ja auch als Likör, aber ich muss zugeben, dass ich gar nichtmal genau weiß, ob die immer noch auf dem Markt sind. Aber wer noch immer auf dem Markt ist, und fast schon ein Klassiker, ist die Moni, die Moni-Milf im Haus Nummer 23, drüben im Süden der Stadt, wo die Sonne immer scheint, obwohl dort ja nicht allzu viele Modelwohnungen auf unseren Besuch warten. Der ehemalige Fleischermeister hat ja dort in der Nähe seinen Club, obwohl er das ja nicht gerne hört, also dass er Fleischermeister und ehemalig ..., und ich rühme seinen Club nun schon seit Jahren als eine Old-School-Oase, kommen wir nachher vielleicht noch drauf zu sprechen, wenn die Zeit reicht, wenn die Quote reift, aber ich mache hier ja modernes Theater und muss mir keine Sorgen machen über Zeiten und Quoten; klein, aber fein sein Laden and think a little big und XXX-besser als die große Burg am anderen Ende der Stadt, die ja angeblich auch fast pleite ist, wie man so hört, aber ich schweife ab, meine Lieben, vor achteinhalb Wochen haben wir uns das letzte Mal gehört, war ich das letzte Mal auf Sendung, und das ist eine verdammt lange Zeit, da kann man schonmal ins Plaudern kommen, gelle?

Aber wir wollen ja Tipps unter die Tausende bringen, zu euch unermüdlichen Rammlern, uns unermüdlichen Rammlern und Sammlern, die wir die einzig wahre Volkswirtschaft am Laufen halten, ins Leben schalten. The big titt. Für kein Geld der Welt fickt's sich besser als für Geld. HEHHH, APPLAUS APPLAUS. Denke ich manchmal. Im Hintergrund hört ihr grade einen Oldie, einen Klassiker, »In the year twentyfive twentyfive«, den lassen wir mal kurz laufen und lauschen und fühlen und erinnern uns, dass wir in unruhigen Zeiten leben, aber euer Ecki gibt euch die Sicherheit, gibt euch die Konstante, HEH HEH HEH, besser, es wäre eine Constanze, ich kannte mal eine Constanze, WOW WOW WOW, sage ich euch, die war auch eine Konstante, das war gleich nach der Wende auf der legendären Allee der Wohnwagen, wir brachten so manche Nacht zum Wackeln, noch Fragen?

Und wer sich daran erinnert, an jene Jahre zwischen Zeit und Strom,

Fels und Geweb, es führt kein Weg zurück, und das ist gut so, auch wenn die Luft kocht wieder im Moment, Wohnungen und Luxusgirls gab's damals keine oder so gut wie.

*Zofia G., geboren 1988 im Dorf H. nahe der ungarisch-kroatischen Grenze, nach Abschluss der 10. Klasse Arbeit auf dem Hof der Eltern, über eine Agentur, vermutlich die des Zoltan M., nach Deutschland vermittelt, Tätigkeiten ab 2009 in Erotikshows und Stripbars, seit 2010 tätig in der Wohnungsprostitution in verschiedenen deutschen Städten zusammen mit einer ehemaligen Klassenkameradin aus dem Dorf H., zuletzt in XXX, schickt der Familie regelmäßig Geld.*

Von dort nach hier, die Gegenwart ohne Vergangenheit, wir wandern wie die alten Philosophen.
Gott ist tot. Sex lebt. Hoch hoch hoch. Moni-Milf is very milf. Mit der könnt ihr alles anstellen. Was das Hirn begehrt. Dreilochstute. Altes Luder. Aber da will ich nicht unhöflich sein, ganz und gar nicht. Weil, und jetzt kommt's: Ich liebe diese alten Leder. Allein ihre Stimme macht den Sex. Nix Ex. Der Körper noch stramm wie ein alter Sattel. Sagen wir lieber: das Leibchen. Eine Jahrhundertfrau, zumindest das halbe Jahrhundert. Dem Jungchen, der mir letztens schrieb, von wegen: Was hat das zu bedeuten mit dem »Edelkirsch«, dem habe ich sie gleich empfohlen, Brief und Siegel drauf, weil: (Kalauer an) – auf alten Stuten lernt man reiten. Das braucht uns alte Profis nun nicht zu interessieren, aber der gute Ecki hilft, wo er kann. Hab noch keine Antwort von ihm, wahrscheinlich liegt er mit leeren Eiern irgendwo im Koma, denn eine Stunde mit Moni sind Lust und Schmerz und Wahnsinn, und das Hirn zerspringt und zerfließt irgendwo in ihren Löchern.
»Schön bist du, meine Freundin, / ja, du bist schön. Hinter dem Schleier / deine Augen wie Tauben. Dein Haar gleicht einer Herde von Ziegen, / die herabzieht von Gileads Bergen. Deine Zähne sind wie eine Herde / frisch geschorener Schafe, / die aus der Schwemme steigen. Jeder Zahn hat sein Gegenstück, keinem fehlt es. Rote Bänder sind deine Lippen; lieblich ist dein Mund. Dem Riss eines Granatapfels gleicht deine Schläfe / hinter dem Schleier.

Wie der Turm Davids ist dein Hals, / in Schichten von Steinen erbaut; tausend Schilde hängen daran, / lauter Waffen von Helden. Deine Brüste sind wie zwei Kitzlein, / wie die Zwillinge einer Gazelle, / die in den Lilien weiden. Wenn der Tag verweht und die Schatten wachsen / will ich zum Myrrhenberg gehen, / zum Weihrauchhügel. Alles an dir ist schön, meine Freundin; / kein Makel haftet dir an.«

Das Hohelied des guten alten Salomo.

Ich sage, meine Lieben, immer die Wahrheit, und da muss ich sagen, dass in der XXX bei der Moni, also wo die Moni wohnt, wenn sie sich für Cash ficken lässt, das ist ja ein richtiges Wohnhaus, wie ihr wisst oder jetzt von mir erfahrt, und da sind ja noch andere Mädels drin, hab ich schon vor neuneinhalb Wochen drüber geschwatzt, wenn ihr euch erinnert, also dass es in diesem Haus, mir sind ja ehrlich, schon ein bisschen hübscher sein könnte, bisschen Staub wischen auf den Fensterbrettern, wär ja der Anfang. Da liegen die Fliegen, und die sind tot. Unser verehrter Manager der Macht hat seine Hand da nicht drauf, soweit ich das weiß, denn bei ihm, in seinen Oasen der Willigkeit und Verfügbarkeit, gibt es schon eine gewisse Sauberkeit, soweit ich das beurteilen kann. *Eden City.*

Aber das soll jetzt nicht heißen, dass es bei Moni und in der Dreiundzwanzig räudig ist, denn wie räudige Hunde können wir uns dort austoben, vor allem eben bei der ..., YES, GENTLEMEN.

Sie macht im Prinzip alles. A bis A. Zungenanal bis Frühlingsgefühle. HEH, ihr da draußen, haben wir grad Sommer, Herbst, oder schneit es in der großen großen Stadt?

Im Gesicht wie Oma, der Körper wie Omas Urenkelin. HEHHH, da werdet ihr hellhörig, was? Gespitzte Ohren, gespitzter Schwanz. Das ist die Geilheit der Diskrepanz. Und ich will nicht unhöflich sein, weil »Oma« war vielleicht ein bisschen böse, aber was für eine Möse! Ausgeleiert? Nein. Eng. Mein Gott ist die eng. GIRL GIRL GIRL, sie hat blonde kurze freche Haare, sie ist bissel faltig in the face, aber sie bläst, sie schluckt, sie reißt sich den Arsch auf für euch, für uns, eine Stunde für unschlagbare Hundert und kein Aufpreis für AV oder den berühmten Kehlenfick, das kommt alles von ganz allein, wenn der Schein in ihrer Tasche ist.

LOB LOB LOB, ihr findet sie bei Nutten-Punkt-Net und auch auf der Webseite XXX. Und wenn es einen Kontest gäbe, welches Girl am nettesten fickt und welches Girl die bezahlte Stunde, jene blaue, farbige, aufregende Stunde, ohne Uhr auch mal verlängert, dann haben wir bei der Dreiundzwanzig und weit darüber hinaus, eine geile abgerockte Siegerin. Und da ist unser Song ... LIKE A VIRGIN ... UHHH ... VERY FIRST TIME ... LIKE A VIR-HIR-HIR-GIN. Es sind ja einige unter uns, das weiß ich, die die jungen Leiber sich lieber einverleiben. Und manchmal geht's mir genauso, siehe unsere Puszta-Nymphen, diese gierigen Mittzwanziger, und ich habe jederzeit paar Tipps auf Lager bis runter zur Achtzehn, wo man das Jungblut kriegt, gut und günstig sozusagen.
Die kalten Winde bliesen / Mir grad ins Angesicht.

IHR LIEBEN. Ecki ist immer noch on-line. Aus der großen Stadt in die kalten Betten. Aus den heißen Betten in die leere Stadt. Seid ihr noch da, seid ihr noch bei mir? Aber ich sehe, die Mails und Nachrichten glühen rein. Da schreibt doch einer, dass ich mal ganz und gar stillos wäre und die Zunft der Freier verunglimpfen undsoweiter ... Alles Stiletto, oder was? Wo ich mich doch tief verneige vor den Damen der Nacht, vor den wunderbaren Grabennymphen (denn so nannte man sie früher, vor Hunderten von Jahren, als sie noch vor den Städten arbeiten mussten, wieder was gelernt, Herr Graf, gelle?).

*Anja N., geboren 1991 in der Industriestadt D. in der Ukraine, abgebrochene Lehre als Industriemechanikerin, 2009 nach eigener Aussage als Hotelangestellte in W., Deutschland, eingestellt, 2010 im Nachtclub XXX in F. als Sexarbeiterin tätig, laut eigener Aussage über den genauen Inhalt der Tätigkeit anfangs getäuscht, Kontakt zur Hurenorganisation Hydra, Anfang 2011 kurzzeitige Rückkehr nach D., seit Ende 2011 tätig im Club XXX in Berlin.*

Was wissen wir schon über unsere Frauen ..., diese und jene. Wir zäumen sie auf, die süßen Ponys. Drei haben wir besprochen. Unabhängig und für alles offen. Unsere Hohelieder der Leiber. Und

185

ob ich schon wanderte im finsteren Tal …, fürchte ich kein Unglück …, keine samenlose Zeit. Unser Stecken und Stab …, tief dringen sie ein.

HAUS UND HOTEL. CODENAME CARMEN. Gar nicht lange her, dass ich bei ihr war. Mit der Carmen war das Problem, dass sie nicht rauswollte aus ihrer Bude. Und ihr Rücken war eine einzige Narbe. Sie hat sich irgendwas rausschneiden oder bestrahlen lassen auf dem Rücken. Und ich sag noch: Hotel bitte. Aber sie: Nee, sorry, das geht grad nicht, komm doch nach da und da. Und ich ins Taxi rein. Ewig gesucht nach dem Eingang. Wie damals nach dem Keller der Blutjungen. Mein Gott, war die geil, war die hübsch, blank rasierte Muschi, GEFÄLLT DIR MEIN KLEINES BLANKRASIERTES SCHNECKCHEN?, hätt meine Tochter sein können vom Alter her. Die Kleine war wunderbar. Einziges Problem: Sie wollte keine Stunde. Wo doch die Stunde … Sie wollte nur für Einzeln, hundert für einmal, hundert für keinmal, aber da muss ich sagen: Die war nicht bei der Sache, bei der Sache war sie nicht richtig. Obwohl ich ihr zweihundertfünfzig für eine Stunde bot, sie aber wolle alles PRO zu PRO, nix all inklusive, wasch dir die Hände, wenn du mich fingern willst, hab ich doch!, ich mag das nicht, das kostet so und so, old school, heute sind die Mädels kaum noch so, der Markt … Aber ihre Pussy schmeckte nach Pisse, das werde ich nie vergessen. MIR IST DIE FRÖHLICHKEIT ABHANDEN GEKOMMEN.

*Peggy D., geboren 1971 in Plauen / Vogtland, Ausbildung zur Sekretärin, mehrere Weiterbildungen und Lehrgänge bis 1989, von 1987 bis 1989 tätig als Stenographin in Moskau für Interdruck, spricht fließend Russisch, verheiratet seit 1993, Geburt der gemeinsamen Tochter 1993, Eröffnung eines Fachgeschäfts für Bürobedarf in der Stadt XXX zusammen mit dem Ehemann Ulf D. 1995, Insolvenz 1996, seit 1998 tätig in der Wohnungsprostitution im Unternehmen des XXX.*

Die Frau, drüben im Amalgam der Stadt, der Nachbarstadt, der Vorstadt …, ich kann's hier nicht sagen, aber ich habe mich fast verliebt in sie. SIND WIR JETZT GERADE OFF-LINE? Unser geachteter Mann, unser Manager der behinderten, will sagen verhinderten Prothesen (denn wir wissen ja alle, was neunundneunzig geschah, in jenem dunklen Jahr), unser König der Vermietung ist dort und vermietet, ich habe gesehen, wie er in seinen Mercedes gehumpelt ist. Ich habe gesehen, wie seine Jungs, seine Armee die Geschäfte ruhig hält, und während ich sie besspritzte, lobte sie. Ihn. »Das ist ein ganz Guter!« Und die Arbeitsbedingungen. LOB LOB LOB: *devote Lady mit Geilheit und Hingabe*. Nun weiß ich nicht, ob sie für *ihn* oder den anderen Mann im Schatten arbeitet, obwohl der ja nur die Puffs und Clubs verwaltet, aber wen stört das schon, beide sind sie korrekte Geschäftsmänner. Wenn ihr mich fragt, Männer.

Und da sind wir wieder. HALLO, MEINE LIEBEN. War nie wirklich weg. ICH BIN WIEDER HIER, IN MEINEM REVIER.
Und ihr erwartet die Tipps von mir. Ich bin dabei. Es schmeckt mir nach Pisse auf der Zunge. Geil. Wir wandern durch die Hunderte Weiber, wir testen sie aus, wir probieren, wir geben gerne Geld für die Löcher. Wir sind wieder on-line. Losgehen, losfahren, klingeln. Wohnungen, kleine Puffs, schöne Clubs, wunderbare Frauen. Sechs- bis siebenhundert in unserer Stadt, Tendenz steigend, immer parallel zur Einwohnerzahl ... Jetzt meckert nicht rum, die ersten Mails flattern schon rein in endloser Flatulenz, dass ich zur Sache kommen soll, denn wir haben ja noch einen Überraschungsgast, aber vorher: Die Rubrik »Kaviar – wo ist das wahr?«, die gibt's nicht mehr, die habe ich gestrichen, der Braunstift malt hier nicht mehr in der Hose und auch nicht Richtung Dose, wenn ihr versteht, meine Lieben, was ich meine, meine Lieben. Ich habe immer versucht, mir vorzustellen, was daran geil *geil* sein soll, wenn die Wurst unser Gesicht oder unsere vor Geilheit straffe Männerhaut umspielt ..., nein, sage ich, da bin ich ganz Egoist, auch wenn ich verstehe, dass die Wonnen einer blonden Dusche nicht zu verachten sind, da habe ich gleich unter der Hand einen Tipp. Tippt mit! Da ist jene Nicole, jene nimmersatte Nymphe, die Nummer seht ihr auf meiner Seite, hier nochmal schnell die Adresse, weil mitgehört ist mitgemacht. Das Eisenschloss, dieses wunderbar verhurte Haus im Süden unserer Stadt Eden, und das meine ich als Kompliment für die Huren, unsere Frauen, die sich dort dem hartschwänzigen Stamm der Gäste

hingeben, Straße XXXX, Nummer X, unten klingeln, die Auswahl wartet drinnen, die feuchtwarme Nicole war letztens in der zweiten Etage, wo sie sich bereitwillig und breitwillig, meine natürlich breitbeinig, über dich hockt, Champagner-Wetter, und dich in der weißen kühlen Badewanne mit ihrem gelben heißen Saft …, und jetzt versagt meine Poesie, diese meine nachtgegebene …, einfach geil und herrlich vollpisst. Wenn du das wünschst. Als ich noch verheiratet war, war die Dusche, waren die Wasserwerke danach wichtig. Oh, wie wichtig. Denn vergesst nicht, die Nasen der Frauen sind misstrauisch. Nun haben wir den Faden verloren. Der Faden des Safts, der aus dem preisverdächtigen Mundfötzchen der N. N. läuft … Schaut auf meiner Seite, wo die Rubrik der liebevollen Mundfickerinnen schon beim Lesen …, da muss ich selbst bald nochmal schauen, wer diesen wunderbaren Entsaftungsservice bietet, denn viele sind es nicht …, ihr seht, ihr schwebt, für jeden ist was dabei. Aber nun wieder zur knallharten Berichterstattung, zur knallharten Aufklärungsarbeit, FAKTEN FAKTEN FAKTEN, nicht nur über die Nackten und Gefickten! J'accuse, ich klage an: jenen Gerüchteküchenkoch, der den Alten vom Berge, unseren Geschäftsmann der Lust, den Vermieter der Paradiese, anklagt, dass er Frauen importiere, dass er Frauen zwinge beziehungsweise mit den Importeuren und Erzwingern eng zusammenarbeite, und dann führt dieser Ankläger in den Weiten des Netzes sogar Namen ins Feld. Rechtlich bedenklich scheint mir das, aber lassen wir die Fakten sprechen, das Protokoll der Schande ungekürzt hier auf meiner Seite, nur einen Klick entfernt, und gleich hier und live in Auszügen gelesen von eurem Ecki und mit Anmerkungen von eurem Ecki, der euch, meine Lieben, versichern kann, dass alles legal und koscher ist in den Zimmern unseres Vermieterkönigs! Und gerade die heißen Puszta-Mädels, unsere süßen Ungarinnen, sollen es sein, die da unter Zwang stehen! Und nicht nur eine führt der besorgte Bürger namentlich an, wir haben sie vorhin besprochen, rezensiert wie ein gutes Buch, und ich zitiere des Weiteren aus den Protokollen der Unweisen beziehungsweise des Unweisen, und wer alles wissen und lesen will, die große Hurenverschwörung beziehungsweise -ausbeutung, klicke nicht dem süßen Mädel ganz oben auf meiner Seite zwischen

die Beine, da findet ihr die Nummern und Adressen und Bewertungen, klickt auf den kleinen Hydra-Kopf unten auf der Seite, um den sich die Schlangen winden, und bevor unser Überraschungsgast zu Wort kommt, lese ich jetzt einige Auszüge, ganz unkommentiert: »Die osteuropäischen Frauen müssen täglich siebzehn, achtzehn Stunden in den Wohnungen arbeiten, das ist wie eine Dritte-Welt-Ausbeutung. Sie dürfen keine eigene Freizeit haben, sie dürfen die Wohnung nicht alleine verlassen, werden unter Zwang festgehalten. Die Vermittlerbande schickt die Mädchen immer wieder in andere Städte Deutschlands und Europas, damit sie keinen Kontakt zu anderen Mädchen außerhalb der Wohnungen aufbauen können. Die Zuhälter wenden Gewalt an, wenn die Frauen die Forderungen nicht erfüllen. Sie müssen Extraleistungen erbringen, ohne Schutz. Die Strafen, wenn die Frauen die Leistungen nicht erfüllen, sind so hoch, dass sie unter Zwang alles ausführen, was die Freier und Zuhälter von ihnen verlangen. Sie müssen für die Wohnungen auch viel höhere Tagesmiete zahlen als die deutschen Frauen und fast alle Einnahmen an die Hintermänner abgeben. Ich habe starke Hinweise darauf, dass die Behörden von diesem Zwangssystem profitieren und deshalb nichts gegen diese Verbrechen unternehmen.«
So weit, so schlecht, meine Lieben. Und unsere Leitung summt, und die Daten flimmern durchs Netz, und ich, euer Ecki, euer ewiger Ecki, fließe durch die Stimmen und die Seiten und gleite durchs Gewirr der silbernen Fäden, und das Telefon klingelt, und ich freue mich auf meinen Überraschungsgast, den Mann, der wie einst Orpheus den Weg aus der Unterwelt fand, zurück ins Licht, zurück ins Licht.
Aber bevor wir den großen Mann zu Wort kommen lassen, noch ein vorher aufgezeichneter Kommentar einer Liebeskünstlerin, einer Sexarbeiterin, die ich persönlich schon mehrfach besucht habe und die ich hier in einer der letzten Sendungen in höchsten Tönen lobte, die aber mittlerweile – leider, leider! – in einem anderen Beruf tätig ist. Und die sich unbedingt äußern wollte zu diesen Vorwürfen gegen ihren ehemaligen Chef und Vermieter. Band ab, meine Lieben:
»Ich weiß nicht, was hier für ein Szenario über BIEP gemacht wird.

Ich habe bei ihm über Jahre Wohnungen angemietet zu fairen Preisen. Auch habe ich mit Ungarinnen und Kolleginnen aus aller Herren Länder zusammengearbeitet, und meistens gut zusammengearbeitet. Habe diesbezüglich nichts von Schlägereien und Zwangsprostitution erfahren oder miterlebt. BIEP ist ein korrekter Mensch, ist jederzeit für seine Mädels da. Ich schätze ihn sehr in dieser Branche. Und all das negativ Geäußerte, all diese Anschuldigungen kann ich nicht nachvollziehen, kann ich nur negieren. Er ist fair und ein großartiger Mensch.«
Der Mann mit dem BIEP wird uns gleich berichten, was es mit all den Anschuldigungen oder Lügen, oh Pardon – aber im Zweifel für den Angeklagten, und keine Rosen für den Staatsanwalt, und der Verteidigungsinstinkt ist nunmal groß, wenn man uns Freier und Nachtwanderer zu Nutznießern des Elends und des Zwanges machen will –, was es also mit dem ganzen Kaviarsturm auf sich hat. Und ebenfalls vorher aufgezeichnet, bitte, meine Liebe:
»Lieber Ecki, schön, dass ich bei dir zu Wort komme, das ist ja heute gar nicht mehr üblich. Küsschen, mein Lieber. Aber sende das nächste Mal nicht so viel geilen Schweinkram durch den Äther, du machst meine Gäste ganz irre, nun ja, mein Lieber, du weißt schon, wie du den Verkehr anheizt! Also, wie du weißt, bin ich eine gestandene, deutsche Frau, und ich miete seit einigen Jahren bei BIEP eine Wohnung an und würde niemals mehr einen anderen Vermieter haben wollen, kann mir kein besseres Arbeiten als in seinem Objekt vorstellen. Was dieser XXX da schreibt sind alles Unwahrheiten und in keinster Weise Fakten, da ist nichts bis zum Ende ermittelt oder recherchiert! Der Gute sollte sich mal aufklären lassen! Und ich habe das schon oft erlebt, als Berufserfahrung sozusagen, dass eine ausländische junge Frau einem Gast auf die Mitleidstour kommt, denn es gibt genügend Gäste, die darauf reinfallen und Geld oder sonstiges den Mädels spendieren, ist doch schlau von den Mädchen, obwohl ich glaube, dass das auf Dauer sich nicht auszahlt, aber dieser Typ ist da anscheinend voll auf den Leim gegangen. Und bevor er solche Verleumdungen verbreitet, was ja vielleicht sogar strafbar ist, aber da kenne ich mich jetzt nicht so aus, hätte er sich doch besser an den richtigen Stellen informiert. Ich will gar nicht

abstreiten, dass es genug Stress und Probleme in der Branche gibt, Neid, Mobbing, wenn ihr wisst, was ich meine, aber ich habe immer versucht, fair und sauber zu arbeiten, und ich kann nur sagen, dass BIEP auch fair und sauber arbeitet.«
Danke für die Blumen und die Kritik, meine Liebe, und jetzt ist es Zeit, Ladies and Gentlemen, meine Lieben, ihr Nachtwachen und Nacktwachen, live bei »Eckis Edelkirsch«, wir werden unsere kleine Sendung wohl demnächst umbenennen, *it's blowtime*, sendet mir einfach eure Wünsche und Vorstellungen, und jetzt aber genug gewartet, ich mache die Leitung frei für einen unserer angesehensten Bürger, ich nenne ihn manchmal respektlos »den Alten vom Berge«, aber das nur, um meine Achtung auszudrücken, aus rechtlichen Gründen und aus rechtslosen Gründen möchte er heute aber anonym bleiben, rein formell, wie er mir vorhin versicherte, ich muss zugeben, ich bin ein wenig aufgeregt:
RÄUSPER RÄUSPER

»Also, herzlich willkommen und vielen Dank, dass Sie sich bereit erklärt haben, zu den Vorwürfen Stellung zu nehmen in meiner kleinen Sendung!«
»Guten Abend allerseits. Also ›Vorwürfe‹ nennen Sie das.«
»Nun ...«
»Zuerst einmal möchte ich Ihnen sagen, dass Sie mit Ihrer ›kleinen Sendung‹, wie Sie es nennen, einen großen Schritt in Richtung Aufklärung gehen, in dem Sinne, dass wir unverkrampft und offen mit dem Thema der Sexarbeit, der sexuellen Dienstleistungen und vor allem der sexuellen Dienstleisterinnen umgehen, umgehen müssen, auch wenn Sie da manchmal arg dem Kalauer verfallen und in eine, auch wenn ich denke *ironische*, sexuelle Raserei geraten ...«
»Nun, da geht es mit dem guten Ecki hin und wieder durch, muss ich zugeben.«
»Es ist ein Geben und Nehmen, wie in anderen Geschäften auch, mein lieber Ecki, ich darf Sie doch Ecki nennen ...«
»Selbstverfreilichst dürfen Sie!«
»Sie haben sich ja da schnell auf meine Seite geschlagen, wenn ich

die letzten Minuten, die mir zugegebenermaßen wie Stunden vorkamen, richtig verfolgt habe.«
»Ich konnte mir einfach nichts anderes vorstellen, wissen Sie, wo ich doch in den meisten Ihrer Objekte gewesen bin.«
»Ich weiß das zu schätzen, mein lieber Ecki, aber ich bin mir nicht immer sicher, ob Sie die Dinge durchschauen, aus Ihnen spricht der Gast, der ewige glühende Gast …«
»Oh ja, der Ecki glüht, hin und wieder zumindest. Aber deswegen freue ich mich ja, dass ich mit Ihnen über die Fakten sprechen kann.«
»Fakten, Ecki. Genau darum geht es. Viel zu wenige unserer Mitbürger wissen um die Fakten. Sie schauen in die Nacht und glauben, den Sumpf zu sehen …«
»Ich? Nein, ich …«
»Nicht Sie, lieber Ecki. Unsere Mitbürger, Ecki.«
»Sie haben einen ungewöhnlichen Schritt gewählt, dass Sie sich hier unserer zugegebenermaßen kleinen Hörergemeinde stellen.«
»Sagen Sie nicht ›stellen‹, mein lieber Ecki. Das klingt nun doch zu sehr nach Pranger. Sie haben Respekt vor unserer Arbeit, das schätze ich an Ihnen. Und damit meine ich die Arbeit der Frauen, ohne die ich nichts wäre, und ich meine das mit dem ›nichts‹ so, wie ich es sage, und meiner Arbeit, der Arbeit meiner Firma.«
»Danke, danke. Und der Pranger liegt mir nun doch sehr fern, Herr …, wie darf ich Sie in unserer kleinen Plauderrunde nennen …, Mister Orpheus?«
»Typisch Ecki!« (LACHEN) »Eckis Edelkirsch.« (LACHEN) »Nun, Sie dürfen. Wie es Ihnen gefällt. Ich weiß natürlich, worauf Sie da anspielen, und genau das meinte ich auch, als ich sagte, dass Sie die Fakten, die Dinge, sicher nicht immer so klar durchschauen …«
»Ich bemühe mich, Mister Orpheus.«
»Die französische Variante wäre Orphée.«
»Wie …?«
»Nein. Vergessen Sie's. Mein lieber Ecki, Sie haben recht: Wir wollen transparent sein. Transparenz ist mir in den letzten Jahren immer wichtiger geworden. Sie haben mich als einen angesehenen Bürger vorgestellt. Tatsächlich liegen die Dinge aber etwas anders.

Was weiß die Öffentlichkeit von mir? Ganz sicher weiß sie nicht, dass ich nicht unerhebliche Summen an verschiedene Organisationen spende, auch an die Hurenorganisation Hydra, aber ich will das auch weiterhin nicht an die große Glocke hängen ...«
»Wahrscheinlich würden die wohlfeilen Bürger sagen: Er will sein Gewissen beruhigen.«
»Gewissen? Eine Dame hat es vorhin sehr schön ausgedrückt: Wir versuchen, fair zu sein. Und wir sind es. Geben und nehmen. Was die absurde Behauptung betrifft, einige der Frauen in meinen Objekten würden fünfzehn, sechzehn Stunden am Stück arbeiten, kann jeder auf den Sedcards sehen, dass das natürlich nicht so ist. In den meisten Objekten arbeiten mindestens zwei Damen, die ihre Arbeitszeiten, und das sind selten mehr als neun Stunden, miteinander abstimmen. Und spazieren gehen, Pause machen, mal was einkaufen, ich bin Vermieter, Ecki, kein Schließer. Fragen Sie ruhig weiter, Ecki, wenn Sie dahingehend Fragen haben.«
»Meine Lieben, ihr hört ›Eckis Edelkirsch‹, die Sendung für die Freunde und Gäste der Huren. Mir liegen wie immer die Kalauer auf der Zunge, aber hier geht es um ernste Dinge. Also, lieber Mister Orpheus, der Verfasser dieser ..., ich sage jetzt mal ›Anklageschriften‹ ... spricht beziehungsweise schreibt von Zwangsprostituierten in Ihren Objekten, spricht beziehungsweise schreibt von Zwängen, von Ausbeutung, von Organisationen im Hintergrund, ungarischen Zuhältern, Bündnissen, die Sie, Mister Orpheus, mit den Behörden, sprich den Ämtern und der Polizei, hätten. Schreibt weiterhin von mit Druck erzwungenen Vorgaben, was die Dienstleistungen der Frauen betrifft, er bezieht sich damit auf die ungarischen Sexarbeiterinnen, die ich in meinen letzten Sendungen zugegebenermaßen ironisch und werbewirksam Puszta-Pussies nannte, was aber ganz und gar nicht respektlos klingen sollte, sondern nur der Sicht der hungrigen, aber durchaus respektvollen Sicht der Gäste Rechnung tragen sollte ...«
»Ecki, Ecki, Sie verstricken sich. Sie müssen sich nicht rechtfertigen für Ihre Wortwahl. Die ich zugegebenermaßen manchmal auch für recht drastisch halte ...«
»Sie sind also ein treuer Hörer meiner kleinen Sendung?«

»So würde ich das jetzt nicht ausdrücken. Aber worüber reden wir? Natürlich kenne ich die Dinge, natürlich versuche ich zu verstehen, wie ticken die Gäste. Am schlimmsten sind doch die, die alles in sich behalten, die ihre Lust und ihren Sex nicht ausdrücken können. Dann lachen wir doch lieber gemeinsam über Puszta-Pussies, über blonde Duschen, über die Umwege des Sex-Alphabets, über die kleinen und großen Sünden, und was heißt schon Sünden? Ihr könnt Gas geben, wenn ihr den Respekt nicht verliert. Nun, lieber Ecki, das ist bei deiner kleinen Sendung manchmal hart an der Grenze. Aber wenn ihr kommt und euch respektvoll auslebt, dann kommt. Und dann sprecht, wie ihr sprecht. Nicht einmal habe ich das Wort ›Nutte‹ bei dir vernommen. Denn das ist das.«
»Das ist das.«
»Ja, Ecki. Du kennst doch unsere Sedcards, unsere Annoncen. Wenn wir euch Gäste geil machen, haben wir doch alles richtig gemacht. Ihr bewegt euch in der Scheinwelt, die wir euch schaffen. Glaubt weiter. Und duscht vorher. Die Damen werden sachlich sein und gleichzeitig den Schein wahren.«
»Einen Applaus wollen wir hören, weit über die Dächer der Stadt, einen dröhnenden Applaus für unseren geschätzten Mister Orpheus, für unsere geschätzten Damen, denen unsere Geilheit gilt, die wir mehr schätzen als unsere eigenen Frauen, nun ja, mal so, mal so, einen Applaus, der das Dröhnen der Flugzeuge übertönt, die tief fliegen über die Randbezirke, Ladies und Gentlemen, live aus Eden City …«
»Ecki, der Entertainer. Ich glaube, Sie haben den Faden verloren.«
»Zurück auf Los. Die Vorwürfe dieses Menschen. Sie haben das Wort, Mister Orpheus. Wir haben Zeit, Jahrhunderte Zeit.«
»Was soll ich weiter groß dazu sagen? Bündnisse mit der Polizei, mit den Behörden? Jede der Damen, die in meinen Objekten arbeiten, ist angemeldet, jede meiner Wohnungen ist den Behörden bekannt. Ich zahle meine Steuern, die Damen zahlen ihre Steuern, das ist der einzige Pakt. Und was den großen selbstgerechten Chefankläger betrifft, der aus dem Schatten des Netzes auf mich schießt …, aber lassen wir das …, denn ein Verfahren wegen Verleumdung und übler Nachrede läuft bereits gegen ihn.«

»Eine anonyme Anruferin teilte mir vor der Sendung mit, dass er sich wohl in eine der Frauen, die in Ihren Objekten gearbeitet hat, verliebt hätte ...«

»Ich möchte das hier weder bestätigen noch dementieren. Fakt ist, es kommt hin und wieder vor, dass sich ein Gast in eine Sexdienstleisterin verliebt und den Drang verspürt, sie rauszuholen, auch wenn die betreffende Dame sich möglicherweise gar nicht als Opfer fühlt, sondern aus freien Stücken ihrer Arbeit nachgeht. Das kann dann bis zum Stalking führen. Von vielen meiner Mieterinnen, vor allem denen aus dem osteuropäischen Ausland, weiß ich, dass sie ihr Geld in Geschäfte oder Immobilien gesteckt haben, meistens in ihrer Heimat. Ich könnte ihnen genügend Beispiele für Damen aus Ungarn, Tschechien oder Russland geben, die längst nicht mehr als Sexdienstleisterinnen arbeiten, die nach einigen Jahren wieder zurück in ihre Länder gegangen sind.«

»Ja. Wir vermissen sie.«

»Was die große ominöse Vermittlungsorganisation betrifft, die die Mädchen angeblich hierherschleust, kann ich nur sagen, dass meine Geschäftsmaxime ist: von frei zu frei.«

»Und können Sie ausschließen, dass es da jemanden, wie immer man das nennen will, Organisation, Zuhälterring oder wie auch immer, gibt, dass so etwas im Hintergrund existiert?«

»Sie nennen mich doch Herr Orpheus.«

»Mister Orpheus.«

»Und wir beide wissen doch genau, warum.«

»Hm. Alle wissen das.«

»Nein. Wissen tut keiner etwas von euch. Ihr speist euch aus Legenden. Damals habe ich mich in eine Organisation hineinbewegt. Frontal. Es ging um ein bulgarisches Mädchen. Die in Ruhe bei mir arbeiten wollte. Den Jungs von Marschall Tito hat das nicht gefallen.«

»Marschall Tito?«

»Lieber Ecki, habe ich da gerade ein Feuerzeug klicken gehört?«

»Das haben Sie.«

»Filter?«

»Ja.«

»Brandbeschleuniger.«
»Wie ...?«
»Im Zigarettenpapier befinden sich Brandbeschleuniger. Es gibt deklarierte Zigaretten, müsste es mittlerweile überall geben, früher bekam man die nur in Tabakläden, die sind ohne Brandbeschleuniger. Ich würde Ihnen von den Brandbeschleunigern abraten.«
»Rauchen Sie?«
»Habe es aufgegeben, mein lieber Ecki. Und deswegen schmerzt mir heute das Bein, wenn das Wetter umschwingt.«
»Beide Beine?«
»So sagen die Legenden. Und seitdem bin ich allergisch gegen Organisationen, die meinen Mieterinnen Druck machen. Ich brauche keine Brandbeschleuniger. Aber wenn es sein muss, neige ich den Kopf und bin frontal.«
»Verstehe.«
»Natürlich ist Transparenz wichtig. Aber alle Geschäfte tätigt man nicht im grellen Licht. Wir sind, wer wir sind.«
»Und wer sind Sie?«
RÄUSPER RÄUSPER.
»Was sagt die Sendezeit?«
»Wir machen modernes Theater, Mister Orpheus, wir haben die ganze Nacht Zeit.«
»Stellen Sie mir noch einige konkrete Fragen.«
»Mieten.«
»Das ist keine Frage. Aber ich weiß, worauf Sie hinauswollen. Sie werden verstehen, dass ich Ihnen hierauf nicht konkret antworten kann, aber was den Umsatz und die Gewinne betrifft, liegt bei mir alles offen. Dieser Mensch, gegen den bereits mehrere Verfahren laufen, hat in seinem Pamphlet einige Zahlen genannt. Ich könnte im Gegenzug Ihnen und Ihren Hörern natürlich einige grobe Pi-mal-Daumen-Zahlen nennen, aber Sie werden verstehen, dass ich da nicht ins Detail gehen kann. Der Mietpreis, den die Damen für ihre jeweiligen Objekte entrichten, setzt sich schließlich aus mehreren Faktoren zusammen. Die Zeitungsannonce zum Beispiel kostet mehr als dreißig Euro pro Tag, dazu kommt die Internetwerbung, dazu ein Anteil an der Grundmiete, dann die Tagessteuerpauschale,

dazu kommen anteilige Personalkosten, und das ist noch nicht alles, meine Mieterinnen wissen genau, für was sie zahlen, Sicherheit, Sauberkeit …«

»Und wir, also der nimmermüde Strom der Freier, zahlt für das dritte S.«

»Sexus. Ich will nur zeigen, wie sich das Geld verteilt, ich biete auch bestimmte Rücklagen an, falls da ein Wunsch besteht, und wir dürfen ja nicht vergessen, lieber Ecki, dass die Objekte arbeitsbereit an meine Mieterinnen übergeben werden. Ich bin immer für die Mädels da, meine Firma ist sauber. Rufen Sie bei den Bullen an, meine Firma ist sauber.«

»Dieser Mensch, wie Sie ihn nennen, der Verfasser dieser Anklage, behauptet, die Polizei würde die Zwangsprostitution in Ihren Objekten decken, das …«

»… ist absurd, wollten Sie hoffentlich fortführen.«

»So etwas in der Art. Ich meine, wir sind doch nicht in einer Bananenrepublik.«

»Sie sagen es, mein lieber Ecki. Ich bewege mich voll und ganz in den Bahnen unseres kapitalistischen Rechtsstaates. Früher versuchten sie uns beizubringen, dass das unvereinbar sei.«

»Lange her, *die Internationale erkämpft das Menschenrecht.*«

»Lange her, Ecki. *Diese Welt muss unser sein, nicht der mächtgen Geier Fraß.* Natürlich gibt es den Menschenhandel, die Zwangsprostitution undsoweiter. Ein Auswuchs des Systems. Den wir hier in unserer Stadt nie haben wollten, von dem wir nicht profitieren wollten. Keine soziale Marktwirtschaft. Sklavenhalter. Und letztlich, lieber Ecki, sind wir alle irgendwo Sklaven des Systems.«

»Und Sie könnten also garantieren, dass in Ihren Objekten keine Zwangsprostituierten arbeiten, dass es keine Hintergrundorganisation gibt, von der Sie vielleicht nichts wissen …«

»Ja. Ich kann nur noch einmal wiederholen, dass ich mich in jenem Jahr, als die Schüsse fielen, für eine Dame einsetzte. Marschall Titos Leute betrachteten sie als ihr Eigentum. Lange her. Jede der Frauen, die in meinen Objekten arbeiten, hat ihre eigene Geschichte. Ich besitze nach all den Jahren ein gewisses Menschenverständnis. Ich erkenne, wenn etwas faul ist. Und rein pragmatisch gesprochen:

Wozu soll ich mir Probleme in meine Objekte holen, wenn eine einfache Zeitungsannonce reicht, ich habe keinen Mangel an Mieterinnen, freiwilligen mündigen Mieterinnen. Natürlich wird es die ein oder andere geben, wo eine gewisse materielle Not eine Rolle spielt. Schulden. Eine große Familie. Keine Lust auf Hartz IV. Wenn Sie das Zwang nennen, lieber Ecki, dann bin ich schuldig. Dann sind wir alle schuldig. In allen Teilen unserer Gesellschaft. Jede Frau hat ihre eigene Geschichte. Das, mein lieber Ecki, müssen die Leute lernen, tolerieren, und nicht alles über einen Kamm aus Blei scheren.«
»Kamm aus Blei?«
»Nur so eine Redensart.«
»Sie sprachen eben über die Schüsse in der Vergangenheit, Mister Orpheus. Aber vor allem in den letzten Monaten waren wir alle sehr besorgt. Fremdinvestoren drohten mit feindlichen Übernahmen. Die Engel kamen in die Stadt ... Wie ist die Situation jetzt?«
»Sie ist stabil. Sie werden verstehen, dass ich zur aktuellen Lage nichts Konkreteres sagen kann.«
»Mister Orpheus, ich danke Ihnen sehr für dieses Gespräch und habe nur noch eine letzte Frage ...«
»Ja?«
*Ein Strom aus Licht, ein Strom aus Stimmen, Gesichter, Frauen, silbernes Lächeln, Haare aus Kupfer, Drähte, Leitplanten, Straßen ... Bin ich immer noch on-line? Ecki? Hallo? Sind Sie noch da. Dreh dich nicht um und sieh nie in den Spiegel. Hallo? Hallo. Es ist kalt.*

# Am Grenzfluss

Er schiebt den Pappteller mit dem halbgegessenen Käsebrötchen zur Seite, wischt die Finger mit der Serviette ab, die er zusammenknüllt und neben das Brötchen legt. Er zieht den Mantelkragen hoch, rückt seinen Schal zurecht. Kalt für November. Er wirft den halbleeren Kaffeebecher in den Papierkorb neben dem Stehtisch, lässt den Pappteller aber stehen, nimmt seinen Lederkoffer, steckt die Zeitung in die Manteltasche und geht durch die Halle zu den Bahnsteigen. Erst muss er suchen; der Tunnel links. Sein Atem dampft. Eine junge Frau versucht, einen Kinderwagen die Treppe hochzuziehen. Klack. Klack. Stufe für Stufe. »Warten Sie …«
»Danke. Der Fahrstuhl ist kaputt.«
Er greift mit einer Hand nach der Stange zwischen den Rädern. Das Kind im Wagen kann er nicht sehen, dick eingepackt und versteckt zwischen Decken und Kissen. Als sie oben am Bahnsteig sind, fängt es an zu weinen. Die Frau bedankt sich nochmal, und er sagt: »Keine Ursache.« Er überlegt, wo sie herkommen könnte. Nach Osten klang sie nicht. Eher Hannoveraner Ecke. Der Zug ist noch nicht da, und er nimmt sein Zigarettenetui aus der Innentasche. Er muss seinen Mantel aufknöpfen und spürt den Herbstwind kalt am Hals und auf der Brust. Er hat Davidoff Filter in seinem Lederetui, die sehen am elegantesten aus. Lang und weiß und mit einer kleinen goldenen Banderole vorm langen weißen Filter. Und bei dieser Reise zählt der Eindruck, wie meistens, und er hat oft genug drüber nachgedacht. Er zieht einen Handschuh aus zum Rauchen. Sein silbernes Feuerzeug liegt kühl in seiner Hand. Vor zwanzig Jahren hätte er einen Hut aufgesetzt. Borsalino oder irgendwas Nobles in der Richtung. Heute trägt kein Mensch mehr Hut, schon gar nicht in der Branche, und schon gar nicht im Osten.

Er hat immer wieder überlegt, ob er nicht doch mit dem Auto anreisen soll. Aber sein Nummernschild wäre aufgefallen, egal ob er den Bielefelder Benz nimmt oder den Audi aus der Stadt. Und am Telefon haben sie ihm nahegelegt, die Dinge erstmal langsam anzugehen, sie hätten sowieso einen Fahrer, der Oberst kann für alles garantieren, aber die Grenze ist nah undsoweiter. Und er hat seinen Wagen, den Audi, bei einem Freund in Neukölln abgestellt. Mit dem Taxi zum Ostbahnhof, der jetzt Hauptbahnhof heißt. Er hatte kurz überlegt, ob er sich gleich zur Grenzstadt fahren lässt. Aber manchmal ist es gut, sich den Dingen langsam zu nähern. Er war eine Weile nicht in Berlin gewesen, das letzte Mal neunzehnhundertachtundachtzig, vor acht Jahren, und da hat keiner geglaubt, dass ein Jahr später das Land hinter der Mauer zusammenbrechen wird, so schnell und plötzlich wie eine Spielzeugburg. Die Stadt ist anders, fühlt sich anders an als damals. Aber er hat Berlin nie gemocht.
»Wie gehen die Geschäfte?«, hat er seinen Bekannten gefragt.
»Ach, weißt du, die Zeiten sind nicht einfach. Die Russen, die Jugos, die Libanesen. Wo soll man da Platz haben? Die alten Deals gelten nicht mehr. Aber man schlägt sich durch.«
»Das ist er, das ist er. Immer noch.«
»Und du? Aufbau Ost hab ich gehört?«
»Auch. Du kennst mich doch.«
»Komm, darauf nehmen wir einen.«
»Whisky am Mittag. Ist doch noch alles beim Alten.« Und da saßen sie in dem dunklen Laden in Charlottenburg und tranken Johnnie Walker Black Label und redeten über die alten Zeiten, die mit jedem Whisky besser wurden und sie selbst jünger, während die Putzfrau hinter ihnen die Spuren der Nacht wegwischte.
Er beobachtet die Frau mit dem Kinderwagen, die einige Meter von ihm entfernt steht und ebenfalls raucht. Das gefällt ihm nicht. Mütter sollten nicht rauchen. Da ist er altmodisch oder neumodisch, wie man's nimmt. Aber wer weiß, vielleicht raucht sie nur zwei, drei Zigaretten am Tag, weil sie's nicht ganz schafft aufzuhören, das wäre o. k. Die Ostweiber qualmen wie die Schlote, mehr als die von drüben, also aus seiner Heimat. Denkt er manchmal. Kommt ihm so vor. Kann er sich aber auch täuschen. Denn gequalmt haben sie frü-

her doch alle in der alten Republik; Politiker, Huren, Schauspieler, Hausfrauen. Einmal, gar nicht so lange her, hat er einer Hure, die im sechsten oder siebten Monat war, die Kippe aus der Hand geschlagen. Also einer Ex-Hure. Bei ihm hat sie nicht mehr gearbeitet. Nur bis zum vierten. Obwohl die Kunden auf sowas stehen. Wenn da eine Schwangere arbeitet, sowas spricht sich rum. Da kommen die Kunden und wollen alle drauf. *Den hohen Leib bespritzen.* Aber nicht bei ihm. Sie hat aber weitergeackert, hat er später erfahren. Also nichts mit Ex. Erst auf eigene Rechnung und dann woanders. *Schwanger und geil.* Er hat ihr ein-, zweimal die flache Hand durchs Gesicht gezogen. Wegen der Kippe. Wegen dem Kind. Das andere ging ihn nichts an. Aber sitzt in seiner Lounge, weil sie noch Papiere bei ihm hat oder irgendeine Schlamperei am Laufen, für die sie Stempel und Unterschrift und sonstwas braucht, und qualmt eine nach der anderen, mit einem Bauch bis zum Kinn. Blöde Kuh.

Er wirft seine Zigarette auf die Gleise. Er stößt den letzten Rauch aus, beobachtet die Frau mit dem Kinderwagen, sonst ist nicht viel los auf dem Bahnsteig. Nur vereinzelt stehen sie vor den Fahrplänen und Bänken. Es ist düster zwischen den eisernen Bögen, das Nachmittagslicht kommt kaum durch das schmutzige Glasdach. Er blickt auf seine Breitling, sieht, wie die Frau fast synchron ihren Ärmel hochschiebt und sich dann ein Stück über die Bahnsteigkante beugt und in beide Richtungen blickt. Sie sieht ihn, schnippt die Zigarette weg und lächelt. Na, Mädchen, denkt er, ich könnte dein Vater sein. Das ganz junge Blut reizt ihn nicht mehr. So zwischen dreißig, fünfunddreißig und vierzig muss eine Frau schon sein, damit sie ihn interessiert. Gibt natürlich auch Ausnahmen. Seine Frau, mit der er nicht verheiratet ist, ist fünfundvierzig und sitzt in seiner Residenz in der Nähe von Osnabrück. Keine Kinder, keine Frau. Das ist seine Maxime seit fast ... dreißig Jahren? Er zündet sich noch eine an. Obwohl er die Raucherei runterfahren will. Jetzt sagen sie den Zug endlich an. Fast pünktlich.

Wo die wohl hinwill? Definitiv keine Ostpocke. Damit hat er Erfahrung inzwischen. Scheißegal. Er muss sich konzentrieren. In zwei Stunden muss er klar sein. Er hat nicht viel Gepäck mit, rechnet mit ein, zwei Tagen. Er hatte kurz überlegt, Artillerie mitzunehmen. Die

Grenze ist ein dunkler Ort, ein wildes Land, Nebel über dem Fluss und tiefe Wälder auf der anderen Seite, Urmenschen, auch sechs Jahre nach der Wende. Aber man muss damit rechnen, kontrolliert zu werden. Er hatte zwar eine Waffenbesitzkarte und auch einen Waffenschein, den hatte er sich in Osnabrück ausstellen lassen, Anfang der Achtziger, da hatte er gute Beziehungen in der Politik und den Ämtern, er war damals oft in Hamburg, geschäftlich, und da begann es Mitte der Achtziger, ziemlich heiß zu werden, dunkle Tage, dunkle Nächte, Nebel vom Meer. Das war zwar nichts im Vergleich mit dem Wahnsinn, der Anfang der Neunziger durch die Städte zu rasen schien, wie eine Seuche aus Gier und Gewalt, aber was kann man schon wissen, neunzehnhundertsechsundneunzig, auch wenn man die Zeiten und Menschen zu kennen glaubte. Er weiß gar nicht, ob der Schein für seine Knarre überhaupt noch gilt. Er schmeißt seine Kippe auf die Schienen, sieht den Zug ein Stück weit weg noch, Schienen und Häuser und der Himmel, der immer grauer wird. Vielleicht ist's auch ein anderer Zug, für einen anderen Bahnsteig. Er sieht die Kippe zwischen den Schwellen qualmen. Aber er will ja eh weniger rauchen. Die achte heute, er zählte neuerdings mit. Er spürte noch die sechs Whiskys, die er mit seinem Bekannten Mondauge getrunken hat, der eigentlich fast ein Freund ist. Ein guter sogar, wenn er länger drüber nachdenkt. Sechs Whisky, sechs Davidoff Filter. Er schüttelt sich, schließt kurz die Augen, sieht die Lichter des Zuges durch die geschlossenen Lider, der aus dem trüben Nachmittag quietschend und zischend auf dem düsteren Bahnsteig einfährt, hört wieder die Stimme aus den Lautsprechern, seltsam verzerrt, kaum zu verstehen, und die Augen seines Freundes schimmern im Dunkel der Bar, die erst am Abend wieder öffnen wird.
Er hatte nie so viel mit ihm zu tun gehabt, aber jetzt fühlt er sich ihm seltsam nahe, will ihn um Rat fragen, wegen seiner Reise, lässt es aber dann. Manchmal fragt er sich, warum er nicht nach Berlin gegangen ist, warum er nichts in Berlin am Laufen hatte, also nichts Großes, aber irgendwie war das nicht seine Stadt. München, Neuss, Bielefeld, der Ruhrpott, Hamburg, da fühlte er sich sicher. Meistens. Und auch jetzt in der Stadt im Osten, seiner neuen Zweigstelle, sei-

ner Dependance seit ein paar Jahren. Aber Berlin, diese große, zerrissene Stadt, die ihm jetzt noch größer und zerrissener erschien ...
»Mondauge«, sagte er, »wir leben in seltsamen Zeiten.«
»Die Zeiten sind doch immer seltsam. So oder so. Weißt du, dass mich nur noch meine Alte so nennt.«
»Ich denke manchmal, wir sollten alle unseren Kram packen und nach Südamerika verschwinden.«
»Und den mongolischen Heerscharen das Feld überlassen?«
»Hast schon recht, Mondauge. Was wären die Weiber ohne uns ...«
»Nichts, mein Freund, nichts. Sie würden weinen. Wie die Bullen. Und wie das Finanzamt.«
Als er in den Zug steigt, ist ihm kurz schwindlig. Eine Sekunde nur, oder noch kürzer, setzt etwas aus in ihm, in seinem Kopf, als wäre das System kurz unterbrochen, ein schwarzer, nein, ein weißer Fleck, ein Sekundenbruchteil Nichts. Dann ist er wieder da, hält sich am Haltegriff neben der Tür fest, spürt, dass jemand hinter ihm steht, spürt, wie er diesen Jemand kurz berührt, bevor er in den Waggon steigt. Er reißt die Schiebetür auf und setzt sich auf den ersten freien Platz. Der Koffer steht zwischen seinen Füßen. Sein Herz schlägt normal. Alles in Ordnung. Bumm. Bumm. Bumm. Der Bahnsteig ist leer, das Fenster schmutzig. Ein paar Leute laufen an ihm vorbei. Dann fährt der Zug schon an. Ruckelt. Hält kurz. Fährt wieder. Er nimmt die Zeitung aus seiner Manteltasche, legt sie auf den kleinen Tisch unterm Fenster.
Ihm fällt ein, dass er eine 1.-Klasse-Fahrkarte gekauft hat. Später, als der Schaffner kommt und ihn darauf hinweist, sagt er: »Sitzt sich gut hier«, das klingt komisch, er merkt das, der Schaffner nickt und geht weiter. Er hat keine Lust aufzustehen. Er ist ein wenig müde. Sie fahren durch einen Regen, er sieht die Wälder verschwommen, Dörfer, der Zug hält oft. Hat auch in Berlin noch oft gehalten. Viele Baustellen dort. Große Kräne hinter den Häusern. Baugruben direkt neben dem Bahndamm. Halbfertige Burgen aus Glas. Man hätte in Baufirmen investieren können, denkt er, wenn man dumm gewesen wäre. Besser in Bauland, aber auch das hätte schiefgehen können, heute eine Million, morgen Hunderttausend. Auch in der Stadt im Osten, seiner neuen Dependance, bauten sie wie die Irren. Das

Grau dort verschwand und verschwindet langsam. Die Banken schmissen mit Krediten um sich. Aber als die Luft aus dem großen Immobilien-Paten, der die halbe Stadt gekauft hatte, rauspfiff wie ein gewaltiger Furz und die Banken ihn fallenließen bis ganz nach unten in den Knast, und das war ja auch ein Gestank!, da war er froh, dass er nicht in eine Baufirma investiert hat in der Stadt im Osten und in kein Grundstück in der goldenen Mitte. Er hat gewusst, dass die Dinge so laufen würden. Treibsandprinzip. Domino-Day. Und er hat früh genug und in die richtigen Objekte investiert, und die Preise und der Preisverfall im Stadtzentrum haben den Markt reguliert, so wie er es gebraucht hat. Am Rand der Stadt. Bauland. Autobahnauffahrt, Autobahnabfahrt. Die Burg. Große Sache. Hat Kraft und Zeit und Geld gekostet. Kredite hat er auch bekommen. Er hat einen guten Ruf. Hat mit seinen Leuten in Bielefeld gebaut, vor Jahren und Jahrzehnten schon in Neuss investiert, hat Anteile und Prozente in Frankfurt/Main und anderswo, und gar keine schlechten. Und mit einer eigenen Baufirma ist man immer drauf angewiesen, dass man die richtigen Aufträge bekommt und mit den richtigen Leuten dealt. Das wäre schon machbar gewesen. Mit oder ohne Paten. Das neue Land ist groß genug. Aber letztendlich doch nur Peanuts. Nur die Sehnsucht nach was Solidem, die jeder manchmal hat, der das endlose Fließen des Geldes und des Marktes fast schmerzhaft spürt nach all den Jahren. Baggerträumereien. So wie er mit seinem Bruder kleine Häuser baute im Wald, aus Holz und Stein und Lehm. Hat er oft drüber nachgedacht und sich erinnert. Aber er ist der Mann mit dem Plan. Der die Aufträge in Auftrag gibt. Der die Nase hat und die Gelder verwaltet und investiert. Sein Bruder. Seine Leute. Die Gesellschaft im Hintergrund. Die stillen Teilhaber. Seine Firma. Aktie Rotlicht. Und jetzt die Grenze.

»Groß zu sein zahlt sich aus.« Das hatte er selbst gesagt. »Je größer die Firma, umso besser der Profit. Think big, wie unsere Freunde aus der Wirtschaft sagen.«

Das muss vor zwei, drei Jahren gewesen sein. Er hatte immer solche Sprüche drauf, um die Leute zu beeindrucken. Er war der Mann mit dem Plan. Der Mann aus dem Westen. Nicht einer von den kleinen Luden, den Straßeninvestoren, die man alle nach und nach raus-

fischte aus dem großen Goldfischglas Aufbau Ost, in dem selbst die Paten absaufen konnten.
»Ich schau's mir an. Kann gut werden. Kann groß werden. Spricht vieles dafür im Moment. Der Zeitpunkt ist gut. Die richtigen Leute. Die richtigen Informationen. Ist viel Geld drin. Muss viel Geld rein.«
Und jetzt ist er auf dem Weg, auf der Reise. Wollte das selbst machen, so wie früher.
*Du musst etwas finden, im Dunkeln, am Rand, und dann dort das Licht anzünden, dass es bis ins Zentrum leuchtet wie ein riesiger Weihnachtsbaum!* Das weiß sein Partner in der Stadt im Osten. Der eine eigene Baufirma hat. Unter anderem. Der ihm zuhört. In Immobilien macht. Unter anderem. Ein junger Mann mit Visionen. Mit Plänen. Der an die Rotlicht-Aktie glaubt. Dreiunddreißig Jahre alt. Oder vierunddreißig? Spielt ja keine Rolle, also so genau. Und auf dem Weg nach oben. Der dazulernt. *Lernen, lernen und nochmals lernen.* (Da mussten sie beide lachen, weil das von Lenin ist. Und sie heben die Becher und schmieden den Pakt. Oben in jenem Hotel, die Bar in der siebenundzwanzigsten Etage.) Der Kontakte aufbaut und ausbaut. Informationen verwaltet. Das Monopol der Modelwohnungen besitzt beziehungsweise auf dem Weg dorthin ist. Der ihn an seine eigene Jugend erinnert. Obwohl die anders war. An seinen eigenen Weg. An seine eigene Kraft. Initiative. Der Wille, etwas aufzubauen, etwas Großes zu schaffen, auf einem Markt, der nur noch von seinen Mythen lebte, der plötzlich hier im Osten, nach der großen Stunde null, geformt werden konnte. Und der Junge war dabei. Hatte mit ein paar Spielotheken angefangen, so hieß es. Hatte das Geld in Wohnungen investiert. Hatte von Anfang an gewusst, dass auf der Straße nur das Kleingeld zirkulierte. (Und sie blicken über die abendliche Stadt und träumen von der Aktie Rot, dem seriösen Markt der Leiber. Und der alte Bielefelder vergisst für einen Moment, dass er Pläne hatte, die weit über diese Zusammenarbeit hinausreichten, dass der Junge nur das Mittel ..., und die Stadt, seine Dependance im Osten, glitzert trübe im Abendlicht wie ein Haufen bunter Glasmurmeln.)
Wälder, Felder, Dörfer. Verfallene Bauernhäuser und Höfe im Regen. Und der Abend kommt schnell. Von wegen Südamerika. Was

sollte er dort? In der Nähe von Osnabrück hat er ein kleines Haus, wo seine Frau sitzt, die nicht wirklich seine Frau ist. Nur einmal hat sie was gesagt, wegen Heirat. Das wundert ihn, dass sie ihn nicht drängt, nach all den Jahren. Oder gedrängt hat. Weil sie ja aus einer sehr bürgerlichen Familie kommt. Kleine Stadt. Fast ein Dorf. Und ihre Eltern haben nicht viel von ihm gehalten. Obwohl er ein *von* im Namen hatte. Aber was heißt das schon? Und er hatte seinen Namen geändert, viele Jahre vorher. Hat es ihr aber irgendwann erzählt. Die Legenden waren eh nicht aufzuhalten. In den Siebzigern nannte man ihn den »Graf«. Er hat mit Ministern gesoffen, mit und ohne *von*, weil's eh nur um die Kohle geht, und die Hände der großen Banker geschüttelt, Bänder zerschnitten und Richtfeste gefeiert mit Presse und Prominenz. Hurenhäuser, Saunaclubs, Modelwohnungen, Call the Girls! Und in der Branche hat er die größten Spießer getroffen, Nippes in der Schrankwand und weiße Couchgarnitur und Kindersitz im Auto. Er hasst diesen Familienscheiß. Sein Partner in der Stadt im Osten baut sich was auf. Auch mit Familie. Macht's richtig. Aber was heißt das schon?
Das Haus hat er Ende der Achtziger gebaut, als er sie kennenlernte. Da war sie noch Lehrerin. Grundschule. Soziale Ader. Studium Soziologie nebenher. Da galt sie schon als Exotin in diesem Nest. Jetzt kommt's ihm hässlich vor, aus einer anderen, längst vergangenen Zeit. Dieses Haus. Flaches Dach. Kleiner Garten. Alles weiß. Da draußen, einen von diesen verkommenen Höfen, sowas sollte er kaufen. Für die Rente. Und aufbauen. Baggerträume. Als Ruhesitz. Mit oder ohne sie. Das berührt ihn nicht. Ist noch verdammt lange hin. Es findet sich immer jemand. Kaltes Herz. Aber er braucht die Geschäfte. Die Stadt. Die Städte. Die Burg. Die Clubs. Die Weiber. Das Geld. Die Strategien des Marktes. Die Konkurrenz. Die Spekulation. Die Investitionen. Die Informationen. Die Spieler. Das *Fließen*. Die Blicke in die Zukunft. Und die Blicke zurück. Sein Bruder hat die Ruhe weg (inzwischen) und verdient gutes Geld in Bielefeld. Wie sie zusammen aufgewachsen sind in der Nähe von Stuttgart. Da muss er oft dran denken in der letzten Zeit. Er war acht Jahre älter als sein Bruder und auf dem Internat. Und dann später, als der Alte endgültig pleite war, gingen sie in den Pott. Kleine LKW-Spedition. Diese

graue Luft. Da muss er oft dran denken in der letzten Zeit. Die Jahre spielen keine so große Rolle mehr nach all den Jahren. Und doch immer mehr. Er begreift, dass die berühmte Münze (Medaille?) dreidimensional ist, vier-, fünfdimensional, mit so vielen Seiten, parallelen Möglichkeiten. Adler, Kopf, Löwe, Taube, Kupfer, Silber. Pfeil. Der Blick nach vorn, der Blick zurück. Und vergiss nie links und rechts, die Flanken. *Jawoll, Herr von Clausewitz!* So wie die Tage und Nächte sich an einem Punkt immer berühren und alles stetig auseinanderfließt und doch zusammen. Er lacht laut in dem leeren Waggon. Das machte Eindruck. Bei den Zonen-Gabys und ihren Männern. Sie wissen nichts oder wenig über ihn, in dieser Stadt im Osten. Legenden. Das ist wichtig. Und das ist gut so. Er ist der Mann mit dem Plan. Der Bielefelder. Der Graf. Sechs Whiskys bei Mondauge. Und der macht die Gläser immer schön voll. Friedrich von Pfeil. Sein Vater. Und der Ur-Ur-Ur-Ur-Großvater, Schwertadel aus der Zeit Friedrichs des Zweiten. Irgendein Generalleutnant in Breslau. Jeder männliche Nachkomme der Familie muss Friedrich heißen, was für ein Blödsinn, aber steht so im Familienbuch von 1792. Hat ihnen der Alte hundertfach erzählt. Von Pfeil. Der sich um neunzehnhundert einen kleinen Landsitz in Baden-Württemberg zugelegt hat. Über Umwege. Nur weg aus Preußen. Zu viel rumgehurt. Der Großvater kaputtgeschossen in WK 1. Und sein Vater, immer schön in der Etappe geblieben in WK 2, hat sie das Wirtschaftswunder mit der Knute gelehrt. Ein von Pfeil ist immer oben, beste Gesellschaft. Das alte Landhaus am Walde, nachts haben die Kinder aus der Gegend Äpfel und Steine gegen die Fenster geschmissen. Schneebälle im Winter. Und gesungen. *Ihr seid Preußen, asoziale Preußen ...* Mutter verschwunden, als sie noch klein waren. London oder Paris. Der Alte schwieg. *Ihr schlaft unter der Brücke oder bei der Bahnhofsmission.* Und die kleinen Häuser, die er mit seinem Bruder im Wald baute, haben sie jedes Mal kaputt gemacht. Der Alte schwieg. Internat, Jurastudium. Abgebrochen. Nach London abgehauen. The Count von Pfeil. Mit der Familienkohle nach München. Dem Alten das Hemd ausgezogen, als er das Land verkauft hat. Sex-Industrie im Wirtschaftswunder. *Swinging.* Zimmervermietung in München. *Beim Bumsen im Abonnement gibt's 20 % Rabatt.* Drei seiner Mädels waren im

Rotlichtführer 1974. »Der Quartiermacher für erotisch interessierte München-Besucher«. Der Alte ist langsam zugrunde gegangen im Pott. Und sein Bruder hat die Spedition geführt. Ist selbst gefahren eine Zeitlang, on the road, um vom Alten und seinen Geschichten und Träumen wegzukommen, bis sie ihn dann auf einem Bergmannsfriedhof begraben haben, und die von Pfeils immer in erster Linie (jetzt in der letzten Linie, denn auch sein Bruder hat keine Kinder, soweit er das weiß), Friedrich, Bismarck, die Kaisertreuen, und wie alle Guten bei Stauffenberg zum Kaffee, und immer der Glaube an das andere Deutschland. Da war die Sache mit den Huren ein »real deal«, wie sie in London sagten. Swinging. In München ließ er sich die blonden Haare bis zu den Schultern wachsen. Der Graf und seine Mädchen.

»Eisenhüttenstadt« liest er auf einem Schild auf einer Straße neben den Gleisen. Der Zug fährt langsam auf der Böschung. Neigt sich so weit auf die Seite in der langgezogenen Kurve, dass seine Zeitung auf den Boden fällt. Wie weit das weg sein soll, kann er nicht erkennen im Regen. Der dann aufhört, zehn Minuten später. Kommt da nicht dieser Elefant her? Dieser Grobmotoriker, der den kleinen Club übernommen hat vor paar Jahren? Der zufrieden ist mit dem, was er hat. Der Fleischermeister. Der BFC-Hauer. Der sein Leben lang nach den Straßen riechen wird, die ihn ausgespuckt haben? Fußvolk, das er mit seinen Worten und seinem Ruf und seinen Anzügen beeindruckt. Die wegen nichts die Wand hochgehen. Immer am Rumdröhnen sind. Keine zwei, drei Jahre in die Zukunft blicken können. Ein gewaltiges Werk, Schornsteine, Rohre, eiserne Türme, mitten auf dem Feld vor der Stadt. Weitverzweigte Gebäude, über denen die Wolken ziehen, und die Schornsteine spucken Flammen in den Himmel. Kleine Loks auf kleinen Gleisen, offene Loren, gefüllt mit rotglühendem Stahl.

Da ist er wohl kurz weggenickt. Er schreckt hoch, die aufgefaltete Zeitung fällt von seinen Knien. Lag die nicht eben schon im Dreck? 9.11.1996. »Regierungsumzug: Goldene Brücken nach Berlin«. Samstag. Er blickt auf die Uhr. Sie müssten gleich da sein. Er darf nicht vergessen, nach den Lottozahlen zu schauen. Ist so eine Marotte von ihm. Jeden Samstag einen Schein. Acht Zahlen. Vollsystem. Mit ein

paar Millionen könnte er die Brauerei kaufen, drüben in Baden-Württemberg. Ohne Verluste zu machen. Der Wald ist fast abgeholzt. Draußen ist es dunkel. Geht schnell jetzt im Herbst. Er sieht sein Gesicht in der Scheibe. Schräg gegenüber ein kleiner dicker Mann mit Hut. Den sieht er auch in der Scheibe. Der scheint zu schlafen, den Kopf auf der Brust, die Hände überm Bauch gefaltet. Sein eigenes Gesicht hager und weiß. Graue Haare. Was sagen seine Augen? Blau. Kalt. Das gefällt ihm. Keine Informationen mehr. Er ist der Highlander auf seinem Weg durch die Zeit. Die Frau, die ihm nie fehlt, weit weg. Geht keinen was an. Muss er bald mal klären. Sieht er mal so und mal so. Die Burg und die Anteile an den anderen Enden der Welt. Somewhere over the rainbow. Ist das ein Fluss, auf dem sich die Lichter spiegeln?, und eine Straße neben dem Fluss. Sonst nur Felder. Oder Wiesen. Oder Steppen. Lautsprecherstimmen. Ich habe immer erfunden, wenn es sein musste. Ich bin der Mann ohne Vergangenheit. Nur das Geld und der Einfluss erzählen die wichtigen und richtigen Geschichten. Ich bin von weit her gekommen (also nach deutschem Maßstab), und wir wollen …, was wollen wir eigentlich an der Grenze? Geschäfte, mein alter Freund, Geschäfte. Und halt deine Augen klar wie zwei Monde im Winter, aber immer drauf achten … Weiß ich doch, weiß ich doch.
Er holt sein Brillenetui aus der Manteltasche, da fahren sie schon ein, kleiner Bahnhof, überdachte Bahnsteige, Endstation. Fließende Tönung. Oben mehr, unten weniger. Er ist kurzsichtig. Minus eins Komma acht. Links eins Komma neun. Minus. Irgendein Zylinder auch noch. Spezieller Wert. Die Augen werden schlechter und vertragen das Licht auch immer schlechter. Jahrelange Nachtarbeit. Leben unter der Erde. Sagt sein Arzt. Leichte Tönung. Gut für die Augen. Sagt sein Arzt. Weil die immer öfter entzündet waren. Rot. Wie Bindehautentzündung. Ist aber die Lichtempfindlichkeit. Die Augen gut geschützt hinterm blassen Blau der Tönung. Bevor er aussteigt, weckt er den Dicken mit dem Hut. »Endstation, Meister!«
»Wer? Was? Sind wir schon in Polen? Danke!« Der Dicke schreit ihn an, als wäre er aus irgendeinem bösen Traum erwacht. Er rückt seinen Schal zurecht und die Brille, nimmt seinen Lederkoffer und be-

tritt den Bahnsteig. Die Brille hat er sich vor anderthalb Jahren in der Stadt machen lassen, bei Fielmann. Modell Porsche.
Er steht direkt unter einer Laterne, und die Brille tut ihm gut. Keiner am Bahnsteig. Sie wissen, wann er kommt. Ein paar Gleise, halbüberdacht, der Wind fährt ihm in die Haare. Wenig Licht. Müll unter den Bänken. Weiter vorne am Zug wird die Frau mit dem Kinderwagen abgeholt. Ein großer Kerl in Bullenuniform. Oder Grenzer. So genau kann er das nicht erkennen. Ankunft. Nichts mehr privat. Was für ein schäbiger Bahnhof, denkt er. Wie auf einem Dorf. Man merkt, dass die Russen und Polen nicht weit sind. Auf dem Gleis gegenüber steht eine schmutzige dunkelrote Lok ohne Hänger, ohne Zug. Ein Mann im blauen Kittel lehnt sich aus dem kleinen Fenster der Lok und raucht.
Er geht Richtung Treppe, holt sein Zigarettenetui aus der Manteltasche, nur noch drei Kippen hinterm Gummiband. Aber er hat noch zwei Schachteln Davidoff in seinem Koffer. Vor ihm ein gelber Fahrplan in einem Kasten hinter Glas. Ehemals hinter Glas. Das Glas zerschlagen, der Fahrplan beschmiert, leere Bierbüchsen und Kippen auf der breiten Unterkante des Kastens. Glasscherben knirschen unter seinen Schuhen. Er will wegen der Rückfahrt schauen, lässt es aber dann. Rings um die Gleise die Nacht. Er geht die Treppe runter, die Zigarette auf Brusthöhe. Er steht in einem dunklen Tunnel, der nach Pisse stinkt. Neben den Treppenaufgängen Kästen mit gelben Fahrplänen. Mit Glas. Ohne Glas. Er steht im Tunnel von Gütersloh. Er steht im Tunnel von Neuss. Iserlohn. Die Pisse stinkt. Das Glas knirscht. Die Mülleimer hängen schief in ihrer Verankerung. Grauer Nebel zieht durch diese Bahnhöfe, er kennt den Geruch. Ihm ist, als würden die Jahre ineinanderfließen, gelbe Fahrpläne, schmutzige Loks, leere Bierdosen, nachts unterwegs. Er lacht, und sein Lachen dröhnt in dem Pissetunnel der Grenzstadt. Nein, er lächelt nur, es ist ein anderer, der lacht, der betrunken lacht, und dann sieht er den dicken Mann aus dem Zug vorübergehen.
Sie warten in der Bahnhofshalle. Es ist Punkt sieben. Kommt ihm aber vor wie Mitternacht. Ein Zeitungskiosk, der auch Bier verkauft und Schnaps und Zigaretten und alles andere, was man so braucht. Paar Typen lungern dort rum. Alte, junge. Trinken Holsten-Pilsner

aus Dosen. Mal was Feines, Samstagabend. Er hört seine eigenen Schritte. Klack. Klack. Klack. Er liebt das Geräusch. Hat die Schuhe mit den hohen Absätzen genommen. Die Biertrinker blicken ihm hinterher. Wie eine Höhle diese Halle. Sie warten an der Flügeltür. Der Große im dunklen Mantel muss der Oberst sein. Der andere Typ trägt eine Schimanski-Jacke, Schnurrbart Marke Frauenfreude, Ruhrpott-Style, Rollkragenpullover unter der offenen Jacke, er hält einen eingefalteten Regenschirm mit Krückstock neben seinem Bein wie eine Flinte. Er geht auf sie zu. Bleibt direkt vor ihnen stehen und sagt: »Einen schönen guten Abend. Was macht der Aufbau Ost?«
Der Große lacht und sagt: »Die Leuna-Millionen im Koffer?«
Sie reichen sich die Hände. Der Graf spürt Schweiß. Kann aber auch der Regen sein. »Willkommen in der Stadt der Humanisten.«
Schimanski nickt erst nur, reicht ihm dann auch die Hand. »Gute Reise gehabt?«, fragt der Oberst. Er muss um die fünfzig sein. Kurze graue Haare, glattrasiert. Bismarckknoten am lila Kragen, Krawatte lila. Der Graf lächelt und sagt: »Bin nicht oft unterwegs auf den Schienen. Aber wir wollen ja nicht den PKW-Export fördern hier in der Stadt. Ihr habt die Dinge im Griff, wie es scheint, nur nicht auf dem Parkplatz.« Sie gehen nach draußen. Drei Taxis direkt vor der Tür. Die Fahrer stehen unterm Vordach und rauchen. Nieselregen. »Unsere polnischen Freunde nehmen nichts, was *wir* verzollen, wenn du verstehst. Hat alles seine Gründe. Anonym, anonym, wenn du verstehst. Kein neues Nummernschild im Spiel. Zu viel Verkehr an der Grenze. Alle hier. Russen, BKA, BND, Polen, Luden aus dem Ruhrpott, verrückte Ex-Jugos, Immobiliensyndikate.«
Der Graf nickt. Flache kleine Häuser um den Bahnhofsplatz. Keine Zeichen, keine Architektur einer Stadt, einer mittelgroßen Stadt. Er blickt sich um, speichert, bevor er spricht.
»Wir verstehen schon. Aber in Zukunft können meine Partner und ich nicht mit der Regionalbahn kommen. Und wir haben nichts zu verbergen.«
»In Zukunft«, sagt der Oberst, während sie zum Parkplatz gehen, wo ein russischer Wolga steht, lang und schwarz und feucht glänzend im Licht einer Laterne, »machen *wir* die Zukunft. Und alles legal.«

Und später, als er in seinem Hotel auf dem Bett liegt, in voller Robe, weiß er nicht genau, wie er die Dinge einordnen soll. Die Rezeption wird ihn um drei Uhr morgens anrufen, wecken, falls er schläft, er ist mit dem Oberst verabredet, sie wollen sich zusammen den Mike-Tyson-Kampf auf Premiere anschauen. Er macht sich nicht allzu viel aus Boxen. Aber darum geht es nicht. Er hat den Graf von Homburg ein paarmal getroffen, das muss fünfundzwanzig Jahre her sein. Hat einen Gin Tonic mit ihm getrunken in der »Ritze«. Wo sich die Welt und die Luden und die Boxer und die Trinker und überhaupt alle trafen. Der Mann war eine Berühmtheit damals. Kein besonders guter Boxer und auch kein Graf, hat sich trotzdem mit der Weltspitze in den Ring gestellt. Davor hatte er Respekt. Dieser Argentinier, wie hieß der nochmal ... Oscar Fueventura oder so ähnlich, der vorher schon gegen Ali und Frazier boxte, hat dem Grafen von Homburg das blaue Blut endgültig aus dem Leib geprügelt. Nein, *Prinz* von Homburg hieß er. Prinz Wilhelm von Homburg. Eine Art Künstlername. Der ist im Pelz und mit Hut und Zigarre über den Kiez in Hamburg flaniert. Der Graf und der Prinz, aber er war nur ein Zugereister aus München. Viel haben sie nicht geredet. Über München hat er ihn ausgefragt, das weiß er noch. Ob er den und den kennt. Später haben sie ihn drangekriegt wegen Zuhälterei und Drogen und Verstrickungen in organisierte Kriminalität, er hat Geschäfte mit den Engeln in Hamburg gemacht. »Wer Geld machen will, ist immer organisiert.« Er lacht, wieder eine seiner Weisheiten, nimmt sein Zigarettenetui vom Nachttisch, aber das ist leer. Er rollt sich vorsichtig auf die Seite und steht auf. Nach langen Tagen und langen Nächten tut ihm der Rücken manchmal weh. Er hat einen guten Physiotherapeuten in Frankfurt/Main, aber allzu oft schafft er's nicht zu ihm, obwohl er fast jede Woche nach Frankfurt fährt. Mit dem Audi ist er in vier Stunden dort. Auch wenn die Autobahnen im Osten beschissen sind. Der renkt ihn auch schön wieder ein. Er staunt jedes Mal über dieses Krachen und Knacken seiner Knochen und Gelenke. Wenn er vorher mit dem Bauch auf dem Ball liegt und all diese Übungen macht, kommt er sich richtig bescheuert vor.
Er geht zu seinem Koffer, der noch neben der Tür steht. Zieht seinen Mantel aus und hängt ihn in den Schrank. Sein Schal ist feucht, und

er schüttelt ihn, streicht ihn glatt und legt ihn über einen Bügel. Das Hotel ist ganz gut, gleich neben dem Rathaus. Die Stadt kam ihm sehr klein vor, als sie mit dem Wolga erst in ein Restaurant und dann zum Hotel fuhren. Die Sache mit den Fledermäusen geht ihm nicht aus dem Kopf. Was sollte das?
»Und weißt du, was ich vorhin meinte, die Stadt der Humanisten?«
»Henry Maske?«
»Ein Boxfan! Natürlich. Und eigentlich gehört unser guter Henry da mit rein. Im großen Zusammenhang. Aber …«
»Aber?«
»Wie gefällt dir eigentlich mein Wolga?«
»Schönes Auto. Sieht man selten. Gut gepflegt.«
»Nicht wahr? Im Osten habe ich immer von einem Chevrolet geträumt. Keine Chance.«
»Und ich dachte immer, die Stasi wäre die Nummer drei. Nach CIA und KGB.«
»Waren wir, waren wir. Aber ein Chevy im Osten? Selbst Honecker fuhr einen Volvo. Und ich bin nicht Mielke. Aber dieser Wolga … Habe ihn fünfundachtzig direkt aus Moskau geholt. KGB-Ware. Kein Kratzer dran. Sieht einem Chevy durchaus ähnlich. Für mich, und das sage ich dir nicht, weil mir der Kommunismus fehlt, ist der Wolga eins der besten Autos des zwanzigsten Jahrhunderts.«
»Die Zeit der Humanisten.«
Er wühlt in seinem Koffer. Legt die frisch gebügelten und gut gefalteten Hemden aus der Wäscherei auf den Tisch. Er hat eine Röver-Filiale in der Stadt seiner Dependance, mit der ist er mehr als zufrieden. Die alten ostdeutschen Weiber, die dort arbeiten, wissen, wie man Hemden wäscht, bügelt und legt. Und dass sie gut riechen müssen. Nicht zu aufdringlich, nicht nach irgendeinem scheiß Weichspüler oder parfümiert. Einfach frisch. Das ist eine eigene Wissenschaft, man muss sich wohlfühlen in einem glatten, frischen, weichen Hemd. Er hat eine Hemdenkarte für fünfzig Mark. Die haben drei Filialen in der Stadt und weitere Geschäfte in den kleineren Nachbarstädten und in Dresden an der Elbe. Waschen, Bügeln, Nähen, Schlüsseldienst. Machen gutes Geld. Er mag diese Firma. Er kannte einen Mann in Neuss, der hat sein ganzes Geld

in einen Wäscheservice gesteckt, als es mit den Weibern nicht mehr so lief und die Konkurrenz in den Schleudergang schaltete. In Düsseldorf. Keine schlechte Idee. Einer der Marktführer mittlerweile.

Er nimmt die zwei Schachteln Davidoff Filter, legt eine wieder in den Koffer zurück, reißt die andere auf. Zieht zwölf Zigaretten aus der Packung, Zigarette für Zigarette, seine Hand ist ruhig, das ist gut, das sieht er gern, und schiebt sie hinter das Gummiband seines Lederetuis. Zigarette für Zigarette. Als er wieder zum Bett gehen will, er braucht Ruhe und Zeit zum Nachdenken, sieht er seinen kleinen Weltempfänger zwischen seiner Waschtasche und dem Stapel mit Unterhosen und Unterhemden. Er beugt sich wieder über den Koffer, und dann liegt er auf dem Bett, das Etui neben dem Kissen, der Weltempfänger auf dem Nachttisch, und dann muss er nochmal aufstehen, weil sein Feuerzeug noch in der Manteltasche steckt. Schaut er auch gleich in die Minibar. Der Whisky bei Mondauge ist längst verdampft, und in diesem italienischen Restaurant hat er nur einen Campari vor dem Essen und ein Glas Chianti zum Essen getrunken. Und das ist auch verdampft inzwischen, bei den Fledermäusen.

Auf Bier hat er keinen Appetit. Auch wenn's gutes Holsten ist. Bei DAB, der Dortmunder Aktienbrauerei, die anfangs den ganzen Osten überschwemmt und übernommen hat mit ihren Aktien, hätte er vielleicht eins getrunken. Wegen der Heimat. Die ja eigentlich gar nicht seine richtige Heimat ist. Kalter Chianti muss auch nicht sein. Obwohl, schlechter als der beim Italiener kann der auch nicht sein. Jim Beam? Nee. Geht gar nicht. Jägermeister? Hasst er, seit er siebzehn ist. Zu süß. Obwohl da irgendwelche Kräuter drin sein sollen, die aggressiv machen. Bei Dauerkonsum. Goldkrone. Na, wenn das nichts ist. Hatte er anfangs ganz schön zu kämpfen in der Stadt im Osten. »Wie wär's mit einem Cognac?«, hat ihn allen Ernstes ab und zu, und ziemlich oft sogar, jemand gefragt und dann diese Granate auf den Tisch gestellt. Aber mittlerweile schmeckt's ihm ganz gut. Ist zumindest nicht zu scharf. Zweiunddreißig Umdrehungen. Gut zum Nachdenken. Auch über die Fledermäuse. Er hockt im Licht des Kühlschranks, schraubt die beiden 4-cl-Fläschchen auf und gießt den Schnaps in ein Glas. Schließt den Kühlschrank, geht zum Bett.

Er raucht, der Aschenbecher steht auf seiner Brust und bewegt sich, wenn er tief einatmet oder den Rauch ausstößt. Schimanski hat die ganze Zeit die Schnauze gehalten, während sie gegessen haben, Tomatensoße im Schnurrbart. Der Oberst hat Pizza bestellt, ohne ihn zu fragen. Drei verschiedene Pizzen. Meeresfrüchte. Quattro Formaggi. Salami. Eine Flasche Chianti, eine Flasche San Pellegrino. Und ein Glas Cola für sich. Schimanski nimmt ein Glas Fanta.

Er isst ganz gerne Pizza, aber hätte lieber eine Pasta genommen, obwohl er sich nicht sicher ist, ob die die in diesem Laden gut hinkriegen. In seiner Dependance im Osten gibt es jetzt ein, zwei ganz gute Italiener. Bei dem einen sollen die Paten mit drinstecken, aber das erzählt man sich über jede Ittaker-Bude. Geldwäsche. Aber deswegen macht man kein Restaurant auf am anderen Ende der Welt. Und weil die Paten scharf auf ostdeutsche Immobilien sind. Wären sie schön baden gegangen im ostdeutschen Meer, als der gewaltige Furz seine Wellen schlug. *Die* sitzen faul und bequem in München und im Ruhrpott, das weiß er. Und vielleicht in Berlin. Wo Geld zu machen und zu waschen ist, investieren die Pizzas gerne. Quattro Formaggi. Aber das tangiert seine Geschäfte nicht.

»Und wie sagt man's richtig?« Der Oberst macht die Gläser voll und ordert noch eine Flasche. Der Graf weiß genau, was das Zeug im Einkauf kostet. Das ist so billig, das es nichtmal jeder Großmarkt führt.

»Pizze. Versteht ihr! Pizze! Due Pizze, por favor! Und nicht izzen oder izzas! Pizze!« Er macht mit Daumen und Zeigefinger einen Kreis in der Luft.

Halt die Luft an, denkt der Graf, halt die Luft an und friss deinen Scheiß. Aber Hunger hat er auch, bleibt aber bei den vier Käsen, die Salami sieht aus wie Dauerwurst, und auch mit den Meeresfrüchten will er sich nicht näher beschäftigen. Aber er ist Gast, und die Formaggi ganz in Ordnung. Die beiden fressen wie die Schweine. Nichtmal Antipasti stehen auf dem Tisch, nur ein Korb mit Brot.

»Wir hatten mal einen von den Roten Brigaden hier, Ende der Siebziger. Wir haben ja nicht nur die von der RAF rübergeholt. Mein

Gott, hat gelitten, der arme Mann. Weil weit und breit kein Italiener in der Zone. Nichts! Nulle Pizze!« Er lacht, und Schimanski lacht mit, und in seinem Lachen zerreißt ein langer Faden Käse, der zwischen seinen Zähnen und dem Stück Pizza hängt, das er vorm Gesicht hält. Seine Jacke hat er auf den Stuhl neben sich gelegt, in einer der Brusttaschen steckt ein Mobiltelefon, eins von diesen riesigen Dingern mit langer Antenne, die wie ein Funkgerät aussehen, das ist ihm vorhin gar nicht aufgefallen, dabei hat er die beiden genau gemustert, auf seinem Weg durch die Bahnhofshalle.
Er legt seine Brille auf den Nachttisch, neben den Aschenbecher, die Zigarette hat er ausgedrückt. Vor zwei Monaten war er das letzte Mal in Osnabrück bei seiner Frau, in dem Haus. Da war noch Sommer. Sie macht viel ehrenamtlich mit Kindern. Halbtags noch an der Schule. Sie wird hager und kriegt graue Haare. Er wundert sich, dass sie bei ihm bleibt.
Er nimmt den Weltempfänger. Den hat er immer dabei, wenn er reist. Wenn er allein im Hotel liegt, will er nicht Fernsehen. Er dreht durch das Pfeifen und Rauschen und die Worte und die Musik, bis er den Westdeutschen Rundfunk findet. Viel Polnisches und Russisches dazwischen. Zumindest klingt es für ihn wie Polnisch und Russisch.
»Mensch, Harald, das ist ja harter Tobak!«
Domian, das klingt nach dem schwulen Domian, den erkennt man immer sofort. Wen hat er da an der Strippe? Er will einen anderen Sender suchen, aber der WDR erinnert ihn an seine Jugend, seinen Bruder, die LKW-Spedition, den Bergmannsfriedhof, auf dem der Vater liegt.
»Das war eine Schmusesendung«, sagt Domian. Wie heißt dieser Typ richtig? Ist das sein Nachname oder ein Künstlername wie *Domenica*, die Hure der Huren?, die er einmal in Hamburg getroffen hat. Er hat sich nie für dieses Psychotelefon interessiert.
»... die zwei, drei, die da Kritik geäußert haben«, sagt der Mann, der irgendwo am Telefon sitzt und dessen Stimme ihm bekannt vorkommt, »diese Leute haben natürlich auch recht. Und ich habe fast bisschen bedauert, dass du den einen jungen Mann abgewürgt hast,

der gemeint hat, ich bin 'n Arschloch, denn das ist ja nicht in allen Punkten falsch.«
»So.« Domian lacht. »In welchen Punkten ist es denn richtig?«
»Ich kann diese Leute, die, wo, äh, äh, sag ich mal, anrufen und sagen: Gaywatch gefällt mir nicht und so, ich kann das nachvollziehen, dass da manche Leute sich 'n bisschen auf den Schlips getreten fühlen.«
»Ja.«
»Ja.« Jetzt weiß der Graf, wer da beim schwulen Domian anruft, dieser Talkmaster, Schmidt, Harald Schmidt, den hat er ein paarmal bei »Verstehen Sie Spaß?« gesehen, als er die Sendung noch moderiert hat, muss einige Jahre her sein, und jetzt hat er wohl eine Show im Nachtprogramm bei einem der Privaten, die Mädels erzählen ständig davon, er hat's noch nie gesehen. »Verstehen Sie Spaß?« hat er gerne gesehen, und »Wetten, dass ...?« auch, das war noch mit Elsner, in den Siebzigern, Achtzigern, in München mit den Mädels, bei Schampus und Weißbier und Hühnchen, das waren immer schöne Samstagabende gewesen. Dieser Schmidt, denkt er, scheint auf dem Weg nach oben zu sein, die Leute regen sich auf über ihn.
»... ob du Schwule und Lesben in deinem Bekanntenkreis hast?« Es sind immer die Schwulen und Lesben bei Domian, denkt er. Er nimmt sein Glas, ein kurzer Pfeifton, als er das Radio berührt, ein Rauschen.
»Nein, natürlich nicht. Ich habe allerdings sehr viele im Verdacht, dass sie schwul sind und sich vor mir, äh, verstellen, und wenn ich denen so nachts hinterherschleiche, durch die Kneipen oder in den Parks undsoweiter, in dem Moment, wo ich rauskriegen würde, dass die schwul sind, ähm, würde ich natürlich sagen: Mensch, ihr seid schwul. Und das würde ich natürlich am nächsten Tag in der Sendung verwenden, ratet mal, wer alles schwul ist.«
»Ja.« Da muss der Graf lachen. Und ist froh, dass er seinen Weltempfänger immer dabeihat. Er nimmt sich noch eine Zigarette, und die Fledermäuse und der Oberst und sein Partner in der Stadt, den er vorhin noch angerufen hat, um ihm den neuesten Stand durchzugeben, der saß wieder über seinen Büchern, wegen seiner Weiterbildung, oder ist das sogar ein Studium?; all das ist plötzlich weit weg.

Er lacht, und etwas Asche fällt auf seine Brust. Er pustet sie weg. Keine Spuren auf dem weißen Hemd. Die Fünfzehnte heute, obwohl er kürzertreten will.

»… natürlich kenne ich Schwule. Und ich kenne auch viele Schwule, äh, gerade die kein Problem haben mit diesem Humor, ne?«

»In diesem Geschäft arbeiten nun gerade sehr viele Schwule.«

»Hab ich noch nicht so erlebt. Aber es soll vereinzelt Homosexuelle in der Unterhaltungsbranche geben.« Der Graf erinnert sich an einen Unternehmer in München, das muss Anfang der Siebziger gewesen sein, der wollte die schwulen Callboys und Stricher organisieren in einem Club, Zimmervermietung mit Bar sozusagen, das sollte alles über seine Frau laufen, feiner Laden, ganz diskret, da ist Potential drin, meinte der, Geld ohne Ende, denn Schwule gibt's genug, die da kommen und zahlen würden, meinte er, denn was gibt's da für schmuddelige Ecken, wo die Notgeilen hinmüssen, er wollte, dass der Graf mit investiert, aber der wollte damit nichts zu tun haben. Mit den warmen Brüdern läuft das nicht. Die arbeiten auf eigene Rechnung, und es gibt genug Bars im Schwulenviertel, wo sie sich treffen können, einen großen professionellen Tuntenpuff, sowas hatte noch keiner probiert, jedenfalls wusste er nichts davon. Hin und wieder gab es da Versuche, Geld zu verdienen, Geld abzuschöpfen, aber eigentlich wollte keiner was zu tun haben damit. Das sind andere Regeln, andere Kreise. Ist auch nichts geworden mit dem Projekt. Sein Vater, und das wundert ihn, wenn er jetzt daran denkt, hat immer höflich und mit Achtung von den Schwulen gesprochen, ein paar schwule Adlige, mit denen sie um viele Ecken verwandt waren und von denen der Graf zumindest immer dachte, als er ein Kind war, dass die schwul waren, zumindest waren sie *anders*, das konnte er damals verstehen, kamen den Vater manchmal besuchen in seinem Landhaus am Wald in Baden-Württemberg. Abgehalfterte Existenzen, nirgendwo zu Hause, keine Familien mehr, kein Geld, vielleicht waren *das* die Gemeinsamkeiten, und dann saßen sie zusammen und tranken Wein und rauchten (die langen Zigarettenspitzen aus Perlmutt oder verziertem Holz haben ihn immer sehr beeindruckt) und erzählten über die alten Zeiten, noch vor dem Krieg.

»Die Humanisten, mein Freund, die Humanisten. Die Humboldts waren hier zu Hause. Ulrich von Hutten. Martin Opitz, wenn die dir was sagen, aber du bist ja ein gebildeter Mann, was man so hört. Thomas Müntzer, obwohl der ja den Humanismus und den Fortschritt mit dem Schwert verbreiten wollte. Ja, und unsere Humanboxer Henry Maske und Axel Schulz natürlich auch.«

»Danke für die Stadtführung. Ich bin beeindruckt. Und wir sind die Erben der Tradition?«

»Sicher, sicher. Vielleicht wird man in hundert Jahren nicht mehr von uns sprechen. Aber wer weiß das schon. Die Grenze hat ihre eigenen Gesetze. Und wir heben den Standard und die Volkshygiene und den Profit.« Der Oberst hebt sein Glas. »Auf die Zukunft. Auf die Geschäfte. Auf unsere Zukunft. Auf unsere Geschäfte. Auf die Humanisten und das Schwert. Möge es in der Scheide bleiben!«

Sie trinken. Der Kellner räumt die Teller mit den Resten weg.

»Ich denke«, sagt der Oberst und wischt sich die Lippen ab und blickt auf die Rotweinspuren auf der Serviette, »ich denke, *jetzt* haben wir ein bisschen Zeit für eine *richtige* Stadtführung.«

Das Telefon klingelt. Er fährt hoch. Drückt die Zigarette in den Aschenbecher, wirft das Radio um. Beim dritten Klingeln ist er am Telefon und nimmt den Hörer ab. »Ja.« Nur ein Klicken, niemand in der Leitung, ein Knacken, dann das Besetztzeichen, er legt wieder auf. Er blickt auf die Uhr. Noch längst nicht drei. Ob er an der Rezeption anrufen soll und fragen, ob sie ihn angeklingelt haben oder ob sie die Nummer des Anrufes registriert haben? Nur keine Aufregung. Er braucht Ruhe. Als er wieder zum Bett gehen will, das Radio rauscht, und nur noch leise hört er die Stimmen von Domian und diesem Schmidt, klingelt es wieder. Er wartet. Beim fünften Mal will er abheben, aber da hört es auf. Er geht zum Fenster, schiebt die Gardinen etwas auseinander und blickt auf den Rathausplatz. Das große Rathaus ragt gegenüber aus dem Dunkel auf, gotische Spitzbögen über großen runden Fenstern, darüber noch weitere kleine Türmchen, Spitzen, ein Krankenwagen steht im Schatten des Portals, als hätte ihn jemand dort abgestellt und vergessen, oder der Notfall zieht sich hin, er hat diese Stadt an der Grenze noch nicht geordnet in seinem Kopf, als sie vorhin mit dem Wolga durch die

Straßen fuhren, sah er weiße und graue Neubaublöcke hinter den kleinen schiefen alten Häusern, ein seltsames Durcheinander vor dem Abendhimmel, der jetzt klarer wird, Sterne, die Wolken treiben Richtung Fluss, der dort irgendwo hinter den Häusern sein muss. Später sieht er die Bögen einer Brücke, Lichter und Häuser auf der anderen Seite, eine andere Stadt oder ein Teil dieser, das muss Polen sein. Eine Reihe LKW auf dem Seitenstreifen der breiten Straße, die zur Brücke führt, langsam gleiten die Bilder an ihm vorbei, dunkle LKW, kaum ein Führerhaus ist beleuchtet, Schatten zwischen den großen langen Fahrzeugen und Anhängern, das sind doch Frauen?, da sieht er ganz genau, als würde das Bild kurz stehen bleiben, wie eine Frau, weiße Haut, *weiße Haut unterm kurzen Stoff*, in einen LKW klettert, ein Fuß noch auf dem Asphalt, die Hand am Türgriff der geöffneten Tür, wie sie sich hineinschwingt dort, im Führerhaus verschwindet, dicht an dicht stehen die Lastkraftwagen, eine graue gewundene Schlange in der Nacht, endlos, die Grenze, den Kopf, kann er nicht sehen; sie biegen ab, ein Park neben der Straße, wie ein kleiner Wald, umzäunt, am Zaun lehnen Gestalten, Frauen?, wieder Frauen?, aber das kann er nicht genau erkennen, zu viele Schatten, vielleicht auch Gesindel, Nachtwanderer, der Bahnhof ist immer sehr nah in dieser kleinen, mittelgroßen Stadt, der Oberst fährt schnell und geht rasant in die Kurven, scheinbar regungslos stehen sie dort am Zaun und unter den Bäumen, in den folgenden Tagen sieht er fast nur junge und blutjunge Mädchen auf den Straßen, dem Fleischmarkt der Grenzstadt.
»Kai, 32, hat gefragt, äh, die Samantha-Fox-Geschichte, ob das abgesprochen war?«
»Nein.«
»Nein? Das war spontan ...«
»Das war spontan, sie hat mich ja direkt aufgefordert, ich hatte auch das Gefühl, sie war hinterher vielleicht 'n bisschen sauer, und ... als ich ihr dann noch an die andere Titte langen wollte, war sie schon weg.«
Domian lacht. Der Graf steht im Zimmer und blättert durch seinen Kalender. Am Dienstag hat er einen Termin bei einem seiner Steuerberater, sein Anwalt aus Frankfurt kommt extra in die Stadt im

Osten, da muss er pünktlich wieder zurück sein. Aber am Sonntag oder spätestens am Montag sollte er die Dinge hier geklärt haben, die nötigen Informationen bekommen, die Entscheidung getroffen, die Immobilie gekauft, der Oberst deutete schon mehrfach an, dass andere Interessengruppen interessiert wären und bereitständen, aber was soll er auch anderes sagen, um das Geschäft anzukurbeln, der Graf hat seine Informationen, das Projekt ist noch frisch, alles muss gut durchdacht sein, er wird seine Nase und seinen Bauch und sein Wissen und seine Strategie …, er nimmt keine Valium, keinen Betablocker, auch wenn er schlafen möchte, das System ins Dunkel fahren, um traumlos zu erwachen, aus einem Schwarz zu erwachen und analytisch die Dinge anzugehen …, so wie er es immer gemacht hat. Aber da war doch noch was. Richtig, der verdammte Tyson. Aber brüll mit den Löwen im Chor, wenn es sein muss. Das Telefon klingelt. Er geht zum Radio zurück.

»Natürlich hat man den Eindruck, dass du sehr, sehr respektlos mit allem und jeglichem umgehst. Äh, vor was hast du Respekt?«

»… das ist jetzt auf Anhieb für mich schwer zu sagen, wovor ich Respekt habe. Ich mein, äh …, das, das weiß ich ehrlich gesagt nicht. Ich mein, wenn uns 'n Witz zu irgend 'nem Thema einfällt, wird der gemacht …«

»Kennt ihr den? Was ist ein Pole ohne Arme? Na?«

»Und was ist ein Pole ohne Arme?«

»Eine Vertrauensperson.«

Sie stehen vor einem verfallenen Gebäude, um das ein Gitterzaun führt. Das Ziegelportal liegt im Dunkeln, drei Fensterlöcher, keine Laternen weit und breit. Die Lichtkegel der Scheinwerfer berühren die Mauer ein Stück über dem Boden. »Und du bringst mich hierher, um mir Polenwitze zu erzählen?«

»Nein, nein, nein. Geduld mein Freund, Geduld.« Der Oberst steht hinter der geöffneten Tür seines Wolga, stützt sich auf dem Dach ab. »Das ist 'ne einmalige Sache hier. Siehst du sonst nirgends. So wie *unsere* gerechte Sache, der Sozialismus, einmalig war. Scherz, Scherz! Aber das hier überdauert Zeiten und Systeme. Und so wie unser Zukunftsbordell einmalig wird, was? Was?«

»Wir werden sehen.«

Und dann sieht er. Zuerst denkt er, es sind Vögel. Scharen kleiner Vögel. Jetzt kreisen einige direkt über den Lichtkegeln der Autoscheinwerfer. Und er erkennt, dass es Fledermäuse sind. Aus den Fensterlöchern kommen sie. Über dem flachen Dach kreisen sie. Werden immer mehr, als hätten sie sie aufgeschreckt. Die, die über und in dem Licht kreisen, kann er genau erkennen, ihre Flügel sind durchscheinend, durchsichtig fast. Er kann sich erinnern, als Kind ein paar Fledermäuse gesehen zu haben, zwischen Wald und Haus, in den Abendstunden, wenn sie oft draußen saßen, aber so nah und so genau hat er diese kleinen Tiere noch nie gesehen. Er kann die dünnen Arme und winzigen Hände erkennen, über die sich die Flügel spannen.

»Jetzt ist die Zeit, wo sie rauskommen, wo sie auf Jagd gehen.« Der Oberst starrt auf das Haus, aufs Dach des Autos gelehnt, Schimanski sitzt noch auf der Rückbank und raucht. »Jetzt ist die Stunde der Fledermäuse.« Der Graf steht auf der anderen Seite des Autos. Er nickt und sagt: »Beeindruckend. Wirklich.« Er nimmt sein Zigarettenetui und zündet sich eine an. »Ja, ja, nicht wahr? Wir stehen genau im Sperrstreifen, genau in der Zone. Vierzig, fünfzig Meter. Hinterm Zaun. Baustopp. Absolutes Verbot. Soll bald offiziell Naturschutz. Aber ich sage dir, wenn ich entspannen will, wenn ich runterkommen will, wenn mich alles ankotzt, die Grenze, der Dreck, die Geschäfte, die Nutten, na ja, du weißt schon. Dann steig ich in meinen Wolga und komm hierher.« Er klopft aufs Autodach. Er raucht nicht, denkt der Graf, vernünftiger Mann. »Komm, steig mal aus, erzähl unserem Gast mal bisschen was über die Vielfalt der Fledermäuse!«

Der Graf blickt auf seine Uhr. Das Radio rauscht, polnische Stimmen, die Sender wandern. Zwei Uhr. »Vergiss nicht, um drei. Ich will dir paar Leute vorstellen.« Er braucht einen Kaffee. Er schaltet den Weltempfänger aus, geht zum Telefon und ruft die Rezeption an. Fünf Minuten später klopft es an der Tür. Eine junge blonde Frau mit einem Tablett, auf dem ein Kännchen und eine Tasse stehen. Auf der Untertasse ein weißer Keks und ein brauner Keks und zweimal Kaffeesahne. Er nimmt ihr das Tablett ab, sagt: »Danke, das ging schnell.«

»Sehr gerne«, sagt sie, mit leichtem Akzent. Er gibt ihr einen Fünfmarkschein. »Vielen Dank«, sagt sie und macht einen halben Knicks. Er schließt die Tür, stellt das Tablett auf den Tisch. »Wenn du was brauchst, ein Mädchen oder zwei Mädchen oder sonstwas, sag mir Bescheid.«
»Danke. Ich bin wegen Geschäften hier.«
»Schau, schau, ein kluger Mann.«
Er trinkt seinen Kaffee, schwarz. Geht die Dinge nochmal durch im Kopf, Verträge, Anwalt, Prozente, maximale Summe der Investition. Wenn nur die verdammten Fledermäuse nicht wären, die ihn vorhin noch so faszinierten. »Eine Bartfledermaus, dort oben, genau in der Mitte des Fensters, siehst du?«
»Sie hängt.«
»Ja, ja, da hat sie sich kurz mal abgehängt. Ungewöhnlich. Gibt die Kleine und die Große. Ziemlich selten. Siehst du die langen spitzen Ohren? Kann man von hier nicht sagen, ob's die Große oder die Kleine ist. Ich tippe auf die Große. Schwer zu unterscheiden. Die Bartfledermäuse jagen meistens unten am Fluss.«
»Ein Fledermausfachmann, ein richtiger Fledermausfachmann!«
»Ich war früher in der Forstwirtschaft. Und die da, die da direkt über uns kreist, wupp, schon is sie wieder weg, das war …, na guck, da ist sie wieder, und noch eine! Und noch eine.«
»Die sind verdammt groß! Fast wie ein Vogel!«
»Ja, ja, das sind mit die Größten. Heißen auch so. Großes Mausohr. Beziehungsweise Große Mausohrfledermaus. Die sind hier am häufigsten.«
»Das hier ist das exklusivste Fledermaushotel in ganz Deutschland«, sagt der Oberst.
»Verstehe. Verstehe schon.«
Er gießt sich Kaffee nach, läuft mit der Tasse im Zimmer auf und ab. Zwei Uhr dreißig. Er geht zu seinem Koffer und nimmt die Mappe aus der Innentasche. Nimmt den Stadtplan aus der Mappe und geht zum Tisch. Er stellt die Tasse aufs Tablett und schiebt es zur Seite, faltet den Plan auseinander und breitet ihn auf dem Tisch aus. Fünf Orte sind auf dem Plan markiert, fünf rote Kreuze. Drei davon mit Fragezeichen, weil sie doch etwas außerhalb liegen. Aber das muss

nicht unbedingt ein Nachteil sein. Die Stadt wird wachsen, davon kann man ausgehen. EU-Gelder fließen, die neue Hauptstadt ist nicht weit, der große und kleine Grenzverkehr, Unternehmen siedeln sich an, und andere zeigen bereits Interesse. Der Einwohnerschwund nach der Wende wird bald dreißig Prozent erreichen. Er legt die Tabellen mit Plus und Minus auf den Stadtplan, blättert durch seine Unterlagen und Notizen. Der Bund wird investieren, Vorzeigestadt der guten nachbarschaftlichen Beziehungen zu Polen. Das Außenministerium wird hier Gebäude bekommen. Das Tor zum Osten. Die Amis wollen investieren und die Japaner. Arbeitslosigkeit fast zwanzig Prozent. Ziel und bereits in Arbeit: die Zerschlagung des zurzeit bestehenden Sex-Marktes. Konzentration auf ein Objekt. Maximal zwei Objekte. Exklusivität in ganz Brandenburg. IC-Trasse nach Berlin ist in Planung. Möglicherweise auch über Schwerin nach Hamburg.

Das Ganze kann eine Geldverbrennungsanlage werden oder eine Aktie mit Zukunft. Auf der anderen Seite der Grenze stehen die Mädels in jeder Stadt, in jedem Dorf. Clubs, Sexshops, Puffs, Straßenstriche, Wohnwagen, Privatwohnungen, polnische Zuhälter, russische Syndikate. Die Touristen kommen mit Bussen und bumsen für einen Hunderter das ganze Wochenende durch. Zigaretten und Schnaps für ein Drittel, wenn das reicht.

Der Faktor ist der Bulle. Den er nachher treffen wird. Der Oberst hat die Hand auf den Immobilien, alte Kontakte, alte Seilschaften, neues Geld. Die Strategie muss klar sein: Diesseits der Grenze sind wir. Nur wir. Jenseits der Grenze beginnt der Sumpf. Die polnische Politik will die Gesetze verschärfen. Plus. Holt die besten Huren rüber nach Deutschland, dort wird das gute Geld verdient. Infiltration des Grenzmarktes. Drängt das polnische Grenzgeschäft zurück nach Polen. Ein Club, wie es ihn diesseits und jenseits der Grenze noch nicht gibt, noch nie gegeben hat.

»Handel?«, es knackt kurz im Telefon, »du bist doch lange genug im Geschäft. Du weißt doch, dass die polnischen Mädels verrückt sind nach unserer harten Mark. Da, da, da! Und in Brandburg sind wir die Jobvermittlung Nummer eins! Wir mieten und vermieten! Der Sumpf ist hinter der Grenze.« Er sitzt in seiner Burg, in der Stadt im

Osten, und weiß nicht, was er von dem Oberst halten soll. Als er später seinen Bruder anruft, sagt der nur: »Lass die Finger aus der Sache. Eine Dependance Ost reicht.«
Alles legal, Brüderchen, alles legal. Wenn die Karten neu gemischt werden, brauchst du eine gute Hand. Naiv? Wir sind nicht naiv. Das Ding wird sauber, denn das ist die Zukunft. Jetzt schlagen sie sich noch die Schädel zu Brei, in ein paar Jahren sieht hier alles anders aus. Wenn das Chaos vorbei ist, wird das Geld fließen. Und dort, wo alles sauber ist, wird die Rendite am größten. Wobei man das nie weiß, wegen der Sauberkeit. Das weißt du doch selbst. Das Geschäft ist hart, und wir sind keine Samariter. Da müssen wir uns nicht belügen. Du weißt genau, dass ich deiner Meinung bin, *wo alle zufrieden sind, ist auch die Geldbörse zufrieden*. Am Ende. Aber in erster Linie geht es ums Geschäft. Nur ums Geschäft. Erstmal. Die Informationen sind zu gut, die Kontakte sind zu gut. Die Versicherungen scheinen seriös zu sein. Der Bulle. Der Oberst. Die Russen halten still. Die Konkurrenz ist im Griff. Die Politik ist daran interessiert, dass sich die Reihen lichten und dass im Licht gearbeitet wird. Saubere Steuergelder. In ein paar Jahren werden sich die Gesetze ändern. Die Liberalisierung des Sex-Marktes steht kurz bevor. Die richtigen Leute sind auf unserer Seite.
»Zu undurchsichtig. Lass die Finger davon.«
»Ich bin seit dreißig Jahren im Geschäft.«
»Das ist was anderes. Was wissen wir schon von den Russen, Ex-KGB, mächtige Syndikate, die verschiffen die Weiber überallhin. Von überallher. Kosovo. Baltikum. Warentermingeschäfte, du verstehst. Die Märkte werden überrannt. Damit wollten wir doch nie was zu tun haben. Bleib weg von der Grenze.«
»Man muss schauen. Man muss die Chancen überprüfen. Sie suchen Leute von außerhalb, Investitionen von sauberen Investoren. Es geht nur um Prozente. Das Risiko ist nicht zu hoch. Ich habe den Kontakt und die Information von einem alten Russen, den ich seit fast zwanzig Jahren kenne! Nichts ist fix. Warum soll man nicht schauen, wenn die Firma verdienen kann?«
»Dann schau. Du hast ja meistens die richtige Nase.«
Er hat seit Jahren nicht mehr mit seinem Bruder geredet. Der Kleine

ist sesshaft geworden, wie es scheint. Dabei hat er gehofft, dass er mit einsteigt. Wollte am Telefon vorfühlen und dann hinfahren. Bielefeld. Wo er lange nicht mehr war. Er hätte ihn gleich besuchen sollen. Er vertraut den Leitungen nie. Die Stimmen werden zu Daten und Wellen und gleiten durch die Ämter und Umschaltstationen, Verteiler, werden aufgespalten in Nanoteilchen, elektrische Impulse im Äther, Zischen und Rauschen, Wetterleuchten durch den Himmel der Stimmen, wenn die Planeten in der exakt selben Position stehen wie vor Jahren schon einmal, kann man sich selbst anrufen, sie reden meist nur in Chiffren, über Autos und Waren und Geschäfte mit Aktien, Wertstoffe, Rohstoffe, Optionen, Ost, West, Süd, Nord, von den Grenzen ins Land und zurück. Europa wird sich ändern, glaub mir. Der ganze Markt wird sich ändern. Noch ist Polen nicht verloren. Er sitzt im Zug und schläft und träumt von dem Wald hinterm Haus, wie sie dort kleine Häuschen bauen aus Holz und Stein und Lehm. Fledermäuse hängen in den Bäumen.

»Ich habe dir, verdammt nochmal, gesagt, du sollst nicht rauchen. Geht das nicht in deinen Kopf? Und willst du hier bumsen, bis das Kind kommt, oder was? Du setzt keinen Fuß mehr in meinen Laden, du blöde Kuh! Geh, verdammt nochmal, aufs Amt, wenn du pleite bist!«

Der Neubaublock steht fast leer. Nur in wenigen Fenstern ist Licht. Zweitausenddrei werden die Gebäude abgerissen, wie fast alle Plattenbauten in der Grenzstadt. Sie stehen zu dritt im Fahrstuhl. Schimanski trägt jetzt eine blaue Bomberjacke und ein weißes Hemd und sieht wirklich ein bisschen aus wie einer aus der Forstwirtschaft. Das Deckenlicht flackert. Der Graf setzt seine getönte Brille auf. Sie sind in einem der beiden hohen schmalen Blocks, die ihm schon vorhin aufgefallen sind, als sie von den Fledermäusen kamen oder zu den Fledermäusen fuhren, genau weiß er es nicht mehr. In der vierzehnten Etage steigen sie aus. Sie laufen einen langen Gang entlang, der Oberst vorneweg. Die Türen links und rechts sind aus braunem Holz, das an vielen Stellen abgesplittert ist, zerkratzt ist, Worte und Buchstaben, die kleinen runden Spione in

Kopfhöhe sehen trüb und blind aus, die Klingeln neben den Türen kleine graue Knöpfe auf der grauweißen Wand, an einigen Türen noch Namensschilder, Schmidt, Lorkowsky, Janka, Meier, A. Weiß, G. Barth, der Oberst bleibt vor einer Tür am Endes des Flurs stehen. Der Graf hört leise Musik von drinnen. Der Oberst klingelt. Ein paarmal drückt er auf den Knopf. Vielleicht ein bestimmter Code, aber er hat auch schon unten geklingelt, und nur einmal.
Schimanski hat sie während der Fahrt mit seinem Totschlägertelefon angekündigt. »Ich bin's. Fünf Minuten.«
Die Tür wird geöffnet. Ein Mann im schwarzen Sakko, unter dem er einen grauen Rollkragenpullover trägt. Gute Ware, die nicht zu seinem Gesicht passt. Der Oberst nickt ihm zu, sie geben sich die Hand, und der Typ winkt sie alle rein, schließt die Tür hinter ihnen. Der Oberst führt sie sofort in ein Zimmer. Der Graf hat kaum Zeit, den Flur zu mustern, Garderobenleiste mit ein, zwei Jacken dran, da drüben muss das Bad sein, drei weitere Türen, die zur Küche ist halboffen, und der Graf sieht einen Mann mit grüner Bomberjacke direkt hinterm Türspalt auf einem kleinen Hocker sitzen. Ein Melkschemel, denkt er noch, so ein Möbel hat er hier nicht erwartet. Und dass die Bomberjacken irgendwie eine Ost-Sache zu sein scheinen. Obwohl sie in der Stadt im Osten, wo er seine Dependance hat, langsam aus der Branche verschwinden.
Das Zimmer ist nicht besonders groß, wie ein Wohnzimmer in einer Wohnung eben. An der Wand eine Bar. Vier Barhocker davor. Eine junge Frau hinter der Bar, ein Regal mit Flaschen, ein großer Kühlschrank. Paar Teelichter auf der kleinen Theke, paar Teelichter auf den Tischen, niedrige Couchtische vor den Sitzgarnituren. Ein großer Fernseher direkt vor der Fensterfront.
Premiere läuft, die Vorberichte, ist das Axel Schulz? Auf den Sofas und Sesseln zählt er fünf Männer. Und zwei Frauen. Einer der Männer steht auf und kommt auf sie zu. Er hat schulterlange Haare und eine kurze dicke Schweinsnase. Trägt ein schwarzes weites Hemd von Hugo Boss. »Mario«, sagt er und reicht ihm die Hand. »Wir haben telefoniert.«
Der Graf blickt sich um und nickt und sagt: »Gemütlich habt ihr's hier.«

»Ist nur für die Feierabendentspannung. Bisschen Boxen gucken, paar Bier trinken, paar gute Drinks, Freunde treffen. Willkommen an der Grenze.« Der Graf erkennt Reste von Aknenarben oder Pockennarben in seinem Gesicht. »Schön, dass du jetzt da bist. Wir haben ja einiges zu besprechen. Heidi, mach uns mal vier Bier!« Dann dreht er sich wieder zu ihm und sagt leise: »Nur deutsche Mädels hier, mal was anderes, unsere deutsche Botschaft sozusagen.«
»Ich hätte lieber einen Cognac oder einen Whisky.«
»Wie wär's mit Gin Tonic? Heidi, mach uns mal vier Gin Tonic!«
Der Oberst schiebt die Barhocker zur Seite und stellt sich neben sie an die Theke. »Von unserem Mario hier habe ich dir ja schon erzählt. Wir haben alles im Griff entlang der Grenze, nicht wahr.« Er legt seinen Arm um die Schulter der Schweinsnase. Sein Schatten, Schimanski, geht zu einem der Sessel und setzt sich. »Wir hätten uns auch in meinem Laden treffen können«, sagt die Schweinsnase, »feiner Laden, feiner Club, hast du sicher schon von gehört, aber da ist jetzt Wochenendbetrieb. Und warte, bis du die Aussicht hier siehst. Nur im alten Oderturm hast du eine bessere Aussicht als hier. Und in den sind wir leider nicht reingekommen.«
»Müssen wir auch gar nicht«, sagt der Oberst, »viel zu große Immobilie, Geldschlucker, aber die vier anderen Türme …, na, das wirst du morgen alles sehen.«
»Vierzehn Uhr, der Besichtigungstermin steht!« Mario lacht und verteilt die vier Flaschen Bier und die vier Gin Tonic, die das Mädchen anscheinend in Rekordzeit fertig gemacht hat, auf der Theke.
»Ich habe schon einiges gesehen heute.« Der Graf nimmt sich ein Glas, die Eiswürfel klimpern. »Schöne kleine Stadt.«
Das Zucken des Mundwinkels, dieses Zucken, dieses immer wiederkehrende Zucken, bei dem Kriminalhauptkommissar, der später zu ihrer kleinen Runde stoßen wird, das zuckt auch Jahre später noch in seinem eigenen Mundwinkel nach, links, Herzseite, wenn er an all das zurückdenkt, und manchmal auch einfach so. Er sieht Zigarettenqualm und Staub in dem Licht des großen Fernsehers. Als hätte der Typ mal einen leichten Schlaganfall gehabt, denkt er, denn hinter und neben diesem Zucken ist eine Gesichtshälfte seltsam starr, wie festgefroren, nur der Mundwickel bewegt sich:

»Alle glauben an Tyson. Man nimmt kaum noch Wetten an auf ihn. Aber ich sage Ihnen, ich sage Ihnen das mit der Erfahrung und der Menschenkenntnis, die ich mir, und das soll jetzt nicht großspurig klingen, in all den Jahren, hier und hinter der Grenze und weit weg in Mütterchen Sowjetunion ...«

Was, verdammt nochmal, denkt der Graf, hat dieser Bulle bei den Russen gemacht? Aber er hat einiges gehört bei seinen Kontakten in Berlin, Hamburg und Frankfurt/Main. Von der Elitetruppe des Dezernat 1, die angeblich mit dem KGB zusammengearbeitet hat. Gerüchte. Legenden.

»Und wissen Sie, da ist ein Faktor, ein wichtiger Faktor ..., ich weiß nicht, ob Sie sich für den Boxsport so sehr interessieren wie ich ...«

»Schon. Ein wenig schon. Ich kannte früher den Prinzen von Homburg und Jürgen Blin, der mal gegen Ali ..., ist aber schon lange her.«

»Blin? Homburg? Das müssen Sie mir nachher erklären. In aller Ruhe. Worauf ich hinauswill, der Henry sagte mir vor paar Tagen, genaugenommen am letzten Donnerstag, also nicht den vergangenen, sondern den davor, da habe ich ihn nach dem Training zum Essen eingeladen, aber er muss ja aufpassen wegen der Kalorien, also da sagte der Henry, dass er glaubt, dass der alte Holyfield die richtige Taktik, die richtige Strategie und auch das Herz hat, den Willen, die Maschine, die da vor ihm steht, auszuschalten, verstehen Sie, denn darauf kommt es an ...«

»Es kommt auf vieles an.«

»... das Gefängnis, wissen Sie, und damit kenne ich mich aus, das geht tiefer, viel tiefer, als man denkt, das ist ein Gift, das immer in seinen Adern sein wird, das sein Blut und sein Herz und seinen ganzen Körper und sein ganzes kleines Hirn und auch alles um ihn herum ...«

»Gift, sagen Sie. Wie lange hat denn Tyson ..., ich kann mich erinnern, dass er Anfang der Neunziger ...«

»Drei Jahre. Und das ist der springende Punkt. Der Faktor. Dieses ganze dumme Gerede, dass das Gefängnis einen härter macht undsoweiter, es macht dich schwach. Ich will Ihnen jetzt nicht zu nahe treten, aber ich weiß ja ...«

»Sie wissen *was*?«
»Nun, Sie sind ein Mann der alten Schule, seriös, ein Geschäftsmann, ein Investor, deswegen treffen wir uns hier, und selbst wenn Sie ...«
»Sparen wir uns das. Alte Schule ... Was soll das sein? Nur Märchen und Legenden. Sie sind anscheinend gut informiert.«
»So wie Sie. Informationen sind alles. Auch wenn ich andere Gründe habe als Ihre Geschäftspartner. Mir geht es um Transparenz. Um Regulierung. Um Sauberkeit. Um einen sauberen, regulierten, seriösen Markt.«
»Das sind gute Gründe, wie es scheint. Aber sicher nicht alle.«
»Wir beide tragen ein gewisses Risiko. Früher hätten wir gesagt ›operative Informationsbeschaffung‹.«
»Damit habe ich nichts zu tun. Ich vertrete Interessen. Und die Entscheidung liegt nicht allein bei mir.«
»Und damit habe *ich* nichts zu tun. Wissen Sie, es ist ein guter Anfang für ein gutes Geschäft, wenn wir offen reden.« Sie trinken Gin Tonic, während der Ringsprecher den Kampf ankündigt, der jeden Moment beginnt. *Ladies and Gentlemen, live from Las Vegas ..., it isssss Showtime!* »Wenn Sie auf Tyson wetten wollen, ich halte dagegen. Hier und jetzt.«
»Nein. Ich glaube an die Chancen von Holyfield.«
Er blickt auf den Bildschirm. Kann die Kämpfer kaum auseinanderhalten. Hat Tyson in den Achtzigern einmal kämpfen sehen, aber das war in einer anderen Zeit. Sie stehen sich gegenüber, dunkle Statuen, die Gesichter starr. Tausende Lichtblitze um sie herum. Schweiß läuft in Kurvenbahnen über ihre Gesichter. Die Tropfen schimmern in der Luft, wenn sie sich von der Haut lösen, kleine Projektile aus Salz auf ihren Wegen durch den Raum, die Sekunden ticken, wenn sie auf dem Ringboden aufschlagen, in Las Vegas klimpert das Geld in Zeitlupe aus den einarmigen Banditen. *Let's get it on.*
»Holyfield. Alte Schule. Sie sind ein kluger Mann. Ein Old-School-Boxer, wie die Amis sagen würden. Natürlich, alles kann passieren in so einem Kampf.«
»Ein gewisses Risiko ist immer vorhanden.«
»Aber es gibt Versicherungen. Deswegen sitzen wir hier. Haben Sie schon die Aussicht genossen?«

»Ich habe einiges gesehen heute, ja.«
»Lassen Sie sich nicht täuschen. Die Zeiten werden sich ändern. Sicher nicht heute. Vielleicht auch nicht morgen. Aber schneller, als hier manche denken.«
»Davon gehen wir aus. Sonst wäre ich nicht hier.«
»In einigen Jahren sind wir die Vorzeigestadt an der Grenze. Die Außenbefestigung von Berlin. Die deutsch-polnische Dependance der Politik und der Wirtschaft. Das Außenministerium wird hier Abteilungen haben. Nicht am Ende von Europa. Am Anfang. In der Mitte.«
Der Graf raucht zu viel. Er beobachtet den Raum durch seine getönte Brille, die das Licht filtert. Menschen bewegen sich hinterm Zigarettenrauch. Die Vorberichte laufen. Ohne Ton. Man sieht die Kämpfer in den Kabinen sitzen. Der Ring ist leer. Er hört leise Musik, lässt seine Augen über die Wände wandern, auf der Suche nach den Lautsprechern. Eine kleine Diskokugel dreht sich direkt über der Bar und streut bunte Sterne und Punkte auf die Haut der Frau, auf seine Hände, die abwechselnd die Zigaretten halten, links rechts, blinkendes Licht auf den Gläsern und Flaschen. Mario, der Mann mit dem Puff in der Stadt und der Mann mit den Puffs und Anteilen entlang der Grenze, steht neben ihm an der Bar, blickt in die Farben auf den Brillengläsern des Grafen und redet dann leise direkt in sein Ohr. »Wenn der Bulle nachher kommt, lass dich nicht täuschen. Er denkt, er spielt die Karten, doch wir spielen sie ihm zu.« Eine Serviette liegt vor ihm, und Mario schreibt mit einem Kugelschreiber ein Wort auf die Serviette. Einen Großbuchstaben, ein Bindestrich, und dann ein Wort. V-Mann. Er zerknüllt die Serviette und steckt sie in seine Hosentasche. »Ich muss gleich mal pinkeln. Und dann kommt das ins Klo. Nur damit du weißt, dass ich offen bin zu dir. Die Sache ist groß. Und lass dich nicht täuschen, er redet nicht nur. Was denkst du, warum die Konkurrenz hier verschwindet. Und ich da bin. Alles geht zusammen, eine Versicherung wie hier kriegst du nirgends.«
»Ich weiß nicht, ob meinen Partnern die Serviette gefällt.«
»Vergiss nicht: *Wir* sind deine Partner. Und der Bulle ist unser Mann.«

»Dass du mich nicht falsch verstehst, alles was heute und morgen …«

»Wir wissen, dass du ein diskreter und ehrlicher Mann bist, dass du deine Geschäfte immer sauber über die Tribüne bringst. Und was heißt das schon, was ich dir sage … Heidi! Mach uns mal noch zwei Gin Tonic.«

»Was meinst du, wer gewinnt heute?«

»Klare Sache.« Mario nimmt den Gin Tonic, den das Mädchen wieder in Rekordzeit fertig gemacht hat, vom Tresen und reicht ihm das Glas. Die Eiswürfel klimpern, und der Graf spürt, wie es langsam kalt wird in seiner Hand.

Die Körper lehnen aneinander. Wanken vor, wanken zurück. Die Köpfe verschmelzen, die Beine und der Rumpf biegen sich ineinander wie flüssiges Plastik, der Mundschutz rot und blau in einem einzigen riesigen Mund, die Schläge dröhnen durch den Raum, reißen den Körper wieder auseinander, dritte Runde, vierte Runde, damals, in der anderen Zeit, war Tyson schneller als das Licht, jetzt bohren sich seine Fäuste wie in Zeitlupe durch das Glas und in den Raum. Das Zimmer ist voll jetzt, jedes Sofa und jeder Sessel besetzt, Männer und ein paar Frauen stehen zwischen den Sitzelementen und Tischen. Halbnackte Nummerngirls kommen vom Flur, drängen sich mit den Schildern durch die Boxsportfreunde, vorbei an den Körpern, der Bulle sitzt an der Wand auf einem Stuhl, für sich allein. Sein Zucken direkt an der Tapete. Von wegen *deutsche Botschaft*, denkt der Graf, ein paar Kanacken sind auch gekommen. Rumänen, Russen, soweit er das einschätzen kann. Den Bullen beachtet keiner. Und nach der siebten Runde ist er plötzlich weg, an der Tapete ein weißer Fleck. *Alles klar, Herr Kommissar?*

Von irgendwo hört er noch Musik in der Wohnung, seltsame Musik, Gesang, klingt wie Volksliedgut, das muss aus einem der anderen Zimmer kommen. Ziemlich leise. Zwei, drei Zuhälter erkennt er sofort als Zuhälter: Der eine trägt eine goldene Kette mit einem goldenen Schriftzug PIMP. (»Zuhälter im Trainingsanzug mit Goldkette, ›Der Pimp an der Grenze‹, Szene 5, Klappe 1!«) Der Graf legt seine Hände ineinander. Kleine funkelnde Steine auf den Buchstaben. Las Vegas. (»Audioeinspieler mit Hintergrund-Lachen, immer wenn der Typ auftaucht!«) So wie er die Russen und Rumänen erkennt. Zwei, drei Anzugtypen sind auch da, leger mit gelockertem Schlips, Bismarckknoten, bei denen sitzen oder stehen die Mädels, einige haben lange plüschige Hasenohren, Playboybunnies, Wirtschaft, würde er sagen, oder eher Stadtpolitik. Oder Luden. Oder weiß der Teufel was auch immer. Sein Gespür ist weg, und er spürt nur, dass ihm schwindelt. Blödsinn, ist die Müdigkeit von der Reise oder die Müdigkeitsblocker oder was auch immer. Die Kanacken und Luden hätte er nicht reingelassen. Und die Mädels sollten keine Hasenohren tragen.

Die Mädels bilden eine Kette bis zur Bar und transportieren Bier und Drinks zu den Boxsportfreunden. Die Mischung gefällt ihm nicht. Das Licht verwirrt ihn. Zu viele Stimmen in dieser Nacht. Unseriös. Obwohl er diese Mischung ganz genau kennt. Aus der Stadt im Osten und von früher. Du bist übervorsichtig, denkt er, scheinbar haben sie alles im Griff. Man muss mit den Wölfen heulen …, ach, was für ein Schwachsinn. Leise Musik, der Boxkampf läuft.

»Du siehst nachdenklich aus, Partner.« Der Oberst steht plötzlich neben ihm, war für eine ganze Weile verschwunden.

»Der Partner überlegt, wer die Partner sind.« Er trinkt und stellt das Glas auf die Theke.

»Ich habe zweitausend auf Tyson laufen. *Herr* Partner! Was hältst du davon?«

»Achte Runde. Sieht nicht gut aus für ihn. Aber vielleicht kommt er ja noch.«

»Und tausend gehen auf Holyfield. Bei einer Quote von zehn zu eins.«

»Das heißt …«

»Das heißt, gewinnt Tyson, so wie wir alle dachten …«

»Ich habe das nicht gedacht.«

»Du bist ein kluger Mann, so wie es bis jetzt läuft.«

»Intuition.«

»Hast du gewettet?«

»Ich wette nicht. Nicht auf Sport.«

»Vernünftig. Zu unsicher, nicht wahr?«

»Darum geht es nicht. Prinzip.«

»Ein Mann braucht seine Prinzipien.«
»Sagt John Wayne?«
»... gewinnt also Tyson, und danach sieht es gerade nicht aus, habe ich meine investierten dreitausend wieder zurück. Hab's in Moskau platziert, Privatbuchmacher, die einzigen, die mir fünfzehn für zehn zahlten, hatten wohl eine Ahnung und wollten die Tyson-Wetter locken.«
»Ist ihnen anscheinend gelungen. Aber vielleicht kommt er ja noch.«
»Ich würde mit dir hier am Tresen wetten, dass er nicht mehr kommt. Wenn du wetten würdest.«
»Sieht ganz so aus. Und wenn Holyfield gewinnt ...«
»Den habe ich *hier* gespielt. Good old Germany. Hier gesetzt. Zwölf zu eins. Das wären zwölf Riesen. Hätte ich höher kriegen können, habe nicht aufgepasst. Aber das Geschäft steht trotzdem.«
»Zwölftausend. Auf beide gesetzt. Kein Risiko. Aber kein Gewinn, wenn der Favorit das Rennen macht.«
Mario ist vor zum Bildschirm gelaufen, hat die Leute und die Bunnies zur Seite gestoßen und brüllt jetzt: »Hau ihn weg, hau ihn um! Friss ihn endlich auf, Mike!«
Aber Mikes Hunger ist anscheinend im Knast geblieben. Er kassiert von Runde zu Runde mehr, und jeder im Wohnzimmer, der auf Iron-Mike gesetzt und gehofft hat, wird immer stiller, und in der zehnten Runde hängt er in den Seilen, sein Körper von einem seltsamen Licht umgeben (»Da isses doch wieder, verdammt nochmal!«), in das Holyfields Hände eindringen wie in flüssiges Plasma, und der Kampf ist vorbei. Ganz unspektakulär. Und out the Show! Das Plasma erstarrt, als der Körper fällt. Fällt. Fällt. Lichtschleifen. Cut.
»Schau dir unseren Mario an, schau ihn dir an! Unser glattrasierter, lächelnder Junge. Lass dich nicht täuschen, er ist ein guter Geschäftsmann, hat meistens die richtige Nase, auch wenn sie bisschen breit ist, auf wen er setzen soll und auf wen nicht, aber du, und ich und der Kommissar ...«, als er »Kommissar« sagt, es fast flüstert, lacht der Oberst, »er weiß, dass die Zeiten sich ändern werden ...«
»Mario?«

»Mario. Er kontrolliert den Markt diesseits der Grenze. Er denkt, dass er ihn kontrolliert, aber ohne den Kommissar und ohne meine Immobilien, ohne die alten Kontakte, wäre er ... Er ist bereit zu teilen. Anteile zu verkaufen, und unser neues großes Ding, es ist auch sein Ding, kann auch sein Ding sein, vorerst, du verstehst doch ...«
»Ich glaube schon, dass ich verstehe.«
Der Graf trinkt und raucht Davidoff Filter, beobachtet die nackten Menschen in dem nackten Raum und denkt an seine Informationen. Der KGB, die Grenze, das Geld, die Frauen, die Händler und wie man den Fuß da reinkriegt, ohne dass der Sumpf gierig dran leckt. Er will fragen, welche Rolle die Russen in Zukunft spielen werden und ob die Rumänen groß aufspielen wollen wie bei der WM vierundneunzig, als dieser kleine Karpaten-Maradonna Gheorghe Hagi ..., aber das passt jetzt nicht, und er weiß, dass diese Fragen und Antworten die Dinge nicht klären, nicht klarer machen würden. Was machen all diese Gestalten hier, wenn doch der Bulle einen sauberen, regulierten, seriösen Markt anstrebt. Und was macht der Bulle hier, wenn die Kanacken und das Viehzeug der Zuhälter, viele waren es ja nicht, das muss er zugeben, Premiere gucken mit ihnen. In einer großen Show. Bunnies und Gold. In dieser hässlichen Wohnung über der Stadt. Aber er weiß auch, dass es besser ist, die Leute zusammenzuholen, die letzten Spieler, um sie im Blick zu haben, um sie dann auszusortieren, wenn es sein muss, keine große Sache an und für sich. Die Nummerngirls sind verschwunden. Poker oder Mau-Mau.
Er steht unten am Fluss und blickt auf den schmalen weißen Plattenturm. In dem er vorhin noch gesessen hat. Und am Fenster gestanden und aufs Land und den Fluss und das Land hinterm Fluss geblickt hat. Lange nach dem Kampf, der ihn nicht wirklich interessierte. Weil er andere Dinge sah auf dem Bildschirm. Und dann hinterm Fenster in der Nacht, die bereits Morgen wurde. Einen Turm, von Gerüsten umgeben. Arbeiter. Maschinen. Er selbst mit einem gelben Helm auf dem Kopf, die Baupläne in den Händen. Der Faktor ist der Bulle. Die Versicherung. Der den Markt leer räumt. Die Konkurrenz zerschlägt. Zwei Zimmer waren verschlossen in der Wohnung. Er versucht zu erkennen, wo er vorhin am Fenster ge-

standen hat. Auf der anderen Seite sieht er den blassrosa Morgen hinter den Wäldern. Er hat ein Taxi im Hotel bestellt und sich hierherfahren lassen. Der Wagen steht ein ganzes Stück weiter weg, oben auf der Böschung. Fünfzig Mark auf dem Armaturenbrett. Dezernat 1. Davon hat er schon gehört. Sie sind an einem Imbiss vorbeigekommen vorhin, mit dem Taxi, »Zur Friedensgrenze«, ein kleiner Flachbau, eine Holzbude, die noch geöffnet hatte. Eine kleine Brücke führte über einen Graben zu dem Imbiss, vor der Brücke ein Schild aus Schiefer, eine Art Tafel, auf der die Preise standen. Er hat sich eine kleine Flasche Goldkrone gekauft, die Auswahl war nicht allzu groß. Eine alte Frau, ein Mütterchen, saß auf einem Stuhl hinter der Verkaufstheke und schaute erstaunt auf, als er den Raum betrat.

Er blickt aufs Wasser, das dunkel zur Küste fließt. Ins Haff, dieses verzweigte Becken, aus dem drei Arme ins Meer führen. Ein paar Nutrias laufen über die Uferböschung, nicht weit von ihm. Verschwinden irgendwo überm Wasser, haben dort wohl ihre Wohnhöhlen. Schimanski aus der Forstwirtschaft, den er seit der Ankunft in der Wohnung nicht mehr gesehen hat, könnte ihm sicher einiges über diese bieberähnlichen Tierchen erzählen. Dreizehn Jahre später wird er in einem Restaurant sitzen, in der Stadt im Osten, und Cordon bleu mit Nutria-Fleisch essen. Nutria-Farmen entstehen rund um die Stadt. Er mag den Geschmack des Fleisches nicht, ein wenig wie Hühnchen, aber mit einer leicht strengen, bitteren Note. Er isst die kleine Schale nur zur Hälfte leer. Sein Stock mit dem schweren silbernen Knauf, den er an den Tisch gelehnt hat, kippt um und schlägt laut auf den Boden auf. Er blickt die Frau an, die ihm gegenübersitzt und ein leeres Weinglas auf dem Tisch hin und her bewegt. Es ist das erste Mal, dass sie ihn hier besucht.

Als er die Tür zum Zimmer öffnet, stößt er irgendetwas um. Ein Stuhl, wie er später sieht. Wer stellt einen Stuhl so nah an die Tür? Eine Frau hockt auf einer Plastikplane, drei Männer stehen vor ihr und wichsen ihre Schwänze. Sie tragen schwarze Sturmhauben. Die Frau hat ihre Hände auf dem Rücken, Handschellen. Eine Hand liegt auf seiner Schulter. Der Mann von der Tür. Die drei beachten ihn gar nicht und wichsen weiter. Plastikplanen auf dem Boden, zwei

Matratzen, die Kleider neben dem umgekippten Stuhl. Der Mann schiebt ihn schweigend zur Seite und schließt die Tür wieder. »Privat«, sagt er. Musik aus dem anderen Zimmer.
Er geht mit seiner Frau am Ufer des Kanals spazieren. Eisschollen auf dem Wasser. Der kälteste Winter seit Jahren. Der Flughafen hat geschlossen, Züge fallen aus. Sie trägt die russische Tschapka, die er ihr vor vielen Jahren geschenkt hat. Nerz. Die alten verfallenen Hafenspeicher ragen wie Türme vor ihnen auf in der Dämmerung. Die Tage sind kurz. Er will ihr von seinem Traum erzählen. Nutria-Fleisch zwischen den Zähnen. Ein Club, ein Laufhaus mit mehreren Etagen, wie das »Pascha« in Köln, direkt am Kanal. Er würde die Burg schließen dafür. Mit Dachterrasse. Mit mehreren Bars. Whirlpools. Aber die Speicher sind zu verfallen, niemand will investieren, die Stadt ist zu klein, die Geschäfte laufen nicht mehr so gut. Feindliche Übernahmen drohen.
Er liegt auf dem Bett und wartet auf das Klingeln des Telefons. Er gießt sich etwas Goldkrone in den Kaffee. Zwischen den Gardinen sieht er das Portal des Rathauses, ein grauer Morgen, Wolken, er sieht Regentropfen auf der Scheibe. Die Pläne und Unterlagen liegen neben ihm auf dem großen Doppelbett. Der Besichtigungstermin steht. Vier alte Wassertürme. Ein kleines Haus im Zentrum. Aber es sind die Türme, die ihn faszinieren, und einen davon werden sie ausbauen. Eigenkapital und Kredite. Er kann bis fünfhunderttausend bieten. AK und seine eigenen Leute. Er hat einen Traum von einem Club an der Grenze. Ein Stück außerhalb dieser seltsamen Stadt. Ein runder alter Turm mit vielen Zimmern. Bars, Whirlpools. Exklusiv. Und eine wunderbare Aussicht. Einmalig in der Region. Mädchen aus Polen, Mädchen aus Deutschland. Schwarze und Russinnen. Vollweiber und schlanke Models. Girlfriendsex und SM. Und der IC fährt stündlich nach Berlin und über Schwerin bis nach Hamburg. Die Politik unterstützt das Projekt, die Behörden sind mit im Boot, die Steuergelder fließen in beide Richtungen, und der Kommissar vom Dezernat 1 hält ihnen die Konkurrenz vom Hals. Europa-City. Alles wird sich ändern. Er schaltet seinen kleinen Weltempfänger ein. Domian und Harald Schmidt. Er lacht, was ist das nur für eine Type, dieser Schmidt. Kein Respekt vor niemand.

»Abtörnerpornos. Das wär eigentlich im Grunde 'ne Idee. Da hast du mich auf 'ne große Marktlücke gestoßen. Ich produziere in Zukunft mit mir in der Hauptrolle Abtörnpornos. Das heißt, wer zu geil ist oder das Gefühl hat, dass er zu scharf ist, der schiebt sich einfach so 'n Porno mit mir rein und kann dann beruhigt einschlafen, ohne Medikamente.«

Er setzt sich aufs Gras der Böschung. Er kann das linke Bein kaum noch bewegen. Kein Blut. Nur eine Schwellung dick wie eine Faust. Im Knie ist was kaputt, das spürt er. Er hat immer ein paar Schmerztabletten dabei. Wegen seinem Rücken. Valium sowieso. Und Betablocker, zum Runterfahren. Damit er traumlos schlafen kann, ins Schwarz eintauchen und wieder auftauchen, bevor er die Dinge analytisch angeht, so wie er es immer gemacht hat. Neben ihm liegt der Krückstock, den er der Alten für hundert Mark abgekauft hat in der kleinen Holzbude »Zur Friedensgrenze«.

Zwischen den Wäldern, wie in einer großen Schneise, sieht er die Lichter der Stadt auf der anderen Seite der Grenze. Sie verschwinden langsam im blassen frühen Tageslicht. Er hat lange keinen Sonnenaufgang in der Natur beobachtet. Nebel zwischen den Bäumen und überm Fluss. Er hört die Vögel, leise und von fern. Sein Pass steckt in der Innentasche. Wann hat er das letzte Mal das Land verlassen? »Manchmal denke ich, wir sollten unseren Kram packen und nach Südamerika verschwinden.«

»Was willst du in Südamerika, die schleppen dich in den Dschungel und nehmen dich aus.«

»Mondauge, wir leben in seltsamen ...«

»Immer dieselben Lieder.«

Als er aufstehen will und zum Taxi humpeln, den Stock hat er in der Hand, hört er Musik. Gesang. Leise Echos. Er hat zu viele Tabletten genommen. Und dann sieht er das Schiff. Es fährt mit dem Strom, kommt langsam um die Biegung des Flusses. Noch halb vom Morgendunst verdeckt. Eine Art Ausflugsdampfer. Ein Schaufelraddampfer mit flachem breiten Schornstein, aus dem es nach Diesel riecht, ein Rauchfaden, der sich mit dem Nebel mischt, zwei Decks, die leer sind. »Am Brunnen vor dem Tore ...« Er denkt, dass das vom Band kommt. Oder Platte. Wie Grammophon klingt es. Kratzig, mit

einem Rauschen unterlegt. Furchtbar übersteuert. Er kann die großen Boxen auf dem Oberdeck erkennen, oder sind das schwarze rechteckige Kisten? Selbst die Vögel werden übertönt. Und dann das zweite Boot. Einige Meter dahinter. Ein kleines Polizeiboot. Es bewegt sich in Schlangenlinien übers Wasser, als würde es Abstand halten wollen, ein Geleitschutz.»... ich träumt' in seinem Schatten...« Er rutscht, klettert die Böschung nach oben. Er ist sich nicht sicher, als er weiter nach oben zu einem kleinen Baum kriecht, den Krückstock in der Rechten, ob diese Musik nicht vielleicht aus dem grauen trichterförmigen Bordlautsprecher der Bullen kommt. Die Strophen mischen sich, die Liedfetzen verschwinden in den Wäldern und kommen zu ihm zurück. »Die kalten Winde bliesen / Mir grad ins Angesicht.« Jetzt sieht er eine Frau auf dem Oberdeck des Ausflugsdampfers. Sie zieht die Aufschläge ihres Mantels zusammen und stützt sich auf die Reling. Steht dort ein Glas vor ihr auf dem schmalen Metall? Sie geht ein paar Schritte und beugt sich nach vorn, weit über den Bug, wie eine Galionsfigur, und ihr Mantel flattert im Fahrtwind. Und ihr Haar. (»Welche Farbe? Was spielt die Farbe für eine Rolle, Messieurs! Wenn ich ›une blonde‹ sage, glaubt's mir eh keiner! Aber einen Pelzmantel trug sie in der Tat, vorne offen. Ihr blondes Schamhaar kräuselte sich im Fahrtwind, sie sah der wunderbaren Kerri Kendall wirklich sehr ähnlich.«, »Kerri Kendall?«, »Playmate des Monats September neunzig, ihr Kulturbanausen!«) Gestalten hinter den Bullaugen. Leiber. Hände. Gesichter pressen sich ans runde Glas, verformt, wie in einem Spiegelkabinett. Das Schiff fährt Richtung Meer. Zum Haff. An der Ostsee ist er noch nie gewesen. Er hört das Tuckern des Motors. TÖFF TÖFF TÖFF TÖFF TÖFF. Leiser werdend. Sieht noch den Diesel, dünne, zitternde Linien im Nebel, riecht den Diesel. Sieht das Schaufelrad im schaumigen Wasser, als das große Schiff und das Polizeiboot längst verschwunden sind. Und fernes Verklingen, aber immer noch hier, wo er hockt: »Ich musst' auch heute wandern / Vorbei in tiefer Nacht, / Da hab ich noch im Dunkel / Die Augen zugemacht.«
Er läuft die Treppe runter, seine Brille verrutscht auf seiner verschwitzten Nase; er ist mit dem Fahrstuhl bis zur Siebten gefahren, dann ausgestiegen. Jetzt hört er Schritte im Treppenhaus, weiter

oben noch, er läuft schneller, nimmt seine Brille ab und steckt sie in die Innentasche, und dann stürzt er. Hört auch unten Schritte, während er stürzt, aber das sind viele. Sehr viele. Getrampel, Stimmen. Gebt euch doch wenigstens Mühe und seid verdammt nochmal leise! Er versucht, sich noch am Geländer festzuhalten. Sein Knie kracht auf die Betonstufen. Einmal, zweimal. Er will sich irgendwie abrollen, aber er verdreht sich das Bein. Ihm wird schwarz vor Augen, aber er schreit nicht. *Ich bin zu alt für diesen Scheiß!* Der Absatz des linken Schuhs ist abgebrochen. Er ist im fünften Stock. Er humpelt zu einer Wohnung. Drückt die Tür, die nur noch halb in den Angeln hängt, mit der Schulter auf. Beißt sich in die Hand, weil er das Gefühl hat, seine Kniescheibe ist im Arsch. Zieht die Tür hinter sich zu und hockt sich auf den Boden. Wartet fünf Minuten. Hört Sirenen. Hört das Rollkommando im Haus. Kriecht dann durch den Flur ins Wohnzimmer. Sieht den Oberst unten vorm Haus, als er mit beiden Ellenbogen und dem Oberkörper auf dem Fensterbrett liegt. Jemand ist hinter ihm. Zwei Mädchen. Die sich jetzt auf den Boden setzen, nebeneinander, die Rücken an die Wand gelehnt. »Ist o. k.«, sagt er, »ist alles o. k.« Er sieht die Einsatzwagen unten vorm Haus. Kurz scheint es ihm, der Oberst blickt zu ihm hoch, nickt ihm zu, als sie ihn, die Hände auf dem Rücken, verladen.

Den Kommissar holen sie zu Hause ab. Zur selben Zeit. Haben ihn wohl nur um Minuten verpasst. Er saß vorm Fernseher und schaute sich den Kampf an, den er aufgenommen hatte. Das liest der Graf zwei Tage später in der Zeitung.

Neben dem Fenster steht ein kleines Regal. Ein paar Porzellanfiguren. Fotos, schwarzweiß. Eine Feier, wie es scheint, irgendwo auf einem Dorf. Leute sitzen um einen großen Tisch im Freien, Männer, Frauen, ein Mütterchen mit Kopftuch, ein Bauernhaus im Hintergrund, eine Pumpe, Wäsche auf einer Leine, sie halten große Biergläser in die Kamera und lachen. Er nimmt sich eine Zigarette aus seinem Etui. Schiebt es dann zu den Mädchen rüber. Er sieht, wie sie Mario verladen in der Morgendämmerung. Wer jetzt wohl die Puffs übernimmt? Alles schien gut organisiert, gut geplant. Die Kontakte stimmten. (Er konnte nicht wissen, dass die Staatsanwaltschaft seit Monaten gegen den Hauptkommissar, seinen V-Mann Mario und

den Oberst ermittelt.) »Willst du einen Rat?«, sagt der Mann mit der Bomberjacke, der aus der Küche kommt, eine Tasse Kaffee in der Hand, »hm?« Das Geschäft ist geplatzt. Das weiß er sofort, sagt ihm sein Instinkt. Russischer Akzent. Kann aber auch polnisch sein. Was weiß er schon? »Geh. Fünf Minuten. Das Geschäft ist geplatzt.« Er trinkt und lacht, wirft die Zeitung neben sich aufs Bett. Die Krankenschwester bringt seine Pillen. Später ruft er seinen Anwalt, seinen Steuerberater und seinen Partner an. *V-Mann des V-Manns. LKA startete Großaktion. Weitere Verdächtige in U-Haft. Der am selben Tag festgenommene Bordellbesitzer M., 42, angeblich ein V-Mann des Kommissars … Die Ermittler des LKA standen vor der Frage, »wer da eigentlich wessen V-Mann war« … Die Ermittler zerschlugen damit auch einen internationalen Menschenhändlerring, der über Jahre … Der auf Abwege geratene Erfolgspolizist war nicht nur V-Mann der Bordellmafia … Das stasiartig arbeitende Dezernat 1 kümmerte sich im Polizeiapparat der DDR um … Für die Gunstbezeugungen des Ordnungshüters revanchierte sich der Freudenhäusler … Weitere zahlreiche Festnahmen.* Ob die Typen wenigstens noch mit Wichsen fertig geworden sind?
Er nimmt das Taxi bis nach Berlin. In der Charité kümmern sie sich um sein Bein. Er muss so schnell wie möglich zurück in die Stadt, die Geschäfte laufen weiter. Er saß über eine Stunde mit den Mädchen in der leeren Wohnung. »Das ist eine miese Stadt«, sagt er, »wenn ihr vernünftig Geld verdienen wollt, ich habe einen Laden unten im Osten. Seid ihr jederzeit willkommen. Zahlt ihr nur fürs Zimmer. Oder wollt ihr nach Berlin?«
Sie tuscheln. Die Blonde scheint aus Polen zu sein. Oder Russland. Was weiß er schon? Später findet er ein Päckchen Spielkarten in dem kleinen Regal neben seiner Schulter. Das Knie macht ihn fertig.
Sie spielen Mau-Mau um seine letzten Zigaretten. Sie kommt aus Litauen, spricht Russisch und etwas Deutsch. Jana kommt aus einem kleinen Nest in der Nähe. Im Taxi nach Berlin sitzen sie auf der Rückbank und streicheln über das glänzende Fell der Tschapka, die der Oberst ihm am ersten Abend geschenkt hat.
»Hast Besuch mitgebracht?«, sagt Mondauge am Nachmittag, *Smog in Berlin, nichts wie hin*. Er sitzt allein am Tresen und hört Oldies und liest Zeitung. Blickt nur kurz auf.

»Kümmer dich um die Mädels, ich hab einen Termin in der Charité.«
»Betriebsunfall oder schlecht geträumt?«
»Nur äußerlich. Wenn's auf den Kopf übergreift, ruf ich bei Domian an.«
»Die schwule Stimme des Rheinlands. Trink erstmal einen. Und geh lieber ins Urbankrankenhaus, ist gleich um die Ecke. Die Ossis versauen's dir bloß.«
»Haben sie schon. Bin bald wieder hier.«
»Im großen Revier ... Und die Geschäfte?«
»Laufen weiter. Wie gehabt. Was denkst du denn?«
»Das mit dem Denken hab ich mir abgewöhnt. In manchem süßen Traum, vorbei in mancher Nacht.«
»Was?«
»Ach, scheiß drauf. Schieb deinen Arsch zur Oberschwester.«
»Ja, ja.« Er schließt die Augen und sieht: Lichtschleifen. Körper wie aus flüssigem Plasma. Blinkende Steine. Las Vegas.

## Der Kongress der Huren

Liebe Kolleginnen, liebe Mitstreiterinnen, liebe Freundinnen, liebe Freunde, ich begrüße euch nochmal aufs herzlichste! Ich bin überaus stolz, *von ganzem Herzen stolz*, wie meine Vorrednerin sagte, dass ihr hier heute in so großer Zahl erschienen seid! Ich bin eine Hure, und ich zeige mich!
(...) Danke, vielen Dank.
Drei Jahre Prostitutionsgesetz. Ich weiß noch, wie viele von uns damals dachten, jetzt sind wir endlich in der Gesellschaft angekommen. Jetzt werden wir elementare Rechte wahrnehmen können, die Zeit der Halblegalität, in der wir in all den Jahren agieren mussten, arbeiten mussten, leben mussten, ist nun vorbei.
Ich zitiere noch einmal aus dem Gesetz, liebe Kolleginnen, liebe Mitstreiterinnen:
»Sind sexuelle Handlungen gegen ein vorher vereinbartes Entgelt vorgenommen worden, so begründet diese Vereinbarung eine rechtswirksame Forderung. Das Gleiche gilt, wenn sich eine Person, insbesondere im Rahmen eines Beschäftigungsverhältnisses, für die Erbringung derartiger Handlungen gegen ein vorher vereinbartes Entgelt für eine bestimmte Zeitdauer bereithält.«
Wie ihr alle wisst, wurde gleichzeitig im Strafgesetzbuch festgehalten, dass das Schaffen eines angemessenen Arbeitsumfeldes nicht strafbar ist, wenn – und das ist ein Punkt, den wir hier sicher in den nächsten Stunden und Tagen noch diskutieren werden und müssen! – es nicht zu einer Ausbeutung der Sexarbeiterin kommt.
Wo stehen wir heute, drei Jahre nach Inkrafttreten des Prostitutionsgesetzes? Wie viele von euch, von uns, besitzen Arbeitsverträge? Sind wir auch de facto vom Vorwurf der Sittenwidrigkeit befreit? Werden wir durch weiterhin existierende Sperrbezirksver-

ordnungen in der Ausübung unserer Arbeit eingeschränkt? Warum gibt es keine einheitlichen Regelungen durch die Behörden beziehungsweise keine einheitlichen Auslegungen der bestehenden Gesetze, was die Anmeldung von Betrieben und die Ausarbeitung von Arbeitsverträgen betrifft?

Hier möchte ich auch die anwesenden Betreiber und Betreiberinnen von Bordellen oder, wie es so schön heißt, bordellähnlichen Betrieben begrüßen, leider nehmen nur wenige an unserem Kongress teil, aber ich freue mich auf die Diskussionen mit euch, die ihr gekommen seid, auf eure Anregungen und Erfahrungsberichte.

Ich möchte daran erinnern, dass die Vereinigte Dienstleistungsgewerkschaft ver.di im Jahr zweitausendzwei bereits einen Musterarbeitsvertrag vorgelegt hat, der den Sexarbeiterinnen und Sexarbeitern umfassende Rechte einräumte, wie das in anderen Arbeitsverhältnissen alltäglich ist. Wir sollten und müssen uns auch selbst hinterfragen, sowohl wir Sexarbeiterinnen als auch die Betreiber und Betreiberinnen von Betrieben, warum es seit dem Inkrafttreten des Prostitutionsgesetzes einfach wenige, nein, viel zu wenige Änderungen und Verbesserungen in unserem Arbeitsumfeld und in unserer Arbeit gegeben hat. Gleichzeitig und vor allem möchte ich die anwesenden Mitglieder der Regierungs- und Oppositionsparteien bitten, und auch hier muss ich sagen, leider sagen, dass sich nur wenige Politiker eingefunden haben, aber ich möchte euch bitten, euch intensiv all diesen Fragen zu widmen, sie in eure Fraktionen zu tragen! Ihr könnt euch jederzeit nach den Beiträgen der Rednerinnen per Handzeichen zu Wort melden! Wir alle sind gefragt, wir alle müssen zusammenstehen und offen miteinander sprechen, es geht darum, elementare Dinge zu ändern, Probleme, die seit Jahrzehnten bestehen, zu lösen! Die Doppelmoral, was die Sexarbeit betrifft, muss endlich ein Ende haben! Wir brauchen anwendbare Regelungen, um auf dem Arbeitsmarkt und nicht zuletzt in der Gesellschaft als mündige, versicherte, gemeldete, aber freie, Rechte wahrnehmende und Rechte einhaltende Arbeitnehmerinnen oder Selbständige zu agieren, zu leben und … ja … zu arbeiten!

Ich weiß, dass viele meiner Kolleginnen den Status als Selbständige vorziehen! Und dagegen ist auch in keinster Weise etwas einzuwenden! Der Weg in die Selbständigkeit war und ist ja oft der erste Schritt! Würde aber eine adäquate Alternative in einem geregelten Arbeitsverhältnis bestehen, welches ein Grundgehalt beinhaltet ..., ein Mindestgehalt, wie das schon vielerorts mit vielfältigen Modellvorschlägen diskutiert worden ist ... Aber, liebe Freundinnen, liebe Freunde, wie soll das vonstattengehen? Frage ich ehrlich, frage ich euch, frage ich auch und vor allem die anwesenden Betreiberinnen und Betreiber.

Zumindest was die Arbeiterinnen an der Bar und die Tänzerinnen und Künstlerinnen betrifft, sind wir da zum Teil weitergekommen. Und sollten auch in diesem Bereich weiterarbeiten, dort weitermachen.

Ich sage hier ganz offen und ehrlich, dass ich als selbständige Sexarbeiterin, als selbständige Dienstleisterin arbeiten möchte, so wie bisher! So wie die meisten von euch, von uns.

Ich besitze seit zweitausendzwei einen sogenannten Werkvertrag. Meine Chefin lobt die neue Rechtssicherheit, die sie zumindest ein Stück weit vor Razzien schützt. Mein Werkvertrag regelt eindeutig meinen Status als selbständige Dienstleisterin, er verpflichtet mich dazu, meine Einkünfte selbst zu versteuern.

Ich bin in einer privaten Krankenversicherung. Ich weiß, dass viele von euch unter Angabe einer anderen Tätigkeit krankenversichert sind. Was ich unter anderem vorweisen musste, war ein sogenanntes Drogenscreening. Des Weiteren einen Untersuchungsbericht meines Hausarztes. Ich habe diesen Schritt bewusst gewählt. Und wir alle sollten diesen Schritt bewusst wählen!

Für Sexarbeiterinnen mit Migrationshintergrund gibt es allerdings weitere Schwierigkeiten, die aber bei Vorlage aller erforderlichen Dokumente auch zu meistern sein sollten! So ist es – wenn ich das so nennen darf – de jure, das sind unsere Rechte, das sollten sie sein! Ich weiß aber aus vielen Gesprächen mit Kolleginnen, dass es häufig anders aussieht. Dass es gute Gründe gibt, warum andere Tätigkeiten bei den Versicherungen angegeben werden. Ich würde mich freuen, wenn in der anschließenden Diskussion alle

Schwierigkeiten, alle Hindernisgründe hier offen angesprochen werden!

Wir wollen das Prostitutionsgesetz, was ein großer Schritt in die richtige Richtung war, weiterentwickeln, unser Ziel ist es, dass es keine Stigmatisierung, keine woher auch immer resultierende Abwertung unserer Bestrebungen geben darf! Wenn ich beispielsweise höre, dass behauptet wird, dass das Gesetz nur den Betreibern nützlich sei, dann müssen wir das auf unserem Kongress diskutieren!

Was ich zum Schluss noch sagen will, und ich muss zugeben, dass mir seit Tagen, seitdem ich mich vorbereitet habe auf meine Rede hier, dass mir da ganz schön die Muffe ging, so wie wir das in meiner Stadt nennen, denn ich hab das noch nie gemacht vor so vielen Kolleginnen: Ich freue mich sehr auf die Kolleginnen, die jetzt gleich nach mir sprechen. Auf die Kollegin aus Griechenland, wo eine Sexarbeiterin die Lizenz verliert, wenn sie heiratet, so habe ich das zumindest in unserer Broschüre gelesen, ja verdammt nochmal, wo gibt's denn sowas, und ich freue mich auf die Kollegin aus England, die uns von den »antisozialen Verhaltensregeln« berichten wird, mit denen sie verfolgt und eingeschränkt wird, und auch auf die Kollegin aus Frankreich, wo ihr immer noch Freiheitsstrafen drohen. Wir sind hier richtig international, und ich glaube, dass wir da alle zusammenfinden müssen, wenn wir schon immer von Europa reden. Ich kann hier nur von unserer Situation in Deutschland reden und wie ich sie wahrnehme. Und was wir da verbessern müssen.

Wir brauchen auf jeden Fall einen Erlass von Durchführungsrichtlinien zum Prostitutionsgesetz. Wie sichern wir unsere Renten ab? Wir denken doch alle darüber nach. Und wie können wir sichergehen, dass wir nicht in einen Topf mit den Frauen geworfen werden, denen man Unrecht tut. Ich weiß, dass der Zwang ein großes Thema ist, in der Politik, in den Medien, in der Gesellschaft. Und ich weiß, und wir alle wissen, dass es so etwas gibt. Zwangsprostitution ist ein Verbrechen. Aber ich wünsche mir, dass man das nicht alles über einen Kamm schert. Ich wünsche mir eine Gewerkschaft. Ich wünsche mir, dass die *Hydra* weiterhin so unabhängig arbeitet. Ich wün-

sche mir, dass wir unseren Dialog fortsetzen, untereinander. Ich wünsche mir, dass wir uns weiterhin regelmäßig treffen, auf Kongressen, in Diskussionsrunden, auf Demonstrationen. Und es gibt noch vieles, was ich mir sonst noch so wünsche.
Aber erstmal euch allen und uns allen einen schönen und ergiebigen Kongress, dass es Ergebnisse gibt, dass wir weiterkommen. Vielen Dank.

(Tag 1, 18. März 2005)

## Lichter in der Kathedrale

Die Musik ist hier unten kaum zu hören. Wie ein leises Grollen hinter den Wänden, über den Mauern.
Manchmal denkt er, er kennt die Zeiten, in denen die Züge über die nahe Strecke rumpeln. Aber vor allem in den Nächten scheint es keine Regelmäßigkeiten zu geben. Er sitzt oben im Büro und lauscht. Dreiundzwanzig Uhr dreißig, ein Uhr vierzig, stundenlang nichts, und am nächsten Tag vollkommen anders. Der Bahndamm führt ums Viertel, die Güterstrecke verläuft unterhalb der Häuser, unterhalb der Straßen, jetzt im Herbst liegt häufig Nebel über den Gleisen, sammelt sich in dieser Schneise, in den feuchten kühlen Nächten. Büsche wachsen dort, die alten Nebengleise, die in die Fabriken führten, enden auf Brachflächen, Hinterhöfen, verschwinden im Erdreich, hölzerne morsche Schwellen. Und in den Sommern windet sich der Stahl in der Hitze, liegt ein Flimmern über dem alten Güterring, als wäre alles schon asphaltiert. Er hat gehört, dass sie diese Strecke in den nächsten Jahren stilllegen wollen. Das alte Galvanowerk verschwand schon Anfang der Neunziger. Nur das Haus der Verwaltung blieb stehen, ein Wessi kaufte es billig, Treuhandklüngel, richtete einen Club drin ein, verkaufte es wieder. Vor fast zwanzig Jahren.
Wo kam der her? Und wie hieß der nochmal? Hagen? Siegen? Hildesheim? Städte, durch die er vor wenigen Jahren erst gefahren ist. Hässliche Platten, flache Zentren, schmutzige Straßen, Bahnhöfe wie dunkle Höhlen, stinkende Tunnel zwischen den Gleisen, wie vor dreißig Jahren in Bitterfeld oder Frankfurt/Oder, das langgezogene Leuchten der Spielotheken, Dönerläden, Spätverkäufe, Puffs, das er aus seinem Auto sah, das er manchmal aus den Zugfenstern sah, er wollte das Land kennenlernen, nahm sich frei, der Club lief

auch einige Tage ohne ihn, Urlaub würde er das nicht nennen, Dortmund, er wollte einmal im Westfalenstadion stehen und stand dann auch, fühlte sich fremd unter und zwischen den siebzig-, achtzigtausend, an das Spiel kann er sich nicht mehr erinnern, Hagen W. aus Hagen?, Siegfried Augentaler?, er könnte in seinen Unterlagen nachschauen, Kopien liegen im Tresor, dort steht auch noch eine Flasche »Springer Urvater«, die ihm der Vorbesitzer damals hinterlassen hat. Drei viertel voll. Er hat sich in all den Jahren vorgenommen, sie zu einem besonderen Anlass zu trinken. Dann vergaß er sie wieder. Er fand auch eine kleine silberne Edelstahlschatulle. Aber nur ein Spiegel, im Deckel, als er sie aufklappte. Und einen Notizzettel. »Ich muss Laura schreiben«. Er wollte das wegschmeißen, Zettel und Schatulle, aber sie steht immer noch im Tresor neben der Flasche oben im Büro. Hans nimmt sich vor, nachzuschauen, wie der Mann hieß, wo er herkam. Die Erinnerungen täuschen ihn oft. Er wird alt. Vieles ist wie gestern. Vieles ist fern. In Hildesheim hatte er einmal Aufenthalt. Vor drei, vier Jahren. Als es ihn plötzlich aus der Stadt trieb. Er kam am frühen Abend aus der Kneipe im Zentralbahnhof, die sie den »Toten Eisenbahner« nennen, neben der Treppe zu den Gleisen, und ist in einen Zug gestiegen. Stand dann in Hannover, Nacht inzwischen, das Steintor nicht weit, aber was sollte er da. Das war, bevor die Engel in die Stadt kamen. *Sind schon längst da. Waren es immer. Nein.*
Durchs Steintor gehen. Nein. Er stieg in einen Zug. Und stieg in Hildesheim wieder aus. War das die Endstation? Vielleicht. In Hannover hatte er in seinem Club angerufen. Hatte seinen Mann an der Tür angerufen, hatte dann noch Alex angerufen. Ja, ja, der Pakt. Wir haben die Gläser gehoben und den Pakt geschmiedet, auf dass ewig Frieden herrsche in den Puffs, in den Straßen. Vor so vielen Jahren. Musste kurz weg, bin morgen, übermorgen wieder da. Ja. Ja. Ruft an, wenn was ist. Hatte bei Mandy angerufen, Mandy 2.
Er würgte. Stolperte an die Fliesenwand. Hörte sich würgen in diesem gefliesten Scheißhausraum des Bahnhofs Hildesheim.
Er hatte ihn nie getroffen, den großen Mann aus Hannover. Der Pate. Der Kanzler der Engel. (Der Anwalt des großen Mannes arbeitete tatsächlich in derselben Kanzlei wie der ewige Ex-Kanzler und

Anwalt Schröder, Hannover-Connection.) Er war nur ein kleiner Puffbesitzer (Puff?, nee, wollt ihr mich verarschen?) mit einem kleinen Club. Hans' Nachtclub. Das war nicht der Name. »Zum toten Eisenbahner«. Nein. »Die schönen Augen«. Ja, das schon eher. »The Paradise«. So hatte der Unbekannte, dessen Namen und Erinnerungen im Tresor und in der kleinen Schatulle lagen, es damals genannt. »Die rote Mühle«. Wie in Paris? Nein. Er grübelte im Zug, dachte nach. Alles war schon abgesteckt, hatte seine Namen, umbenennen machte keinen Sinn. Wozu auch. Der Laden lief. Mal so, mal so. »Das Diamantenherz«. Was für ein Unsinn.
Und er blickte in den Abend, in die Dämmerung, dunkelrot, grau, Wolkenfetzen, Landschaften davor, Schemen von Wäldern, Häusern und Lichter, die sich auf den Straßen bewegten, verschwanden, bald würde er nur noch sein Spiegelbild sehen. Er trinkt seinen Wein, er trinkt seinen Kaffee, er fragt den Mann, der mit einem Wägelchen durch die Gänge der Waggons kommt, nach einem Kaffee, denkt daran, wie er damals den Namen für seinen Club gesucht hat, und in Hildesheim wirft er fünfzig Cent in den Schlitz neben der Tür, das Behindertenscheißhaus ist gesperrt, die sind meistens am saubersten, denkt er sich, sein Club ist noch nicht rollstuhlgerecht, aber es kamen in all den Jahren vielleicht drei, vier Rollstuhlfreunde, wie damals, der kam sogar mit seinem Pfleger oder Betreuer oder weiß der Teufel, wer das war, den haben sie reingehoben, er selbst und der Martin und der Freund vom Rollimann, der hat geschimpft, weil der ganze Stuhl quer stand und fast umgekippt wäre, hat ihnen von den Ämtern erzählt, die da intervenieren könnten, aber anstatt ihn rauszuschmeißen, Hausrecht, haben sie dem eine Pulle Extra-Dry aufgemacht, während sein Boy, also der Krüppel, so darf man das ja gar nicht mehr sagen, ohne dass die Korrekten einem die Hölle heiß und den Himmel kalt ..., und ist auch nicht böse gemeint, schön an der Bar stand, bisschen tief halt, und alle Mädels um ihm rumflatterten, wo hat der denn sonst so eine Aufmerksamkeit, rein weiblich gesehen, da hat Hans im Büro gesessen und gelacht und die Mädels angewiesen, während der Pfleger oder Kumpel von dem Rollator vorne noch geschimpft hat, aber dann ganz still war, der hat das Geld von den beiden ver-

waltet und hat den besten Whisky getrunken an der Bar, erstmal ..., zufrieden warn sie. Ja. Das kann man nicht anders sagen. Gebumst haben sie beide. Der Krüppel und sein Boy. Der Pfleger und sein Boy. Die Mädels haben den zu dritt aufs Zimmer getragen, also den Krüppel.
Und da wirft Hans in Hildesheim ein Geldstück in den Münzschlitz des Bahnhofklos und lehnt sich in das Summen der Tür (*Bitte sofort drücken, sonst Einwurf ungültig!*), steht im gefliesten Raum des kleinen weißen Klo-Tempels, alles leer, kein Mensch, kein Geräusch, vollkommene Stille, dann hört er das Aufschlagen eines Wassertropfens auf einer Wasseroberfläche, irgendwo, hört das Summen der Neonröhren über sich an der Decke, geht zu den beiden Klokabinen, öffnet die Tür der ersten, blickt auf das runde verschissene Weiß eines Toilettenkörpers, stolpert würgend zurück, öffnet die zweite Tür, sieht dieselbe Explosion der Exkremente im Becken, an den Wänden sogar, braunes Gesprenkel, rennt würgend, brüllend fast, zurück auf den Bahnsteig, dort holt er tief Luft. Spucke läuft über sein Kinn.
»In meinem ganzen Leben habe ich noch nie so ein verschissenes Klo gesehen. Unglaublich. Einfach unglaublich.«
Die Musik ist hier unten kaum zu hören. Ein leises Grollen. Vielleicht auch die Züge. Null Uhr, drei Uhr, dreiundzwanzig dreißig. Hinter den Wänden, über den Mauern.
»Was interessiert mich dein Scheißhaus.«
Er setzt sich. Über dem kleinen Tisch, den ihm ein alter Schweißerfreund vor ein paar Jahren geschweißt hat, liegt eine Tischdecke aus Kaschmir. »Wenn du auf *mein* Scheißhaus gehst, also oben ..., ist was ganz anderes. Sauberkeit, verstehst du. Man muss sich wohlfühlen, der Gast muss sich wohlfühlen. Das geht beim Scheißhaus los. Und das lass ich mir was kosten. Es geht nichts über eine gute Klobrigade. Wenn du mal musst ...«
»Willst du mich loswerden?«
»Nein. Ich will dir nur etwas erzählen. Oder hast du keine Zeit? Bist du in Eile?« Er legt seine rechte Hand auf den Tisch. Der Schweißerfreund hat auch die Regale an den Wänden gefertigt. Stahl, Holz. Einfach, funktional. Zuerst hatte er die Idee gehabt, den ganzen Raum zu täfeln, Marke Herrenzimmer.

»Du weißt, warum ich hier bin.«
»Zu zeitig, viel zu zeitig. Timing, verstehst du, Timing ist alles, immer.«
»Du kannst dir deine Spielchen sparen, Mister Piezceck.«
»Spielchen? Keine Spielchen. Steigen wir also direkt ein.«
»Du bist unvorsichtig.«
»Und du bist wohl klüger, als ich dachte, ein echter Mister Kray.«
»Was?«
»Nur so ein Spruch, keine Angst.«
»Angst? Warum sollte ich Angst haben. Ich bin hier, um ein Geschäft zu machen. Wir könnten …«
»Uns einigen. *Das* meinst du.«
»Ja.«
»Und du hast recht. Setz dich doch.« Er greift nach einem der Stühle, schiebt ihn zu ihm rüber. Zusammengeschweißte Stahlrohre mit dünnen feinen Blechen als Sitzfläche. Rote Samtkissen auf den Sitzflächen. Er hat nur diese Art der Möbel hier unten. Alles von seinem alten Schweißerfreund, dem er damit einen guten Auftrag beschafft hat. Weil der seit Jahren arbeitslos war. Der Mann setzt sich. Die zwei Neonröhren an der Decke leuchten auf ihre Körper.
»Weißt du, wo wir hier sind?«
»In deinem Club.«
»Drunter. In den Katakomben der alten Fabrik.«
»Das Galvanowerk? Das war die Patenbrigade meiner Schule, neunzehnhundertvierundachtzig.«
»Sag mir, was du weißt.«
*Er weiß gar nichts, du blödes Arschloch. Er blufft. Er will nur was.* Hans zieht einen dritten Stuhl zu ihnen ran. *Ich steh lieber.*
»Ich weiß genug. Man könnte auch sagen, was diesen Vorgang betrifft: alles. Und ich bin nicht gierig. Ich will nur hier weg. Aus der Stadt weg.«
»Südamerika oder Mallorca? Du hättest alleine kommen sollen.«
»Ich bin alleine.«
Die Keller des alten Galvanowerkes, von dem nur noch das Verwaltungsgebäude steht, verzweigen sich bis unter die Häuser, sind verbunden mit den Kellern der anderen längst verschwundenen Fa-

briken des Viertels, in manchen Gängen rieselt der Putz, wenn ein Güterzug wenige Meter oberhalb die Bahnschneise durchfährt. In manchen Gängen rosten eiserne Türen, nummeriert, es gibt Treppen in tiefere Kellergeschosse. In einen dieser kleinen Treppenabgänge leuchtete er einmal mit einer Taschenlampe, ging ein paar Stufen nach unten, richtete den Strahl seiner langen Maglite-Taschenlampe auf den Boden, ließ ihn wandern, bis er sich im Dunkel verlor, keine Wände, keine Mauern berührte der Strahl seiner Taschenlampe, ein ungeheurer Raum. Wasserpfützen leuchteten auf, und als der Strahl in ein graues piepsendes Gewimmel fuhr, machte er, dass er wegkam.

»Der leckt und leckt und leckt, und später raucht er eine und geht dann. Ist doch 'ne Drecksau. Na ja, ich meine, mir soll's egal sein. Aber der hatte ja den Ring am Finger, soll mir auch recht sein, aber ich stell mir vor, der geht zu seiner Frau und küsst die. Ich meine, der war bis zum Kinn in mir drin, hat das ganze Bett vollgesabbert. Aber wahrscheinlich küsst er seine Frau gar nicht. Wenn ich meinen Marco küsse, ich meine nach der Arbeit, wenn ich nach Hause komme, da habe ich mir vorher aber sowas von den Mund ..., und eh immer mit Gummi, die meisten blasen ja jetzt ohne ..., ist die neue Zeit. Ich meine, so alt bin ich noch nicht, und die meisten schätzen mich sowieso jünger als fünfundvierzig ..., aber das kann über Nacht passieren, dass man durch ist und nicht mehr kann, aber ich bin gut drauf im Moment, und dann ist der Marco für mich da, wir sparen und sparen, und ich schufte, und er schuftet ...«
Die Klimaanlage läuft auf Hochtouren, das ehemalige Verwaltungsgebäude des alten Galvanowerkes schwitzt, Zink- und Chrompartikel tropfen aus den Mauern, schweben Monate später zwischen den Nebeln, Herbst, Sommer, November, Juli, nur noch wenige Güterzüge rumpeln über den Güterring, Gin Tonic ist wieder im Kommen, Gin *and* Tonic, sagte der alte Graf immer, er hat an der Börse viel verloren, Gerüchte, Hans sitzt in seinem Büro, will aufhören zu rauchen, zündet sich aber doch wieder eine an, sein Vater stirbt langsam oben in der Stahlstadt, aus der er vor vielen Jahren gekommen ist, ein blau leuchtendes Bild hat ihm sein Vater gezeigt, so sieht der Tod aus, Hans wartet, schaut auf die Uhr, Glashütte, die hat

mal Honecker gehört, Rubine im Inneren, im Gehäuse, Gerüchte, jemand weiß zu viel, er denkt an das Wasserschloss in den Wäldern weit vor der Stadt, in der Heide, ein Teich, bedeckt mit Seerosen, der Schlossgraben hinterm Park, das Wasser still und dunkel, was will dieser Mann von mir, denkt er, hört auf die Musik draußen, drinnen, Stimmen, Lachen, später wird er wieder die Hits der Achtziger einlegen, *eine unerhörte Angst,* er dreht sich um, ist allein im Raum, schaut wieder auf die Uhr, dann auf sein Handy, das rote Festnetztelefon steht vor ihm, nur noch wenige Anrufe über diese Leitung, bald wird er es abmelden können, aber ein Büroanschluss ist ein Büroanschluss, mit seinem Freund in Tokio, dem Diamantenhändler, kommuniziert er über Skype, mit wechselnden Accounts und meistens in Chiffren, mit den libanesischen Zwillingsbrüdern aus Berlin kommuniziert er gar nicht, die warten, bis er sich meldet, er schwitzt, die Klimaanlagen halten die Arbeitsräume erträglich kühl, was das alles kostet, die Dunkelheit in den Ecken des Raumes, Aktenschränke, Regale, ein Tresor, er bewegt den schwenkbaren Kopf der Schreibtischlampe, der Laptop ist zugeklappt, Alex hat ihm das vor einigen Jahren beigebracht, gar nicht so schwer, Windows, Excel, Apple, er hat das Netz gehasst zu Anfang, sich lustig gemacht, hat dennoch Werbung schalten lassen, Webseiten einrichten lassen, bevor er selbst anfing, die Geschäfte per Mail oder Online-Banking abzuwickeln, das Gästebuch zu lesen, ganz vertraut er dem System nicht und tätigt wichtige Überweisungen am Überweisungsterminal der Postbank im Stadtzentrum, sein Steuerberater wird bald wieder anrufen, er will nach unten in seine kleine kühle Kathedrale unter dem Stein, unter dem Boden, der Keller unter dem Keller, Geheimgänge wie in einer Burg, aber hell erleuchtet seine kleine Kathedrale, sein Hobbyraum, von dem kaum einer was weiß, dem Graf hat er einmal erzählt, dass er sich da unten was ausbauen will, »Wie, da unten?«, »Nur ein Hobbykeller«, »Basteln beruhigt die Nerven, was? Als Kind hatte ich mal eine elektrische Eisenbahn, ich und mein Bruder, eine alte wunderschöne Märklin, die wäre bestimmt einiges wert heute«, »Wär was für deine Kinder«, Schweigen, das Haus schwitzt, die Klimaanlage läuft, der Stromzähler rotiert, Hans schwitzt, das Arbeitsamt war letztens da, hat kontrolliert, ob die Mä-

dels nicht vom Staat kassieren, die Zuständigkeiten verändern sich, die Bullen lassen ihn seit Jahren in Ruhe, weil er den Laden sauberhält, weil AK mit den Bullen, den Ämtern und der Stadt gut steht, die Bullen wussten immer, wer bei ihm arbeitet, seine Bücher sind in Ordnung, alle profitierten von der Ordnung im System, er muss wieder mehr Sport machen, hat fünf Kilo zugenommen, das reicht nicht, es beruhigt ihn, die Antiquitäten zu berühren, zu pflegen, auf Samtunterlagen in den Regalen zu platzieren, *nur ein Wahnsinniger sammelt diese alten Dinger wie Artefakte*, »Werd ja nicht frech, du!«, es klopft, »Ja?«, Mandy schaut rein, »Ja?«, »Kannst du mal kurz kommen, bitte«, »Ja«, er nimmt das Jackett von der Stuhllehne, trinkt dann einen Sambuca bei Mandy an der Bar, mit drei Kaffeebohnen, Mandy 2, er denkt manchmal an Mandy 1, wo die wohl jetzt ist, er hat damals geschwiegen, als sie gegangen ist, *Wohin gehst du?*, bin gleich wieder da, Klaus sitzt auf seinem Stuhl neben der Tür, nickt ihm zu, Hans sieht, wie der Rauch zur Decke steigt, die Gäste schwatzen mit den Mädels, rauchen, trinken, ordern Sekt für die Mädels, die rauchen auch, fast alle, die Lüftung hat ein Vermögen gekostet, nicht ganz, scheiß auf den Nichtraucherwahnsinn, auch wenn er selbst aufhören will, er zündet den Schnaps an, bewegt das kleine Glas mit der bläulichen Flamme vor seinem Gesicht ein wenig hin und her, spürt, wie seine Finger warm werden, weiß, dass er die Flamme auspusten muss, bevor das Glas platzt oder seine Haut schmilzt, er sieht, wie von den röstenden Bohnen feine dunkle Schlieren in den klaren Schnaps sinken, komm ja nicht vorne rein, hat er ihm am Telefon gesagt, Mandy beugt sich vor und pustet die Flamme aus, »Schläfst du, mein eiserner, furchtloser Hans?«, »Was?«
Er zieht das Handtuch weg, das auf der Kaschmirdecke liegt. »Was soll das sein?«
»Geld. Siehst du doch.«
»Wie viel?«
»Du kannst zählen. Bitte.«
»Du verstehst mich nicht, oder?«
»Zwanzigtausend.«
»Ich bin nicht gekommen, um zwanzigtausend zu zählen.«

»Mehr ist nicht drin.«
»Ich will die Steine sehen.«
»Koka? Crack? Kristall? Du bist nicht bei deinem scheiß Dealer.«
»Ich will die Steine sehen.«
»Und was erhoffst du dir davon?«
»Das hängt von dir ab, Hans.«
»Darüber können wir nicht diskutieren. Du weißt, dass das unmöglich ist.«
»Da ich der Einzige bin, der die Umstände kennt ... Nichts ist unmöglich.«
»Wir können auch alles an die Wand klatschen, und nichts, gar nichts kommt dabei raus.«
*Und schmieden Bänder um dein Herze und schauen, wie es in dir pocht.*
»Was?«
Die Treppen knarren. Paare gehen nach oben. Hände und Arme um Hüften. Kleine Hände auf Beinen, auf Bäuchen. Arme in Armen. Einige seltsam separiert, als würde der Herr gerne den Schein wahren, wo man ihn noch sieht, um dann im Zimmer richtig loszulegen hinter der verschlossenen Tür. Und draußen bewegt sich die Stadt. Der dicke Klaus rutscht auf seinem Stuhl hin und her. Steht ab und an auf. Blickt durch den Spion, wenn es klingelt. Kein lautes Klingeln, wir wollen die Gäste nicht verstören. Hans schaut in die blaue Flamme seines Sambucas, bevor er ihn trinkt. Die oberen Schichten der drei Kaffeebohnen beginnen zu brodeln unter der Hitze, schlagen winzige Blasen, sondern dunkle Schlieren ab, die langsam in den Schnaps sinken. Wir müssen munter sein. Er spürt den unruhigen Schlag seines Herzens. Stellt das leere warme Glas auf den Tresen. »Sie sagen, Sie haben nur drei Piccolos bestellt, nicht vier?«
»Ja! Zwei Damen, drei Piccolos.«
»Zwei Damen, vier Piccolos. Aber ...«
»Nein, ich ...«
»Sie sind unser Gast. Wir sagen: Pardon. Seien Sie unser Gast. Ich sehe, Sie trinken Gin and Tonic. Eine gute Wahl. Sapphire? Gestatten Sie uns einen aufs Haus. Mandy!« Er winkt, hebt den Arm, Mandy nickt, er geht zwei, drei Schritte rüber zum Barhocker, auf dem Caro sitzt, flüstert ihr ins Ohr, dass sie vorne in der Sitzecke

doch einfach kurz warten soll, sich's bequem machen soll, »Ich bring dir gleich 'n Kaffee oder 'n Sambuca, wenn du willst«, weil er sieht, dass Gabriella, die süße Ungarin, die links neben dem Schnorrer sitzt, die Dame ist, die ihm, also dem Schnorrer, gefällt, »Fühlen Sie sich wohl bei uns, und entschuldigen Sie die Unannehmlichkeiten. Drei Prosecco. Das darf nicht passieren, aber verstehen Sie …, und wenn Sie Wünsche haben, wenn Sie Fragen haben, sagen Sie einfach unserer Mandy hier Bescheid, wir sind immer für unsere Gäste da!« Mandy 2 stellt einen Gin and Tonic neben den fast leeren Gin and Tonic des Gastes. Hans hört die Klingel, die sonst keiner hört. Blickt rüber zum dicken Klaus, der aufsteht und den Samtvorhang zur Seite schiebt, um durch den Spion zu schauen. In seinem Büro hat er den kleinen Monitor auf dem Tisch neben dem Schreibtisch. Kamera über der Tür. Auch neu. Relativ. Wie lange das schon her ist, dass Steffen hier manchmal an der Tür stand. AKs Mann. Sein bester Mann, so erzählte man damals. Hans bezahlte fair für AKs Brigade. Mit Steffen konnte man reden, waren angenehme Gespräche nach Feierabend, bei 'nem Glas Wein an der Bar oder bei …, wie hieß diese Dreiundzwanzig-Stunden-Kneipe nochmal?, Fußball, Philosophie, Leben und Krieg und Sinn und sowas. Auch wenn der immer früher oder später mit seinem Japan-Scheiß anfing. Oder war das China? Fernost in der Eastside. Der ist verschwunden, wollte Kariere machen bei den Engeln, lange bevor er, Hans, den Japaner kennenlernte und via Skype … »Was für ein verdammtes scheiß Netz? Hängen wir da drin im Jahr zweitausendzwanzig, oder was? Ihr habt zu viele Science-Fiction-Filme gesehen, Steffen, Arnold. Ihr seid doch wahnsinnig, ›Bild‹, Rotlichtführer, wir sind bereits in der Zukunft!«

Hans hält das Foto, versucht, sich an ihn zu erinnern, wie sah der Typ früher aus, bestimmt hatte er ihn schonmal gesehen vor fast zwanzig Jahren, Anfang, Mitte der Neunziger. Straßenstrich? Security? Damals hieß das noch anders. Kam der aus der Fußballbrigade? Er wusste nur von der Scheiße, in die er verstrickt war, damals, Mitte der Neunziger. Er hatte nur sehr vorsichtig Informationen über ihn eingeholt, um kein Aufsehen zu erregen. Er musste die Sache ruhig angehen. Aber wie? Woher hatte das Arschloch seine Informatio-

nen? Ein Anruf vor fünf Tagen, am Nachmittag. Hier im Büro. Unbekannte Nummer auf dem Display. »Die Steine der Weisen glitzern.«
»Was?«
»In deiner Post ist ein Brief mit einer Nummer und einer Zeit. Ruf von einer Zelle an.«
»Wer spricht da? Was willst du?«
»Reisegeld. Hoch zwei.«
Hans hatte sofort seine Post durchgesehen. Finanzamt, Freundeskreis der Sozialdemokratie, Bonusprogram Deutsche Bahn, Broschüren von Remy Martin und Rotkäppchen, Steuerberater, wieder Finanzamt, Anwalt 2, Rechnungen von Getränke Herrmann, mit dem er hin und wieder noch Geschäfte machte, aus alter Verbundenheit, obwohl er meist in den Großmarkt fuhr, Post von der städtischen Müllabfuhr, die Stadtwerke, das Kirchenblättchen der Gemeinde in der Nachbarschaft, seit er der halbverwirrten Alten, die hier mal wegen Spenden vorbeigekommen war, weit nach Mitternacht, seltsame Arbeitszeiten, einige Scheine in einem Anfall von Großzügigkeit in den leinenen Spendensack gesteckt hatte, bekam er jeden Monat das Kirchenblättchen, zwei Arztrechnungen, er war ja privat versichert, eigentlich müssten die ihm Provisionen bezahlen, weil er in den letzten Jahren einige der Mädels in diese Kasse gebracht hat, Firmensitz in Dortmund, ein Brief vom Arbeitsamt, sicher ging es um die letzten Besuche der Mitarbeiter im Außendienst, der Kontrolleure, die Kompetenzen hatten sich verschoben, wieder mal, ein dicker A5-Brief von der Hurengewerkschaft, so nannte er sie, obwohl sie einen anderen Namen hatte, und irgendwo inmitten dieses Packens im Briefkasten seines Clubs ein Umschlag, ohne Marke, ohne Absender, »An Herrn Pieszeck« stand dort in kindlicher Schrift, einer Mischung aus Blockschrift und Schreibschrift. Er hatte ihn zur Seite gelegt und die anderen Briefe sortiert und teilweise geöffnet. Er hatte schon vor Jahren eine Sekretärin einstellen wollen, eine Miss Moneypenny, die sich um den ganzen Kram kümmerte, aber was sollte sowas kosten, verdammt nochmal, wo ihn die Kosten sowieso schon auffraßen. Ja. »Morgen, Dienstag, 16.30«.
Er hatte sofort rausgefunden, was das für eine Nummer war. Tele-

fonzelle auf dem Zentralbahnhof, oben an den Gleisen. Der Typ schien nicht besonders hell zu sein. Er hatte überlegt, ob er hingehen sollte, zur genannten Zeit. Aber um sechzehn Uhr dreißig war dort der große Betrieb, das Kommen und Gehen, die Fernzüge fuhren im Stundentakt, die Regionalbahnen transportierten die Pendler in die Dörfer, die Kassen der Geschäfte in den unteren Geschossen des Zentralbahnhofs ratterten um diese Zeit. Immer Polizei unterwegs, Bahnhof-Security, alles videoüberwacht …, er hätte sich gefahrlos diesem Fremden, der von den Steinen der Weisen erzählt hatte, die angeblich so glitzerten, nähern können, ihn ansprechen können. Aber er wusste ja nicht, was genau und wer genau hinter alldem steckte. Was lief, verdammt nochmal, was lief … Jemand wusste, aber was genau? Und wer genau. War es ein Zufall, dass die Kanacken-Attacken seit Monaten …, aber er hatte die Versicherung aus Berlin. Er war der Mann mit dem Weg nach Japan. Er würde die Steine nach Japan vermitteln.

Er hatte einen der Studenten, die sich um seine Webseite kümmerten, angerufen. Das schien ihm risikofrei. Und während er zu einer Telefonzelle vor der Kaufhalle am Busbahnhof schlenderte, stand seine studentische Hilfskraft mit einem Fotoapparat vor dem kleinen Café in der Nähe der alten Wartehalle, in der jetzt ein Zeitungsladen war, und hatte den Anschluss mit der Nummer, die in dem Brief gestanden hatte, im Visier. »Hundert. Nur paar Fotos. Du hast doch sicher 'ne gute Kamera mit 'nem guten Zoom.«
»Hallo?«
»Hans Pieszeck?«
»Wer sonst.« Der Typ, der Noch-Unbekannte hatte anscheinend zu viele Filme gesehen. Was für ein Blödsinn. Mitspielen, vorerst.
»Damit wir uns verstehen, ich bin nicht allein.«
»Du. Ihr. Und weiter?«
»Ich denke, du weißt, worum es geht.«
»Hm. Erzähl's mir.«
»Es glitzert hell, so hell …«
»Du solltest deutlicher werden, sonst lege ich auf.«
»Nein, Hans Pieszeck. Das wirst du nicht tun.«
Hans hörte die Lautsprecheransagen im Hintergrund. Rauschen

und Knacken in der Leitung, das Klimpern von Münzen, der Typ warf wohl Geld nach. Stimmen, wieder Lautsprecheransagen, Stimmen von Frauen, die sich anscheinend direkt neben dem Münzfernsprecher unterhielten, dann leiser wurden. Bahnsteige und Züge neben und hinter dem Mann, der vom großen Glitzern sprach.
»Die Frage ist, was wirst du tun.«
»Die Frage, Hans Pieszeck, ist: Was ist es dir wert.«
»Ich bin ein Arbeiter, ich schufte seit Jahren für mein Geld. Und glitzern, glaub mir, wo soll es groß leuchten? Wenn du einen Job suchst, komm zu mir. Stell dich vor. Du weißt, wo du mich findest. ... Warte, einen Moment.« Hans warf ein Zweieurostück in den Schlitz. Ein paar Meter hinter ihm öffnete und schloss sich die Tür der Kaufhalle, des Supermarkts, im stetigen Strom der Einkaufenden, der Beladenen, die nach Feierabend ihre Depots auffüllen wollten und mit großen Füllmengen wieder rauskamen. Er hörte das Klappern der Einkaufswagen, die leer aus dem dreigleisigen Verschlag gezogen wurden und leer wieder in den dreigleisigen Verschlag geschoben wurden. Schnell noch eine angezündet. »Wo waren wir stehengeblieben?«
»Du bist nicht bei der Sache, mein lieber Hans.«
»Ich glaube nicht, dass wir uns so gut kennen.«
»Ich kenne das, was du hast.«
»Du hast Angst, dass man mich abhören könnte, deswegen diese Filmkulisse.«
»Nein. Du bist sauber. Wer weiß das nicht. Aber wir sind vorsichtig. Mach mir ein Angebot.«
»Eins, das du nicht ablehnen kannst? Ich war ehrlich vorhin.«
»Ich kannte mal einen, der sagte immer: Herzen wie Diamanten.«
»Wie kann ich dir ein Angebot machen, wo du von Anfang an sagst: hoch zwei.«
»Das war nur die Tendenz. Ich denke, ich weiß, um wie viel es geht.«
»Du denkst, Unbekannter. Wie sollen wir jemals zusammenfinden, wenn du so viel denkst.«
»Hans, Hans. Herr Pieszeck. Ich habe gehört, sie zahlen viel Geld in Berlin für Informationen. Die Ämter, die Schmieren. Ich habe ge-

hört, dass die Nullen wachsen hintendran. Und ich komme zu dir mit weit weniger Nullen. Es kann und wird alles unter uns bleiben. Die Reinheit, Hans. Du kennst doch auch noch diese Band ›Karat‹.«
»Erspar uns den Ostrock. Du weißt nicht, worauf du dich da einlässt. Und damit meine ich nicht mich.«
»Und deswegen ist meine …, versteh mich nicht falsch …, Forderung moderat. Ich will dir nicht reinfunken in deine Geschäfte. Aber vergiss mich nicht, damit ich vergesse.«
Hans drehte sich um, den Hörer immer noch dicht an sein Ohr gepresst. Ihm war nicht schwindlig, nein, nichts dergleichen. Er war vollkommen klar, spürte die Herbstluft, atmete tief ein und roch diese kühle feuchte Herbstluft, blickte in das gelbe Licht des sich öffnenden und schließenden Eingangs der Kaufhalle, strich mit der freien Hand über das Metall des Münzfernsprechers, schnippte die bis auf den Filter runtergebrannte Kippe weg, beobachtete einen Wagen mit Berliner Kennzeichen, der auf den Parkplatz fuhr, zog die Aufschläge seines Jacketts zusammen, während er den Hörer zwischen Wange und Schulter hielt, er hatte zugenommen, das gefiel ihm nicht, das Sakko passte kaum noch, er fingerte eine Zigarette aus seinem Etui, dunkelbraunes Leder, das hatte ihm damals und vor Jahren die Mandy geschenkt, und spürte das Vibrieren der Stimme auf seiner Brust, weil der Hörer verrutscht war.
»Hans?«
»Ja.«
»Wir sollten die Details bereden.«
»Das sollten wir.«
»Wie sieht es morgen bei dir aus?«
»Nein. In drei Tagen. Ich brauche etwas Zeit, ich denke, das verstehst du.«
»Polizeiruf eins-eins-null. Die schöne Hundert. Und tausendundeine Nacht.«
»Red Klartext! Wie viel?«
»Einhunderttausend.«
»Komm zu meinem Hintereingang. Null Uhr.«
»Und denk daran, was ich weiß, weiß noch ein Zweiter.«
Hans blickte auf die Fotos, die vor ihm auf seinem Schreibtisch la-

gen. Seine studentische Hilfskraft hatte gute Arbeit geleistet. War auch mit seiner Webseite immer zuverlässig und hinterher. Die Frauen kamen und gingen. Nur noch wenig Kontinuität.

Was machte dieses Arschloch wieder in der Stadt? Er hatte schnell rausgefunden, wer er war. Hatte seinen Mann bei den Bullen kontaktiert. Bis vor zweieinhalb Jahren mit einer Berliner Adresse. Vermutlich in dem Dreck hinterm Zentralbahnhof aktiv. Kristall und braune Schorre und kaputte junge Körper. Der Bulle hatte auch eine Adresse bei einer Zimmervermietung für ihn gehabt. Auch das hatte gekostet. War dann aber relativ schnell gegangen. Wie auch sonst, wo er nicht viel Zeit hatte. Drei Tage. Was dann wieder mehr gekostet hatte. Obwohl es nur ein paar Klicks auf einem Rechner waren, aber auch der Bulle wollte seinen Schnitt machen. »Bin ja nicht das Einwohnermeldeamt. Und registriert isser noch in Berlin.« Aber der Mann war sicher und verschwiegen, die Rente stand ja auf dem Spiel, und so würde es keine Kreise ziehen auf dem trüben vorwinterlichen See.

Drei Tage. Er hatte sich gewundert, dass dieser Idiot am Telefon darauf eingegangen war. Seinen Termin beim Urologen hatte er gecancelt. Weil das eh nicht akut war. Er war ins Gym gegangen, in AKs Fitnessbude, drüben im Nordosten der Stadt, und hatte versucht, paar Kilos runterzukriegen. Dort trainierten sie jetzt hinten im Käfig. Die Freefighter. Er hatte wie früher am Sandsack gestanden. Und hatte das Gefühl, dass er langsam geworden war. Die Linke hing, und wenn er alles reinlegte, hörte und spürte er das Knacken im Ellenbogen. Es war Herbst, und alles roch nach Abschied.

Er konnte kaum in Ruhe trainieren und arbeiten, die Kanacken-Attacken waren das Thema der Stunde, natürlich. Die Türen der Diskotheken waren nicht mehr sicher, die Los Locos GmbH machte sich breit in der Stadt, die Securities wurden attackiert, die Wohnungen waren nicht mehr sicher, die große Übernahme drohte, im Stripclub der Gebrüder Wöhler saßen sie schon an der Bar, AK & Co. verhandelten, der Mann hinter den Spiegeln lenkte das Licht und leitete die Strahlen weiter nach Hannover, *ist ein Pakt ein Pakt?*, ja, ja, ich bin da, ich bin dabei, natürlich. Ruhe muss einkehren. Die Geschäfte. Freifahrtschein aus Berlin. Die libanesischen Zwillingsbrüder hatten ihm über Mittelsmänner eine gewisse Sicherheit geboten. Anscheinend hatten sie Verbindungen zu den Los Locos in der Stadt. Er sollte sich ruhig verhalten und nicht in vorderster Front kämpfen. So einfach war das nicht.

Er breitete die Fotos wie einen Fächer vor sich aus. Schob den Aschenbecher an die Tischkante.

Diesem blöden Schnorrer draußen an der Bar wäre er früher anders gekommen. Scheiß auf den einen Sekt oder Prosecco. Da ging's ums Prinzip. Es ging ums Geschäft. Er musste für beide da sein, für die Frauen und die Gäste. Die Zeiten, wo die Mädels gerne mal beschissen, waren längst vorbei. Er hatte in den Lehrgängen und Schulungen, die er zusammen mit der Beatriz leitete, auch immer gesagt, worauf es ankam. Geld, natürlich. Das war aber nur das eine. Wohlfühlen. Stammgäste kreieren. Wohlfühlfaktoren. Vergesst die Erdnüsse. Peanuts. Wollen wir Highclass sein? Ja, das wollen wir.

Wir haben die besten Getränke und die besten Mädels. Mandy 2 und zwei andere, die ihm solide erschienen, die bis auf weiteres bei ihm arbeiten wollten, hatte er sogar in einen Cocktaillehrgang geschickt. Obwohl er nur Longdrinks und zwei, drei Cocktails anbot. Caipirinha und Mojito und Cuba Libre. Die Zeiten von Rum-Cola waren vorbei. Hatte ihnen sogar Arbeitsverträge angeboten. Aber die Mädels wollten lieber freiberuflich arbeiten. Vierhundert-Euro-Basis will ja auch keiner, und dann auf Zimmer extra, lieber freiberuflich, und klar doch, viel unter der Hand. Er hatte bis vor kurzem eine Festkraft für die Bar, prima Frau, aber die ist nach München, hatte da wohl 'n Angebot von irgend 'nem schicken Laden. Briefe vom Arbeitsamt. Jede Stunde, die sie auf Zimmer waren, war auch in den Büchern, aber die Extras dort waren ihre Sache. Aber wer die Bar machte, bekam eine Art Gehalt. Er war dabei, sich zu ruinieren. Dem Gesetz von zwotausendzwo sei Dank. Aber er wollte mit der Zeit gehen, und wenn die Anfangsschwierigkeiten überwunden waren, wenn sein *Klein, aber fein!* sich wiederfand im Strom der Zeiten und der Gelder …, scheiß auf den Bielefelder Graf und dessen Geschäftspartner aus Österreich, die beide immer predigten, dass man groß sein müsse, think big und die Aktie ROT oder so ähnlich …

Und die Stripstunden an der Stange hinter der Bar verrechnete beziehungsweise bezahlte er auch. Er hatte sogar eine Zeitlang zwei Studentinnen gehabt, die wollten nur tanzen, aber die gingen mittlerweile auch auf Zimmer. Die Kohle ist eben immer zu verlockend.

Was machte dieses Arschloch nur wieder in der Stadt? Der Typ, dieser Schmierlapp, war damals fast für den Professor in den Kahn gegangen, hatte wohl auch schon in U-Haft gesessen, *Schiff ahoi*, weil er mit dessen Tochter verheiratet oder zumindest zusammen gewesen ist und am Anfang die Schüsse aus der Jagdflinte auf sich nahm. Irgendein dummer Junge ist damals im Dreck verblutet, obwohl er nichtmal das Auto des Professors geklaut hatte. Bumm, bumm.

Alte Geschichten. Was war nun wahr? Nach all den Jahren. Geschichten und Legenden, die ihn nicht interessierten, er hatte zu arbeiten, sich um sein Geschäft, seine Angestellten und die Mädchen zu kümmern. »Wenn die Tür zu ist, da geht's nur noch ums Geld, ich meine, ist ja klar. Wir lästern und quatschen da an der Bar so vor uns hin, wie man eben so schwatzt, *Sex and the City*, nee, und die und die macht jetzt ohne, also das Blaskonzert, haha, nee, und die und die ..., das ist ja eben so ein Geschwatze, und das tut uns auch gut irgendwie, da lachen wir auch viel, gehört ja auch dazu irgendwie!«

»Wenn die Tür zu ist, geht's nur noch ums Geld.«

»Alles in Ordnung, Hans?«

»Ja, ja, Mandy. Nur Selbstgespräche.«

Der Keller unter dem Keller. In einer der Ecken steht ein Tisch mit einer Holzplatte, auf der die Schienen einer elektrischen Eisenbahn zwischen kleinen Bahnhöfen und Berglandschaften verlaufen. Und die Artefakte, die Antiquitäten, liegen in den Regalen auf Samt.

»Leg dieses Ding weg. Was soll der Scheiß.«

»Ja, ja, schon klar. Du liebst ja die Doppelläufigen.«

»Wenn die mit Diamanten geladen sind.«

»Das ist nicht so einfach, wie du dir das vorstellst.« Hans legt den seltenen Hybrid aus Revolver, Schlagring und Messer zurück ins Regal. Er fährt sich mit der Hand übers Gesicht, riecht das Öl, die Schmiere. Ein guter Geruch ist das. Er pflegt die Artefakte, die Anti-

quitäten regelmäßig, ölt sie regelmäßig ein. »Ist von der holländischen Armee. Ende Neunzehntes, Anfang Zwanzigstes. Ein Bastard. Im Prinzip unbrauchbar. Würde man abdrücken, würde es dir die Faust wegreißen. Weil es keinen Lauf gibt. Die Kammer schließt ab. Großes Kaliber. Neun Komma fünf. Sonderanfertigung. Selbst im Nahkampf macht diese Freakshow keinen Sinn. Das Messer wie ein Mini-Bajonett. Der Griff ein Schlagring. Die Klinge nur mit einer Schraube fixiert. Der Abzug durch keinen Bügel umschlossen. Offiziere trugen das Ding.« Er greift wieder ins Regal, führt die Finger in den Schlagring des Griffs. »Ein Kuriosum meiner kleinen Sammlung.«
»Und ist's was wert wenigstens?«
»Doch, doch. Schon. Einiges. Zwei-, dreitausend. Ich kann dir eine kleine Tüte zusammenpacken. Kann dir zum Beispiel noch diesen Schöneberger 1892 drauflegen.«
»Was?«
Hans geht zu einem anderen Regal. »Eine Selbstladepistole im Bauhausstil, obwohl viel früher, mit einem wunderschön gezogenen, schlanken, schmalen Lauf. Siehst du den Ring unten am Kolben? Kann man ans Schlüsselbund hängen das gute Stück.«
»Bleib mir vom Hals mit diesem Scheiß.«
»Was ist? Haben wir nicht alle Zeit der Welt? Da drüben liegt das Papier. Unsere schönen bunten Bilder. Du kannst es nehmen.«
»Darf ich dir noch etwas anbieten?«
»Entschuldige. Bin ich nicht ein schlechter Gastgeber? Wir müssen doch trinken, auf das Geschäft und auf das Schweigen. Sind fast alles Schaustücke hier. Schießen nicht. Ich habe eine Waffenbesitzkarte, aber die Schlagbolzen sind raus. Bei den meisten. ›Springer Urvater‹, uralt, das ist was für uns zwei.«
Hans dreht den Verschluss von der Flasche, die er am Nachmittag aus dem Tresor geholt hat. Er geht zu dem Tisch in der Ecke, auf dem die große Holzplatte liegt, auf der er an seiner elektrischen Eisenbahn bastelt. Er nimmt das eine Glas, das zwischen den Schienen und Bergen und Häusern steht, und geht wieder rüber zu dem kleinen Bürotisch, auf dem die gebündelten Geldscheine liegen, dazwischen das andere Glas. Er macht beide Gläser voll. Das Arschloch

nimmt sich eins und blickt sich im Raum um. »Schön hast du's hier.«
»Ja, schön ruhig.«
»Ein richtiger Hobbykeller.«
»Du meinst wegen meiner kleinen Eisenbahn? Als Kind hatte ich nie eine. War immer mein großer Wunsch. Aber mein Vater war 'n einfacher Mann, 'n einfacher Stahlarbeiter. Da gab's keine Eisenbahn zu Weihnachten.«
»Eisenbahn, Waffen, Diamanten ... Du hast ein erfülltes Leben, Hans.«
»Kann man so sagen. Bürgerliche Werte, und dann Jules Vernes Visionen.«
»Was?«
»Alte Waffen, das neunzehnte Jahrhundert. Das achtzehnte Jahrhundert. Und dann der Fortschritt in der Technik. Erst Duell, dann Massenmord. ›Die Erfindung des Verderbens‹. Hab ich als Kind gelesen. Hat mich immer fasziniert.«
Er nimmt einen dunklen glänzenden Holzkasten aus dem Regal, öffnet den Deckel, neigt den Kasten so, dass das Arschloch die beiden Steinschlosspistolen mit den langgezogenen Läufen in den mit Samt ausgelegten Fächern sehen kann. »Habe ich letztes Jahr ersteigert. Die wundersame Perfektion veralteter Technik. Die Pulverpfannen schließen regendicht. Ein Wunderwerk der Feinmechanik vom alten Meister Prochaska aus Böhmen.«
»Die Tschechen. Waffen und Kristall. Du solltest ein Museum führen, Hans.«
»Ich sollte auf einer Insel wohnen, weit draußen im Meer, wo mich keiner stört.«
Er stellt den Kasten zurück, hebt sein Glas, sie stehen voreinander, zwischen den Regalen, in denen die Waffen auf Samt liegen, in denen kleine Pappkisten stehen, mit Eisenbahnzubehör, ein paar Bücher, Holzkisten, in denen Hans einige seiner größeren Exponate aufbewahrt. Auch das Arschloch hebt sein Glas, und sie trinken.
»Die Steine, ich möchte die Steine sehen«, sagt das Arschloch, trinkt noch einen Schluck, »gib mir doch einen von den Steinen.«
»Das geht nicht. Die gehören mir nicht. Ich lagere die nur.«

»Du erzählst mir, wie schlecht die Geschäfte laufen, erzählst mir von deinen Schwierigkeiten und willst doch nicht verschwinden mit dem Zeug?«
»Setz die Kapuze ab!«
»Was?«
»Du sollst die bescheuerte Kapuze absetzen, damit ich dein Gesicht richtig sehen kann.«
»Was soll der Scheiß?«
»Bitte.«
Der Mann stellt das Glas weg, greift langsam mit beiden Händen nach der Kapuze seiner weißen Sportjacke und zieht sie zurück. Hans blickt in sein zerfurchtes Gesicht.
»Du siehst fertig aus. Deswegen erzählst du diesen Scheiß. Die würden dich einfach ausknipsen.«
Der Mann setzt sich auf den Stuhl. Legt die Hände auf das Geld. »Ich will hunderttausend.«
»Ich kann dir keine hunderttausend geben. Steuernachzahlungen, Geschäfte, Alimente und die Nebenkosten bringen mich um, was denkst du, mit wem du sprichst, verdammt nochmal. Das hier ist nicht das scheiß ›Pascha‹. Ich kann dir das geben, was hier liegt. Und ich habe keine Garantie, dass du nicht rumläufst und schwatzt. Du weißt nicht, worauf du dich einlässt, Junge.«
»Zeig mir die Steine. Wenn du mir nicht die Steine zeigst, gehe ich wieder. Und wenn ich nicht wieder gehe …«
»Ja, ja, dein zweiter Mann. Schon klar. Und was erwartest du dir davon? Erleuchtung? Der Quell der Jugend?«
»Zeig mir die Steine. Ich will sie sehen.«

Hans sitzt im Büro. Die Musik dröhnt, Stimmen, Lachen, viel Betrieb heute, die Mädels gehen mit den Gästen die Treppe nach oben in die Zimmer oder in die beiden verspiegelten Zimmer hinter der Bar, wo früher mal die Duschen gewesen sein müssen. Hans fand vor vielen Jahren Pläne im Tresor, die Grundrisse des Verwaltungsgebäudes des alten Galvanowerkes, zusammen mit der kleinen Schatulle und der Flasche »Springer Urvater«. Stimmen, Lachen, ab und an klopft jemand an der Tür, und er sagt: »Ja, bitte«, und sagt dann:

»Später, später, nicht jetzt, muss nochmal weg.« Er weiß nicht, wie lange er hier schon sitzt. Die Flasche vor sich. In der Ecke das schwarzweiße Leuchten des kleinen Monitors, der den Eingangsbereich zeigt. Langsam, ganz langsam bewegt er seinen Arm, bis der Ärmel seines Jacketts verrutscht und er seine Glashütte sehen kann. Eins durch.

Er weiß nicht, was er mit der Leiche machen soll. Der Mann liegt unten zwischen den Regalen. Die Schulter schmerzt ihm. Er weiß nicht mehr, wie er das Bren aus der Kiste geholt hat. *Eine kleine Ausstellungsführung.* Was soll er jetzt mit dem Mann machen? Sein Kontakt bei den Bullen wird nicht erzählen, dass er nach ihm gefragt hat, wenn sie ihn suchen. Wenn ihn jemand sucht. Aber die Spur ist da. Der Student. Der Bulle. Die müsste er alle wegmachen. Aber der Bulle ist nur ein kleiner Fisch, der auf die Rente wartet und kassiert hat. Und irgendjemand wartet. Er muss rausfinden, wo. Er muss runtergehen und ihn durchsuchen. Hat schon zu viel Zeit verloren. Nichts darf schiefgehen. Ihm fällt ein, dass er doch die Adresse hat, dass sein Bulle ihm die Adresse besorgt hat. Er steht auf. Setzt sich dann wieder hin. Die Flasche vor ihm ist fast leer. Er kann sich erinnern, dass der Mann viel getrunken hat. Sich sein Glas mehrfach wieder vollgemacht hat. Er musste ihn gar nicht zum Trinken überreden, wie er sich das vorgenommen hatte. Was hatte er sich überhaupt vorgenommen für diesen Abend. Er weiß es nicht mehr. Steht auf und setzt sich dann wieder hin. War es ein Zufall, dass ein Güterzug durch die Schneise des Güterrings rumpelte, als er das riesige Bren aus der Kiste geholt hatte? Aber die Mauern sind dick. Die Musik dröhnt über dem Stein. Und die Explosionen waren nicht so laut, wie er sich das vorgestellt hatte. Aber eigentlich hatte er sich nichts vorgestellt.

»Jetzt müssen wir kalt und klar sein«, sagte er, und dann drehte er sich zu dem schwarzweißen Bild des Monitors, zwei Männer standen vor seiner Tür, einer drückte die Klingel. Zwei Mäntel, der, der die Klingel drückte, trug eine Wollmütze. Die Nächte wurden frisch. Er sah, wie die beiden lamentierten, lachten, die Hände in die Manteltaschen schoben und wieder rauszogen, sich einander zudrehten, lachten. Klaus sah sie auf dem kleinen Monitor in der Nische neben der Tür, sah sie dann wahrscheinlich durch den Spion, drückte den Summer und ließ sie ein. Kommt nur herein, Freunde. Sein zweiter Mann war krank. Wahrscheinlich hatte er sich krankgemeldet, weil alles explodierte im Moment in der Stadt. Bei ihm waren sie noch nicht gewesen. Er hatte zwar eine Versicherung, aber sicher konnte man sich nie sein. Zu viele Interessen mischten mit. Die nichts von den Steinen wussten. Was auch gut so war. Er hatte vor zwei, drei Tagen einen Audi mit Berliner Kennzeichen gesehen, drüben auf dem Parkplatz. In paar Tagen war ein Treffen mit AK und den anderen anberaumt. Er musste in seinen Kalender schauen. War es ein Zufall, dass der Mann, das Arschloch, jetzt auftauchte und Geld haben wollte, ein paar Steine womöglich? Aber der Mann war ein Narr, der nichts wusste, nur wenig wusste. Aber woher? Aber jetzt nicht mehr. Nichts.

Hans sah, wie die Wände verschwanden, wie sie durchsichtig wie Glas wurden, eine große gläserne Zelle, sah die Damen aus den Spiegeln treten, sah rote Nebel durch die Räume seines Clubs ziehen, sah sich selbst unten im Keller, wie er das große sperrige Bren aus der Kiste nahm.

»In einem Nachtclub zu arbeiten, das ist schon anstrengend. Ja. Natürlich auch locker und auch entspannt. Ich war vorher in einem Laufhaus gewesen und, nee, das war mir zu sehr, wie soll ich sagen, Fließband. Da sitzt du nur und wartest, sitzt vor deiner Tür, wir hatten da so Barhocker, und das war dann oft nur kurz, meist blasen, und dann wurde immer versucht, da rumzuhandeln, was ich ja überhaupt nicht leiden kann, was überhaupt die allergrößte Scheiße ist, viele Arschlöcher, viele Ausländer, nicht, dass ich was gegen Ausländer hab, aber eben so Typen, denen's nicht billig genug sein kann, wo einen das richtig ankotzt, aber das blendet man ..., blende ich dann eben so aus. Und da sind wir hier schon anders aufgestellt. Hm. Das ziehe ich dem Laufhaus vor, für mich ganz klar, da denken sicher andere anders drüber. Das ..., das hat eben alles seine Vor- und Nachteile. Man muss ..., also ich muss da natürlich immer aufpassen, wegen der Trinkerei und so und dass man sich da nicht so runterrockt, aber wenn ich so drüber nachdenke, scheint mir das hier die bessere Arbeitssituation zu sein. Chef ist o.k. Und Chef würde ich da jetzt auch nicht unbedingt sagen, ist ja freiberuflich …, der H., der …, ich fühl mich da im Moment ganz wohl. Klar, hab ich da so Sachen, wo ich sage, wo ich sagen würde, du, hör mal, da ist das und das … Und ich hab auch das Gefühl, dass er sich das anhört. In 'ner Wohnung zu arbeiten ist, denke ich, immer 'ne Option. Auch für die Zukunft.«

Hans beugt sich über den Mann. Die weiße Kapuzenjacke verschwindet in den Löchern auf seiner Brust, der Stoff krempelt sich in den Körper rein. Und ist auch nicht mehr weiß. Das Bren liegt auf dem Tisch, zwischen den Scheinen, ein paar der grünen Hunderter sind durch die Hitze des Laufes und der Kammer zu kleinen Röhren verdreht. Wollte er ihm wirklich diese zwanzigtausend anbieten? Hätte er rausspazieren können, wenn er sie genommen hätte? Woher hatte der Mann nur seine Informationen? Und wohin sollte er diesen Körper bringen? Er hatte von dem Mann im Krematorium gehört, aber das war nicht sicher. Legenden möglicherweise. *Bren Mark 1, tschechoslowakisches Erzeugnis.* Er warf die Einzelteile später in verschiedene Kanäle, die den Westen der Stadt zwischen den alten, verschwundenen oder umgebauten Fabriken zerschnitten. Es gab auch noch ein Enfielder Bren, das dem Typus seines Bren fast bis ins Detail glich. Nur der ausklappbare Stützfuß war wohl etwas anders konstruiert. Er hätte in seinen Büchern nachschauen können. Er hatte die Riesenkanone vor vier Jahren von einem Tschechen gekauft. Der Typ war in den Neunzigern auf dem Balkan unterwegs gewesen, hatte alte Russenware und Restbestände der tschechoslowakischen Armee an die Verrückten der dortigen Kriege verkauft. So sagte man. Nie benutzt das Teil, angeblich. Mit Ladestreifen. Die meisten seiner Stücke waren ja vollkommen harmlos. Ein alter Nagant-Revolver mit verkürztem Griff und verkürztem Lauf. Über den hatte er als Kind viel gelesen. *Wie der Stahl gehärtet wurde, der Marinedolch,* die Roten und die Weißen benutzten jenen legendären Nagant-Revolver beziehungsweise wurde er legendär durch sie. Weißgardisten, Rotgardisten. Er ging zum Regal, um den Körper herum, legte die Hand auf den kühlen Nagant. Er hatte ihn nie ausprobiert. Die Kammern waren geladen, seit er ihn gekauft hatte. Einige seiner Stücke hatten keinen Schlagbolzen, konnten nicht ab-

geschossen werden und waren auch nicht munitioniert. Die Ruger Blackhawk zum Beispiel. Er geht ein paar Schritte. Legt die Hand auf dieses Metall. Von neunzehnhundertfünfundfünfzig. Magnum-Kaliber. Die Trommel aber leer. Eine Hommage an die alten Westernrevolver, die durch die Westernfilme plötzlich wieder beliebt werden. In Amerika. Er versucht seit einigen Jahren, eine Winchester-Büchse zu bekommen, wie Wyatt Earp, wie Butch Cassidy. Er dreht sich um, blickt auf den Körper, der zwischen den Regalen liegt, schüttelt den Kopf, bewegt seine Schultern, weiß nicht genau, welcher Tag und welche Stunde jetzt ist. Bewegt ganz langsam seinen Arm, bis er seine Glashütte sehen kann. Eins durch.
Der Oberkörper ist vollkommen verdreht, wie ein S. Die Beine gerade nach hinten gestreckt, die Arme, links und rechts, wie weggeschleudert. Der untere Rücken, der Rumpf flach auf dem Boden, der Oberkörper wie eine menschliche Spirale. Die blutigen Löcher in der Brust. Er weiß nicht, wie viele Schüsse ihn getroffen haben. »Du blöder Idiot.«
Er geht die paar Schritte zurück zum Regalfach mit dem Nagant-Revolver, nimmt ihn vom Samt. Er weiß noch, wie er für viel Geld all die Samtunterlagen gekauft hat. Säckchen aus Segeltuch neben jeder Waffe, kleine Kisten, die er sich hat anfertigen lassen, große Holzkisten für die größeren Waffen, die Karabiner, die MG, von denen er nicht viele besitzt. Er nimmt den Revolver, zielt auf den Körper und drückt ab. Er muss den Abzug mit aller Kraft durchdrücken. Spürt die mechanischen Vorgänge im Inneren der kleinen Maschine. Wie sich der Zylinder, die Trommel, vorne an den Lauf presst, bevor der Bolzen in die Patrone schlägt. Eine kleine, winzige Detonation nur. Ein PAFF, kaum zu hören. Er sieht den Einschlag auf dem Boden, direkt neben dem Kopf des Mannes, duckt sich, weil er sich vor dem Querschläger fürchtet, aber nichts prallt vom Boden ab, schlägt in sein Fleisch, fährt mit einem Pfeifen in seinen Körper. Der Nagant ist leise, genau wie er es vor Jahren gelesen hat. Die Trommel schließt während des Schussvorganges mit dem Lauf. Das NKWD, der Geheimdienst der verdammten Roten, nutzte diese Kanone mit Schalldämpfern. Hinrichtungen. Stille Exekutionen. Weil die Belgier, die dieses überkonstruierte Schießeisen konstruierten,

einen einmaligen Revolver erschaffen wollten. Der seine Detonationen innerhalb des metallenen Gehäuses behielt. Weil Trommel und Lauf durch diese Mechanik eine Einheit bilden. Der einzige Revolver, bei dem ein Schalldämpfer Sinn machte.

Hans setzt den Lauf an seine Stirn. Keiner würde ihn hier unten hören. Beim ersten Schuss hatte er den rechten Unterarm mit seiner linken Faust umklammert. Dennoch verriss dieser Schuss. Der nicht der erste war an diesem Abend. Er spürt die kühle Mündung auf seiner Schläfe, verschiebt und spürt sie auf seiner Stirn.

Das Telefon hatte geklingelt und geklingelt, während er oben im Büro saß. Er drückt ab und sieht die Flasche »Springer« zersplittern. Er schleudert den Nagant zwischen die Regale. Packt den Mann bei den Schultern, bewegt den Körper hin und her. Wie schwer der ist. Erstaunlich wenig Blut auf dem Boden. Er muss eine Plane holen, hat er nicht Plastikplanen im Lager? Dann erinnert er sich an den kleinen Leinenbeutel, den der Mann in der Hand gehalten hat, ein kleiner kanariengelber Diamant und ein borblauer liegen vor dem geöffneten Beutel, vor der ausgestreckten Hand des Mannes, und er sammelt sie ein. Presst die Faust zusammen und spürt die scharfen, kühlen Kanten des erbsengroßen Brillantschliffs, fühlt die winzige abgeflachte Tafel auf der Oberseite, spürt, wie die Strahlungen der mindestens zweiunddreißig Facetten im Oberteil und der mindestens vierundzwanzig Facetten im Unterteil durch Haut und Knochen dringen. Er hockt auf dem Boden, während das Haus sich bewegt.

»Als ich achtzehn war, kam ich erstmals in Kontakt. Das war am schwarzen Meer, das war meine Heimat. Ich wollte doch nur weg von zu Hause, ich wolle doch nur irgendwohin, wo ich Chancen habe. Wo ich Geld richtig verdienen kann. Die Schwester von meinem Schwager fragte mich dann. Das war in V., und da waren vor allem die Touristen. Das lief. Ja. Sex war halt Sex, da habe ich nie viel darüber nachgedacht. Das lief so ganz gut, und weil ich ja auch die Schwester von meinem Schwager kannte, weil das ein guter Kontakt war. Der Boris. Da hatte ich erstmal meine Ruhe, ja schon, budjit, budjit, und da habe ich auch gut verdient. Das war immer o. k., nur die Engländer waren schlimm, manchmal, die waren …, die haben genervt. Aber das war ein richtig guter Laden dort in V. Und in der Saison vor allem, da hab ich so viel verdient, ich dachte damals, dass das eben richtig viel ist. War viel. Ich hab da immer für mich selbst gearbeitet. Deutsch konnte ich wegen der Schule ganz gut, und da war ich immer richtig gut, und mit den deutschen Urlaubern wurde das noch besser. Ich hatte da auch Freundinnen, die kannte ich von früher, das kann schon sein, dass die jemand hatten, weil da jemand war, der hinter ihnen war, der alles kontrolliert hat. Ich hab alles für mich gemacht. Und mir war schon früh klar, dass ich dann bald ins Ausland gehe. Mit der L. bin ich dann nach Deutschland. Da haben wir uns zusammengetan. Mit dem Flugzeug sind wir geflogen. Die wusste auch, wer da mit der Arbeitsgenehmigung die Kontakte hat. Wir hatten dann auch Deutsche in der Verwandtschaft, ja wirklich. Hier in der Stadt haben wir uns jetzt eingelebt ..., zu Hause. Würde ich sagen. Will ich. Wenn wir uns treffen, reden wir Russisch, na klar. Schwarzes Meer, da denke ich manchmal dran. Natürlich. Aber ich fühl mich schon als Deutsche jetzt. Das ist gut.«

Er hält das Bein in der Hand. Der Knochen hatte Schwierigkeiten gemacht. Er legt es vorsichtig auf die Eisenbahnplatte, über die er eine Plastikplane gezogen hat. Auch der Körper liegt auf einer Plane. Er hat ein großes Steakmesser aus dem Lagerraum geholt, er hat dort jede Menge Werkzeug, das Messer war schon da gewesen, als er Ende zweiundneunzig den Laden übernommen hatte, zusammen mit anderem Küchenkram, Messern, Kisten mit Tellern, der Typ aus dem Pott hatte wohl große Pläne, wollte vielleicht irgendwo ein Restaurant aufmachen oder eine Küche in den Club einbauen, der erste Puff mit warmer Küche, aber sicher gab es das schon längst irgendwo anders, gar keine schlechte Idee, hatte Hans damals gedacht, er erinnerte sich wieder daran, als er das Messer holte. Es ist nicht einfach, ein Bein abzutrennen. Sein Vater hat noch selbst geschlachtet und wollte, dass Hans eine Lehre als Schlachter begann, aber er hat dann als Gärtner angefangen, auch um den Alten zu ärgern.

Er dreht sich weg und kotzt. »Verdammte Scheiße, du blödes Arschloch. Hans der Schlachter. Ja, ja. Von wegen.« Er hat das Bein mit dem Riesenmesser und mit Hilfe eines Hammers unterhalb des Hüftgelenks abgetrennt.

Er holte tief Luft, nahm den »Springer« und trank einen Schluck aus der Flasche, spülte sich den Mund aus und spuckte den Schnaps auf den Boden. Er hockt sich neben dem Mann an die Wand, macht die Beine lang, drei Beine dicht nebeneinander. Er passt auf, dass er nicht an die Plane kommt mit den Füßen. »Hätte ich denn rumerzählen sollen, dass ich Gärtner bin und doch kein Schlachter? Was meinst du, Kamerad? Die hätten doch nur blöde Sprüche gemacht. Schweine-Hans, der kann's. Ist doch nicht schlecht. Aber Hans der Gärtner? Nee. Und bestimmt hatten da immer 'n paar Angst, dass ich sie zerlege. So wie dich jetzt.«

Er zündet sich eine Zigarette an. Das Bren hat er wieder in die Kiste gelegt. Ihm ist schlecht, und er fühlt sich leicht. Vollkommen leer. Als wäre sein Körper ein länglicher Luftballon, nur seinen Kopf und sein Hirn kann er fühlen. »Du bist doch selber schuld. Du blödes Arschloch. Ich kann nur mein eigenes Ticket bezahlen. Du kannst nicht einfach hierherkommen und mir alles kaputtmachen. Wie hast du dir das vorgestellt? Kommst hierher und willst mir alles kaputtmachen. Weißt du, was mir immer am wichtigsten war? Dass ich meine Ruhe habe. Ich wollte nur in Ruhe meinen Laden führen. Bald wird hier eh alles anders. Und jetzt will ich mir meine Rente verdienen, und du kommst hierher und machst mir alles kaputt.«

Die Augen des Mannes sind aufgerissen, die Augäpfel verdreht, so dass nur das Weiße und ein kleines Stück der Pupille zu sehen ist, er blickt nach innen in seinen Kopf. Der Mund ist leicht geöffnet, als hatte er noch etwas sagen wollen. Er berührt mit den Fingerspitzen das Gesicht, streicht langsam über die Bartstoppeln, legt die Hand auf die Haare des Mannes. »Du und ich. Wir haben's versaut.«

Er steht auf, wirft die Kippe weg, stolpert gegen die Wand, tritt in seine Kotze, dünn und gelb, er hat seit dem Nachmittag nichts mehr gegessen, er lehnt an der Wand, setzt sich dann wieder hin. »Tut mir leid, dass ich dich zerschneiden muss, aber ich muss dich ja irgendwie hier wegkriegen. Ich glaub nicht, dass ich dir den Kopf abmachen kann.« Er lacht und spürt, wie ihm wieder die Suppe hochkommt. Er atmet tief ein und wieder aus, blickt ins Licht der

Neonröhren an der Decke. Wenn er den Kopf ein wenig dreht, sieht er den Fuß, der mit den Zehen nach unten auf seiner Eisenbahnplatte liegt. Er steht auf, nimmt das Tuch, unter dem er das Geld deponiert hatte, wickelt das Bein darin ein. Es fühlt sich kalt an. Unter der Plane sieht er wie durch eine Milchglasscheibe die Schienen, die kleinen grünen Berge, die Häuser und Bahnhöfe. Er nimmt das eingewickelte Bein ganz vorsichtig in beide Hände, geht zur Stahltür, die in die tieferen Keller und Katakomben führt, legt den großen eisernen Riegel um, öffnet die Tür, während er das Bein unter den Arm klemmt. Er geht nochmal zurück und holt seine Maglite-Taschenlampe. Langsam läuft er durch den dunklen Gang, der vollkommen leer ist, der Strahl der Taschenlampe vor ihm auf dem Boden.

Als er zurückkommt, ohne das Bein, scheint es ihm, der Mann hätte sich ein Stück bewegt, wäre einen oder einen halben Meter Richtung Stahltür gekrochen, als wollte er seinem Bein folgen. Der Oberkörper ist von der Plastikplane heruntergerutscht, die jetzt plötzlich zerknittert ist wie ein ungemachtes Bett, unter der Plane sieht er das Blut auf dem Steinboden, dunkle Flecken. Er legt den Riegel wieder vor die Tür, schließt zusätzlich noch ab. Er muss den Körper zum Hintereingang schleppen, dort wird er sein Auto hinfahren. Die blutige Hose des Mannes liegt auf der Eisenbahnplatte, auf der eben noch das Bein lag. Hans greift in die Taschen, findet eine Kette mit einem weiß-schwarzen Stein, ein Hühnergott.

Er steckt sie ein. Als er sich neben den Mann hockt, um die Taschen der Sportjacke zu durchsuchen, sieht er, dass die weiße, etwas zu große Unterhose vorne feucht ist. Er versucht, nicht auf den schwarzroten Beinstumpf zu schauen. Die Ratten werden sein Bein fressen. Und der Knochen? Aber wer soll das dort unten finden. Er hatte auch überlegt, den ganzen Mann dort hinzuschleppen. Aber das würde anfangen zu riechen. Der Gestank der Verwesung musste schrecklich sein. Und er war sich nicht sicher, ob nicht hin und wieder, in den Wintermonaten vielleicht, Penner irgendwo in den verzweigten Gängen und Kellern hausten. Was hatte er sich gedacht, als er das Bein abtrennte, als er den ganzen Körper zerlegen wollte? Ihn Stück für Stück entsorgen? Er hatte einmal einen Film gesehen,

in dem hatten sie einen Körper komplett verschwinden lassen, ihn zerlegt und ausgeweidet. Die Gedärme in die Kanalisation gepresst, alles andere immer weiter zerkleinert, in die Kanalisation gepresst. Vielleicht war es schon ein Fehler, das Bein hierzulassen. Aber es war zu spät. Die Spuren waren da. Die Taschen der Sportjacke sind leer. Er erinnert sich, dass der Mann oben im Büro noch einen Mantel hängen hat. Er geht zu der anderen, kleineren Tür, öffnet sie …, und als er durch die dritte Tür, oberhalb der kleinen metallenen Stiege, tritt, in den Lagerraum 2, in dem er Putzmittel und Schrubber und Besen und Kisten mit Klosteinen und stapelweise Scheißhauspapier aufbewahrt, hört er sofort wieder die Musik, glaubt, auch die Stimmen und Schritte zu hören, das Lachen der Mädels, das Knistern der Scheine, das Klirren der Gläser. Er schließt die dritte, unscheinbare Tür hinter sich, muss sich bücken, so niedrig ist dieser Ein- und Ausgang, manchmal denkt er, dass jeder weiß, dass es dieses *da unten* gibt, das er neunzehnhundertvierundneunzig entdeckt hat, und dass jeder weiß, was er da unten treibt, aber er bastelt ja nur, pflegt seine Sammlung, sitzt nach Feierabend lange dort, um seine Ruhe zu haben, lauscht in die Stille, trinkt ein Glas Cognac, während er an seiner Eisenbahn bastelt oder seine Sammlung pflegt und begutachtet. Eisenbahn und Waffen, die Geschichte der Moderne. Er geht ins Büro, das einen direkten Zugang zum Barraum hat. Er sieht den Mantel, Drykorn, wie er später feststellt, eine ganz gute Marke, so könnte auch ein Schnaps heißen, fein säuberlich über die Stuhllehne gehängt. *For beautiful people.* Zwei Gläser noch auf dem Schreibtisch. Hatte er ihm nicht erst unten den »Springer« angeboten? Er kriegt die Geschehnisse der letzten anderthalb Stunden nur noch schwer zusammen.
Er nimmt den Mantel, wühlt in den Taschen, den Seitentaschen, den Innentaschen. Findet das Formular einer Zimmervermietung. Ein Schlüsselbund mit drei großen Schlüsseln und zwei kleineren, einer sieht aus, als ob er zu einem Fahrradschloss gehört. Findet Taxiquittungen, eine ist von heute. Hat dieses Arschloch nichtmal ein Auto? In einer kleinen Innentasche, die er nicht sofort erfühlte, als er den Stoff abklopfte, findet er dann ein kleines Portemonnaie. Rosafarbenes Leder. *Willst du mich verarschen?* Er setzt sich hin,

schiebt die beiden leeren Gläser auf der Tischplatte hin und her. Ein Ausweis mit dem Foto eines anderen Mannes. Der denselben Namen trägt, den ihm sein Bullenkontakt nannte.
Das Anmeldedatum vor über zehn Jahren. Das Foto sicher noch älter. Hochgegeltes Haar. Der Mann da unten hat nur noch kurze graue Stoppeln. Hans rechnet. Er ist sieben Jahre älter. Aber, verdammt nochmal, besser in Schuss. *Spar dir die Wortspiele, Arschloch.* »Was?«
Er geht zum dicken Klaus und sagt ihm, dass er nochmal kurz wegmuss, aber bis Feierabend wieder da ist. »Wenn was sein sollte, ruf an.« Sieben, acht Gäste sitzen an der Bar. Zwei kennt er, die waren schon oft da. Dafür, dass die Stadt in manchen Nächten explodiert, läuft es ganz gut. Ist aber auch eine Messe zurzeit, Sanitär? Er kann sich nicht erinnern, obwohl er genau weiß, wann welche Messe ist. Mandy mixt. Er muss demnächst die Bewerbungen durchgehen, er braucht eine feste Barfrau. Sie wechseln sich zwar ab, aber er braucht die Mädels für die Zimmer. Die Studentin für die Aushilfe hat sich krankgemeldet. Verdammtes Chaos. Er geht kurz an den Tresen, denkt dann aber daran, dass er noch fahren muss.
»Alles in Ordnung, Mandy?«
»Alles gut, Hans.« Er braucht eine feste Barfrau, verdammt nochmal, so schnell wie möglich. Mandy müsste sich zu den Gästen setzen. Am besten eine Marke Milf, zuverlässig, erfahren. Ohne *aufs Zimmer*. Die fünf Mädels haben alle Hände voll zu tun. Ordern Prosecco oder Rotkäppchen. Sitzen zwischen den Gästen, beugen sich links, beugen sich rechts. Die kleinen Proseccobüchsen kann er nicht leiden, ist aber der Trend. »Gib mir mal 'n kleinen Johnnie Black.«
»Gerne doch, Hans.« Er hat das Gefühl, er ist in diesem bescheuerten Computerspiel, das er manchmal auf seinem Laptop im Büro spielt. »Der Rotlicht-Manager«. Ein Billigding, das ihm vor ein oder zwei Jahren AK zu Weihnachten geschenkt hat. Mit 'ner Flasche Johnnie Black. Immerhin. Es gelingt ihm fast nie, das Chaos dort zu verwalten. Entweder er organisiert die falschen Mädels, die zu alt oder zu billig sind, oder er vergisst die Reinigungsfrauen, oder er spart an der Tür, was das Personal betrifft, obwohl er es doch in der Wirklichkeit kann, seit so vielen Jahren schon. Dann wieder gibt er alles

Geld aus für die beste und exklusivste Einrichtung der Zimmer. Wenn dann dort gebumst wird, sieht man nur ein großes rotes pulsierendes Herz, das ärgert ihn. Vor zehn Jahren, kann auch schon länger her sein, hatte er, er erinnert sich ganz genau an dieses dumme morgendliche Geschwatze in der Dreiundzwanzig-Stunden-Kneipe, die es inzwischen bestimmt nicht mehr gibt, er ist sich aber nicht sicher, ist seit Jahren nicht mehr dort gewesen, da hatte er nämlich die Idee für dieses Spiel gehabt, für ein Spiel, in dem man einen Puff, eine Bar, einen Nachtclub betreiben muss. Aber die anderen hatten nur gelacht. Aber es tröstet ihn, dass der Erfinder dieser Billigvariante damit sicher keinen großen Reibach macht. Und er verschwendet die Gelder, diese virtuellen Gelder, für die Einrichtung der Zimmer, kauft die besten Getränke für den Barbetrieb, engagiert eine professionelle Barfrau, spart dann zu viel bei der Reinigungsbrigade, ja, verdammt nochmal, zwei alte Weiber, die putzen, müssen doch reichen, vergisst dann, rechtzeitig bei den anderen Mädels, die bei ihm arbeiten wollen, anzurufen, weil er nicht rechtzeitig merkt, dass da welche krankmachen oder plötzlich keine Lust mehr haben, weil er, als der Manager mit der Maus, die Gäste nicht gut verteilt beziehungsweise die Reizpunkte und Stripshows nicht gut genug koordiniert, ist ja auch ein viel größerer Laden als seiner, dann hat er plötzlich Probleme mit der Steuer, obwohl er immer im Menü das Anwaltstelefonat anklickt, sein Club auf dem Laptop versinkt jedes Mal oder oft im kompletten Chaos und geht dann Pleite. *Leckt mich doch.*
Die Stimmen, die Frauen, die Gäste. Die kleine Russin ist wie immer oben auf dem Zimmer. Die hat es echt drauf, kann den Gästen jeden Drink aus dem Herzen oder sonstwoher zaubern. Und jeden mit nach oben nehmen, ob der will oder nicht. Der Laden läuft gut. Er schiebt das leere Glas Richtung Mandy 2, die ihn seit einigen Minuten anschaut, eine Zigarette raucht, »Bis später«, »Bis später, Hans.«

Vor der Kreuzung biegt er ab. Die kleine Seitenstraße ist leer, und er parkt direkt an der Ecke. Dreht den Schlüssel, legt den Kopf aufs Lenkrad, lehnt sich dann zurück. Er hat zwei Bettlaken aus dem

Lagerraum 1 geholt, aber ärgert sich jetzt, denn wozu soll das gut sein. Noch mehr Stoff, den er entsorgen muss. Er wird den Boden seiner kleinen Kathedrale mit Waschbenzin schrubben müssen, mal sehen, was er für seine Reinigungsbrigade im Lagerraum 2 hat. Als er pissen war, hat er gesehen, dass das Papier knapp war. Er müsste anrufen, dass da nicht das Papier plötzlich alle ist. Er macht sich über all diesen Unsinn Gedanken, obwohl der Mann in seinem Kofferraum liegt. *Ist kein Unsinn. Halt doch die Fresse, verdammt nochmal.* Er hört das Grummeln von Flugzeugen, weit über den dunklen Häusern. Die Post hat eigene Flugsteige auf dem großen Flughafen draußen vor der Stadt, auf denen starten und landen auch nachts die Maschinen.
Er ist nicht eingeschlafen, er starrt nur in die Nacht und auf die Mauern. Der Morgen neigt sich langsam über die Häuser. Noch kein heller Streifen, noch kein Dunkelblau, in das das Schwarz der Nacht langsam übergeht an den Rändern, aber er spürt, dass er nicht mehr viel Zeit hat in der Dunkelheit. Er fährt das Fenster herunter, die kühle Luft berührt sein Gesicht, er wirft die Kippe auf den Fußweg und dreht den Schlüssel um. Er schließt das Fenster nicht, während er fährt.

Durch die geöffneten Jalousien sieht er das erste Rosa hinter den Häusern, hinterm Zentralbahnhof, dem großen grauen Sarkophag. Vielleicht täuscht er sich auch, eine Leuchtreklame spiegelt sich in der Scheibe, das Licht zerschnitten von den Lamellen der Jalousie. Er sitzt vor dem toten Mädchen. Er denkt daran, wie er den Revolver vor wenigen Stunden an seine Stirn gepresst hat. Vier Uhr. Vier Uhr paarunddreißig. Er hört die Züge über die Gleise Richtung Zentralbahnhof rumpeln oder von ihm weg. Er nimmt den Körper, hebt ihn hoch und spürte ihre kleinen Brüste an seiner Brust. Sie trägt nur ein T-Shirt. Sein Hemd wird nass, das muss ihr Speichel sein. Er hat sich Lederhandschuhe übergezogen. Ein kleines leichtes Mädchen. Er hat sie schon halb über seine Schulter gelegt. Er stolpert zurück. Das Mädchen wieder auf dem Boden. Er legt seine Hand auf ihr Gesicht. Hockt sich vor sie. Das ist noch warm, oder ist das seine Hand? Der Handschuh seiner rechten Hand liegt zwischen ihren Beinen

auf dem Boden. Er ist so müde, dass er an ihrem toten Körper einschlafen könnte. *Oh, mein Dornröschen.*
Er durchsucht die Kaschemme. Hat sich den Handschuh wieder angezogen. Die beiden kleinen Zimmer. Das Bad. Ob sie für das Arschloch angeschafft hat? Er findet ein Tütchen mit Kristall. Ein anderes mit H. Er schmeißt beides ins Klo und spült. Er hebt sie hoch. Wie leicht sie ist. *Müde bin ich, geh zur Ruh.*
Er legt ihren Arm um seine Schulter, schiebt seinen Arm unter ihre Achsel, schleppt sie zur Tür.
Den Schlüssel nimmt er mit. Steckt ihn in die Manteltasche, wo er auch das Handy des Typen hat. War ausgeschaltet. Er findet kein anderes Telefon in der Wohnung. Er weiß, wer die Bude vermietet. Der wird alles leer räumen. Nur ein paar Klamotten in dem Schrank. Ein Bett, ein Tisch, zwei Stühle. Ein Campingkocher in der Küche. Mit Gasflasche. Paar leere Tetrapacks, Milch, Wein, Saft, ein angeschnittener Laib Brot. Butter, die schon gelb geworden ist. Vielleicht sollte er die Kleine hierlassen. In das Bett legen. Zudecken. Ihre Augen öffnen sich plötzlich, er legt seine Hände mit den Lederhandschuhen um ihren Hals, dann nimmt er ein Kissen, drückt es auf ihr Gesicht, lehnt sich auf das Kissen, aber er spürt keine Bewegung. Eine Reisetasche mit schmutziger Wäsche neben dem Bett.

Er fährt. Weite, schneebedeckte Felder links und rechts. Er schüttelt den Kopf. Da bin ich wohl kurz weggenickt. Die Straßen sind leer. Die Lichter des Flughafens. Er biegt ab. Er spürt die Stadt hinter sich. Der Himmel wird heller. Ein Dunkelblau am Horizont. Er schaut in den Rückspiegel, hat das Gefühl, er würde rückwärts fahren, schaltet runter in den dritten Gang und weiß nicht, warum, er sieht die Explosionen des Bren in seinem Rückspiegel, er schaltet wieder in den vierten, ein dunkelrotes Glühen vor ihm, ein dunkelrotes Glühen hinter ihm, er macht das Radio an, er redet seit einigen Minuten und weiß nicht, was er redet, »Oh ja, oh ja, nun geht das alles seinen Gang, Brüder, zur Sonne, zur Freiheit«, er schüttelt sich, raucht, Werbung, er dreht den Sender weg, Musik, Stimmen, Info-Radio, rund um die Uhr, *auf zweiundneunzig Komma ba-da-da-damm kauft ...*, bald kommt der Winter, was soll er machen, er muss nach Berlin, er muss hier weg, langfristig gesehen, Brüder zum Lichte empor, die scheiß Alimente fressen ihn auf, kaum jemand weiß, dass ich 'ne Tochter habe, man hat so seine Träume, nicht wahr? Wir sind die Moorsoldaten und ziehen mit den Spaten, ins Moor, ins Moor.

Da flüstern sie hinter ihm im Kofferraum. An der Baustelle hat er nochmal kurz angehalten. Wir brauchen Ballast. Wäscheleine hat er in der Wohnung gefunden. Ich habe einen Plan! *Mächtig gewaltig, Egon.* Jetzt kommt mir bloß nicht mit der ollen Olsenbande. Kennt doch kein Schwein mehr heute. Habe ich als Kind immer gesehen. So alt biste doch nicht. So jung biste doch gar nicht. Du siehst müde aus, Mädchen. Wir waschen dir die Haare zum letzten Mal, wir legen deinen kleinen Kopf ganz vorsichtig in die Dusche rein. So weich. Wohin führt die Spur? Die Spur führt zurück. Nein, Unsinn. Wir fahren, wohin wir fahren. Du siehst müde aus, Arschloch. Und sie flüstern im Kofferraum, und er redet und redet. Man muss funktionieren. Weitermachen. Ist ja wohl klar. Die Renten sind sicher. *Müde bin ich, geh zur Ruh, schließe meine Augen zu. Du, mein Vater, hab gut Acht, auch auf mich in dieser Nacht.*

Und dann ist da plötzlich eine Stille und eine Kühle, in ihm, hinter ihm, vor ihm, er öffnet das Seitenfenster, atmet die kühle Morgenluft, sein Atem dampft, er blickt in die Dämmerung hinterm Wald, und er weiß plötzlich, dass alles gut werden wird.

## Sag beim Abschied leise Servus

I

Ich habe kein Auto. Jeden Morgen fahre ich mit der Straßenbahn und steige einmal um. Ich habe schon oft überlegt, ob ich den Führerschein mache. Aber ich bin jetzt dreiundfünfzig und weiß ehrlich nicht, ob ich das hinkriege. Ich könnt mir's zwar schon irgendwie vorstellen, dass ich das noch lerne, aber mein Mann hatte früher auch keinen Führerschein, das war ja nicht ungewöhnlich in der DDR, dass man nicht Auto fuhr. Auch dass man ewig und Jahre warten musste, bis das Auto dann da war. Mein Mann, also mein Ex-Mann, der hat den Führerschein Mitte der Neunziger gemacht, da waren wir noch verheiratet. Manchmal denke ich, dass er dann so viel mit dem Auto unterwegs war, und das war ja wegen seinem neuen Job, auch außerhalb und weit weg, dass da alles kaputtging oder anfing kaputtzugehen, aber das hatte auch andere Gründe, so viel anderes spielte da rein, wie das immer oder meistens so ist, und wir warn ja auch fast fünfundzwanzig Jahre verheiratet, kennengelernt, zusammengekommen, geheiratet, Kinder gekriegt, wie das eben damals so war.

Das sind so Sachen, über die denk ich nach, wenn ich am Morgen in die Straßenbahn steige und auf Arbeit fahre. Die Kolleginnen, die ich kenne, haben alle ein Auto, und die können sich das gar nicht vorstellen, dass ich fast eine Stunde oder fünfundvierzig Minuten, je nachdem, unterwegs bin und durch die halbe Stadt fahre. Aber auf jeden Fall ist das viel preiswerter, das müssen sie auch zugeben, vor allem jetzt, wo der Sprit immer teurer wird. Und ich versuche eben zu sparen. Ab und an fahre ich mal mit dem Zug zu meiner Schwester, die wohnt kurz vor Meißen, und da gibt's ein Dorf, kurz hinter Leisnig, da stehen lauter kleine Häuschen, und manche scheinen leer zu sein, also direkt am Waldrand, und ich stelle mir immer vor, dass ich mir dort mal was kaufe, weil so teuer ist das nicht, da habe ich mich nämlich schon erkundigt, ich meine, so als Sommerhaus oder Altersresidenz, das klingt zwar blöd, weil ich mich noch gar nicht so fühle, aber an sowas muss man ja auch immer mal denken, in meinem Alter, obwohl ich auch denke, dass ich noch etliche gute Jahre vor mir hab, vier, fünf auf jeden Fall, na ja, mir ist klar, dass ich dann wohl doch ein Auto brauche, also den Führerschein, um da richtig und bequem hin- und auch wieder wegzukommen.

Wir hatten mal einen Garten, schon mehr so Richtung Wochenendgrundstück war das, gleich vor der Stadt und ganz in der Nähe, wo wir damals gewohnt haben, Steinlaube und fast vierhundert Quadratmeter Grundstück und schön mit Hecken drum rum, dass man seine Ruhe hat, das wär mir nämlich am wichtigsten, aber den haben wir dann, gleich nach der Scheidung, verkauft. Das ärgert mich jetzt manchmal, weil's da doch sehr schön war, aber der Junge hatte auch kein Interesse, wollte damals schon ins Ausland, Kopenhagen, da arbeitet er jetzt, und da war uns das Geld doch erstmal wichtiger.

Dass ich ihn mal wieder besuchen muss in Dänemark, daran denke ich auch oft, wenn ich am Morgen in der Straßenbahn sitze und auf Arbeit fahre. Weil ich doch die Mädchen, die Enkel, mal wieder sehen will. Meinen Jungen natürlich auch. Aber das ist nicht immer so einfach, weil mit dem Henry, was mein Freund ist, und wir wollen vielleicht auch heiraten, weil wir doch schon seit sechs Jahren zusammen sind, weil da die Chemie nicht so richtig stimmt mit meinen Enkeln. »Fahr ruhig alleine«, sagt er immer, und er hat auch ein Kind mit seiner Ex, und deshalb geht das für uns beide eigentlich ganz gut, dass da jeder noch sein Eigenes hat, seinen eigenen Kram mit der Familie, und auch mein Junge ist da jetzt lockerer, aber der richtige Opa ist eben der richtige Opa für die beiden. Meine Enkelinnen. Die sind jetzt neun. Der Henry ist noch kein Opa, er ist auch acht Jahre jünger als ich, und sein Sohn …, manchmal denke ich, der ist schwul, traut sich aber nicht, es zu sagen, weil das ist so ein ganz zarter, ich kann ihn gut leiden, und er mich auch, denke ich.

Dass das alles so Patchwork ist, wie man heute sagt, finde ich eigentlich ganz in Ordnung. Der Henry hat auch noch eine Tochter, aber da ist der Kontakt fast weg. Finde ich schade, aber kann es auch irgendwie verstehen, weil das vor seiner ersten und bis jetzt ja auch einzigen Ehe passiert ist, und die Frau wohnt in Berlin, und irgendwie ist das damals wohl so passiert, wie das eben manchmal so geht, und die hat jetzt wohl eine starke Bindung zu ihrem neuen Vater.
Erzählen tue ich sowas ja eigentlich nicht und niemandem, privat ist privat, obwohl ich mit den meisten Kolleginnen ganz gut kann, aber die sind auch alle etliches jünger als ich, so junge Hühner, und manchmal gackern die einem wirklich in die Ohren, manche erzählen dir wirklich alles plus Phantasie, wenn du nicht aufpasst, dass ich denke: Ohhh nee, es reicht jetzt, mit denen kann ich sowieso nicht über Familienprobleme, Patchwork, Alter undsoweiter reden, die sind eben noch zu grün, und ich will das eben auch nicht. Weil privat ist privat. Nur die Birgit ist ungefähr mein Alter. Also um die fünfzig. Aber ausm Westen. Und sie ist sehr für sich, sehr still und zieht sich zurück. Bisschen verhärtet, würde ich denken, aber wer ist das bei unserem Job nicht? 'ne ganze Menge, denke ich mir manchmal, wenn ich mit allem so im Ganzen und Großen zufrieden bin. Da stell ich mir manchmal vor, wir beide, also ich und die Birgit, würden herzlich lachen, wenn ich ihr mein Familienlabyrinth zeigen würde, bei 'nem Kaffee zum Beispiel, und wenn ich da so durcheinanderkomme mit den Kindern und den Enkeln und dem Henry seinen Kindern. Weil's ja auch wirklich irgendwie lustig ist. Und weil das auch alles schlimmer und verstritten sein könnte, nein, da bin ich eigentlich froh, dass das alles halbwegs funktioniert. »Und du meinst wirklich, der ist schwul, ist ja süß, dass du dich da so kümmerst.« Sagt sie. Wenn ich mir das vorstelle. Obwohl wir in Wirklichkeit nie reden. Und mit den anderen Freundinnen, die ich so habe, spare ich das andere aus. Spare ich viel aus. Ist blöd manchmal. Weil die das doch nicht ganz verstehen.
Aber wenn ich was kann, dann mich so reinfühlen, sozusagen, in die Leute. Denn ich hab ja immer mit Menschen gearbeitet, früher als Frisöse. Da macht die Birgit auch immer ihre Späße, wenn ich mir das so vorstelle, wie wir beide beim Kaffee und 'nem Riesling da-

nach zusammensitzen, und dann muss ich lachen, manchmal mitten bei der Arbeit, ich obenauf, das mögen sie, wenn die reife Lady reitet. »Fünfzig Prozent der Huren waren Frisösen.«
Nee, ist natürlich Quatsch, »Fünfzig Prozent der Frisösen werden Huren«, sagt sie dann, aber das ist, wie gesagt, nur ein dummer Witz. Eigentlich habe ich ja gelernt in so 'nem Galvanisierungsbetrieb beziehungsweise bei der Galvanotechnik, da haben wir verzinnt und Metalle veredelt, aber weil ich so leichte Asthmaprobleme hatte, was ich vorher noch gar nicht wusste, bin ich da dann wieder weg. Das war alles noch in der DDR. Da weiß die Birgit nichts von beziehungsweise denke ich mir das so, die kommt nämlich aus dem Westen. Und ich weiß auch gar nicht, ob die so interessiert wäre an meinem Kram. Da ist sie fast schon 'n Exot, dass sie ausm Westen kommt, also bei uns. Kenn ich keine Kollegin weiter, die aus dem Westen kommt. Na ja, allzu viele Kolleginnen kenn ich eh nicht, aber schon ein paar.
Nach der Wende, also fast bis Ende der Neunziger, so von vierundneunzig an, da war ich auch bei der Altenpflege. Friseurinnen gab's plötzlich wie sonst nichts, und ich wollte auch was Neues machen. Ja, so kann man's sagen. Das hat mir schon Spaß gemacht, das war schon eine gute Arbeit. Und da habe ich viel gelernt, auch für später, also für jetzt.
Zu windeln und so etwas, die wunden Stellen, das Wenden der Körper, das Zuhören. Gerüche, Haut, die sich schält. Tropfen. Reden. Trockenes Fleisch. Wundes Fleisch. Nachsichtig sein. Auch mal streng sein. Hornige Nägel. Sterben und Zuhören. Manchmal rede ich mit dem Henry darüber. Wir kannten uns damals noch nicht. Er hört gern zu, wenn ich erzähle. Manchmal. Weil er doch so viel Eigenes hat, was er erzählen muss, wenn wir uns am Abend, nach dem langen, langen Tag, sehen. Und weil ich ihn dann frage: »Wie war dein Tag, Alterchen?« So nenne ich ihn meistens, eine Zeitlang habe ich ihn »Boy« genannt, das war vor allem in der Zeit, als ich Englisch gelernt habe, also mein Englisch aufgefrischt habe mit so 'nem Kurs an der Abendschule. Direkt von der Arbeit bin ich dahin. Das ist nun schon doch 'ne Weile her, war nämlich vor dem Gesetz. Weil ich da natürlich mehr Geld hatte. Abendschule, Sprachkurs, Sprach-

reise. Weil da mehr schwarz ging, aber da sollte ich einfach mal die Klappe halten. Und jetzt, das hat nicht nur mit dem Gesetz zu tun, dass es nicht mehr so läuft. Also schon noch gut genug läuft, weil sonst würde ich mir sicher überlegen, was ich nun machen soll, wenn das gar nicht mehr läuft, aber zum Glück läuft es noch. Auch mit dem Henry. Denn es ist nicht so, dass wir wenig Sex haben. Nein, im Gegenteil. Der Henry war immer ein Puffgänger, ist immer schon ein Puffgänger gewesen. Weil sonst hätten wir uns gar nicht kennengelernt. Und das haben wir nicht im Puff, natürlich nicht. Da lege ich jetzt so großen Wert drauf, denn das hat's auch schon gegeben. Aber soweit ich das beurteilen kann, ist das eher die Ausnahme. War aber 'ne Ü40-Party damals, wo ich ihn kennengelernt habe. Und was ich für einen Bammel hatte, ihm reinen Wein einzuschenken, wie man so sagt. Und dann ist er so ein alter Bock, jetzt hätte ich fast Hurenbock gesagt, der früher immer hin zu den Frauen, in die Puffs und in die Wohnungen.

Ich vermisse diese alten Straßenbahnen. Diese hellgelben kantigen Waggons. Nach der Wende fuhren noch ein paar von diesen Oldtimern, einige Jahre noch, soweit ich mich erinnere. Vorne hatten die nur einen runden Scheinwerfer, das sah geheimnisvoll aus in den Nächten, vor allem im Winter. Als ich ein Kind war. Und das Rumpeln und Quietschen in den Kurven. Und manchmal blitzte und knisterte der Strom zwischen Oberleitung und dem Bügel, bläulich. Auf die Locher, also die Entwerter für die Fahrscheine, musste man draufhauen, richtig doll draufhauen. Wie das immer knallte. Und immer verschieden das Muster der kleinen Löcher in der Pappe. Das war doch Pappe?, damals. Wie die Zugfahrkarten für den Bummelzug auf dem Land. Wenn wir über die Dörfer fuhren. Wie grau die Gesichter am Morgen sind. Der vor mir breitet die Zeitung aus wie ein Segel. Da lese ich anfangs ein bisschen mit. Sie schreiben was über die Engel. Und über den Mann, der aus Versehen erschossen wurde. Ich glaube, dass ich den kannte. Bin aber nicht sicher. Dass der mal bei mir gewesen ist. Was die Leute wohl so denken, wenn sie wüssten ... Dabei ist das alles ganz solide. Seit dem Gesetz führt der Alte, also mein Chef, jeden Tag fünfundzwanzig Euro Pauschale ans Amt ab, also an die Steuer. Ich rechne manchmal, wie viel Rente ich mal kriege. Der Morgen spielt in meinem Kopf und spült alles durcheinander. Ich bin müde heute. Das ist selten, weil ich doch immer schon ein Frühaufsteher war. Der frühe Vogel ... »stirbt im Sturm«, sagte einmal eine ..., kann das sein, dass das jetzt losgeht mit dem Vergessen, weil ich mir doch früher die Namen immer merken konnte. Die war aber auch nur kurze Zeit bei mir in der Wohnung. Die hat studiert. Hat sie jedenfalls gesagt. Und das stand auch tatsächlich so in der Annonce. Weil der Chef sagte, dass auf sowas die Leute stehen, dass da die Gäste scharf drauf sind, wenn sie vorher lesen: »Studentin, jung«, und weil er wohl dachte, dass das die richtige Kombination wäre. So à la Mutter und Tochter. Jetzt sind wir manchmal 'ne richtige Rentner-WG. Wenn die Birgit auch da ist. Und tatsächlich hat das Mädel immer mal Bücher mitgehabt und gelernt, also drin gelesen und Notizen gemacht undsoweiter, und manchmal auch mit Laptop. Jura war das wohl. Wenn wir manchmal ins Plaudern kamen, wenn grad nicht so viel los war, ich kann mich noch genau an die Januar-Flaute vor zwei Jahren erinnern, dann erzählte sie, dass sie Anwältin werden will. Ich meine, das ist doch verrückt. Da denkt man doch, dass die aus reichen Verhältnissen kommen. Aber die kam vom Dorf, und wenn das später mal irgendwie rauskommt, kann sie doch ihren Laden zumachen, da kann sie doch einpacken, wenn ein Gast sie wiedererkennt. Stell dir mal vor, du bist vor Gericht, und dann sitzt da der Staatsanwalt oder der Richter, der so eine richtige Drecksau war, und wie du den scharf gemacht hast, damit er schön wiederkommt und löhnt, das ist sicher für beide peinlich, aber sie wollte wohl eh rüber in den Westen dann, in eine große Stadt, vielleicht auch Berlin, aber in München oder Hamburg, da kann man ja von vorne anfangen, das ist weit weg. Die trank immer Milchkaffee. Latte macchiato. Was wohl dasselbe ist. Brachte sich immer, wenn sie kam, nachmittags meistens, und auch nicht jeden Tag, nur in den Semesterferien zog sie durch, das hat sie alles mit dem Alten so vereinbart, die kam also immer mit einem großen Pappbecher, der Schaum war schon lecker, das muss ich zugeben, aber ich mag eher das Modell Filterkaffee. Trink ich viel zu viel, und neuerdings krieg ich Sodbrennen und nehme deshalb so ein Magengel. Rezeptfrei. Ich bin ja privat versichert und versuche, wenig auf Rezept und mit Arzt zu machen, weil dann die Beiträge steigen, aber ich krieg jedes Jahr was zurück bis jetzt, da klopfe ich dreimal an die Scheibe. Weil krank werden möchte ich nicht, aber wer möchte das schon, aber bei uns ist das immer blöd, weil dir ja keiner das Gehalt weiterzahlt. Da sitzt man dann zu Hause und verdient nichts. Oder liegt im Spital, wenn's ganz blöd kommt. Für die Kasse bin ich selbständige Masseuse und Osteopathin. Und im Prinzip stimmt das ja fast und ist nicht so weit weg von meiner Arbeit, von der großen Kleeche. Das Wort kennt kaum noch einer von den jungen Mädels, und die Birgit sowieso nicht. Kleeche. Sächsisch ist das. Hart arbeiten meint das. Kurz lehnt meine Stirn an der Scheibe, aber die ist schmutzig, und das ist nicht gut für die Haut. Da muss ich eh aufpassen, ich mache viel für meine Haut, gebe da auch gerne viel Geld aus für …, ich wäre sicher eine gute Verkäuferin in der Kosmetikbranche.

Als ich dem Henry letztens erzählt habe, dass ich jetzt auch so leicht dominante Sachen anbieten will, also dass ich mich auch ein bisschen weiter …, ich meine als Domina, das geht nicht so mir nichts, dir nichts, aber die Vorstellung, dass das was wäre für mich, also beruflich, die hatte ich schon eine Weile. Ich hab mich auch schon mit der Feliz getroffen, die hieß früher Beatriz, und die hat mir erstmal so einen Crashkurs gegeben, ich meine so ganz und gar und Lady L. wird das bei mir sicher nicht werden. »Leichte Dominanz« sollte da erstmal in meiner Annonce stehen, werde ich dem Alten bald mal sagen, und dann gucke ich mal, wie das so läuft. »Domina statt Hartz IV« habe ich letztens in 'ner Zeitung gelesen. Da saß ich auch grad in der Bahn. Die hat tatsächlich wie ich sich als freie Gewerbetreibende angemeldet. Massage. Scheint ein Trend zu sein. Wo wir grad am Amt vorbeifahren. Früher waren da die Russen drinnen. Riesige Kasernen. Wenn da die Panzer rauskamen, standen wir auf den Bordsteinen und guckten. Das war schon was. Fuhren die zu Übungen oder Manövern oder sowas. Und ich weiß auch noch, wie es da vorne im alten Straßenbahnhof gebrannt hat. Das muss Anfang der Siebziger gewesen sein. Die ganze Nacht hat es da gebrannt. Und wir haben an den Fenstern gestanden und den Lichtschein des Feuers beobachtet. Das konntest du unglaublich weit sehen. Ich schrecke hoch, und da bin ich schon fast an der Märchenwiese. Nee, doch nicht, doch noch nicht. Der große Quader vom Hotel, das große grauweiße Ding taucht da neben uns auf. Da bin ich wohl tatsächlich kurz vorm Finanzamt weggeduselt. Drüben im Hotel, in der Bar, die war exklusiv, und da durfteste nur mit Westgeld bezahlen, wenn ich mich richtig erinnere, im Hotel hat damals meine Freundin Mia, die ich komischerweise ganz oft Pia genannt hab, die hat da gearbeitet, wenn Messe war. Hat sie gutes Westgeld für gekriegt, oder Dollars manchmal, ich weiß noch, wie sie mir das erzählt hat. Bei 'n paar Gläsern Sekt, die hatte immer richtig gute Marken, Mumm und Söhnlein und sowas, wo ich immer dachte, Mensch, die musses ja dicke haben, und da fängt die an zu erzählen, als wir schon zwei Flaschen weggepichelt hatten, und erst hätt's mich fast umgehauen, von wegen die biedere PiaMia, denn so wirkte die manchmal, aber faustdick, wie man sich das manchmal auch so denkt. Das hatte ich immer schonmal gehört, dass da die Mädels hin sind, wenn Messe war. Wem das so lag eben. Ich meine, das ist ja auch spannend, und kann man auch nicht vergleichen, wie wir heute arbeiten. Zweimal im Jahr, zwei, drei Abende mal ackern gehen, und richtig ackern war das nämlich nicht, was die Mia mir jedenfalls so erzählt hat. Wäre für mich aber damals überhaupt nicht in Frage gekommen. Na klar denkt man drüber nach undsoweiter, aber in den Achtzigern war das, und ich mit meinem ersten Mann noch glücklich und glücklich, aber damit hatte das nicht immer was zu tun. Die Pia nämlich auch. Soweit ich das in Erinnerung habe. Verheiratet, Kind in der Schule. Einer von beiden war ihr richtiger Name, und den anderen habe ich ihr so aus Jux gegeben, weiß gar nicht, wie das so kam. Gab's da nicht 'ne Schauspielerin, Pia Cramling? Mia Farrow? Die wollt's wissen. Ich habe mich dann später immer gefragt, was denn ihr Mann so gewusst haben wird. Ich meine, die ganze Kohle, das ganze schöne Westgeld, das kann sie ja nun nicht alles verstecken oder für sich verramschen. Da gab's bestimmt auch welche, die haben gehofft, dass sie da den reichen Westprinzen finden, der sie rüberholt. Oder zur nächsten Messe wiederkommt. Und dann wickelt sie ihn so um den Finger. Hin und wieder passiert's ja, dass man einen richtig gut findet. Hin und wieder. Wie das da gebrannt hat, das werd ich jetzt irgendwie nicht mehr los. Der Gestank noch tagelang. War ja viel Gummi und Kunststoff und Öl. Komisch, dass ich heute drauf komme, dass mir das heute wieder einfällt, dabei fahre ich nun schon seit Jahren an dem alten Straßenbahnhof vorbei. Den sie relativ schnell dann wieder aufgebaut haben.

Ich darf nicht wieder wegnicken, sonst fahr ich noch bis raus zur Wendeschleife »Bürgerruhe«. Ob's da die Gaststätte »Bürgerruhe« noch gibt? War ich mit meinem Ersten manchmal essen. Sind wir auch meist mit der Bimmel hin. Vorbei an der Allee der schönen Augen, wo die Wohnwagen standen. Nee, das wäre nun gar nix für mich gewesen. In so 'nem gammeligen Wagen. Jemand sagt, dass der Alte da angefangen hat. Aber das kann ich mir nicht vorstellen, und die Leute erzählen viel. Ist schon halb acht jetzt. Fast. Um neun fang ich an. Aber ich bin gerne eine Stunde eher da. Trinke Kaffee. Koche erstmal eine Kanne. Fenster auf. Durchlüften. Die Gerüche des letzten Tages, der letzten Nacht. Manchmal treffe ich jemanden auf der Treppe. Ich denke, dass die schon wissen, was da bei uns abgeht. Einige zumindest. Die sagen alle ganz freundlich guten Tag, aber das ist doch eigentlich auch ganz normal. Hab da schon andere Sachen gehört aber. Bin von Anfang an in dem Haus und weiß nicht, wie es woanders so läuft. Der Chef weiß schon, wo er welche Wohnung machen kann. Drüben im Westteil der Stadt gehören ihm ganze Häuser. Hab ich jedenfalls gehört. Am Museum fahren wir vorbei. Sind wir oft mit der Schule gewesen, mit der Klasse, in dem Museum. Völkerkunde. Da haben wir vor den Vitrinen mit den Artefakten gestanden, Töpfe, Scherben, Amulette. Da haben wir einmal in einer Jurte gesessen, so eine Art Zelt war das von den Mongolen. Als wir am Zoo vorbeigefahren sind vorhin, habe ich gedacht, dass ich da gerne mit der Birgit mal auf einen Kaffee gehen würde, aber das wäre zu intim, denn da geht man ja mit seinen Kindern hin oder der Familie. Vielleicht ins altehrwürdige Teehaus im Wildpark. Wenn es das noch gibt. Muss ich meinen Henry mal fragen, ob's das noch gibt, mein gutes Alterchen. Fehlt bloß noch, dass ich ihn »Vati« nenne. Ist mir ein Gräuel. So hat meine Mutti nämlich meinen Vati immer genannt. »Vati, kommst du mal!« Mensch, ich dusele gleich wieder weg … Aber manchmal liegen so Sachen in der Luft, gibt es so …, will jetzt nicht sagen »Schwingungen«, das fühlt sich so an, als wenn man schonmal an dem Punkt im …, wie soll ich sagen …, also so Déjà-vu-mäßig. Also, ich glaube, ich steig zwei eher aus und laufe ein Stück. Wollte eh noch Kaugummis kaufen. Luft.

## II

Zwei Kännchen Kaffee. Zwei Stück Apfelkuchen. Eine Weile haben sie schweigend die Karte studiert.
Sie hätte nie gedacht, dass sie mit der mal auf einen Kaffee. Da war sie immer konsequent. Da warst du immer konsequent. Privat ist privat, und Arbeit bleibt auf Arbeit. Eine richtige Ostpocke. Denkst du und lachst.
Aber nett. Da lacht sie sogar mit, obwohl sie nicht weiß, warum du lachst. So wie das Café hier auch sehr nett ist. Sehr fein. Alte Möbel. Stuckdecken. Kleine runde Tische. Hell getäfelte Wände. Wie ein Kaffeehaus. Wien.
Zwei Gläschen Likör. Sie prosten sich zu. Ohne anzustoßen. Zum Wohl, Susanne. Zum Wohl, Birgit. Es ist schön, dass wir so sitzen und gar nicht viel sagen müssen. Ein Gläschen Kaffee, ein Tässchen Likör. Birne. Ist eher ein Brand. Christbirne? Schon bald wieder Weihnachten? Ja, das trinkt man oft, dort, wo ich herkomme. Pfalz. Nein, nicht Bayern. In Bayern reden sie anders. Du denkst, dass du bald weggehen wirst aus der Stadt. Noch ein kleines Kännchen? Ja, gerne. Kuchen? Ein Stück noch. Aber diesmal Käsekuchen.
Gut, der Kaffee.
Latte macchiato? Nein, lass mal. Zur Wende war ich in Saarbrücken. Saarland, ja. Lafontaine, ja. Hat die den Lafontaine gewählt. Nein, wirklich? Blühende Landschaften, das war ja nun wirklich des Guten zu viel. Ach so. Undankbar, denkt sie. Da denkst du, dass sie eigentlich sehr nett ist. Dem Kohl hast du auch nicht vertraut damals. Dem Lafontaine zwar auch nicht, aber das hatte andere Gründe. Wie

sie den damals abstechen wollten. Also diese Irre. Ja, ja, natürlich kann ich mich daran erinnern.
Wie wir hier rumreden, um nicht an die unangenehmen Themen zu kommen. Nein, wirklich schön hier. Ja, in der Stadt auch. Das sehe ich sofort, dass sie höchstens zehn Jahre dabei ist. Was schon viel ist natürlich. Du könntest erzählen, wie du in Essen das erste Mal in einem größeren Laufhaus warst. Aber sie wollen Kaffee trinken und die Welt vergessen. Ein Nachmittag im Spätsommer, Frühherbst. Das Laub ist golden und bunt. Und die Sonne steht früh schon tief am klaren Himmel. Wenig Wolken. Die Menschen wimmeln durch die Straßen. Langsam. Nicht wie im Rausch des Hochsommers oder später zur Weihnachtszeit. Ja, ist schon bald wieder Weihnachten. Ich könnte schwören, dass sie Kinder hat. Ein Kind bestimmt. Du hältst deine Tasse, den Arm angewinkelt und siehst sehr seriös aus. Wanderratten, denkst du, du bist immer eine Wanderratte gewesen. Saarbrücken, Essen. Nein, Essen – Saarbrücken – München – Hannover – Köln – Düsseldorf.
Ob du mal in Wien gewesen bist, will sie wissen.
Warum Wien?
Ach nur so. Weil doch …, der Weg ist doch kürzer von …
In Wien warst du schonmal. Natürlich. Und der Weg ist überhaupt nicht kürzer. Im Gegenteil. Ein Urlaub vor vielen Jahren. Zweiundzwanzig warst du da. Das ist nun fast dreißig Jahre her. Allein bist du gefahren, weil du es wolltest. Keiner hat dich jemals sitzenlassen. Weil du keinem die Chance dazu gegeben hast. Wanderratten, das ist nicht von dir. Das hat dir vor Jahren einmal eine alte Frau gesagt. So alt war die noch gar nicht. Sah aber alt aus. Auf der Toilette stehst du vorm Spiegel und siehst wieder, dass du noch nicht so alt aussiehst, wie du eigentlich aussehen müsstest. Weil du die Dinge an dir abprallen lässt. Dir fällt auf, dass deine Erinnerungen oft mit »vor vielen Jahren« losgehen. Wenn du sie aufschreiben würdest. Woran du schon oft gedacht hast. Ja, auch schon vor vielen Jahren. Die Geräusche des Cafés hinter dir, weil die Toilettentür sich öffnet. Ach du. Nein, eine andere Frau. Kurzer Blick, kurzes Lächeln. Die Frisur sitzt.
Wieso bist du auf Wien gekommen vorhin?

Nur so.
Warst du denn schonmal in Wien?
Nein.
Nein?
Ja. Mein Mann will immer nach Wien. In den Alpen waren wir schon paarmal … Noch einen Likör?
Gerne. Schmeckt dir die Birne?
Birne find ich gut.
Dort, wo ich herkomme, brennen sie das selbst. In den Dörfern. Fast jeder Bauer brennt dort. Birne, Apfel, Quitte. Den besten Schnaps bei uns machte der Pfarrer.
Bist du in der Kirche?
Bist du in der Kirche?
Nein. Sind nicht viele in der Kirche hier in der Zone.
Zone … Du lachst. Sie lachen. Wir lachen.
Aber viele schöne Kirchen habt ihr in der Stadt.
Ja, das stimmt.
Ist mir von Anfang an aufgefallen.
Bist du schon lange …
Du bist immer schon hier gewesen, stimmt's?
Stimmt. Hört man wohl.
Ein bisschen.
Sie bestellen zwei Gläser Birnenbrand bei einer Dame in Schwarz-Weiß, die ein leeres Tablett an die Brust drückt und die leeren Gläser dann auf das leere Tablett stellt. Und die Kuchenteller. Auf der Straße draußen vorm Fenster flanieren die Menschen. Schieben sich langsam an den Schaufenstern vorbei. Als sie vorm Spiegel stand, sah sie plötzlich die Arbeitsutensilien vor sich, auf einem Board unterm Spiegel und auf dem Rand des Waschbeckens. Sprays, Cremes, Gel, die Spender, die Bürste, das Mundwasser, die Rolle mit dem Küchenpapier an dem Halter in der Wand. Sie hört Stimmen von der anderen Seite. Essen – Hannover – Düsseldorf. Die Oberfläche des Spiegels wellt sich wie Wasser. Die Luft flimmert. Sie tritt einen Schritt zurück. Auch als sie dann wieder am Tisch sitzt, weiß sie, dass Distanz immer ihre erste Regel bleiben wird. Auf dieser Seite und auf der anderen.

Sie könnte sagen: Distanz, zugleich freundlich und nett. Menschlich. Professionell. Ein Profi, eine Profi. Professionell zu sein bedeutete ihr immer viel. Es würde zu weit gehen zu sagen, dass es sie stolz machte. Spieglein, Spieglein an der Wand, wer ist die professionell Schönste im ganzen Land …
Sie trinken Wasser, echt Selters, aus kleinen Flaschen und kleinen Gläsern, zu ihren Birnenbränden.
Sie nippen, blicken sich um, setzen wieder ab. Weniger Bewegung auf der Straße vor der Scheibe jetzt.
Ein schöner Nachmittag.
Fast schon Abend.
Gut, dass man frei hat.
Gut, dass wir frei haben.
Da sitzt man sich direkt fest.
Ich mag es, dass die Musik hier nicht so laut läuft.
Walzer. Bist du deswegen auf Wien gekommen vorhin?
Walzer, ja. Hat du tanzen gelernt?
Ich war auf der Tanzschule. Vor der Kommunion …, nach der Kommunion.
Kommun-was?
Du kennst nur Kommunismus.
Du lachst und frierst dich wieder ein. Distanz. Dann machst du dich wieder locker. Gut, dass man frei hat.
Sozialismus, sagt sie. In wenigen Jahren ist das alles vergessen.
Wenn du mit wenig fünfzig meinst. So schnell geht das doch nicht.
Fünfzig … Manchmal weiß ich nicht, ob das wenig ist? Ob das viel ist. Jahre …
Jahre. Nach Wien solltest du unbedingt mal fahren. Ihr. Solltet ihr unbedingt mal fahren. Fährst du manchmal weg? Ich meine, richtig weit weg. Oder nach …
Sie schweigt plötzlich. Sie schweigen. Leiser Walzer im Hintergrund. Das Gemurmel der Gäste.
Ich mag, dass es hier so ruhig ist. Hörst du dich sagen. Und siehst du dich trinken. Und siehst du euch still lächeln. In Wien habe ich mal Walzer getanzt. Aber das ist wirklich lange her. Der arme Junge. Ein Rosenkavalier.

Du schaust sie an, aber sie scheint nicht zu verstehen. Oder ist abgetaucht in ihre eigenen Erinnerungen. Rosenkavalier, was für ein Blödsinn auch. Goodbye, hochgelobte Distanz. Der Spiegel ist überall. Aber lass es sein, mach dich nicht verrückt und entspann dich. Nur noch vereinzelte Menschen spazieren auf der Straße draußen vorm Fenster. Das Gemurmel hinter ihr verdichtet sich. Gläser klappern.
Wenn du wirklich nicht tanzen kannst ...
Nein, ich kann nicht tanzen.
Dann ...
Also ich kann schon irgendwie tanzen, ich bin immer gern in die Disko, also früher ..., aber eben nicht so das Klassische. Walzer. Nein, wirklich. Nein, nicht.
Sie lächelt und stützt das Kinn auf beide Hände. Verschiebt die Gläser dabei. Du nippst den kleinen Rest aus deinem Glas, spürst den Birnenbrand auf deiner Oberlippe, spürst die feinen Härchen dort, als du mit dem Zeigefinger über deine Oberlippe streichst. Du gehst mit einem Rasierer hin und wieder über deine Oberlippe, sehr vorsichtig, wenn du deine Beine machst, aber du magst den Flaum, der so zart ist, dass ihn keiner sieht, nur wenn du lange nicht drübergehst mit dem Rasierer, wird er dunkler. Das ist erst seit du vierzig bist, und das ist auch schon wieder bald zehn Jahre ..., und wieder die Jahre. Hunkepus, Hunkepus, wie in dem Märchen, wo die Tiere alle krank und alt sind und humpeln, Hunkepus, Hunkepus, aber zum Glück seid ihr beide gesund, gelle, und du schaust sie an, wie sie da so sitzt und die Arme aufgestützt hat und sinniert, und schaust dich an im ewigen Spiegel, der Likör, wie sie es nennt, der ein Brand ist aus deiner fernen, jedenfalls nicht ganz so nahen Heimat, die Birne macht eure Gesichter rot, färbt eure Bäckchen rot, nur gut, dass ihr beide keine Solarienfrauen seid, dass ihr euch nicht die Haut bis auf die Knochen runterkochen lasst, dunkel, so dunkel sieht die Haut der jungen Huren bisweilen aus, dass du denkst: Hautkrebs ..., dass du denkst: Nein. Zugegeben, ab und an gehst du unter die Höhensonne, die du seit Jahren bei dir zu Hause hast, also in deiner Wohnung hast, aber mit Vorsicht genießt du diese Strahlen, und nur ganz selten und nur für kurze Zeit. Feine eng-

lische Blässe, nicht wahr? Wo waren wir stehengeblieben ... Ist der Arbeitstag vorbei, habe ich das alles aus meinem Kopf. Alles raus. Sofort. Ich kann nicht sagen, dass ich irgendwie darunter leide, und die meiste Zeit, die meiste Zeit denke ich da auch nicht dran, denke da nicht drüber nach. Sage ich mir. Und das ist das. Die Wahrheit muss man sich immer wieder sagen. So zu sich selbst. Es sind Phantasiegeschichten, nur Phantasiegeschichten. Hinterm Spiegel stehe ich und prügele auch, wenn es verlangt wird. Lack und Leder. Die Anschaffung lohnt. Distanz. Professionalismus. Heimat? Was soll ich dazu sagen. Tanzen?
Walzer ist nicht einfach. Aber schon relativ leicht zu erlernen.
Meinst du, dass ich nochmal, also überhaupt mal ...
Das kann auf jeden Fall nicht schaden. Hör doch mal, wie das gleitet, wie man sich da ... Ich würde sagen: Ja.
Meinst du jetzt Tanzschule, Mia?
Mia?
Scheiße, sorry!
In der Zeile verrutscht?
Ja, so ähnlich.
Aber das gab's doch bestimmt auch bei euch im Osten, sowas wie Tanzschulen.
Klar gab's das. Aber zuerst mal haben wir zusammen gesungen, sind zusammen marschiert, sind zusammen zu den sowjetischen Freunden, Wandzeitungen haben wir zusammen gestaltet und viel viel Sport gemacht. Geturnt, am Barren, Sportgymnastik.
Sag bloß, du konntest Spagat?
Konnt ich. Noch mit siebzehn, achtzehn, neunzehn konnt ich das.
Ich hab Tennis gespielt und mir dabei ein wenig die Knie versaut.
Na, das glaubst du mir nicht.
Was?
Dass ich Spagat kann.
Konnte! Hast du gesagt.
Und da steht sie auf plötzlich, geht ein paar Schritte hinter den Tisch, geht ein paar Schritte in den leeren Raum, den Fußbodenraum zwischen den Tischen, greift mit beiden Händen auf ihre weiten dunklen Stoffhosen, stellt sich breitbeinig in Position und

lässt ihre Beine langsam, ganz langsam auf dem getäfelten Holzboden auseinandergleiten. Und du denkst: Nee, Mädchen, mach es nicht, wir sind doch beide fünfzig, auch wenn wir nicht so aussehen.

Aber sie lässt ihre Beine immer weiter, ganz langsam, auseinandergleiten, die Dame in Schwarz-Weiß, das Tablett an die Brust gedrückt, blickt erst mit großen Augen zu ihr, zu ihnen, geht dann aber weiter auf ihren Wegen zwischen den Tischen, während sie sich dem Spagat annähert. Aber dann ist Schluss, und sie springt auf und schreit. »Verdammt nochmal, verdammte Scheiße!«
Das klingt so schrill und hoch und tief, wie man eben mit fünfzig klingt, wenn man versucht, kalt einen Spagat zu machen. Sie humpelt noch ein wenig hin und her, Walzer, Walzer in der Endlosschleife, greift sich immer wieder an den Oberschenkel und verzerrt das bleiche, englische Blässe!, Gesicht, dann setzt sie sich.
Du lehnst dich zurück, die Gläser sind leer, du spürst das Pulsieren des Obstlers in deinem Gesicht, beugst dich vor, lehnst dich wieder zurück, lachst in Gedanken, schweigst in Gedanken, schüttelst den Kopf, greifst dann nach ihren Händen, die du nicht so schnell zu greifen, zu fassen kriegst, legst dann deine Hände auf ihre Schultern, beugst dich wieder vor, und da seid ihr euch so nah mit den Köpfen, mit den Haaren, die sich berühren, und sie legt ihre Hände, immer noch leise jammernd, auf deine, und immer noch schweigend, also ohne Worte, lacht ihr.

## III

Kaputt. Ich trinke nicht mehr. Kaputt. Nur noch wenig. Seit vielen Jahren. Sehr vielen Jahren schon. Mein Körper und mein Kopf brauchen das nicht. Ich bin auf dem Sprung. Wenn es am schönsten ist, sollte man aufhören. Ich weiß nicht, ob meine Mutter noch da ist. Dort und weit weg. Falls und die Pfalz. Vielleicht bewundere ich sie. Die Tänzerin, nicht Mutter. Mir geht es gut. Ich habe meine Regeln. Am Hafen, dieser lächerliche Hafen dieser lächerlichen Stadt, wo ich jetzt sitze, liege, sitze, warte, es ist die letzte Station. Was soll man bereuen, wenn es nichts zu bereuen gibt. Kaputt sind nur die anderen. Das war in Essen so, das ist hier so. Es sind Spiegel, in die ich mich kleide. An denen sie an mir abgleiten. Ich habe immer die bewundert, die sich den Witz bewahrt haben, meine Kolleginnen, alle meine Frauen. Das kann ich nicht. Der Chef, der Alte, ist in Ordnung. Da habe ich andere Arschlöcher gekannt. Früher hatte ich einen Hass, einen kleinen Hass, gegen die Ostpocken. Als die alle rüberkamen zu uns. Wo all das Volk wissen wollte, wie die so zu vögeln sind. Weil da die Legenden umgingen, ach, wie freizügig die alle sind. Weil's da Jahrzehnte und gefühlte Jahrhunderte keine Geschäfte gab, bei den Ostpocken, keine richtigen Geschäfte, was den großen goldenen Bums betrifft. Kamen die feinen Damen alle zu uns und machten uns die Geschäfte schwer. Aber da sind inzwischen viele Jahre vergangen. Jetzt kreuzen sich unsere Wege wieder hier. Ich bin nicht verbittert. Ich habe noch einige gute Jahre. Aber in denen will ich weiterziehen. Ich habe einen guten Kontakt in Hannover, dem großen Fleischmarkt, wo die Engel regieren.

Ich sehe das alles rein rational. Ich melke und melke und schaffe zur Seite, was geht. Hatte sogar Fonds und Aktien, aber das ist alles kaputt jetzt. Wer konnte das ahnen, dass Europa verblutet. Aber ich war nicht ganz dumm zum Glück. Zum Glück war ich nicht ganz dumm. Habe das Konto, wo es immer noch reinfließt. Und von den Fonds und Bonds und Aktien habe ich einiges behalten, weil doch ein Übermaß an Chaos irgendwann wieder zur Ordnung führt. Und umgedreht. Wir haben es ja gesehen. Da warte ich und halte den Rest.

Drüben, wenn ich aus dem Fenster schaue, sind die alten verfallenen Speichergebäude des alten Hafens. Dahinter beginnt schon der Wald. Ein Kanal führt bis weit ins Land. Viele schöne Kanäle, neu, fast wie Amsterdam. Dass die Engel jetzt auch hierher gekommen sind und Verträge und Geschäfte machen, habe ich nicht mitbekommen. Weil mich das alles nicht berührt und betrifft. Und dass da vor einem Jahr einer gestorben ist, den ich wahrscheinlich sogar kannte, ein Gast, Kollateralschaden, habe ich erst viel später erfahren. Ich habe oft in solchen Kriegen gesessen und mein Geld

verdient. Essen – Hannover – Düsseldorf. Das ist nicht schön, aber es geht immer weiter. Natürlich will ich nicht, dass die Russen, die Jugos oder andere Kanacken in unsere fairen Deals reinschießen. Nicht weit von mir gibt's noch einen Club. Da ist wohl der Chef mit drin. Aber nur noch ein bisschen hier, und ich bin weg. Ziehe weiter. Habe noch einige Jahre. Bin alles in allem zufrieden. Und ich sage immer: Ist der lange Tag der Arbeit vorbei, werde ich danach alles vergessen. Schnell. Sofort. Ich leide nicht, und ich denke auch nicht allzu viel darüber nach, dass es da so seltsame Damen gibt, die keine Ahnung haben, aber immer sowas behaupten, wie es wäre. Undsoweiter.
Einige von den jungen Mädchen ticken ganz anders. Was den Profit betrifft. Schnelles schönes Geld und schnell wieder raus. Ich brauche keine dummen Sprüche. Von niemandem. Wenn ich in meiner kleinen Wohnung verschwinde, verschwindet alles andere, verschwindet alles, was auf Arbeit war. Man darf nur keine Illusionen haben. Natürlich habe ich Träume. Aber die behalte ich für mich. Wenn ich so auf den alten Hafen blicke, erinnere ich mich, dass es wohl mal einen Mann hier gab, der hatte einen Traum, das Ding auszubauen, aufzukaufen, den nannten sie den Bielefelder, und manche nannten ihn den Graf, warum, kann ich nicht sagen, dem gehört die Burg am anderen Ende der Stadt, wo ich nicht arbeiten will, weil ich mal in einer ähnlichen Burg in Hannover war. Da wohnen Vögel oben unter den Dächern. Die ich sehe, wenn sie aufflattern. Wer hätte das bezahlen sollen? Ich höre die Menschen unten auf der Straße. Ich warte. Ich rechne jeden Tag und denke: Gebt mir euer Geld, ihr Narren.
Nur noch kurze Zeit, dann nach Hannover, und dann ist Schluss.
Ich bin die gute geile Mutter unter dem jungen Volk. Ich blase ohne, ich schlucke, wenn das Geld stimmt, und ich erwarte dich in Leder, wenn du das willst. Meine Löcher sind offen für dich. Kaputt bin ich nicht. Ich warte. Ich schnall mir den dicken Schwanz um, wenn du das willst, und auch meine Titten kannst du ficken. Dein Saft läuft aus meinen Haaren, läuft aus meinem Mund. Du kannst mir den Arsch aufreißen, ich nehme deine Eier in meinen Mund. Du zahlst hundertzwanzig die Stunde, all inklusive. Und fünfzig für den

Quickie, wenn ich an der Wand stehe. Ich bin deine Mutti, wenn du es willst. Ich spuck dir deinen Saft in deinen Mund, wenn du das willst. Schlag mir auf den Arsch, wenn du willst. Und ich bepisse dich, wenn du das willst, in meiner Badewanne. KV gibt's bei mir nicht, da musst du in die 53 zur Janine. Du kannst mich auch streicheln. Und du kannst mich küssen. Im Bad steht das Mundwasser. Du kannst dich an mich schmiegen, weil deine Mutter böse zu dir war. Du kannst mich auch bestrafen, ich bin leicht devot, wenn es dir danach ist und du mich dafür bezahlst.

Zungenanal gibt es bei mir nur passiv. Aktiv in 53, ist selten, ist eine Goldgrube, aber ansonsten: Du darfst, du darfst, wenn du vorher zahlst.

Und ich sehe das Geld auf meinem Konto, das ist zwar nicht in der Schweiz, aber sicher genug. Ich sehe es wachsen. Sehe genug andere, die alles verschwenden wieder.

Ich bin auf dem Sprung. Und ich tanze. Wer hätte das gedacht. In Wien war ich damals allein. Ich bin froh, dass ich keine Kinder habe. Wo da draußen doch alles kaputt ist. Vor fast dreißig Jahren, in Wien. Ich schweige lieber. Hab viel zu viel erzählt. Aber als ich mit ihr tanzte. Diese Ostpocke. Wo ich seit Jahren unter den Ostpocken lebe. Das werde ich nicht vergessen. In den Jahren, die mir noch bleiben. Den guten Jahren. Den arbeitsamen. Wie wir da Walzer tanzten und die Tische verschoben. Wie ich sie da führte. Diese unglaubliche Frau. Die Arme auf den Schultern. Das Café fast leer. Immer Walzer, Walzer in der Endlosschleife. Wie wir da tanzten. Und wie sie zu mir sagte, wie großartig ich bin. Das war besser als in Wien. Wo ich so allein herumirrte, Mitte der Neunziger, und ich sage, du musst dein Bein mehr an meinem orientieren. Und ich sage gar nichts mehr, weil sie's schon begreift, wie sie da mitgehen muss. Und sie hat's auch recht schnell raus, wie wir beide den Walzer tanzen müssen. Der Schwung, das war fast, als wenn wir schweben würden. Dass die Leute da guckten, war ja klar.

Und plötzlich war die Musik aus. Und die spielten so ein Rausschmeißer-Stück. Wo sie es fast raushatte. Wo sie so weit war, dass sie mich führen konnte. Und wir tanzten noch eine Weile in der Stille, in dem leeren Café. Das müssen zehn Minuten gewesen sein,

von Anfang bis zum Ende. Das haben die bestimmt noch nicht gesehen, zwei feine alte Damen wie uns, reife Damen, feine Damen, die ihr endloses Walzerkonzert …, und wir schwebten durch diese barocke Gründerzeit- oder wie auch immer Stube. Und dann dieses Genuschel aus den Boxen zum Schluss. Da waren wir kurz davor, ein richtiges Fass aufzumachen, wir beide. Auch mal ein Glas zu schmeißen. Weil doch unsere Haare und Köpfe sich berührten. Weil wir einfach nur tanzten. »Sag beim Abschied leise Servus …«
Und da ließen wir uns los. »… denn diese Worte tun nur weh …«
So male ich mir das aus in Gedanken, wo ich so auf den Hafen schaue. Nach dem missglückten Spagat haben wir uns verabschiedet. Das war sehr nah, auch ohne Walzer, auch ohne kitschiges Servus.
Es klingelt. Ich stehe auf. Ich bin da.

# In der Stahlstadt

Es schneite wieder. Hans blickte aus dem Fenster auf die flachen, viergeschossigen Plattenbauten, die sich in einem langgezogenen Betonband hinterm Hotel erstreckten. Jenseits der Häuser konnte er die schneebedeckten Felder sehen, ein paar vereinzelte Gehöfte, und weiter hinten, im trüben Nachmittagsdunst und im Schneetreiben kaum zu erkennen, die Wälder, durch die er als Kind oft gelaufen ist.
Er zog die Gardinen zu, suchte nach einer Minibar, fand aber keine. Nur eine Flasche Mineralwasser stand auf dem Tisch neben dem winzigen Fernseher.
Er hängte seinen schwarzen Anzug in den Schrank. Er war froh, dass er seinen Führerschein vor anderthalb Wochen zurückbekommen hatte, der gute Anzug wäre in einer Reisetasche nur unnötig zerknittert. Wahrscheinlich hätte er sich ein Taxi genommen, auch wenn es mehr als zweihundert Kilometer waren. Er hatte im Internet geschaut, wie lange er mit dem Zug gebraucht hätte. Mehr als drei Stunden. Sein Vater hatte sein ganzes Leben lang kein Auto gehabt. War immer mit dem Fahrrad ins Werk gefahren und in den harten Wintern mit dem Bus. Oder er ist querdurch bis zur Brücke marschiert, über fremde Grundstücke, Wiesen, Bauland. Wenn sie mal nach Berlin fuhren oder zur Verwandtschaft an die Küste, haben sie den Zug genommen. Hans erinnerte sich an diese Zugfahrten vor Jahrzehnten, in einer anderen Welt, unter einem anderen Himmel. Wie sie zum Bahnhof liefen, alle schleppten sie Koffer, manchmal nahm der Vater den Bollerwagen mit und stellte ihn beim Bahnhofsverwalter unter, mit dem er in der Kneipe oft Skat spielte. Als Hans ganz klein war, durfte er oben auf dem Bollerwagen sitzen, die großen Koffer im Rücken.

Er stellte die Flasche auf den Tisch und machte das Glas voll. Johnnie Black. Da schwor er seit fast zwanzig Jahren drauf. »Kann man trinken«, hatte der Graf immer gesagt, »kann man trinken.« Er konnte sich noch an seine erste Flasche erinnern, die er irgendwann Ende der Achtziger in Berlin getrunken hatte, ein paar Gläser zumindest, und wie er sich wunderte über das Etikett: »Schwarz? Aber der ist doch immer rot.«

Er trank das Glas in einem Zug aus, goss etwas weniger nach, trank etwas langsamer. Er zog die Vorhänge wieder auseinander, öffnete das Fenster und zündete sich eine an. Seit fast einem Jahr versuchte er, das Rauchen aufzugeben. Aber er würde den Abend und den nächsten Tag nicht ohne durchstehen.

Er stand am Fenster und rauchte, Nichtraucherzimmer, und stellte fest, dass er die Felder nicht sehen konnte hinter den flachen Plattenbauten, die nur wenige Meter vor ihm lagen, auf der anderen Seite der Straße. Aber er hatte doch vorhin auf die endlosen weißen Felder geblickt. Aber vielleicht war das während der Fahrt gewesen, die ihn an diesen verschneiten Ebenen vorbeigeführt hatte, der Scheibenwischer schabte über das Glas, im Radio sprachen sie leise, er mochte keine Musik im Auto und hörte meistens Deutschlandfunk, wo sie fast ununterbrochen redeten, oder es waren andere Erinnerungen an andere Blicke, wo auch der Fluss floss, kahle Bäume in langen Reihen, dort mussten früher Wege oder Straßen gewesen sein, das Schneetreiben wurde stärker, er spürte die kalte Luft, warf seine Kippe nach draußen und schloss das Fenster wieder.

Er nahm seinen Mantel, band sich den Schal um, zog die Lederhandschuhe über, steckte die Mütze in die Manteltasche, trank das Glas aus und ging zur Tür.

Schon von weitem sah er, dass die Straße vor ihm anstieg, über die erste Brücke führte, und da wusste er, dass er richtig war. Er hatte das Auto auf dem Hotelparkplatz stehengelassen. Er war froh, dass er den Führerschein endlich wiederhatte. Was für einen Stress hatte er in diesem halben Jahr gehabt. Hunderte Taxiquittungen hatte er bei seinem Steuerberater abgeliefert, weil er nicht immer jemanden fand, der ihn rumfuhr, sogar Mandy 2 hatte er eine Zeitlang eingespannt, aber das war ihm schon etwas peinlich gewesen, dann lieber der dicke Klaus, aber dann doch lieber Taxi.

Sie hatten in der Altstadt gewohnt damals, die früher nur ein Dorf gewesen war, das Zentrum der Stahlstadt lag dort vor ihm, hinter den zwei Brücken, zwischen den Armen des Kanals, der Fluss, den er noch nicht gesehen hatte an diesem Nachmittag, lag irgendwo hinter ihm, am Rand der Altstadt, wo sie gewohnt hatten, damals, nicht weit vom Fluss.

Er wischte sich den Schnee vom Kopf, setzte sich seine Mütze auf. Vielleicht hätte er doch den Wagen nehmen sollen. Aber er ging den Weg seines Vaters, der später dann, als alles zugebaut war, auch nicht mehr so einfach *querdurch* konnte, ging auch den Weg, den er als Kind und als junger Mann so oft gegangen war. Rüber ins Zentrum. Aber seit über fünfundzwanzig Jahren nicht mehr.

Als die Straße sich teilte, hatte er kurz überlegt, in welche Richtung er musste, hatte den Bus vorbeifahren sehen, der anders fuhr, als er sich erinnerte, aber sicher machte er einen Umweg über die Neubauten am äußersten Rand der Altstadt, diesem Dorf, das sie vor sechzig Jahren in eine Stadt umgebaut hatten, nein, nicht umgebaut, eine neue Stadt bauten sie drum herum, aber ein, zwei Kilometer weiter gab es noch zwei andere Brücken, über die man ebenfalls das Zentrum der Stahlstadt erreichen konnte. Hans stapfte weiter durch den Schnee, den Strom der Autos neben sich, sah den Bus zwischen den Häusern verschwinden.

Er stand auf der ersten Brücke, blickte auf die Bahngleise. Mehrere Spuren, am Rand standen Güterwaggons, einige waren oben offen, sahen aus wie große Bergbauloren und füllten sich mit Schnee. Irgendwo dort hinten musste der Bahnhof sein. Vom Hotel konnte er in fünfzehn Minuten zum Bahnhof wandern, schätzte er. Er kam dann am Friedhof vorbei und der alten Kirche. Vielleicht gab es die kleine Kneipe in der Bahnhofstraße noch, dort hatte sein Vater immer Skat gespielt.

Er stand zehn Minuten oder länger, bis ihm die Füße kalt wurden. Kein Zug fuhr unter ihm. Er zündete sich eine an, das Feuerzeug ging zwei-, dreimal aus im Schneetreiben, er drehte sich zur Straße, blickte auf die vielen Autos, die alle schon mit Licht fuhren, es

wurde langsam dunkel, der ganze Tag war trüb und düster gewesen, und auch er hatte die Scheinwerfer eingeschaltet, als er die Stadt verließ, Richtung Stahlstadt fuhr am Morgen.
Auf der anderen Seite der Brücke, auf dem Fußweg, sah er einen alten Mann und eine alte Frau, dicht aneinandergedrängt und leicht gebeugt stapften sie durch den Schnee. Hans lehnte sich aufs Geländer, spürte das eisige Metall durch den Filzstoff seines Mantels, warf die halbgerauchte Kippe auf die Gleise und ging weiter, es schien ihm, dass er einen Zug hörte, aber er drehte sich nicht nochmal um, blickte auf das große, nach oben dreieckig zulaufende Speichergebäude am Kanal, das jetzt vor ihm auftauchte, unterhalb der zweiten Brücke, über die die Straße führte. Früher fuhren die Schlepper auf dem Kanal, der am Speicher vorbei fast bis direkt zum Werk führte. Schlepper um Schlepper, Schiff um Schiff fuhr über das dunkle Wasser, die Ufer begradigt und befestigt, asphaltierte Wege neben den Ufern. Als Kind hatte er oft da unten oder hier oben gestanden und auf die Schlepper und Schiffe geschaut. Eisschollen auf dem dunklen Wasser. Es schien ihm hier viel kälter als über den Gleisen.
Eisschollen auf dem dunklen Wasser. Hinter der Biegung die Lichter und Gebäude des Stahlwerkes, die Schornsteine, aus denen der Dampf drang, der das Stahlwerk zu umhüllen schien, der gewaltige Hochofen ein schwarzer Turm in der Dämmerung; Hans spuckte in den Kanal, sah seinen Vater, der mit einer langen Stange in den rotglühenden Fluss stach, der sich aus einer Art riesigem Fass ergoss, die Funken sprühten, Lichtbögen umgaben den Mann, der sein Vater sein musste, Hans stand am Werkstor, eine Flasche Bier an die Brust gedrückt und wartete, spürte die Kühle der Flasche, blickte auf das graue Gewirr von Stangen, Rohren, Gebäuden, kleinen Türmen, großen Türmen, von Förderbändern verbunden, Straßen dazwischen, Schienen, auf denen kleine Waggons standen, Menschen in Arbeitsanzügen mit dunklen Gesichtern, die Luft schmeckte nach Holzkohle und Salz …
Hans lief weiter, die Straße führte in ein Neubaugebiet, graue, weiße Plattenbauten, die mussten aus den Sechzigern, Siebzigern sein, soweit er sich erinnerte. Ein Netto-Einkaufsmarkt auf der einen Seite

der Straße, auf der anderen Seite leuchtete das große rote K eines Kaufland-Marktes. Er hatte das nie begriffen, warum sich die großen Konzerne das Wasser gegenseitig abgruben. AK hatte ihm einiges erklärt über das Konkurrenzverhalten der Discounter, er hatte ja Betriebswirtschaft studiert.

Ja, ja, Konkurrenz belebt das Geschäft. Wenn bei ihm gegenüber ein Club oder ein Laufhaus eröffnen würde, da würde er aber alle Register ziehen, aber das ging eh nicht so einfach, mal eben rein ins Geschäft in der Stadt. Anderseits gab es genug Städte, in denen sich das alles auf engstem Raum konzentrierte, auf Grund der Sperrbezirksregelungen ... Weg damit! Er zog sich die Lederhandschuhe aus, steckte sie in die Manteltaschen, bückte sich und griff in den Schnee, formte einen Schneeball, den er in Richtung der Plattenbauten warf. Vor den Häusern verliefen helle Ziermauern, ein steinerner Maschendrahtzaun aus unzähligen Lücken und kleinen Fenstern, Hans rannte ein Stück, bückte sich wieder und schleuderte einen Schneeball gegen eine der Mauern, hinter der eingeschneite Bänke standen, zwei Tischtennisplatten aus Beton, er hielt einen dritten Schneeball zwischen seinen roten klammen Händen, als er zwei Jugendliche sah, die ihm entgegenkamen, wahrscheinlich in eine der Kaufhallen wollten, und er warf den Klumpen Schnee weg, lächelte, als sie ihn musterten im Vorübergehen, ein stämmiger mittelalter, für sie sicher sehr alter Mann, der im Schnee spielte.

Die Straße der Republik kreuzte die Karl-Marx-Straße, Stalinbauten aus den Fünfzigern links und rechts, die Berliner Stalinallee in klein, als er das erste Mal mit seinem Vater und seiner Schwester in Berlin gewesen ist, Ende der Sechziger, Anfang der Siebziger musste das gewesen sein, standen sie staunend zwischen den riesigen Prospekten, die schon längst nicht mehr Stalin hießen, der Vater erzählte, und sie fühlten sich, er und seine Schwester, als wäre die Stahlstadt zwischen Fluss und Kanal nur ein Dorf für Zwerge. Und der Vater erzählte von den noch größeren Prospekten der Russen, der sowjetischen Städte, und wie die kleinen Menschen auf diesen großen Flächen umherliefen. *Als der Stahl gehärtet wurde.*

Hans stand an der Lindenallee, die die Straße der Republik kreuzte, erinnerte sich, dass die mal Leninallee hieß, die Einkaufsstraße der

Stahlstadt, der Abend war schnell gekommen, und Hans blickte auf die Lichter und Schaufenster der wenigen Geschäfte, blickte auf den weißen Würfel des leerstehenden Hotels auf der anderen Straßenseite, das Schneetreiben war dichter geworden, er ging mit gesenktem Kopf gegen den Wind, der ihm den Schnee ins Gesicht trieb, an den Schaufenstern vorbei, kein Hund geht auf die Straße bei diesem Wetter, sah das Oval des kleinen Theaters verschwommen ein Stück weit vor sich, die Säulen vorm Eingang, der halbkreisförmige Treppenaufgang, er sah, dass in einem Glaskasten das Programm beleuchtet wurde, direkt neben der Treppe, er fand sich wenig später in einer Bäckerei wieder, setzte die Mütze ab, musste seine Lesebrille aufsetzen, bestellte einen Kaffee und ein Stück Mohnkuchen. Er zog nur einen Handschuh aus, während er an einem Stehtisch lehnte, durch die Scheibe ins Schneetreiben blickte, einige Leute kamen aus einem Laden auf der anderen Straßenseite, stand da »Bücherstube« über der Eingangstür? Er spürte das Vibrieren seines Handys in der Innentasche seines Mantels, trank seinen Kaffee und wartete, bis es still wurde unter dem Stoff. *Wir ehren heute in Erinnerung an den ersten Aktivisten Genosse Adolf Hennecke die Genossen Stahlarbeiter, die sich bei der Übererfüllung des Dreijahresplanes besonders verdient gemacht haben ...*

    Er saß am Tisch seines Hotelzimmers, trank ein Glas Johnnie Black, sah durch den Spalt zwischen den Gardinen die dunklen Fenster der Neubauten, nur in einem flimmerte das Licht eines Fernsehers, neben der Flasche lag sein Handy, seine Schwester hatte zweimal angerufen. Er nahm das Telefon, tippte eine SMS, Buchstabe für Buchstabe, er hasste dieses T9-System und konnte auch nicht damit umgehen. »Bin morgen um 11 am Friedhof. Grüße, Hans«.
Er sah, dass es schon fast zwölf war. Wahrscheinlich schlief sie schon. Aber wer kann schon zeitig schlafen an so einem Abend, in so einer Nacht. Wie lange hatte er sie nicht gesehen? Vier, fünf Jahre. Nein, länger. Als er seinen Vater vor zwei Wochen das letzte Mal besucht hatte im Krankenhaus, war sie nicht da gewesen. Sie war nie da gewesen, wenn er ihn besucht hatte. Er hatte ein Kran-

kenhaus in Berlin rausgesucht, später ein sehr gutes Hospiz, wollte alles bezahlen, aber der Alte hatte sich geweigert. *Ich sterbe hier. Und mit meinem Geld.* Er wusste nicht, dass er in der Grenzstadt flussaufwärts lag, im alten Bezirkskrankenhaus. Und dann wusste er es doch wieder. *Bring mich nach Hause, Hans.*

Vor zwei Wochen konnte er nicht mehr mit ihm sprechen. Der Alte lag schmal wie ein Stück verwittertes Holz in seinem Bett und starb. Langsam.
»Warum hast du mir nicht eher was gesagt, Hanna?«
»Er will dich nicht sehen, Hans.«
»*Du* willst nicht, habe ich recht?«
»Du bist all die Jahre weg gewesen.«
»Ja, das bin ich.«
»Hast dich einen Dreck um uns gekümmert.«
»Ich habe immer an euch gedacht … Ich wollte euch immer Geld schicken, das weißt du.«
»Wir wollen dein Geld nicht, Hans.«
Er goss sich das Glas wieder voll. Kippte das Fenster an und rauchte eine Zigarette, während er trank. Scheiß auf das Nichtraucherzimmer. Er hatte einen kleinen runden Reiseaschenbecher neben die Flasche gestellt, eine Art Medaillon zum Aufklappen, Marilyn Monroe lächelte auf dem Deckel. Mandy hatte ihm das vor Jahren geschenkt, also Mandy 1. *Die* Mandy, seine Mandy. Er hatte nie versucht rauszukriegen, wo sie jetzt war.
»Ich wäre immer gekommen, das weißt du …, ich wollte immer …«
»Hast du dich nie gefragt, warum Vater so gelitten hat in all den Jahren?«
»Ja, er hat gelitten, in den letzten Monaten, und das hat nichts mit mir zu tun.«
»Hast du dich nie gefragt, was ich meinen Kindern erzählen soll?«
»Sag ihnen doch einfach, dass Onkel Hans in der großen Stadt ist und Geld verdient.«
Ein Klicken in der Leitung.
Hans schaltete den Fernseher an, drückte alle Kanäle durch mit

der Fernbedienung, bei irgendeiner »Tatort«-Wiederholung in irgendeinem Dritten blieb er kurz hängen, die beiden Münchner Kommissare, die mochte er sehr, grau waren sie geworden, alle beide, Familie hatten sie auch keine, soweit er das beurteilen konnte, aber unzufrieden schienen sie nicht zu sein, soweit er das beurteilen konnte, der Franz und der Ivo, ja, die mochte er, die strahlten so eine Ruhe aus, waren wie ein altes Ehepaar, der Lockenkopf und der Langnasige, hatte er diese Folge schon einmal gesehen?, der Ivo stapfte durch einen dichten Wald, ach, scheiß drauf, er schaltete wieder aus.

Er hatte seinen Mantel noch an, spürte den feuchten schweren Stoff, er hatte auch seine Schuhe noch an, sah die schmutzigen Abdrücke auf dem Boden. Wie lange saß er schon hier und blickte durch den Spalt zwischen den Gardinen nach draußen? Das Fenster musste er immer wieder angekippt haben, denn im Raum war es kalt. Und der kleine runde Reiseaschenbecher mit Kippen gespickt. Er nahm den Ascher, ging ins Bad und schüttete die Kippen und die Asche ins Klo. Er drückte den Deckel des Aschenbechers zu, hörte das Klicken des Schließmechanismus, Marilyn Monroe lächelte. Er blickte kurz in den Spiegel. Strich sich durch die kurzen grauen Haare, die er wieder wachsen lassen wollte. Die Haare seines Vaters waren recht lang gewesen, dort im alten Bezirkskrankenhaus. Weiß und dünn reichten sie fast bis zu seinen Schultern. Er hatte seine Hand kurz auf den Kopf seines Vaters gelegt, auf diese seidigen weichen Haare. Und früher hast du geschimpft über meine langen Haare, bis ich mich kahlschor und nach Berlin ging.

Die Lippen waren fast verschwunden, sie hatten ihm das Gebiss rausgenommen. Wo war das nur? Er konnte es nirgendwo entdecken, weder auf dem Nachttisch noch in dem kleinen Schrank. Und auch die Schublade war leer. Er hatte dafür gesorgt, dass er ein gutes Zimmer bekam, das wusste seine Schwester nicht oder redete nicht darüber. Am Telefon. Wir haben viel zu wenig geredet in all den Jahren.

Er stand am Spiegel. Nun guck mich nicht so an. Er sah, dass die Kippen im Klo schwammen, und drückte die Spülung. Nach dem kurzen Wirbel des Wassers war immer noch mindestens die Hälfte da. Er

hielt den Zahnputzbecher unter den Wasserhahn, drehte auf, bis er überlief, dann trank er. Er nahm den halbvollen Becher mit zum Tisch. Zog dann seinen Mantel aus und hängte ihn über einen Bügel und an die Schranktür. Ich darf den feuchten Mantel nicht in den Schrank tun. Sonst riecht er muffig am Morgen.
Als er wieder am Tisch saß, merkte er, dass er fror. Das Fenster war gekippt. Er zündete sich eine an. Ich weiß, ich sollte aufhören, Vater.
Wie blau dieses Bild geleuchtet hat. Tomographie oder sowas Ähnliches. Er hatte mit den Ärzten telefoniert, war hingefahren in die Grenzstadt, ins ehemalige Bezirkskrankenhaus. Obwohl seine Schwester davon nichts wissen wollte. Die ihn erst spät angerufen hatte.
So sieht der Tod aus, hatte er damals gedacht. Er stand mit seiner Zigarette am Fenster, das er ganz geöffnet hatte, die Gardinen zur Seite gezogen, er blickte auf dieses eine Fenster in dem grauen Neubau gegenüber, das Licht des Fernsehers flackerte dort noch immer, und je länger er in dieses blauweiße Licht blickte ... Er warf die Kippe runter in den Schnee, beugte sich weit nach draußen, spürte die Schneeflocken auf seinem Gesicht, bevor er sich mit einem Ruck umdrehte und das Bett sah, die Laken zerwühlt, das Kissen zerdrückt, die Decke an die Wand geknüllt, obwohl er doch noch nicht gelegen hatte. Vorsichtig schloss er das Fenster und zog die Gardinen zu.

Die Erde prasselte auf den Sarg. *Ihr dürft mich nicht verbrennen.* Das hatte sein Vater zweimal zu ihm gesagt. Oberhalb des Stroms, in der Grenzstadt, im ehemaligen Bezirkskrankenhaus.
Er nickte, ein-, zweimal, spürte, wie die letzten Krümel der Erde aus seiner Handfläche fielen, blickte kurz auf den langen Deckel des Sargs, auf dem nur einige Handvoll Erde lagen, nickte noch einmal in das Dampfen seines Atems hinein, dann drehte er sich um. Sah das Gesicht seiner Schwester, die einige Meter neben dem Grab stand, mit ihren beiden Kindern. Sie trug eine schwarze Fellmütze, eine Tschapka. Es schneite seit dem Morgen nicht mehr. Er ging zu ihr, stellte sich neben sie. Während die anderen Trauergäste ans

Grab traten, versuchte er, sie so anzuschauen, dass es ihr nicht auffiel. Das runde ovale Gesicht. Wie die Mutter. Dunkelblonde Haare unter der Tschapka. Und er wollte nicht aufs Grab der Mutter blicken, direkt neben dem Loch in der Erde. Seit fast zwanzig Jahren schickte er Blumen auf ihr Grab. Vorhin hatte er die Tannenzweige unterm Schnee gesehen. Wie haben sie nur das Loch in diese steinharte Erde bekommen? Mit einem kleinen Bagger wahrscheinlich. Der Pfarrer stand gebeugt neben dem langen, schmalen Loch. Zwanzig Leute ungefähr waren gekommen. Die meisten kannte er nicht. Oder nicht mehr. Er hatte noch ein paar Großtanten und Großonkel hier. Er blickte über die weißen Gräber, kahle Bäume mit kahlen, dünnen Ästen und schneebedeckte Nadelbäume zwischen den Gräbern. Wenn er den Kopf ein wenig drehte, konnte er seine Schwester sehen, wenn er den Kopf ein wenig drehte, konnte er die kleine Kapelle sehen. Wie alt die beiden Kinder jetzt wohl waren? Er versuchte zu zählen. *Vater unser, der du bist im Himmel, geheiligt werde dein Name ...* Das war vorhin gewesen und noch in seinem Kopf. Dabei war Vater kein Kirchgänger gewesen. Die Mutter schon. Sie sind oft zusammen in den Gottesdienst gegangen, Mutter, er und seine Schwester. Oft hatten sie Kollegen von Vater getroffen, die ihnen Grüße für den Vater mitgaben. Als Mutter gestorben war, einundsiebzig, sind sie nie mit dem Vater in die Kirche gegangen. Nur zu Weihnachten. Weil seine Schwester immer gedrängt hatte. Zu Weihnachten. Auch die Kirche konnte er sehen, den spitzen roten Turm, weit hinter den Bäumen der Allee vorm Friedhof. Altstadt. Vorstadt. Dorf.

Er spürte plötzlich die Zigarette in seinem Mundwinkel, musste husten, warf sie in den Schnee, sah und spürte, wie seine Schwester ihn anblickte, er drehte sich zu ihr, sagte leise: »Entschuldige«, sah sie lächeln, legte seine Hand auf ihre Schulter, ging näher an sie ran, legte dann seinen Arm um ihre Schulter, sagte noch einmal: »Entschuldige« und spürte, wie sie sich an ihn lehnte, drückte mit der Hand ihre Schulter, spürte, wie er rückwärts stolperte, spürte, wie sie ihn hielt, wie sie mit ihrer Hand an seiner Brust vorbeigriff und seine freie Hand nahm und hielt, und als er ihr ins Gesicht blickte, ließ sie ihn wieder los.

Die Kinder standen still neben ihnen und blickten ihn an, als würden sie nicht wissen, dass er ihr Onkel war. »Leckt mich doch.« Er zog seine Handschuhe an. Das hatte er so leise geflüstert, dass es keiner gehört haben konnte, während er ging. Die Hände mit den Lederhandschuhen in den Manteltaschen lief er am Grab vorbei zum Tor.

Er stand in »Liv's Blumenboutique« in der Bahnhofstraße, der Geruch nach Tannennadeln und Erde, die Hände hatte er auf die Verkaufstheke gelegt. Die Frau kam durch die Tür zwischen den Regalen an der Rückwand, Blumen, Gebinde, Tannenzweige, Kakteen, große Pflanzen mit dunkelroten Blüten in großen Töpfen, sie hielt ein paar Zettel in der Hand. »Das ist alles bezahlt, Herr Pieszeck.«
»Ich weiß. Ich wollte mich nur nochmal bedanken.«
»Das ist nett. Sie sind das also, der die ganzen Jahre die Blumen und Gebinde bezahlt.«
»Ja.«
»Ich habe mich immer gefragt, ob Sie jemals hier auftauchen. Möchten Sie eine Quittung?«
»Nein. Und jetzt bin ich aufgetaucht.«
»Und *ich* müsste mich bei Ihnen bedanken.«
»Müssen Sie gar nicht.« Er schüttelte den Kopf. Lehnte immer noch auf dem Tisch, auf dem die Kasse stand.
»Mein ehrliches Beileid, wegen Ihrem Vater.«
»Danke.« Er richtete sich auf, schob die Hände in die Manteltaschen. »Zum Schluss war es das Beste für ihn.«
Sie strich über die Aufschläge ihres blauen Kittels. Nickte. Er blickte auf die Falten neben ihren Mundwinkeln. Jetzt lächelte sie. »Manchmal«, sagte sie, »manchmal ist es … irgendwann eine Erlösung … Entschuldigen Sie …«
»Nein. Sie müssen sich für nichts entschuldigen. Liv. Sie sind doch Liv?«
»Ja«, sagte sie.
Er nickte. »Sie sind wohl schon immer hier gewesen, Liv?«
»Ja.«

»Dann kannten Sie meinen Vater?«
»Nur vom Sehen, Herr Pieszeck.«
»Hans.«
»Hans.« Er blickte auf die Falten neben ihren Mundwinkeln. Kurze schwarze Haare, ein schmales Gesicht. Anfang vierzig vielleicht.
»Und Sie sind schon immer hier gewesen in der Stadt?«
»Ja.«
»Und meinen Vater kannten Sie auch?«
»Vom Sehen, nur vom Sehen, Hans.«
»Wissen Sie, wo er wohnte, unten am Fluss?«
»Nein, nicht wirklich.«
»Da bin ich groß geworden, da bin ich aufgewachsen.«
»Dann haben wir uns vielleicht schonmal gesehen.«
»Wo sind Sie denn groß geworden, Liv? Ich darf Sie das doch fragen.«
»Auf der anderen Seite.«
»Beim Werk?«
»Kennen Sie das kleine Viertel am Hafen?«
»Ja. Natürlich. Mein Vater war im Werk.«
»Mein Onkel war im Werk.«
»Vor vielen Jahren habe ich drüben im Dorf 3 in der Gärtnerei gearbeitet.«
»Gärtnerei Schmidt?«
»Hm.«
»Die ist schon sehr lange zu.«
»Das habe ich mir gedacht, Liv. Sie heißen bestimmt nach Liv Ullmann.«
»Der Schauspielerin? Nein. Meine Urgroßmutter hieß Liv. Ihr Vater, also mein Ururgroßvater, kam aus Schweden.«
»Schweden … Da fahren Sie wohl manchmal nach Schweden? Zur Verwandtschaft?«
»Oh nein.« Sie lachte. »Da haben wir keine Bindung mehr.«
»Dort muss es immer sehr kalt sein«, sagte Hans, »und das Tageslicht verschwindet schon am Mittag …«
»Ich glaube, ganz so schlimm ist es nicht.«
»Dann waren Sie also doch schonmal in Schweden, Liv.«

»Nein, war ich nicht.«
»Ich hab nur Spaß gemacht. Nehmen Sie's mir nicht übel.«
»Nein. Ist schon in Ordnung. Sie wollen nach Hause?«
»Ich bin auf dem Sprung.« Er stieß mit dem Fuß an seine Reisetasche.
»Ach, Sie sind mit dem Zug?«
»Nein.« Er lachte. »Ich wollte, ich wäre es. Ich hatte nur …«, er bückte sich, zog den Reißverschluss seiner Tasche auf, »ich wusste ja nicht, dass ich *Sie* hier treffe, ich dachte eher an eine alte Blumendame.« Er stellte die Flasche Wein auf die Verkaufstheke. »Und ich hatte Ihnen ja gesagt, dass ich mich bedanken möchte.«
»Das wär gar nicht nötig gewesen.«
»Doch. Jetzt würde ich sagen, dass es nötig war.«
»Und deswegen schleppen Sie Ihre Reisetasche hier rein.«
»Wissen Sie, Liv, ich bin ein seltsamer Mensch.«
»Ja. Ich glaube, das sind Sie.«

Hans saß auf dem Bett in seinem Hotelzimmer. Er trug immer noch seinen schwarzen Anzug. Er wünschte, er hätte lange Unterhosen eingepackt. Aber er hatte die Kälte nicht gespürt auf dem Friedhof. Der Fernseher lief auf dem Tisch, war still gestellt. Er griff neben sich über die Laken, suchte die Fernbedienung. Seine Zigarettenschachtel lag neben ihm. Er nahm sie, hielt sie Richtung Fernseher und drückte auf die Buchstaben, die Folie, den Schriftzug über dem Tod. »Nun geh schon aus, du Scheißding.« Er schmiss sie gegen das Bild, gegen die Röhre, gegen das dicke Glas.
Er hatte zwei Neffen, die hießen Klaus und Manfred. Einmal hatte seine Schwester am Telefon gesagt, dass sie ja froh sein könne, dass sie keine Töchter hätte, sonst würden die ja vielleicht irgendwann bei ihm landen. Ja, scheiße. *Leckt mich doch.* Irgendeine bescheuerte Talkshow lief. *Und Familie?* Während die Assis sich ohne Ton zerfleischten, trat plötzlich ein kleiner Junge mit einer Zuckertüte ins Bild und auf die Bühne. Großaufnahmen von Gesichtern, flennende Mütter, Väter mit Händen vorm Gesicht. Bilder, Bilder, Schriftzüge. Und Hans erinnerte sich an die Einschulung von AKs Sohn, vor Jahren. Vielen Jahren. Was war mit AKs Eltern gewesen, wie war da das

Verhältnis von Vater und Sohn, Eltern und Kind nach all den Jahren? »Und kommst du gut aus mit ihnen?«
»Natürlich, was denkst du denn?«
»Gar nichts. Ich frag nur.«
»Alles bestens. Als wär ich 'n Kaufmann, als wär ich 'n Krämer. Und das bin ich doch auch.«
»Bist du. Und was ham die so gemacht, also so beruflich?«
»Der neugierige Hans.«
»Sorry. War zu viel Wein.«
»Schon in Ordnung, mein Schweine-Hans.«
»Sag sowas nicht.«
»Na siehst du. Pari.«
»Pari?«
»Meine Eltern, Hans. Ganz normal. Wie sonstwo. Nichts Besonderes. Natürlich schon. Angestellte. Ihr Leben lang.«
»Und keiner ist dir böse?«
»Nee. Keiner. Alles bestens.«
»Hm.« Und er erinnerte sich, während er mit seiner Zigarettenschachtel durch die Programme zappte, bevor er sie wegschleuderte, wie er bei der Einschulungsfeier für AKs Sohn, wie viele Jahre ist das jetzt her?, wie er da am Ufer des großen Sees gestanden hat, die Feier im Rücken, der Geruch nach Gegrilltem, das Lachen der Kinder, die Stimmen der Verwandten, eine scheißnormale Familienfeier, ein Schulanfang mit Zuckertüten an den Bäumen, mit Tischen voller Essen und Getränke, Bowle in großen Glasgefäßen, aus denen die alten Damen schöpften, AKs Mutter, AKs Vater, wie sie den Jungen verwöhnten, der seine Freunde, die etwas älter waren, und auch die gleichaltrigen von den Nachbarn, mitgebracht hatte, samt den Familien, damit sie hier gemeinsam feiern konnten, *der Junge kommt schließlich nur einmal in die Schule*, nur paar Atzen mit Anzügen zwischen den Schulanfangsverwandten, bei der Kleidungsordnung war Arnold rigoros gewesen damals, Alex mischte die Bowle nach einem alten Rezept seiner kanackischen Vorfahren, sagte er jedenfalls, lachend, einer der Gebrüder W. war da, hatte seinen Sohn mitgebracht, die W. hatten in Restaurants und in den großen Stripclub investiert, zogen sich langsam aus dem Wohnungsgeschäft zurück …,

war Karate-Steffen damals noch in der Stadt gewesen?, Hans hatte am See gestanden, die offene Flasche Rotwein unter den Arm geklemmt, hatte auf das andere Ufer geblickt, das im Abenddunst lag, die Berge verschwommen wie durch eine große Lupe, er stand dort am Ufer und sah, wie die glänzende Wasseroberfläche sich langsam rosa färbte unter dem großen Abendhimmel …
Und er packte zusammen, während der Schnee draußen wieder fiel.

»Und der Hans muss nicht nach Hause?«
»Was denkst du, wo mein Zuhause ist?«
»In der großen Stadt.«
»Wolltest du jemals hier weg, Liv?«
»Nein.«
»Wegen deinem Laden?«
»Wo sollte ich sonst hin, lieber Hans?«
Sie saßen im »Peking-Restaurant« in der Bahnhofstraße, zwei-, dreihundert Meter unterhalb des Bahnhofs. Er hatte Sake bestellt, und sie tranken heißen Sake, gossen das dampfende klare Getränk aus den kleinen Kannen in noch kleinere Becher.
»Und du warst wirklich noch nie hier?«
»Nein.«
»Und hast auch noch nie heißen Sake getrunken?«
»Nein.«
»Aber dein Laden ist doch hier um die Ecke, Liv.«
»Mein Laden ist um die Ecke.«
»Du bist eine seltsame Frau, Liv.«
»Vielleicht bin ich das.«
Einer der asiatischen Kellner brachte die Vorspeisen, verschiedene Taschen, verschiedene Rollen, Frühling, Sommer, vegetarisch, dazu eine Flasche Weißwein. »Bitte schön«, sagte er und goss ihnen ein.
»Sake und Weißwein«, sie lächelte, und Hans blickte sie an, »ob das gutgeht.«
»Gutgehen, schiefgehen, ich weiß nichtmal deinen Nachnamen«, sagte Hans.
»Was spielt das für eine Rolle«, sagte sie und griff nach einer Frühlingsrolle, und auch Hans griff in die Gefäße mit den Vorspeisen.

»Wahrscheinlich keine«, sagte er und aß und kaute und wischte sich übers Kinn, »vielleicht möchte ich mehr über dich wissen.«
»Der neugierige Hans.«

»Wann bist du weggegangen?«
»Die neugierige Liv.« Er schob seinen Arm unter ihren Rücken, schob und schob, spürte das Laken, wie es unter seinem Arm zerknüllte, bis sie leicht den Oberkörper hob und er seine Hand durchschieben und auf ihre Schulter legen konnte und ihren Kopf zu sich auf die Brust zog.
»Du musst mir nichts erzählen, Hans. Aber du warst plötzlich da.«
»Und du warst plötzlich da. Vierundachtzig bin ich weggegangen.«
»Vor dreißig Jahren.«
»Nicht ganz.« Er legte sich auf die Seite und wollte sie ganz nah an sich ranziehen, aber sie war schon da. »Die Zeit rennt so«, sagte sie, und er legte beide Arme um ihren Rücken. Presste seinen Kopf an ihre Brüste. »Ja, sie rennt«, sagte er, presste seine Stirn an sie. »Und jetzt bist du in der großen Stadt.« Er spürte das Vibrieren ihrer Stimme an ihren Brüsten und ganz tief in ihr drin.
»Ich hab 'ne Bar«, sagte Hans, »'ne Cocktailbar.«
»Ach, deswegen kennst du dich so aus.«
»Wie meinst'n das?«
»Was die Getränke angeht, Mister Rick.«
»Mister Rick?«
»Casablanca, Hans.«
»Ist lange her, Miss Blume.«
Sie fuhr mit der Hand über seinen Kopf. Er nahm ihre Hand und führte sie durch sein stoppeliges Gesicht. »All die Jahre bin ich nicht hier gewesen.« Er drehte sich auf den Rücken, blickte an die Decke ihres Schlafzimmers, ihre Hand immer noch in seinen Haaren.
»Da hast du gewartet, damit du mich treffen kannst, was?«
»Hätte ich gewusst, dass du da bist, wäre ich schon vor Jahren gekommen.«
»Und warum bist du weggegangen?«

»Das fragst du wirklich, Liv?«
»Nein, nicht wirklich. Ich will nur wissen, wer mein Hans ist. Heute.«
»Dein Hans?«
»Entschuldige. Ich bin nur so froh, dass du jetzt da bist.«
»Nichts zu entschuldigen, meine Liv. Ich kann mir grad nichts Besseres vorstellen. Kann mir überhaupt nichts Besseres vorstellen, jetzt gerade. Quatsche wahrscheinlich wieder Müll.«
»Bist du verheiratet? Selbst wenn, spielt keine Rolle, ist mir egal. Entschuldige, spielt für mich jetzt keine Rolle, ist mit egal.«
»Nein, bin ich nicht.«
»Vielleicht bist du ein wunderbarer Lügner, ich will jetzt nur mit dir zusammen sein.«
»Und ich mit dir. Das ist keine Lüge. Sonst würd ich's dir sagen. Und ...«
»Halt den Mund, Hans, und komm her.«

Er blickt ins Dunkel. Das ist sein zweiter seltsamer Traum. Seit er bei ihr schläft. Sein Handy hat er seit drei Tagen nicht eingeschaltet. Sie wird neben ihm wach. »Was'n los?«
»Nichts, nichts. Schlaf weiter, Liv.«
»Haste wieder schlecht geträumt?«
»Was heißt hier *wieder*?«
»Ach, Hans.« Er spürt ihre Hand auf seiner Brust. Er trägt den Schlafanzug ihres Ex-Mannes. »Hatter nie getragen, wollte ich ihm zu Weihnachten schenken.«
»'n Schlafanzug zu Weihnachten?«
»Trägt sich doch aber gut.«
»Hm, ja.«
Er legt seine Hand auf ihre, spürt den Schweiß auf der Stirn und der Brust. »Willste nicht fragen?«
»Was meinst'n?«
»Na, was ich geträumt hab.«
»Beim letzten Mal wolltstes nicht erzählen.«
»Ich bin ins Werk gegangen. Ganz allein. Die ganze Stadt war leer. Es schneite ... Schneit es draußen, Liv?«

»Ich weiß nicht.« Er hört, wie sich die Decke bewegt, er steht auf, spürt die Kühle der Luft, er sieht sie vor den Gardinen stehen, sie trägt eins seiner Unterhemden, er kann sich nicht erinnern, wann sie sich das übergezogen hat, trug sie nicht ein kurzes Nachthemd, aber sie hatten den ganzen Abend Wein getrunken und gebumst. Sie war vierundvierzig und hatte seit drei Jahren mit keinem Mann mehr geschlafen. Sie zog die Gardinen zur Seite, die große weiße Fläche des Gartens hinter ihrem Haus, ein paar Schneeflocken trudelten durch die Luft, in der letzten Nacht hatte es draußen gestürmt, jetzt schien es windstill zu sein, sie drehte sich zu ihm, »Krümelt nur ein bisschen«, er blickte auf ihren Hals, sah ihre spitzen, etwas hängenden Brüste unter seinem Unterhemd, sie sah aus wie ein kleines Mädchen, als sie da so stand in der Helligkeit des Schnees, die Gardinen fielen wieder zu, und er sah nur noch die Umrisse ihres Körpers, und als sie wieder bei ihm lag, nahm er ihre Hand, wunderte sich wieder, wie rau und rissig die Innenflächen waren, streichelte diese Arbeitshand, die von den Pflanzen und Dornen und Nadeln zerstochen und rau geworden war in den langen Jahren, »Du hast so weiche Hände, Hans«, »Ach, uninteressante Hände, du hast schöne Hände, ich fühle das gern«, »Ach, hör auf«, er konnte spüren, wie sie lächelte, und er tastete in die Dunkelheit, bewegte die Hand in der Luft, strich über ihr Gesicht und ihren lächelnden Mund. »Und ich bin durch den Schnee gelaufen, barfuß, aber ich habe gar nicht gefroren, ich hatte eine kurze Lederhose an, ich glaube, dass ich so eine Hose als Kind manchmal trug, aber ich war kein Kind in meinem Traum. Ich lief über die beiden Brücken, auf der ersten bin ich lange stehen geblieben, und alles war in einem Dämmerlicht, große Dampflokomotiven standen auf den Gleisen, und ich ging weiter durch den Schnee, und der Kanal war zugefroren, aber unterm Eis war ein seltsames dunkelrotes Leuchten, ein Glühen, und der Schnee fiel, ganz ganz große Flocken waren das, und langsam fielen die, die schwebten, die waren wie weiße Schmetterlinge.«

Er lehnte jetzt an der Wand, hatte sich das Kopfkissen hinter den Rücken geschoben, sie legte ihren Kopf an seine Schulter. »Wie Schmetterlinge«, sagte sie.

»Und ich bin dann durch die langen Straßen gelaufen, Lenin, Republik, kennst du ja, aber die nahmen und nahmen kein Ende, wie das manchmal so ist im Traum. Am Theater vorbei, und da waren auch Häuser, die hatte ich so noch nie gesehen. Große graue Türme. Endlos hoch waren die. Und dieses Dämmerlicht, als würde es von einem riesigen Mond kommen, aber den Mond habe ich nicht gesehen, ich habe mal gelesen, dass man im Mondlicht alles nur schwarzweiß erkennen kann, also wenn du eine Zeitung liest zum Beispiel.«
»Ich glaube nicht, dass das wirklich so ist.«
»Wenn der Mond wieder scheint, probieren wir das aus.«
»Ja, Hans, das machen wir.«
»Und ich also immer weiter, immer weiter durch den Schnee. Und dann habe ich Spuren gesehen, die waren ziemlich groß, also meine eigenen können es nicht gewesen sein, dass ich im Kreis gelaufen bin, verstehst du. Und das waren Spuren, die waren riesig. Und mehr so quadratisch, als wäre da einer mit Schneeschuhen gelaufen. Und da bin ich denen gefolgt, aber die hörten dann auf. Und als ich so an mir runtergucke, sehe ich plötzlich, dass ich riesige, behaarte Füße habe.«
»Na ja«, sie lachte an seiner Schulter, »du hast ja wirklich mindestens fünfundvierzig. Und Haare sind auch drauf.«
»Ach was, stimmt ja gar nicht. Du kannst dir gar nicht vorstellen, wie groß die plötzlich waren, und es schien mir sogar, dass die immer größer wurden. Da bin ich dann gerannt. Und das ging gut, mit dem Rennen. Nicht so, wie das manchmal ist, dass man gar nicht von der Stelle kommt, nee, ich bin fast geflogen, habe Riesensätze gemacht, aber irgendwie auch in Zeitlupe. Und dann war ich am Werk.«
»Am Stahlwerk.«
»Ja. Aber nee, warte, vorher, da habe ich noch dieses dumpfe Hämmern gehört, mehr so eine dumpfe Trommel, so ein Trommeln. Bumm, bumm, bumm. Ganz monoton, und irgendwo aus der Ferne kam das. Da war ich noch in den leeren Straßen. Und das kann auch sein, dass das von mir kam, dass das von meinen Riesensätzen kam, wie ich da mit meinen Fellfüßen immer auf den Boden bin. Bumm,

bumm, bumm. Und ich weiß gar nicht genau, ob ich das am Tor, also am Werkstor, auch noch gehört habe. Und dann bin ich da rein.«
»Hast du deinen Vater getroffen?«
»Ja.« Er spürte, dass er schwer atmete, dass er außer Atem war, musste sich zusammenreißen um weiterzureden, und sie streichelte wieder sein Gesicht mit ihrer rauen Hand.
»Der stand da, am Hochofen, trug die grobe Lederschürze und die Gesichtsmaske mit dem getönten Glas vorne drauf, und er machte einen Abstich mit der großen, langen Eisenstange, und er warf die plötzlich weg und beugte sich vor, und der Stahl floss über seine Hände, und der rotglühende Stahl war überall. Und da hab ich gerufen. Vater, habe ich gerufen, pass doch auf, Vater, du verbrennst. Aber der hat's gar nicht gehört. Und auch ich hab mich selbst nicht gehört. Scheiße.«
»Ist gut, Hans, ist alles gut.« Sie küsste ihn auf den Hals und aufs Kinn und dann auf die Stirn.
»Ja, ja. Ist schon gut. Ist schon alles gut. Was man so träumt. Und ich hab gerufen und gerufen. Aber der sture Alte mit beiden Händen in diesem glühenden Strom. Der formte da irgendwas, der hat da irgendwas geformt. Figuren, Stahlträger, ich konnt das nicht richtig erkennen. Gebückt stand er da, ganz ohne Handschuhe, und das Komische war, dass der ganze Boden, dass da alles voller Handschuhe, voller Arbeitshandschuhe lag. Und ich will zu ihm hin. Die Halle ist riesig mit einer hohen Kuppel, wie eine Kathedrale, ja, und das flackert und sprüht Funken, der Stahlfluss da vor ihm aus dem großen hohen Konvertgefäß, das war nicht der normale Hochofen, den kannte ich ja, den hat er mir doch mal gezeigt, da sind wir doch sogar mal mit der Schule hin, ich krieg das Bild auch kaum noch zusammen. Aber gestolpert bin ich, immerzu bin ich über diese bescheuerten Handschuhe gestolpert. Und da dreht er sich zu mir um und nimmt die Maske ab, und sein Gesicht ist so weiß, dass ich im Traum kurz meine Augen schließen muss, so blendet mich das, sein weißes Gesicht. Und die Augen leuchten rot, als wäre der Stahl reingeflossen, als wäre der schon in ihm drin, und da sagt er: Ich habe schon lange auf dich gewartet.«
»Hast du ihn denn oft besucht im Krankenhaus?«

»Nein, nicht oft. Wir … haben uns nicht so gut verstanden. Das Letzte, was er zu mir gesagt hat, war, dass wir ihn nicht verbrennen sollen. Dass er nicht in eine Urne will.«
»Aber ihr habt ihn doch gar nicht verbrannt. Es war doch kein Urnengrab.«
»Nein. Haben wir nicht. War es nicht. Und irgendwas anderes hat er auch noch gesagt.«
»In deinem Traum?«
»Ja.«
»Du erinnerst dich nicht?«
»Nein, warte … Nein.«
»Denk nicht drüber nach, Hans. Vergiss den bösen Traum.«
»Aber ich weiß genau, dass es wichtig war. Ich weiß, dass er mir irgendwas Wichtiges noch gesagt hat.«
»War er dir böse, dass du weggegangen bist, damals?«
»Er hat das nie verstanden. Eine Bar. Das war keine ehrliche Arbeit für ihn. Er kam aus 'ner Bauernfamilie und war dann sein ganzes Leben Stahlarbeiter. Er hat was gesagt, ich weiß es ganz genau, dass er noch was gesagt hat.«
»Lass uns schlafen, Hans. Vielleicht fällt es dir morgen wieder ein.«
Er fährt mit beiden Händen unter das Unterhemd, das sie trägt, sein Unterhemd, legt seine Hände auf ihre Brüste, streichelt sie, zieht ihr das Unterhemd über den Kopf, küsst sie, streicht über ihr Schamhaar, saugt an ihrer Brust und schiebt seine Finger in sie, sie flüstert an seinem Ohr, zerrt die Decken zur Seite, presst sich an ihn, und er weiß, dass er die Stadt und die Steine und die Toten für immer vergessen muss.

Er fährt. Die weiten weißen Felder links und rechts der Straße. Wälder. Dörfer. Kleine Häuser zwischen den kahlen Bäumen. Irgendjemand musste es ihr sagen, irgendwann. Verdammtes Dorf, verdammte Stahlstadt.
Sie laufen am Fluss entlang. Eisschollen auf dem Wasser. Er erzählt ihr von seiner Tochter. Dass seine Ex-Frau nicht will, dass er sie sieht. Erzählt von seinem Großvater, der einmal ein Bauer gewesen

ist, bis die LPG ihm das Land wegnahm. Sie erzählt von ihrem Ex-Mann, der eine andere Frau in Berlin kennengelernt hat, als er dort arbeiten musste.

Er hat die Kindersachen im Schrank gesehen, und sie hat ihm von ihrer Fehlgeburt erzählt, vor vielen Jahren. Sie stapfen durch den Schnee, er wirft einen Schneeball ins Wasser, bleibt etwas zurück und wirft dann einen Schneeball nach ihr. »Ich will, dass du mir einen Cocktail machst, Hans«, ruft sie, »was Besonderes und nur für mich!«

»Klar, mach ich. Casablanca-Liv. Rum und Schnee und frische Minze.«

Er greift in den Schnee, rennt hinter ihr her, hört sie lachen und spürt, wie der Schnee in seiner Hand schmilzt.

### Der Kolumbusfalter

Vorgeschichte: Bertel sitzt hinterm Schreibtisch, als seine Sekretärin reinkommt mit einer wichtigen Meldung. Der Notizblock, den sie in einer Hand hält, ist allerdings leer. Sie nimmt einen Bleistift und schreibt »ACHTUNG WICHTIG« auf den leeren Notizblock. Die Schrift ist zu groß und geht bis über den Rand und ins Bild hinein.
»Ein Herr Schmitz wünscht, Sie zu sprechen, Herr Duck!«, ruft sie aufgeregt.
»Soll reinkommen!«
Und da kommt er auch schon, in Schwarzweiß. »Einen wunderschönen guten Morgen ...«
Der Mann hat blonde Haare, sie malt sie später blond. Mit einem gelben Buntstift. Die schwarzweißen Seiten habe ich früher immer ausgemalt, manchmal mache ich das heute noch. Im Sommer habe ich auf dem Flohmarkt viele LTBs gekauft. Für zwei Mark oder zwei fünfzig. Manchmal kosten sie auch drei Mark, das ist mir zu viel. Manche machen auch Sonderpreise, wenn man mehrere auf einmal kauft. Ich mag die Ausgaben mit Donald am liebsten. Micky ist ganz o. k., vor allem Goofy mag ich.
Der Erste heute hatte graue Haare. Das passt ganz gut, denn ich stelle sie mir immer in Schwarzweiß vor. Alles eigentlich. Später male ich. Auf den Flohmarkt gehe ich seit zwei oder drei Jahren. Genau weiß ich das grad nicht. Jedenfalls waren das die ersten Flohmärkte, auf denen es Comics und Videos gab. »Stopp! Sparen Sie sich die Mühe! Schon abgelehnt!« Bertel ist streng und in Fahrt. Da kann ja jeder kommen. Alle wollen ihm was aufschwatzen. Die Nummer 86 ist eins der letzten LTBs mit Vorgeschichte. Ich friere und ziehe mir einen Bademantel an. Draußen ist es schon kalt. Das Jahr ist bald zu Ende, und dann wird es richtig Winter. Aber die Win-

ter hier in der Stadt können auch mild sein. Weil wir so tief liegen. Tieflandbucht, das haben sie uns damals in Heimatkunde beigebracht. Ich hoffe, dass es nächstes Jahr wieder mild wird. Geschneit hat es zu Weihnachten lange nicht mehr. Ganz sicher bin ich mir aber nicht. Bevor die Geschichte losgeht, ist Bertel mit zwei Säcken Geld zu sehen. Die schwenkt er und wackelt in den Hüften. Breitbeinig steht er mit diesen Säcken da. Tina macht bescheuerte Witze über Bertels Säcke. Die hat wirklich immer noch einen blöden Spruch drauf. Das kommt davon, weil sie zu viel »Bravo« liest, obwohl sie zwei Jahre jünger ist als ich. Sagt sie jedenfalls. Daisy Duck im Bademantel. Wir hören viel Musik. Tina Turner, Michael Jackson, Modern Talking, ich mag George Michael am liebsten. Die Nummer 86 heißt »Aus dem Leben eines Milliardärs«, und auf der zweiten und dritten Seite zieht Bertel eigenhändig eine große eiserne Plattform mit einem Seil nach oben. Auf der Plattform stapeln sich die Säcke. Die Geldsäcke. Bertel steht auf einem Haufen Kohle. Alles Münzen. Goldene Münzen. Die Geldmünzen habe ich ausgemalt. Natürlich nicht jede einzeln. Nur die zwei, drei, die von dieser eisernen Plattform runterfallen, weil einer der Säcke wohl undicht ist.
Ich habe immer schon viel gemalt. Da konnte sonstwas los sein. Das war wie Ohrenzuhalten und Augenzuhalten oder -zumachen. Ich habe alles vollgemalt. Auch meine Hände.
Der Erste heute hatte graue Haare und roch gut. Am Anfang. Dann brennt das in der Nase und in den Augen und überall. Ich habe angefangen, manche von den Münzen lila auszumalen, auf den schwarzweißen Seiten. Den Kuli hat er mir weggenommen, weil Buntstifte nicht auf der Haut halten. Manchmal ist mein Spitzer weg, und dann frage ich die anderen nach einem Spitzer. Ich weiß nicht, wo der immer verschwindet. Neulich fand ich ihn in einer Ritze im Bett. Hinterm Kissen, wo der Kopf immer liegt, mein Kopf immer liegt. Manchmal liegt er aber auch unten, wo sonst die Füße liegen, seine Füße, je nachdem, oder ich atme in den Stein hinter der Tapete, wenn ich stehen muss. Die Bude riecht muffig. Die Tapete riecht muffig. Der Stein ist feucht, denke ich. Wir haben auch in so einem muffigen Haus gewohnt früher. In so einer muffigen

Wohnung. Weil das direkt unterm Dach war und das Dach nicht dicht war. Wenn ich auf dem Dachboden saß und gemalt habe. Und draußen war der Regen. Und unter mir, also unter der Decke, der Zimmerdecke, war mein Zimmer. Da hatte ich noch nicht so viele LTBs. Die Nummer 86 ist mein Lieblings-LTB, weil es das erste LTB war, das mir gehört hat. Das hat meine Mutter mir geschenkt. Weihnachten. Oder ich glaube Geburtstag. Mein Geburtstag ist im November, also kurz vor Weihnachten. Es muss *doch* einmal geschneit haben. Weil ich mich erinnere, dass wir Schlitten fahren waren. Aber da war ich noch so klein, dass ich mich kaum noch dran erinnere, wann genau das war. Das muss auf diesem kleinen Berg gewesen sein in diesem Stadtwäldchen. Der kam mir damals riesig vor, aber das ist normal, hat mir Tina gesagt, das ist wie mit den Schwänzen, nur manchmal sagt sie »Pimmelmänner« und lacht dabei, dass ich Angst kriege. Dabei kriege ich nicht schnell Angst. Auf diesem Hügel bin ich dann später nochmal gewesen, also vor einem oder zwei Jahren, wenn ich genau nachdenke, das ist manchmal nicht einfach, war's vor anderthalb. Als ich anfing, auf die Flohmärkte zu gehen. Meine Uhr ist kaputt. Vor paar Tagen hat er mir eine neue geschenkt. Eine Quarzuhr. Ich soll das Armband nicht so eng stellen, sagt er, und er hat recht. Ich habe noch neue Löcher reingestochen, jetzt hat er mir die Gabel weggenommen, und manchmal kribbelt mein Arm. Weil ich die so eng drum rum schnüre. Da will er mir auch die Uhr wieder wegnehmen. Und ich verspreche, weil ich Angst habe, dass er mir die Uhr wieder wegnimmt, dass ich sie immer lose um mein Handgelenk trage. Und meistens mache ich sie ab, weil sie mir manchmal sagen, dass das stört, mit der Uhr. Ich verstecke sie im Bad in der Spüle, also der Klospüle. Denn sie ist ja wasserdicht. Steht hinten drauf. Ich weiß genau, dass die anderen neidisch sind auf meine Uhr. Vorne auf der Nummer 86 zeigt Bertel seine leeren Taschen. Dreht sie nach außen, die Taschen seines Mantels. Da, ich habe keine Uhr mehr! Ist ein Gehrock. Sagt Bertel nämlich selbst in einigen LTBs. Und Bertel hat auch keine Uhr. Bestimmt ist er zu geizig. Bertel guckt ganz unschuldig mit seinen großen Entenaugen. Die vom Schnabel bis hoch zu seinem Hut gehen. Ist ein Zylinder. Da will er sagen und will, dass wir ihm das glauben, dass er

nichts hat. Aber hinter ihm, also auf dem Einband, Berge von Geld. Münzen. Goldmünzen. (Manchmal hat Bertel eine Taschenuhr, an einer Kette, fällt mir jetzt grad wieder ein.)
Die Uhr, die ich davor hatte, also vor dieser Quarzuhr, war eine Ruhla. Mit einer schwarzen Katze zwischen den Zahlen. Einem schwarzen Katzenkopf mit weißen Augen. Das war natürlich eine Kinderuhr, aber ich mochte sie. Die hat mir der Mann von Mutti geschenkt. Der damals ihr Mann war. Die Augen waren so gemacht, dass sie sich bewegten, wenn man die Uhr bewegt hat. Da waren so kleine Murmeln drin in den weißen Augenhöhlen. Die sich bewegt haben und rumkullerten, das sah sehr lustig aus.
Ich wollte die Uhr verkaufen, aber das ging nicht. Weil es überall schon neue Uhren gab. Weil keiner meine Ruhla wollte. Trotzdem haben sie mir die geklaut. Gleich in der ersten Nacht, als ich von zu Hause weg bin. Manchmal stelle ich mir vor, wo die Uhr grade ist. Und wer die mir wohl gemaust hat. Da habe ich bei Tina geschlafen. In so einem Abrisshaus. Aber eigentlich war's noch gar kein Abrisshaus, nur die Wohnungen waren fast alle leer. Das war dort, wo die großen Fabriken sind. Die jetzt auch leer sind. Und der alte Hafen war gar nicht weit. Ich habe gar nicht gewusst, dass wir einen Hafen hier in der Stadt haben. Weil das gar nicht mein Viertel ist. Ich bin hier noch nie gewesen. Und hab gar nicht gewusst, dass die Stadt so groß ist. Ist wie mit den Schwänzen, hat Tina gesagt. Das habe ich am Anfang gar nicht verstanden, woher sie das immer mit den Schwänzen hat. Da habe ich erst gedacht, sie meint das Schule-Schwänzen. Wo sie doch zwei Jahre jünger ist als ich. Sagt sie immer. Ist sie auch. Ein Jahr mindestens. Und da kann sie sich schminken und machen, wie sie will. Aber sie sagt immer so Sachen wie »Frechheit siegt« oder »Besser ein Schwanz als auf der Straße«. Da habe ich schon Respekt vor, wie sie das sagt. Weil ich das nicht könnte. Und wegen ihr bin ich ja auch hier. Aber da kann sie erzählen, was sie will, wenn sie weint, höre ich das.
Und ich denke manchmal, dass die Uhr ein Uhrenliebhaber hat jetzt. Nicht dass der die geklaut hat. Weil das war einer von den Mädchen oder den Jungs, mit denen ich da in der Wohnung war. Wenn ich meine Tage kriege, ist es richtig scheiße.

Sie liest das Vorwort. Das sie fast auswendig kann. Und eigentlich *kann* sie es auswendig, bei Nummer drei tränen ihr wieder die Augen, weil der sich so viel Aftershave draufgemacht hat. Bei den Aftershave-Sprüchen von Tina lacht sie nicht. Oder tut nur so. Weil ihr der After brennt. Wenn sie auf dem Klo sitzt, klappt sie den Deckel von dem Spülkasten hoch und guckt, ob ihre Uhr noch da ist. Sie schwebt im Wasser.

»Liebe junge Leser! Wenn ihr mal in mein Alter kommt, wird man euch vielleicht auch vorschlagen, eure Memoiren zu schreiben – wie es mir gerade passiert ist. Und wenn ihr dann ebenso vielbeschäftigt seid wie euer alter Freund Dagobert Duck, nehmt ihr womöglich genauso dankbar die Hilfe eines sogenannten Ghostwriters (was wörtlich übersetzt ›Geisterschreiber‹ heißt) in Anspruch, wie ich das tat. Ich muss zugeben: Was dabei herauskam, kann sich sehen und lesen lassen. Denn Talent hat der junge Mann ... und Phantasie! Ihr werdet natürlich gleich feststellen, dass all die aufgeschriebenen Histörchen nicht wahr sind – dafür aber ausnehmend gut erfunden. Das werdet ihr bestätigen müssen, wenn ihr die nun folgenden ›fast wahren‹ Episoden aus meinem Leben gelesen habt:«

Und gleich ist es vorbei, das kann ich hören und spüren mittlerweile, und ich will nicht steif wie ein Brett sein, denn dann ist es nie vorbei, und ich stelle mir die Katze in meiner alten Ruhla-Uhr vor, wie sie mit den Augen klappert. Und wie sie der Uhrensammler durch die ganze Welt trägt. Afrika oder Buenos Aires. Und vielleicht Paris – London. Weil das nicht so weit weg ist. Weil ich da auch schonmal war, also fast war. In London. Weil meine Mutter die Reise für uns beide schon gebucht hatte. Im Sommer oder Herbst neunzig, gleich als es die D-Mark gab. Bis dann Manfred auftauchte. Da war London vorbei. Da habe ich trotzdem in der Schule erzählt, dass ich da gewesen bin. In London. Am Tower. Aber da habe ich mich blöd angestellt. Weil ich zu viel Blödsinn erzählt habe. Wollte ich eben angeben.

Wie wir mit einem Schnellboot über die Themse sind. Und dass der Tower gleich hinten im Garten vom Palast ist. Und dass die Königin da spazieren gegangen ist, na klar, und dass wir ein Autogramm gekriegt haben von ihr. Und dass Michael Jackson dort grad

ein Konzert gemacht hat und dass man uns reingelassen hat, weil die Königin uns Sonderkarten geschenkt hat … Da konnte ich gar nicht aufhören mit Erzählen, da war ich richtig außer Atem auf dem Schulhof. Weil sie doch alle um mich rumstanden. Weil sie doch alle wissen wollten, wie es in London war. Und sonst nämlich nicht. Und von denen war noch keiner in London. Noch nie. Nur der eine. Stephan. Ich stelle mir vor, wie ich den zusammenschlage. Weil wenn er allein ist, bin ich stärker als er. Wie schwach ich bin, merke ich nur, wenn sie auf mir sind. Aber da würde ich auch nicht auf die Idee kommen zuzuschlagen.
Bertel rastet ziemlich oft aus. Wenn's nämlich an sein Geld geht. Dann schüttelt es ihn und rüttelt es ihn. »Hab ich mich doch schon wieder verzählt!« Tina und die anderen Mädels können nicht darüber lachen, das verstehe ich nicht. »Das ist doch Kinderkram«, sagen sie. »Noch einmal von vorn! Es ist zum Aus-der-Haut-Fahren!« Und da wälzt er sich auf den Münzen, die ich bunt ausgemalt habe. »Mir geht einfach der Traum von heute nacht nicht aus dem Kopf!« Und Bertel legt die Hände auf den Rücken und steht unglücklich in seinem Geldspeicher.
»Das ist falsch geschrieben«, sagt Tina. Sie trägt nur ein T-Shirt, das sie bis über ihre Oberschenkel zieht. Ihr dritter Besucher hat sie vorhin erst rasiert.
»Was denn? Was ist denn falsch?«
»Nicht ›nacht‹. Nacht!« Sie legt ihren Zeigefinger auf die Sprechblase.
»Das kann man bestimmt auch klein schreiben. Sonst würde es nicht so da stehen.«
»Es heißt aber eben ›Nacht‹. Die Nacht. Weil Substantiv.«
»Ja, aber ›heute nacht‹ ist nochmal was anderes. Da ist das eine Ausnahme. Weil man ›nachts‹ nämlich auch klein schreibt!«
»Trotzdem ist es ein Substantiv und deshalb groß. Immer groß.«
»Woher willst du denn das so genau wissen, du hast ja nichtmal die sechste Klasse fertig!«
»Ach, und du wohl?«
»Ja. Hab ich. Und sogar die achte.«
»Du lügst doch!«
»Nein, tu ich nicht!«

»Sag mir doch mal, was acht hoch zwei ist.«
»Pippi, sechzehn natürlich. Willst mich veräppeln?«
»Sechzehn? In deinen blöden LTBs vielleicht, bei deinem Onkel Flegelbert vielleicht!«
»Dagobert!«
»Was liest du überhaupt diesen Mist, wenn's doch nur schwarzweiß ist. Ist doch Beschiss. Und Kinderkacke!«
»Ist zur Hälfte bunt, du Klugschiss. Besser als dein Doktor Sommer!«
»Ha, ha, ist 'ne Frau. Nichtmal das weißt du, dass der 'ne Frau ist!«
»Natürlich weiß ich das! Nur dass mich keiner mehr aufklären muss. Krieg erstmal deine Tage.«
»Hab ich schon längst. Du hast doch keine Ahnung. Du denkst doch noch, dass von der Pille deine Titten wachsen!«
»Deine müssen vielleicht noch wachsen, kein Arsch und kein Tittchen, wie Schneewittchen.«
Tina greift nach ihr, schlägt ihre Faust auf ihre Schulter und gegen ihre Brust und zerrt an dem Bademantel. Sie fallen beide vom Sofa, Tinas T-Shirt verrutscht, und sie sieht die roten Striemen um ihre Muschi, während sie versucht, ihr Gesicht zu schützen, die anderen zwei Mädchen stehen auf, gehen an die Wand, auch sie sind fast nackt, und sie blicken auf die beiden, die sich über den Boden wälzen, sich beißen und kratzen. »Blöde Kuh!«
»Kleine Fotze!« Tina schlägt ihr mit der flachen Hand ins Gesicht und auf die Brust. Dann hört sie plötzlich auf, rollt sich von ihr runter.
Als *er* dann wieder weg ist, sitzen sie beide nebeneinander auf dem Sofa, als wäre nichts gewesen. Tinas T-Shirt ist jetzt ausgeleiert und reicht ihr fast bis zu den Knien wie ein Minirock. Wie ein Kleid. Aber auch, weil sie so dran zieht. Der Bademantel ist weg, und auch das andere Mädchen trägt jetzt ein T-Shirt. Wie sie da so nebeneinandersitzen in den weißen T-Shirts, sehen sie fast aus wie Schwestern. Die eine ist ein bisschen älter. Sie rücken näher zusammen, und ihre Hände berühren sich.
Ich verstehe nicht, warum die Wohnung so klein ist. Wir sind zu viert oder zu fünft. Ich meine, es muss ja nicht gleich der Geldspeicher sein oder Bertels Villa, aber hier kann sich doch keiner wohl-

fühlen. Wie können sich denn die Männer hier wohlfühlen, in dieser kleinen, muffigen Wohnung. Aber über manche Dinge will ich nicht nachdenken, kann es auch nicht. Und will es auch nicht. Wo soll ich denn hin, wenn es draußen schneit. Jetzt schneit es noch nicht, obwohl ich nicht oft rausgucke. Bald ist Weihnachten. Mein Geburtstag ist schon vorbei. Ich weiß, dass ich bald gehen kann. Dass er mir dann das Geld gibt, was er für mich zurücklegt. Das er mir aber nur gibt, wenn ich nichts sage. Wenn ich nichts erzähle. Aber wem soll ich denn was erzählen, wem soll ich denn das erzählen. Sie schämt sich. Sitzt auf dem Teppich, in der Ecke, und malt. Ich mag den Stadtteil nicht, mag das Viertel nicht. Es ist immer dunkel hier. »Es hilft alles nichts! Heute ist arbeitsmäßig nichts mit mir anzufangen!« Bertel sieht müde und traurig aus und trottet aus seinem Geldspeicher. Er ist ja auch nur eine Ente. Dabei singt er weiter oben noch, in einer Traumblase. Das ist sowas wie eine Sprechblase, nur mit einem Bild drin. Ich male manchmal auch in den bunten Bildern rum. Weil ich alle schwarzweißen Seiten schon ausgemalt habe. Weil Weihnachten schon vorbei ist. Über der Traumblase schwebt noch eine Sprechblase, der Gesang von der kleinen Ente, und die ist wirklich viel kleiner als der Bertel, der vor der Traumblase sitzt und auch noch was sagt. Ich glaube, er ist da ein Kind, in der Traumblase, in der er angelt und singt. »An einem Bächlein helle … dada … dada-dadadada …« Noten flattern um ihn rum. Die Angel ist ein Holzstöckchen mit einer Schnur dran.
Ich habe noch ein anderes LTB bei mir. Aber das ist kaputt, die haben mir das kaputt gemacht, als ich mal nicht aufgepasst hab. Ich weiß aber nicht, ob das in dem Abbruchhaus war oder hier. Jetzt ist nur noch die Vorgeschichte da und ein Stück vom Anfang. Zu Weihnachten gab's nur »Bravos«, einen Stapel »Bravos« und »Pop Rockys« und Süßkram. In einer »Pop Rocky« war was über George Michael. Die habe ich mir gleich zur Seite gelegt. Dann durften wir ausschlafen. Ich habe Kopfschmerzen von dem Sekt. Ich mag eigentlich keinen Alkohol. Obwohl ich schon welchen trinken darf. Letztes Silvester, da war ich noch fünfzehn, da durfte ich auch welchen trinken. Aber nur ein halbes Glas. Da war ich sofort bisschen beschwippert, und Mutti hat gelacht. Wir haben viel gelacht. Meine ganzen LTBs

sind noch bei Mutti. Wenn Jochen sie nicht weggeschmissen hat. Ich sehe wirklich nicht viel älter aus als Tina. Oder sie sieht älter aus, als sie ist. Ich habe das Gefühl, sie wird immer dünner. Manchmal schlafen wir hier, manchmal bringt er uns woanders hin. Wenn wir wegrennen, findet er uns. Ich bin nicht so schnell. Wenn ich ein Junge wäre, wäre ich viel schneller. Wir sind von zu Hause weggerannt und wollen schon wieder wegrennen.
Sie rennen. Sie rennen durch diese dunkle leere Straße. Die heißt wie das Bundesland im Norden, wo sie so gerne Urlaub machen würden, am Meer. Vorbei an alten Fabriken, noch dunkleren Seitenstraßen, über Eisenbahnschienen, die aus großen Fabriktoren kommen und die Straße kreuzen. Neben ihnen, unterhalb der Straße, fahren S-Bahnen wie durch eine Schneise. Doppelstöckige Waggons, die Leute in den Waggons starren zu ihnen hoch, bewegen ihre Lippen, öffnen den Mund, legen die Hände an die Scheiben, als würden sie schreien. Oder rufen. Sie sehen die nächste Station Hunderte Meter entfernt, ein paar hundert Meter entfernt, sie können das nicht richtig einschätzen. Ein kleiner Bahnhof am Rand der Stadt. Vor ihnen. Als sie im Tunnel sind, der zu den Bahnsteigen führt, hören sie das Rumpeln des Zuges über sich. Er fährt weiter, ohne zu halten, wird leiser, dadam, dadam, da ..., und der Tunnel ist dunkel und still. Riesige Smileys an den Wänden, die sie anlächeln. Schritte auf der Treppe, auf den Treppenstufen. Vor ihnen. Hinter ihnen. Sie halten sich an den Händen, laufen zur Mauer und pressen sich dicht an den Stein. Aber es ist nur ...
»Auf dem Land sollte man leben! Draußen in der freien, unberührten Natur! An der frischen Luft!«
Bertel kommt auf sie zu. Er trägt einen roten Schlafrock und eine blaue Schlafzipfelmütze mit roter Bommel, die auf seinem Rücken baumelt und auf und ab springt bei jedem Schritt. »Nicht in dieser grauen Betonwüste!« Er wackelt mit den Hüften, »Hallo, ihr Lieben!«, sie sehen ihre Gesichter in seinen riesigen Entenaugen, er schwingt seinen Spazierstock, und die blaue Bommel seiner roten Schlafzipfelmütze tanzt auf seinen Schultern.
Ich bin oft müde. Und ich schlafe oft. Immer wenn es geht. Weil ich mich verstecken kann, dort. Weil ich nicht träumen will und weil

dort *nichts* ist, wenn ich nicht träume. Zwei von den anderen Mädchen sind aus dem Heim. Onkel Dagobert ist der Einzige, den ich kenne, also von denen, die Geld haben, viel Geld haben, und der mich nicht durchficken will. Ich hätt gerne einen Onkel wie ihn. Das mit dem Vater habe ich aufgegeben.
»Vielleicht nimmt uns ja einer von denen mit. Mich nimmt bestimmt einer von denen mit«, sagt Tina. Sie hat ihre Tage, sagt sie, und es geht ihr scheiße. »Und dann?«
»Vielleicht adoptiert er mich.«
»Nachdem er dich gebumst hat?«
»Warum denn nicht? Das soll vorkommen.« Sie versucht zu lachen. Aber sie lacht kaum noch, seit der Silvesterfeier. Sie hat eine kleine Flasche Likör hinter der Heizung versteckt. Silvester kamen die Männer, die wir schon kannten. Die Nummer 86 ist verschwunden. Keiner weiß was davon. Keiner will was wissen. Wenn ich nur kurz nach Hause könnte, um die anderen Comics zu holen. An einem der Stände auf dem Flohmarkt, wo ich die Comics gekauft habe, das letzte Mal war ich, glaube ich, im Sommer da, oder Anfang Herbst, denn die Bäume waren schon bunt, fingen schon an, bunt zu werden, aber der Herbst beginnt ja erst Ende September, an diesem Stand war immer ein Junge, der gehörte zu den Leuten, die dort die Comics verkauften. Und Videos auch. Aber ich hatte keinen Videorekorder, deswegen habe ich nie Videos gekauft. Obwohl Jochen einen mitgebracht hat, als er bei uns einzog. Aber den durfte ich nicht benutzen, und selbst wenn ich gedurft hätte, ich wollte mir keine Videos auf seinem Videorekorder anschauen. Einmal hat er mit Mutti einen Porno geschaut. Da kam ich zeitiger aus der Schule, weil ich nicht mehr zum Sport gehen wollte, und habe mich reingeschlichen, das war, bevor er und Mutti mir den Schlüssel weggenommen haben. Eigentlich war's nur er, aber wenn Mutti nichts tut, um mir zu helfen, ist sie genauso dran schuld. Denke ich. Trotzdem hasse ich nur ihn und nicht Mutti. Pornos haben sie an dem Stand nicht verkauft. Obwohl ich manchmal gesehen habe, wie da Typen kamen, die mit den Leuten vom Stand geflüstert haben. Und dann sind die mit denen zu dem Kleintransporter gegangen, wo die ihren ganzen Kram drinhatten. Manchmal war ich schon so zeitig

am Morgen da, da habe ich gesehen, wie sie den Stand aufgebaut haben. Da war ein Baum, gleich neben dem Stand. Die haben den immer an derselben Stelle aufgebaut. Da habe ich mich immer an die Wurzel gehockt. Und zugeguckt, wie sie den Stand aufgebaut haben. Ganz früh am Morgen. Da war's noch dunkel. Und die Sonne hinter dem alten Stadion. Manchmal schon halb sechs. Einmal bin ich die ganze Nacht durch die Stadt gelaufen, habe mich immer mal paar Stunden irgendwo versteckt, habe nur ganz wenig geschlafen. Und bin dann zum Flohmarkt gefahren mit der Straßenbahn. Ich bin immer schwarzgefahren, und man hat mich nur einmal erwischt. Ich finde das komisch, dass jemand Kontrolleur werden will. In der Nähe vom Bayerischen Bahnhof ist ein Haus, da sind die Punker drin. Ich mag die Punker nicht besonders, weil viele von denen stinken. Aber wenn ich drüber nachdenke, haben die immer noch besser gerochen als die Typen und ihr Aftershave und ihr Parfüm. Und die haben einen immer schlafen lassen bei sich. Ich habe genau gewusst, wie man da reinkommt. Weil sie's mir gesagt haben. Aber schlafen konnte ich da nicht richtig in den dunklen Räumen, die hatten ja keinen Strom. Nur Kerzen. Und Teelichter. Und meistens waren die gar nicht da, weil sie bis zum Morgen irgendwo rumzogen. Saufen und Punkmusik und sowas. Manchmal kamen die dann, und ich habe im Flur gehockt. Und sie haben gefragt, ob ich was trinken will. Oder einen Joint. Ich mag keinen Alkohol, nur manchmal habe ich einen Schluck genommen.
Weiter im Süden, da ist ein komisches Viertel. Da bin ich auch oft gewesen im Herbst. Nun ist das schon letztes Jahr, von heute aus. Aber ich denke und zähle, wenn ich auf dem Bett liege und warte, bis sie fertig sind. Sie sieht immer den großen Fächer, der überm Bett an der Wand hängt, wenn sie unten liegt und mit dem Gesicht nach oben, sieht sie den. Sonst die Wand und den Stein und das Fenster und das Fensterbrett, auf dem tote Fliegen liegen. Jede Seite, jeder Abschnitt dieses Fächers zwischen den Speichen aus Holz ist eine Seite der Nummer 86, die verschwunden ist. Bunt und schwarzweiß. Später hat sie Gedächtnislücken und verzählt sich und taucht in das Dunkel ein, wenn sie schläft.
Dort hängen die Crashkids rum. Die gibt's auch in meinem Viertel,

aber viele sind in den Süden gegangen, wo die Punker die Häuser besetzen, weil sie dort sein dürfen. Das sind Kinder, genau wie ich, nur ein bisschen älter, wenn überhaupt. In den Nächten habe ich die oft getroffen. Sogar in der »Bravo« stand was über sie. Vielleicht steht ja auch mal was in der »Bravo« über uns. Aber auch dort durfte ich schlafen. Später haben die da einen erschossen, aber damit hatte ich nichts zu tun. Das kann ich jetzt noch nicht wissen.
»Was ist das?«
»Ich schieß die Goldwolke mit Antigravitationsstrahlen in die Stratosphäre! Ganz einfach!«
Und mit der Straßenbahn fahre ich durch die ganze Stadt am Morgen. Ich habe mich bei denen in einer Kneipe gewaschen, also in einer Kneipe, die die Zecken da haben. Weil ich sauber sein wollte, wenn ich am Flohmarkt bin, wo die ihren Stand aufbauen. Lippenstift und was gegen die Pickel habe ich bei Schlecker geklaut. Da haben sie mich noch nie erwischt. In der Straßenbahn habe ich geschrien und geheult und gesagt, dass meine Mutti zu früh und aus Versehen ausgestiegen ist. Und denen dann die Adresse von einer Schulfreundin gegeben. Weil eine richtige Freundin war das nicht.
Weil ich doch hübsch aussehen will, wenn ich an dem Stand bin. Die kennen mich ja schon. So viele Comics hab ich dort gekauft. Dass jemand Kontrolleur wird, kann ich nicht verstehen. Aber jetzt sind so viele arbeitslos, und wenn ich Geld hätte, also mehr Geld hätte, denn ein paar kleine Scheine hab ich noch in meinem Rucksack versteckt, dann würde ich mir auch eine Fahrkarte kaufen. Am besten eine Monatskarte. Mit der könnte ich durch die Stadt fahren. Durch jedes Viertel. Hin und zurück. Und sogar mit der S-Bahn, wenn ich die teure kaufe, da kann man sich auf die Bänke legen und schlafen, zwischen den Endstellen.
Diese Crashkids im Süden wohnen auf einem Hinterhof und in einem Haus. Auf dem Hof verstecken sie die Autos, wenn sie die nicht irgendwo schon kaputt gefahren haben. Ich glaube, dass die verrückt sind. Aber sie waren immer o. k. zu mir, in den zwei, drei Nächten, wo ich bei ihnen geschlafen habe.
Und ich glaube, dass ich da auch länger bleiben darf. Und dann sitze ich an dem Baum und schaue den Männern bei der Arbeit zu. Später

habe ich dann mal mitgemacht und die Kisten mit den Comics und Videos zu den Verkaufstischen getragen. Weil der Junge, der Robert hieß, mich gefragt hat. Mich drum gebeten hat. Weil er mich schon so oft dort gesehen hat. Und vielleicht hat ihm auch der Lippenstift von Schlecker gefallen. Das war mein Schönstes, wenn ich mich so erinnere, und das klappt manchmal gut und manchmal schlecht. Mein Schönstes in den letzten Jahren. Wie ich da die Kisten tragen durfte. Und auch von mir aus. Weil ich helfen konnte.
Tina erzählt mir über ihren Vater. Den sie seit Ewigkeiten nicht mehr gesehen hat. »Ewigkeiten? Du bist doch erst dreizehn!«
»Vierzehn!«
»Hast du Geburtstag gehabt?«
»Interessiert doch eh keinen.«
»Doch, doch, doch. Ich will's gerne wissen. Und ich will dir was schenken.«
»Was denn?«
»Na warte, na warte mal!«
Es ist die Zeit, in der sie nackt sind. *Er* ist immer da, fast immer da, und stellt sie den Männern vor. Tinas Vater hatte wohl was mit Pferden zu tun. Er trinkt, und deswegen sieht sie ihn nicht mehr. Weil ihre Mutter nicht will, dass sie ihn sieht. Weil er trinkt, weil er traurig ist. Und sein Geld verspielt. Und Tina erzählt viel, und sie weiß nicht, was davon stimmt. Und Tina auch nicht, denkt sie manchmal. So wie London, so wie die Queen, aber das ist lange her. Manchmal, wenn sie mit *ihm* im Auto sitzt, glaubt sie wirklich, dass sie mit ihrer Mutter in London war. Dann sieht sie alles von oben. Wie von oben. Den Tower und die Themse und den Flohmarkt und sich selbst und Tina und an den Rändern der Bilder den Schnabel der kleinen Ente, der ins Bild hineinpickt. Sie friert. Sie sieht die Bilder der Nummer 86 zwischen den Speichen des Fächers an der Wand. Sie beginnt zu zählen. Es spielt keine Rolle mehr, was sie denkt. In ein paar Wochen darf sie nach Hause. Sagt *er*. Sie weiß nicht, was sie zu Hause soll. Sie ist sechzehn, aber eigentlich fünfzehn, und sieht sich von oben. Weit weg. Ganz klein sitzt sie auf dem Sofa und bewegt den Kopf vor und zurück. Vor und zurück. Ein Entenschnabel pickt. Sie presst die Beine zusammen. Damit sie einen Entenschnabel hat, ra-

siert *er* sie. Die Männer mögen ihren Entenschnabel. Und wenn *er* sie nicht rasiert, rasieren *sie* sie. Sie erkennt sie am Aftershave und am Parfüm, nicht an den Gesichtern. An den Gesichtern manchmal auch. Aber in die will sie nicht blicken.
»Hattest du denn wirklich Burzeltag?«
»Was für einen Tag?«
»Nun stell dich nicht blöd. Geburtstag!«
»Na, was denkst du denn? Denkst du, ich lüge?«
»Bei dir weiß man nie, Schwesterherz.«
»Wenn du mir blöd kommen willst … Da warn heut schon genug da.«
»Nee, nee. Warte eine Sekunde.« Und sie rennt ins Bad. Greift in den Klokasten und holt die Uhr dort raus. Rennt, nackt wie sie ist, zurück ins Zimmer. Das Klowasser läuft über ihre Hand. Sie sieht die Männer im Flur, die sich dort unterhalten, aber sie ist schnell wieder im Zimmer bei ihren nackten Freundinnen. Die Uhr ist kaputt. Das merkt sie erst später. Als sie die Quarzuhr am Arm von Tina sieht. Die so tut, als würde sie sich am Türrahmen festhalten, als würde sie einen kleinen Tanz dort machen, bevor sie im Schlafzimmer verschwindet. Und da ist die Uhr, an ihrem dünnen Handgelenk. Direkt am Türrahmen. Einige sehr langgezogene Sekunden. TICK TACK. Und sie sieht, dass sie steht, vielleicht schon seit Tagen oder Wochen. Von wegen wasserdicht. Aber Tina sagt nichts und schimpft nicht und freut sich über die Uhr an ihrem Geburtstag, der gar nicht ihr Geburtstag ist.
»Huch! Was sehen meine entzündeten Augen! Der Berg löst sich in Luft auf!« Sei still, Bertel.
Sie sitzen zusammen an der Wand, ihre Beine verknotet über dem Teppich. Dann legen sie ihre Köpfe aneinander, spüren ihre nackte Haut unterm T-Shirt, und der Mann auf dem Kamel sagt: »Nichts als Sand, so weit das Auge reicht! Wo soll man da anfangen zu suchen?!«
Die Augen der Katze klappern und zwinkern, TICK TACK, Tina sieht den Fächer an der Wand, TICK TACK.
Und ich gucke immer zu diesem Jungen. Er ist ungefähr so alt wie ich, vielleicht auch schon siebzehn.

Ich sitze wieder an meinem Baum, der steht neben den Ständen, und beobachte, wie er die Kunden bedient, was in ein Heft schreibt, so ein Mutti-Heft, bestimmt die Nummern und Jahrgänge von den Comics, die er grad verkauft hat. Ob sie endlich den »Kolumbusfalter« haben? Von den Ostcomics fand ich »Atze« und »Mosaik« ganz gut. Andere gab es auch gar nicht, glaube ich. Diese beiden Mäuse in der »Atze« waren ganz witzig. Fix und Fax. Jetzt gibt es Fix und Foxy, aber das sind keine Mäuse, ich weiß nicht genau, was das für Tiere sein sollen. Am Anfang hat *er* mir was zu trinken gegeben, da war was drin. Und ich war wie im Halbschlaf, als er auf mir lag. Dabei mag ich keinen Alkohol. Ich konnte nichtmal schreien. Tina trinkt einen Schluck von dem Likör, den sie versteckt hat. Aber dann schüttet sie ihn weg, weil sie sagt, dass er so riecht wie das Aftershave von dem einen. Der so gute Anzüge trägt und eine teure Brille. Sie macht auch keine blöden Witze mehr über das Wort. Aftershave. Fix und Fax haben immer in Reimen gesprochen. Die standen unter den Bildern. Und alles, was sie so erlebt haben, war in Reimen. Ich habe mich immer gefragt, wer sich das ausdenkt. Das muss doch schwierig sein. Ich blicke zu dir rüber, mein Lieber. Nee, nicht ganz. Ich mag euren Comicstand, weil ich dich gut fand, also gut finde. Auch nicht wirklich, aber schon besser. Weil ich ja von da aus nicht nach vorne gucken kann, also in die Zukunft. Lustig. Eigentlich bist du süß. Und irgendwann kommt er zu mir und dem Baum und fragt mich, ob ich eine Limo trinken will mit ihm. Na klar, sage ich. Er hat braune halblange Haare, die sind ein bisschen fettig. Wo ich mich doch extra hübsch gemacht hab für ihn. Ich frage ihn, ob der »Kolumbusfalter« da ist. Nein, sagt er, aber vielleicht das nächste Mal. Und dass der mehr kostet als die anderen LTBs. Dass er da aber sicher was machen kann. Ich frage ihn, ob das seine Eltern sind an dem Stand. Nein, sagt er. Wir stehen an einer Limo- und Fressbude, und er spendiert mir noch eine Portion Pommes. Ich erkläre ihm, dass man nicht Pommes sagt, sondern PommFritt, weil das aus Frankreich kommt. Und ich war mal mit meiner Mutter in Paris. Echt? Na klar. Gleich nach der D-Mark. Im Sommer neunzig. Ich esse die Pommes viel zu schnell und bin viel eher fertig als er. Weil ich seit gestern nichts Richtiges mehr gegessen habe. Weil ich mein Geld

für die LTBs spare. Und weil ich nicht mehr nach Hause will wegen Jochen.
Er trägt nur ein T-Shirt und hat ziemlich kräftige Arme. Das kommt sicher von der Kistenschlepperei. Er heißt Robert. Hieß der nicht anders? In meiner Klasse gab's auch einen Robert, aber der war scheiße. Seine Küsse schmecken nach PommFritt. Ich bin froh, dass ich keine Jungfrau mehr bin. Ich lese jetzt doch die »Bravo« und Doktor Sommer. Tina sagt, wir könnten da ja auch mal hinschreiben von unseren Sexerlebnissen. Da guckt sie wieder so, dass ich Angst kriege, und später liege ich mit Robert auf der kleinen Anhöhe vor dem alten Stadion in der Sonne. Ob er nicht zurückmuss, frage ich ihn. Aber er sagt, dass er jetzt Pause machen kann, weil die meisten Kunden ja am Vormittag kommen, und jetzt ist schon Nachmittag, und er muss erst beim Abbau wieder da sein. Die schimpfen dann aber trotzdem mit ihm, und der eine Mann gibt ihm einen leichten Klaps auf seine fettigen Haare. Das sollte ich ihm mal sagen, dass er die öfters waschen soll. Obwohl die sich gut angefühlt haben beim Küssen. Meine Haare habe ich gewaschen, bei den Streetworkern, gestern nachmittag, da habe ich auch das letzte Mal was gegessen. Nachts ist es seltsam in der Stadt. Alles bewegt sich. Und jede dunkle Straßenecke lebt. Tina erzählt mir von den Wohnwagen, da habe ich aber noch nie was von gehört. Der Freund ihrer Cousine hat damit was zu tun. Genau weiß sie es nicht. Aber der ist riesig. Sagt sie. Bestimmt zwei Meter. Und viel stärker als *er*. Er passt auf Leute auf, das ist sein Beruf. Und wenn der weiß, dass wir hier sind, kommt er bestimmt.
Robert verspricht mir den »Kolumbusfalter«, als wir auf der Wiese in der Sonne liegen. Ich bin sogar ein bisschen braun geworden im Gesicht an diesem Nachmittag. Er will mich zu oft küssen, und ich nehme ein Taschentuch, mache bisschen Spucke drauf und wische ihm den Ketchup aus dem Mundwinkel.
Er wohnt in Karl-Marx-Stadt, das heißt jetzt Chemnitz, erklärt er mir, schon seit zwei Jahren, und arbeitet in dem Kramladen, wo sie Comics und Videos und Platten und Möbel und sonstwas verkaufen. Er sagt, dass er am liebsten die Hulk-Comics mag. Den kenne ich nicht. Er sagt, und ich glaube, dass er das nur sagt, damit er mich wieder küssen kann, dass er aber auch Micky gut findet.

Micky ist scheiße, sage ich. Und er küsst mich trotzdem. Und er sagt, dass er fragen will, ob ich mitarbeiten kann an dem Stand, oder vielleicht sogar in Karl-Marx-Stadt. Da kann ich ihm noch nicht erzählen, dass alles schrecklich ist. Dass ich die Nummer 86, die er mir verkauft hat, fast auswendig kann. Weil er doch sagt, dass Hulk so stark ist. Und weil er doch sagt, dass ich ja fast so stark wie Hulk bin, den ich überhaupt nicht kenne, als ich ihm einen kleinen Klaps auf seine fettigen Haare gebe, als er frech wird. Und ihn wegstoße, aber nur im Spaß. Und er erzählt mir vom Hulk. Interessierte mich aber nicht besonders, damals. Gähn. Diese Superhelden-Kacke ist eben was für Jungs. Was ich nicht gewusst habe, ist, dass Micky auch im »Kolumbusfalter« mitmacht. Manchmal tut mit alles weh, und dann möchte ich nur noch schreien, aber das mache ich leise, weil's sonst noch mehr weh tut, wenn *er* kommt, und die Traumblasen und Sprechblasen sieht keiner.

Es sind fast immer dieselben Gäste, die kommen. Stammkunden, die sie besuchen. Sie wissen nicht, was sie kosten, denn *er* kassiert das Geld. Sie müssen fast immer nackt sein. Das sieht seltsam aus von oben. Vier, fünf nackte Mädels. In diesem Zimmer. In dieser Wohnung. Draußen fällt der Schnee. Winter dreiundneunzig.

Wenn ich die ganze Zeit ich selbst bin, würde es nicht gehen. Die hatten nur scheiß Videos an diesem Stand. Vorgeschichte: »Hallo Freunde! Stellt euch vor, neulich haben die Panzerknacker ... Doch halt, das lest ihr lieber selbst. Hier in diesem Buch aus der Serie »Walt Disneys lustige Taschenbücher« könnt ihr die gefährlichsten Abenteuer miterleben, die ich im Kampf gegen die Panzerknackerbande bestehe. Onkel Dagobert und Tick, Trick und Track sind natürlich auch dabei in den Geschichten:

Dagobert und das Wünschelkraut
Donald als Klassensprecher
Dagobert glaubt nicht an Horoskope
Donald und der Lügendetektor
Dagobert und der Aurum Nigrum
Donald bei den grünen Wilden
Donald auf der Suche nach seltenen Erden

Viel Spaß bei dieser spannenden Lektüre wünscht euch
euer Donald!
Wenn es klingelt, rücken wir zusammen. Telefon oder Türklingel.
Dann wissen wir, was kommt.
Wenn das Telefon klingelt, weiß *er*, dass er bald den Laden zumachen muss. Weil ihm das Leute sagen. Dass er dann dichtmachen muss. Aber das Geld fließt und fließt. Die kleinen Muschis von der Straße bringen so viel Geld, wie er sich das vorgestellt hat. Noch ein paar Monate, und er kann mit der Kohle abhauen und woanders investieren oder sie verprassen. Es ist eine Frage der Zeit. Und die Zeit ist gut zurzeit. Weil: Chaos auf den Straßen. Er weiß genau, wo sie sich rumtreiben. Er hat seine Quellen auf der Straße, ohne dass die wissen, was läuft. Er muss nur zugreifen bei den kleinen Fotzen. Was soll er sagen, die hängen eh nur im Dreck. Er hat einen Freund bei den Bullen, und das ist der Faktor. Seine Kontakte rennen ihm die Bude ein. Der Markt explodiert in der Stadt, aber er ist die Ausnahme. Hat mit dem Markt an sich nichts zu tun. So wie die mit ihm nichts zu tun haben wollen. Die »Bild« druckt seine Annonce genauso wie die anderen Annoncen. Und der Faktor ist die Mund-zu-Mund-Propaganda. Über die Mund-zu-Mund-Behandlung. Deswegen ist seine Wohnung der Bestseller. Und deswegen fließt das Geld, dass er stolz drauf ist, dass er das alles so aufziehen kann. Dass er diese kleinen Muschi-Wracks von der Straße aufliest. Da soll ihm mal einer sagen, wo die sonst landen würden. Und wenn er die einreitet, lernen die was fürs Leben. Und wenn er den Laden dichtmacht, können sie abhauen, wohin sie wollen!
Natürlich hat er die Gunst der Stunde genutzt. Und da kann ihm keiner was erzählen!, denn die, die kommen und gutes Geld bezahlen, suchen doch so oder so! Und da kümmert er sich um die Mädels noch am besten. Und was die erzählen und lügen, wie alt die sind. Und wenn er den Laden zumacht und verschwindet, geht's keiner von denen schlechter als zuvor. Aber sicher nicht!
Die Sache ist die, dass er verschwinden muss. Bald. Die Kohle einsacken und verschwinden. Aber das Geld fließt und fließt. Und sein Bulle sagt, dass alles in Ordnung ist. Weil er frei bumsen kann. Der Bulle. Weil er diese eine, die Jüngste, am liebsten bumst. Er weiß ge-

nau Bescheid, über die Drecksauen, die bei seinen kleinen Fotzen ein und aus gehen. Es gibt paar Leute aus der Szene, die nicht seine Szene ist, die ihn fragen, was da so läuft bei ihm. Das Übliche, sagt er, Weiber, die jünger aussehen, als sie sind. Und dummes Geschwätz, kennt ihr ja. Lügen. Verleumdung.
Und weil er auch noch eine andere Wohnung betreibt, wo die Weiber nicht so jung sind, geht das alles seinen Gang. Und weil die Männer gerne zu seinen jungen Fotzen kommen und gar nicht aufhören können, zu seinen jungen Fotzen zu kommen. Die Männer, von denen er genau weiß, dass sie die Gesetze machen und vertreten und investieren in dieser dunklen chaotischen Stadt. Anwälte, Justiz, Immobilien-Haie, Walfische, Ex-Stasis, Politik. Seine Versicherungen. Winter dreiundneunzig, er schleppt das Geld zur Bank.
Wenn ich nicht so nett wäre, würde das gar nicht laufen. Ich gehe doch in kein Schlafzimmer und sage: »Heh, Mädchen, komm mit!« Die sind am Ende. Wurden vorher schon durchgefickt. Wenn ich sage »Rudelbumsen!«, wissen die genau, was ich meine. Und wenn die mit »Lutschen« und »Arschficken« anfangen, staune ich selbst. Das muss doch jeder kapieren in der heutigen Zeit, dass es da nur ums Geld geht. Ich meine, wir sind in der Zone. Und vor allem in der Zeit nach der Zone. Da gibt's genug Möglichkeiten für jeden und für jede. Kann mir keiner was erzählen von Ausbeutung. Eben nicht. Ich hab gelernt, und ich bin sicher kein Lamm, wenn das jemand versteht. Ich steck den Schwanz in die Fotzen rein, damit die wissen, was heute so geht, was heute so los ist. Was soll denn das? Die klauen und flittern auf der Straße rum, und ich sorg dafür, dass das bisschen organisiert ist. Was weiß ich denn, wie alt die sind, denn die lügen, lügen, wenn sie ihr Fotzenmaul aufmachen. Dass ich jemanden geschlagen habe, ist die Ausnahme. Und das reißen die so gerne auf, kann ich nur immer wieder sagen.
»Grummel ... grummel ... Wo mag er nur hingegangen sein?«
»Alle Mann Herrn Düsentrieb suchen gehen! Los!«
»Ich bin aber müde!«
»Du bist immer müde, wenn's drauf ankommt!«
Ich kann nur noch zurück. Weil ich nicht mehr kann. Ich habe schon längst aufgehört zu zählen.

Er hat gesagt, wenn er mich anfassen darf und wenn ich ihn anfasse, kann ich mit nach Chemnitz. Der vom Flohmarkt. Ich denke jetzt oft an meine Mutti. Und ich will die Tablette, die er uns manchmal gibt. Der. Und ich will meine Comics, weil ich nur noch das halbe, das kaputte habe, mit der Vorgeschichte und einem kleinen Stück nichtmal bis zu Mitte. Und selbst an Jochen denke ich oft, der hat mich nur manchmal geschlagen und eigentlich nur geschimpft. Mutti hat nach neunundachtzig oft überlegt, in den Westen zu gehen. Wir sind nur einmal im Westen gewesen, in Berlin. Das war im Dezember neunundachtzig. Da hat's mir gefallen. Die vielen Läden, die großen Straßen.
Das bunte Leuchten am frühen Abend in diesen großen Straßen. Das war kurz vor Weihnachten. Es schneite. So viel Schneematsch auf dem Fußweg. Und meine Schuhe waren ganz nass, und als wir zurück zu Hause waren, der Zug fuhr die ganze Nacht, habe ich mich erkältet. Musste fünf Tage nicht in die Schule. Das war noch vor Jochen. Mutti hat mir Tee gekocht, und ich habe den ganzen Tag im Bett gelegen und Fernsehen geguckt. Und meine ersten LTBs gelesen, die ich mir in Berlin mit meinem Begrüßungsgeld geholt habe. Die Hälfte von meinem Geld hat Mutti genommen. Die alten Lieder sind verschwunden. Wir haben sie von einem Tag auf den anderen nicht mehr gesungen in der Schule. Ich habe immer viel gesungen. Bei den Pionieren. Da war ich im Chor. Das hat mir geholfen, weil ich in den anderen Fächern nur so mittel war. Ich will nie wieder unten sein. Ich will nie wieder liegen. »Unsere Heimat, das sind nicht nur die Städte und Dörfer, / unsere Heimat sind auch all die Bäume im Wald. / Unsere Heimat ist auch all das Gras auf der Wiese …«, das war ein Klassiker, obwohl ich nicht gut auswendig lernen konnte. Aber ich kann fast das ganze LTB auswendig, komisch, ich versteh's selber nicht, also bin ich gar nicht so schlecht mit dem Auswendiglernen. Nur vor der Klasse fiel's mir schwer. Da war sogar mal eine, die hat sich eingemacht, vor der ganzen Klasse. Pille, Pille, und die Hose war nass. Die helle Hose. So eine hässliche helle DDR-Hose, Hochwasserhose, kann ich gar nicht verstehen, wie man sowas tragen konnte. Direkt bei der Muschi. Ein Fleck. Und das hat gerochen. Das stimmt doch alles nicht.

»Und wir lieben die Heimat, die schöne, / und wir schützen sie.« Das ist alles durcheinander, Robert, ich mag dich auch. Ich will mitkommen. Tina kann nur noch lachen, wenn ich Unsinn erzähle. Weil ich das alles gesammelt habe, in einem Stück von meinem Kopf. Aber das war in Ordnung, mit dem Begrüßungsgeld, für fünfzig Mark kriegt man schon eine Menge. Mutti hat geweint, als die Mauer fiel. Weil sie so große Angst hatte, was jetzt werden soll. Weil sie doch getippt hat bei der Partei. Bei dieser Zeitung von der Partei. Ich verstehe das alles nicht richtig. Und will's auch gar nicht. Und sie hat uns einen Föhn gekauft und einen Mixer für die Küche und ein kleines Radio, auch für die Küche. Da waren die anderen fünfzig Mark von mir mit drin. Dabei hatten wir schon einen Mixer und einen Föhn auch, aber die neuen waren was Besonderes. Ich habe mir dann immer Pudding mit dem Mixer gemacht, also diese neuen Cremes, weil richtiger Pudding war das nicht, so leichte, ganz cremige Sachen. Schoko. Vanille. Mit Milch angerührt. Ich will nicht, dass er die Filme später verkauft. Ich habe Angst, dass es die Filme dann auf dem Flohmarkt gibt. Oder die Fotos. Ich weiß, dass er da eine Kamera versteckt hat. Und dass ich drauf bin. Und weil ich Angst habe, dass Mutti das irgendwann sieht. Und dass sie dann noch mehr trinkt aus Kummer. Ich will nicht, dass das irgendjemand sieht. Ich denke manchmal, ich kann alles zurückspulen und löschen. In meinem Kopf. Wenn alles vorbei ist, will ich wieder auf den Flohmarkt gehen. Aber ich weiß nicht, ob der im Winter auch da ist, draußen schneit es. Ich schlafe meistens im Sitzen, wenn das geht. Im Sessel oder so. Ich will nie wieder liegen.
»Oje! Das war das schlimmste Abenteuer meines Lebens! Aber jetzt kann ich sagen: Ende gut, alles gut!«

(Nachgeschichte: Im März 1993 wird die Wohnung in der Mecklenburger Straße von der Polizei geräumt. Der Betreiber M. wird später zu knapp dreieinhalb Jahren Gefängnis verurteilt. Über die Kundschaft wird nichts in der Öffentlichkeit bekannt. Angebliche Videos und Fotos bleiben verschwunden.)

Tokio im Jahre null

I  Der Tempel

Wo bist du?
Schau nach oben. Aber der Himmel über dir ist grau, ein großes graues Loch, und dein Gesicht wird nass. Schneeflocken schmelzen auf deinem Mantel.
Du stolperst und stützt dich auf deinen Stock. Du fühlst das glatte Holz auf deiner Hand, die den Knauf umklammert.
Du stehst auf dem Fußweg an einer großen Straße, Menschen laufen an dir vorüber, während es immer noch schneit. Es sieht aus, als würden sie Masken tragen, weiße Masken aus Schnee, aber Lichter blenden dich, ein buntes Leuchten, flimmernde fremde Neon-Zeichen, die du nicht verstehst, nicht lesen kannst, noch nie gesehen hast. Orange, rot, rosa, hellblau, grün, violett, überall um dich herum, nächtliche Regenbögen über bunten Sonnen, du schließt kurz die Augen und suchst die Dunkelheit und suchst die Stille, wie bist du in diese Stadt, die du nicht kennst, gekommen? Wie lange irrst du schon durch diese endlose Nacht?
Du willst in eine der schmalen Gassen gehen, aber die Lichter und die Farben, die von dort zu dir dringen, sind noch viel heller und strahlender als die, zwischen denen du jetzt stehst und den Kopf bewegst und deinen Körper drehst und dich immer noch auf diesen Stock stützt. Hohe Häuser, Rechtecke, aus denen farbige Ranken wachsen, auf denen die Zeichen und Symbole leuchten. Du lehnst dich an eine Hauswand und nimmst den Stock und betrachtest den Knauf. Ein Drachenkopf, denkst du. Oder der Kopf eines Dämons. Ein Mann hat dir diesen Stock gegeben, ihn dir überreicht, er lag auf beiden Händen des Mannes, als er ihn dir reichte. Den Oberkörper

leicht nach vorn gebeugt. Das war vor ... Stunden, Tagen, Wochen? »It will not only help you walking. This is an old symbol and it will protect you in our world.«

Vor dir laufen die Menschen, ein ungeordnetes Fließen in alle Richtungen, die Autos auf der Straße bewegen sich sehr langsam, du siehst unzählige schwarze Limousinen, die zu einem dunklen Band verschmelzen in der Mitte der strahlenden Quader und Türme, und du blickst auf diese große langsame Bewegung der schwarzen Fahrzeuge, blickst auf die bunten Ranken, die aus den Fassaden wachsen und die sich auch zu bewegen scheinen, zu wachsen scheinen, nach oben und quer und diagonal, entlang den Fassaden, große Schriftzeichen, die dir rätselhaft sind. Niemand beachtet dich, wie du da an der Hauswand lehnst, den Stock in beiden Händen hältst, den Kopf des Drachen, den Kopf des Dämons betastest, als wärst du blind. Du bist unter fremden Menschen. Fremde Gesichter. Weiße Masken, wie aus Schnee.

Du durchsuchst deine Taschen, findest einen kleinen Kalender, AOK, neunzehnhundertneunundneunzig, alle Tage und Monate sind durchgestrichen, übermalt. Du findest ein Flugticket, aber du kannst dich nicht daran erinnern, dass du aus einem Flugzeug gestiegen bist, dass du in ein Flugzeug gestiegen bist. 11. 2. 2000 kannst du noch erkennen, bevor es dir aus der Hand fällt, nein, aus dem Strom der Menschen vor dir, der immer dichter wird, griff eine kleine Hand danach, und es verschwand. Du schließt die Augen und siehst, wie sie dir winken. Du sitzt in einem Zugabteil und lehnst den Kopf an die Scheibe, presst die Stirn an das kalte Glas, blickst zu dem Bus, der unterhalb der Bahnstrecke fährt. Kinder heben die Hände, lachen, Uniformen, Schulranzen, der gelbe Bus biegt ab, verschwindet zwischen flachen, schmalen und grauen Wohnblöcken, und du schaust dem Winken hinterher. Dann plötzlich ein Wald, die Bäume, die wie große Farne aussehen, berühren die Scheibe, hinter der dein Kopf ist. Ein Stock lehnt zwischen deinen Beinen. Der berührt deine Knie und klopft an deine Knie, wenn der Zug durch die Kurven fährt, und du streichst mit den Händen über deine verheilten Wunden und hast das Gefühl, dass da immer noch zwei Löcher unterm Stoff deiner Hosenbeine sind, in die du deine Finger hinein-

drücken kannst. Und der Wald kommt auf dich zu, und der Wald bewegt sich von dir weg, und Schneisen zwischen den Bäumen, in denen kleine flache Häuser stehen, mit geschwungenen Dächern. Das Schneetreiben beginnt. Wo bist du? Wohin gehst du? Öffne deine Augen. Ein dunkler Fluss unterm Zug und unter dir. Kleine Eisschollen auf dem Wasser. Wie die Geräusche sich ändern, wenn du über die Brücken fährst. Hast du nicht Berge gesehen, vor Stunden, Tagen? Als der Mann dir den Stock überreichte. Als der Mann dich zum Ufer des Meeres führte. Flache, geschwungene Hügel. Oder waren das die braunen Dächer der Häuser?
Der Mann spricht zu dir. Du sitzt in einem Raum aus Papier. Du bist am anderen Ende der Welt. »Sekai, do«, sagt der Mann, und du trinkst aus einer kleinen Schale etwas, das warm in dein schmerzendes Bein dringt, Kälte und das Gefühl, dass es die Beine eines anderen sind, »indeed, it is difficult to understand …«, ja, das verstehst du und willst sprechen und öffnest den Mund und spürst, dass du trinkst, während du sprechen willst, und sinkst zurück auf der kleinen Bank …, »to understand the world as it is …« Der Mann spricht langsam und mit rollendem R, er blickt beim Sprechen auf den kleinen Tisch mit den Gefäßen und Schalen, graue Haare hängen in seine Stirn.
»Die Welt«, willst du sagen, weil du verstehst, zu verstehen glaubst, und deine Brust wird nass, und die Schale rutscht leer auf den Boden, und du legst die Beine zur Seite und bewegst den Arm und bewegst die Hand, damit er geht, »Wer bist du?«
»Although it seems true, it is not, and although it seems false, it is not.«
Du sitzt in einem Zimmer. Der Schlüssel mit dem großen Plastikanhänger vor dir auf dem Tisch. Zwei andere Schlüssel daneben. Silberne Anhänger, die kugelförmig enden, wie Miniatur-Schlagstöcke. Eine Chipkarte in einem kleinen Pappschuber. Eine Nummer darauf. Du blickst aus dem Fenster.
Ein Park gegenüber. Schnee auf den Bäumen, Türme hinter dem Park, hinter den Bäumen, weit weg oder ganz in der Nähe, die Entfernungen verändern sich, Hochhäuser, die durch Brücken verbunden sind, Gänge aus Glas. Ein tempelartiger Flachbau mit geschwun-

genem Dach zwischen dem Weiß und dem Grün des Parks, denn die Bäume sind nicht kahl, Winter in dieser Stadt, aber Tage, daran erinnerst du dich jetzt, die nach Frühling rochen, die Luft plötzlich mild, und der Himmel klar, kein Grau mehr, aus dem der Schnee nass auf dein Gesicht fiel, aber dann wieder ein eisiger Wind, der dich packte auf deinen Wegen durch die Nacht, durch die Neongassen, am Fluss entlang, durch leere Parkanlagen, die kleinen Wäldern glichen, wohin gehst du? Und was suchst du?

Das Fenster ist geöffnet, du weißt nicht, wie lange du hier schon sitzt. Du starrst auf das gelbe Licht, das aus der Tür des Tempels zu dir dringt. Du nimmst den Fahrstuhl und fährst in die siebenundzwanzigste Etage, eine kleine alte Frau steht neben dir. Du liegst auf dem Bett, hast dich mit deinem Mantel zugedeckt, und das gelbe Licht des Tempels dringt durch die Gardinen. Sitzt dort nicht ein Mann an dem Tisch?, an dem du selbst eben oder irgendwann gesessen hast?, du blickst an die Decke, um ihn nicht sehen zu müssen. Aber du siehst ihn und kennst ihn. Und weißt, dass er nicht hier sein darf.

»Keine Angst, ich bin allein gekommen.«

Später fliehst du vor dieser Stimme. Du stehst in einer Halle, in einem ungeheuren Raum, *Pachinko, Pachinko*, das Dröhnen von Lautsprecheransagen, du blickst auf die Gesichter der Männer, der Spieler, die in endlosen Reihen in ihren Raumsesseln sitzen und in die Tiefen der Spiegel schauen, in denen silberne Kugeln durch ein Labyrinth aus Stahlstiften, Gassen, Klappen und Kanäle laufen, auf sich drehenden Scheiben, und neue Labyrinthe aus Tausenden von Stahlstiften entstehen, Urwälder aus Nägeln, du hast so ein Spiel noch nie gesehen, du läufst durch die Reihen der schlafenden Spieler, du läufst durch die Straßen deiner Stadt, stehst vor den Maschinen deiner ersten Spielothek, wirfst Geld ein, um zu testen, hörst das Rasseln im Schacht der Maschine, spürst, wie das Geld der Spieler in deinen Maschinen rotiert, zwei Spielotheken im Westen der Stadt, *du sollst diese Stadt, die du doch kennst, erforschen*, weiter und immer weiter, *es führt kein Weg zurück*, du siehst, wie du als junger Mann (...................................................................................
...........................................) »Du musst nicht weglaufen, ich

wollte doch nur einmal schauen, wie es dir geht«, (....................
..................................), weiter und immer weiter, und du
taumelst aus dem ungeheuren Raum, wie lange bist du durch das
Labyrinth der Maschinen geirrt?, auf der Flucht vor der Stimme,
»Nun haben wir beide hübsche Löcher in unserem Körper, nicht
wahr?«, »Ich habe mit deinen Löchern nichts zu tun, Steinmann«,
»Wie schön, dass sich noch einer an diesen dummen Namen erinnert, den sie mir gegeben haben. Aber die großen Immobilien waren frei, auch für dich, als ich weg war, nicht wahr?«, »Du bist nicht hier, du bist nicht tot«, und dann verstummte alles, verstummte alles, das Gewirr der Melodien, das Klimpern der Münzen, die Lautsprecheransagen, das Rattern der Kugeln, und die Spieler in den Raumsesseln drehten sich Richtung Gang und blickten dich an. Silberne Augen, als lägen Münzen drauf. »Nein, ich bin nicht tot. Fast zu sterben ist manchmal kein Glück. Aber du musst doch zugeben, dass du es damals wusstest ...«
»Ich habe nichts gewusst. Verschwinde und lass mich in Ruhe, Steinmann.«
»Und die Immobilien waren frei, als ich fast starb. Als dein großer Aufstieg begann.«
Die Gassen kreuzen sich und verzweigen sich und verlieren sich im Dunkeln, um dann wieder aufzuflammen, Bar an Bar, Hotels, Strip-Bars, Karaoke-Bars, Love-Hotels, Massage, Blowjob-Salons, Manga-Tanga, grell erleuchtete Glasfronten, dunkelrot glühen die Fenster woanders, unter vielen der Zeichen erkennst du die englischen Worte, Wände aus Glas, Schulmädchen in Uniform im Schaufenster, kleine Frauen stehen dichtgedrängt in einer dunklen Seitengasse, die Glutpunkte der Zigaretten, es werde Licht, du bist im Inneren der großen Maschine, und weiter, immer weiter läufst du und weißt nicht, wohin, und weißt nicht, warum, der Steinmann ist verschwunden, die Stimme hat keine anderen Stimmen mitgebracht von *dort*, Männer in Anzügen reden auf dich ein, Englisch, du weißt, dass es Aufreißer sind, aber du willst nicht in diese Häuser eintreten, du willst nicht in diesen Bars sitzen, und sitzt dann doch in einer Bar, an einem Tisch, eine Frau, die nur einen Slip trägt, tanzt unbeholfen an einer Stange auf einem Podest, du blickst auf die

schäbige Tapete an der Wand, Fächermuster, und immer lauter dringt die Musik in dich, nimmt dir die Angst, dass da wieder jemand hinter dir oder neben dir sitzen wird, der da nicht sein sollte, nicht sein kann, die Frau im Slip tanzt, eine andere Frau sitzt neben dir und redet mit dir, du versuchst zu begreifen, versuchst, dich zu erinnern an deine Wege in den letzten Tagen oder Wochen, du siehst den Stock, der am Tisch lehnt und der dich beschützen soll, das hat der Mann zu dir gesagt, und davor oder danach hast du in einem Becken mit heißem Wasser gesessen, das riecht nach Schwefel, und du legst deine Hand im Wasser auf dein Bein und spürst deine andere Hand auf deinem anderen Bein, du atmest auf die Wasseroberfläche, und du siehst die kleinen Wellen vor deinem Gesicht, vor deinem Atem, zwischen dem Dampf, ein halbdunkler Raum, aber als du den Kopf zurücklegst, siehst du den klaren Nachthimmel über dir und die Sterne, *This is Hakone, Grauhaar-San, where the hot water comes from the heart of the earth and goes into your mind and goes into your body*, »Mein Name ist Kraushaar«, sagst du, und die junge Frau lächelt und nippt an ihrem Drink. Auch vor dir steht ein Glas, und du willst einen Schluck trinken, spürst die Eiswürfel kalt an deinen Lippen, das Glas scheint leer zu sein, nur Eiswürfel, du erkennst einen Tresen hinter der Frau an der Stange, die unbeholfen zur Musik tanzt, »Mimi«, sagt die Frau, die vor dir an dem Tisch sitzt, ein Teelicht, »you American«.

Du weißt nicht, was du sagen sollst, und nickst und blickst über ihre Schultern zu den anderen Tischen, die meisten sind leer, Kerzen in Gläsern, nur vor der Frau an der Stange sitzt ein Mann in einem dunklen Anzug und blickt dich über nackte Schultern an, aber er sitzt allein am Tisch, ein weißer schmaler Rücken bewegt sich, als würde diese Frau, die sich zu ihm beugt und die nicht da ist, aufgeregt mit dem Mann im dunklen Anzug reden. Der Mann dreht sich zu dir um und blickt dann wieder auf die Tänzerin.

Die kleinen Brüste an der Stange. Tapeten mit Fächermuster, ein schmaler Raum, ein schmaler Korridor, aber als du den Kopf zurücklegst, siehst du den klaren Nachthimmel und die Sterne. »Where is Hakone?«, fragst du, und sie lächelt, Straßen und Gassen und Menschen und Schneeflocken treiben zwischen den Häusern, den Fassa-

den, wer tanzt da vorne, und wer sitzt allein?, und Schneeflocken berühren deine Augen.
»You Hakone-San?«
»Hakone, hot fountain, near the coast.«
»You want Hako? In Haikyo?«
»Tokio?«
»Hai!«
»Hello.«
»You want amai, girl, ima, you onaka?«
Du verstehst nichts, und deine Beine sind kalt und steif, und du bewegst deine Beine unterm Tisch und siehst, wie sie den Kopf schüttelt und dann nickt und ihr leeres Glas hebt. Sie hat blonde Haare. Trägt ein braunes Kostüm. »Keine Angst, ich bin allein gekommen. Es ist einsam in den Sümpfen.« Dunkelheit. Du spürst, wie dein Kinn dein Hemd berührt. Geräusche. Das Klirren von Gläsern, Eiswürfel, die Stimme des Mädchens wie ein Silberfaden inmitten der immer lauter werdenden Musik, »You want good meal?«, »Nein«, sagst du, »No«, sagst du, »sayonara«, sagst du, als du aufstehst, irgendwann später, ein Bündel Geld liegt auf dem Tisch, dein Geld, und als du dich umdrehst, draußen, in diesem bunten Nebel, der sich vor dir öffnet und von allen Seiten in deine Augen und deinen Körper dringt, steht das Mädchen hinter dir, sie hält einen dampfenden Teller Nudeln in beiden Händen so dicht vor deinem Gesicht, dass du in den Dampf atmest und dicke Fleischklumpen zwischen den weißen Fäden erkennst, dir wird übel, ein Mann neben ihr, gelber Anzug, jemand singt laut und falsch hinter der halbgeöffneten Tür, ein kleiner Mann hat auf dem Podest gestanden, das Hemd aufgeknöpft, die Brille beschlagen, ein Mikrofon in der Hand, die Tänzerin sitzt nackt auf seinem Stuhl, an seinem Tisch. »Where you go?«, und du schiebst das Mädchen und den Mann im gelben Anzug zur Seite und gehst zwischen ihnen wieder durch die Tür, durch die du eben auf die Straße getreten bist, hörst, wie der Teller auf dem Pflaster zerspringt, gehst an dem singenden Mann vorbei, hinter dem die Frau wieder tanzt und immer noch tanzt und die Stange mit beiden Händen hält, als würde sie sonst zu Boden sinken, der Mann im dunklen Anzug, der eben noch gesungen hat, ist verschwunden, du

nimmst deinen Stock, den du fast vergessen hättest, deine Beine sind kalt und taub, und du humpelst nach draußen, *Love-Hotel*, flüsterte das jemand in dein Ohr, oder hast du die englischen Worte nur gelesen auf deinen Wegen durchs Licht dieser Nacht? Der Mann im schwarzen Abzug läuft neben dir und legt seine Hand auf deine Schulter.
»Welcome in Hakone, Mister Kraushaar. Willkommen. You good friend von ..., mein guter Freund Hans. I don't speak German, just a little. I am very sorry. Good friend of Hans is good friend of mine. Welcome to Hakone. Willkommen, Kraushaar-San. We will do all the best for you, that you can rest. And you will forget all the hard times and all your troubles. It is a great honour for us to have you here. You can stay as long as you want. Please be my guest, my houses are yours, sit down and feel comfort, Mister Kraushaar.«


## II Schneeland

Du betrittst den Tempelhof, der von einer kleinen Mauer umgeben ist, durch das rotbraune hölzerne Tor. Es hat aufgehört zu schneien. Du bist am Ufer eines Flusses entlanggelaufen. Verlassene Schiffe, die du für Dschunken hieltest, schaukelten vertäut am Ufer. Große Möwen saßen auf den verrotteten Aufbauten, zwischen denen bunte Laternen baumelten. Der Wind fuhr dir kalt ins Gesicht und unter den Mantel. Ein schmaler Weg direkt am Wasser, darüber die Straßen und Häuser. Niemand kommt dir entgegen, du hörst keine Autos auf den Straßen über dir. Du gehst über eine große hölzerne Brücke, blickst auf das dunkle Wasser. Der Fluss verschwindet zwischen den Häusern.
Du stehst an einer Kreuzung, siehst eine riesige goldene Rolex-Werbung, deren Licht dich noch vor Tagen geblendet hätte. Es ist kurz nach elf auf deiner Rolex, hast du die Zeit noch nicht verstellt, seit du in diesem Land, auf dieser Insel am anderen Ende der Welt bist? Silberne Bäume auf einem Boulevard. Zehntausende Lämpchen zwischen den kahlen Zweigen. Du versuchst, dich an Weihnachten zu

erinnern, an Silvester, aber da ist nichts. Und du löst den Verschluss deiner Rolex, wirfst die Uhr in den großen Pappbecher eines Bettlers, der unter einem der silbernen Bäume hockt, ganz allein auf diesem großen leeren Boulevard. Es klappert und klimpert, als die Uhr auf die Münzen trifft, und du hörst, wie der Bettler, ein hagerer Mann mit braunem hageren Gesicht, in das seine grauen Haare fallen, dir etwas zuruft, als du weitergehst. »Bleib doch, mein Freund, ich bin hier ganz allein!« Das leuchtende Werbeschild einer Stripbar, aber das interessiert dich nicht. Du suchst den Tempel, dessen gelbes Licht in den Raum drang, in dem du lagst. *Gentlemen's Club – Live Nude – Topless.* Du bist nicht mehr oder noch nicht in diesem Neon-Bezirk, in dem Zehntausende Frauen und Tausende Aufreißer und Zehntausende Clubs und Bars und Salons und Keller und Hochebenen voller Frauen in Manga-Uniformen, in Schul-Uniformen, in edlen Kostümen, halbnackt, im Licht und im Dunkeln warten und ausschwärmen, Körper und Stein kriechen auf dich zu, und die Scheine rascheln zwischen den Schildern, *sich einmal nur ausruhen, sich einmal nur ablegen*, wie spät es wohl ist, und du wechselst die Straßenseite, läufst langsam auf den »24-Hours-Pet-Shop« zu. Keine Autos. Dieser Teil der Stadt scheint verlassen zu sein. Du drehst dich um, die hohen Fenster des Gentlemen's Club im ersten Stock, eine kleine Treppe führt zu einer kleinen Tür, ein hellblaues Leuchten, du sitzt nicht an der Bar, du siehst nicht die Mädchen, die alle sehr japanisch aussehen, wie sie nackt tanzen, mit Gasmasken vor ihren Gesichtern, in gläsernen Käfigen (........................), *Ming-Vase ist Ming-Vase*, habt ihr früher gescherzt, Fidschi-Town, aber jetzt arbeiten nur noch wenige Asiatinnen in deinen Objekten (............
..............), du bist dir nicht sicher, ob diese Informationen, die plötzlich auftauchen, stimmen. Dunkelheit. Du liegst. Es ist kalt. Schnee oder Eis bedeckt dich. Ein Geräusch, als würde jemand ein großes Schubfach aufziehen. Du liegst. Jemand beugt sich über dich und berührt mit einer silbernen Pinzette deine Augen. »Lass mich deine letzten Bilder sehen, großer Mann.«
Wie eine Explosion dringt es durch deine Augenhäute, und du duckst dich, zuckst zusammen, stehst im endlosen Strom der Fahrzeuge, in der Mitte der großen Straße, läufst auf die Bäume mit den

Lämpchen zu und bleibst vor dem »24-Hours-Pet-Shop« stehen. Käfige sind im Inneren des Ladens übereinandergestapelt. Stehen übereinandergestapelt im Schaufenster. Du erkennst Kaninchen und kleine Hunde hinter den Gitterstäben. Siehst Vögel und Glaskästen, in denen seltsame Reptilien hocken. Und ein Mann mit weißer Kittelschürze läuft zwischen den Käfigen und Kästen emsig hin und her. Hohe Käfige mit großen Papageien. Flache Glaskästen mit Ratten oder Mäusen. Ein junges Mädchen kommt aus der Tür, sie trägt eine kleine Gasmaske vorm Gesicht, deren Rüssel mit dem Atemschutzfilter ein weißes Kaninchen berührt, das sie an ihre Brust presst. Die dunklen Augen eines kleinen Hundes, den ein Mann an einer mit Glitzersteinen besetzten Leine hinter sich herzieht, die er wohl mit dem Hund in dem Laden gekauft hat. Der Hund stemmt die Vorderbeine in den Stein des Fußwegs. Du hockst dich hin und streckst deine Hand aus.

Der Hund leckt etwas Schnee von deinen klammen kalten Fingern. Und du schiebst deine Hand unter seinen Körper. Spürst, wie er bebt und zittert, und du siehst die kleine Pfütze auf dem Stein. Der kurze Schwanz klemmt zwischen seinen Hinterbeinen. Nur das Wort »Gaijin« verstehst du, als der Mann dich anschreit. Und eigentlich schreit er dich nicht an. Er redet laut und mit Nachdruck und mit tiefer Stimme. Er beugt sich runter und greift nach dem kleinen Hund, welche Rasse das ist, kannst du nicht sagen. Die Leine verheddert sich um die Vorderbeine des Hundes, den der Mann jetzt, wie die Frau vorhin das sehr große und lange Kaninchen, an seine Brust drückt. Er trägt eine Jacke mit dem Aufdruck irgendeines Sportvereins. Wo ist dein Stock? Er liegt auf dem Gehsteig neben dir. Als du ihn aufhebst, siehst du, dass er nass geworden ist. Die Pisse des kleinen Hundes tropft von dem Holz.

Der Hund blickt dich an. Die Augen weit aufgerissen. Er sitzt auf einem steinernen Sockel. Im Hof des Tempels. Du stehst vor dem Sockel, siehst das Fletschen der Vorderzähne. Schnee auf dem Kopf des Hundes wie weißes Haar. Lacht er, oder heult er den Himmel an voller Zorn? Der kräftige Oberkörper ruht auf den breiten Pfoten. Du stehst allein im Hof des Tempels. Gelbe Laternen leuchten im Inneren des Tempels, zu dem eine kleine Treppe führt. Hölzerne

Pfeiler in diesem Portal, dahinter ein Raum, weitere schmale Säulen, Wände aus Holz und Papier, weit hinten erkennst du die großen Laternen. Weit weg scheint das dir. Hineingehen. Nur einen Moment ruhen. Es ist Nachmittag. Die Dämmerung liegt schon über den Bäumen.
Bist du nicht in Hakone, diesem seltsamen Ort, an den sie dich geschickt haben aus deiner Stadt, auch im Hof eines Tempels gewesen, im Inneren eines Tempels sogar? Mit dem Mann, dessen Gast du warst. Der dir Tee bereitete in jahrhundertealten Gefäßen, den Tee in kleinere Gefäße goss, die nur ein wenig jünger waren. Der dir die Zeremonien erklärte, aber dein Körper und dein Hirn waren zu schwach, um alles aufzunehmen. Ein ewiger Kreislauf des Sichverbeugens. Und als du die Stäbchen im Reis stecken ließest, verstummte die Runde. Männer in dunklen Kimonos. So würdest du diese Gewänder nennen. Die Männer senkten die Köpfe. Und der Schatten deiner Stäbchen an der papiernen Wand. Wie die dünnen, knöchernen Ohren eines Kaninchenskeletts. Was für ein Unsinn.
»Shin-de-iru.«
»Put this down, Grauhaar-San.«
»Mein Name ist Kraushaar.«
»Put this down, please. This means death. The sign of the death.«
Und seine Stäbchen stachen vor ihm wie zwei Finger aus dem Reis. Und als er versuchte, sie zu greifen, gelang es ihm nicht. Seine Hände spürten, wie alle Kraft aus ihnen wich. Die Männer, die zum Essen eingeladen waren, in ihren dunklen Kimonos, hielten die Köpfe gesenkt, rührten sich nicht, nur der Mann, der dir später oder früher den Stock überreichte, sprach leise, aber mit ebenfalls gesenktem Kopf auf dich ein.
»This is the shadow of death. You must put it down please.«
»Kage«, hörst du eine sonore Stimme aus der Tiefe des Raums.
Ein dicker, in weiße Gewänder gekleideter Mann geht auf der Terrasse des Tempels auf und ab, in stetiger Hast, sich immer wieder Richtung Tempel verbeugend, verschwindet er dann im Inneren. Du schreitest langsam an dem Hund vorbei, siehst dann einen anderen Hund, eine andere steinerne Statue an dem Tor auf der anderen Seite des Tempelhofes. Auch der fletscht die Zähne, sieht aber nicht

so zornig aus wie sein Bruder am gegenüberliegenden Tor. Der Lärm der Stadt ist hier nicht zu hören. Du spürst, wie kalt es wieder geworden ist, schiebst die Hände in die Manteltaschen, spürst, dass sich dort etwas bewegt zwischen deinen Schlüsseln, eine kleine silberne Kugel fällt auf den Steinboden und bleibt in dem kleinen Streifen Schnee vor der Treppe liegen, die zum Hauptgebäude führt, zum heiligen Schrein, du kennst dich nicht aus mit diesen Dingen, hattest du nicht einen Freund, einen Mitarbeiter, deinen dritten Mann, der sich auskannte mit all diesen Dingen. Fernost, Buddha, Kung Fu und Konfuzius. Steffen, du erinnerst dich. Fragmente in deinem Kopf. Karate-Steffen aus …, wie hieß das Nest, und was machst du im Hof dieses Tempels?, *Kleinmutzschen*?, weit weg von *allem*. Und du willst die silberne Kugel aufheben, greifst in den Schnee am Fuß der Treppe, du findest die Kugel nicht, aber was willst du überhaupt mit ihr, sie gehört wohl zu diesem seltsamen Spiel »Pachinko«, ratternd fällt und läuft die Kugel durch die Kanäle und Gassen zwischen den Stahlstiften, ändert die Richtung, rotiert zurück, verschwindet in einem Schacht. Wann sind die Jugos gekommen, denkst du plötzlich und legst die Hände in den Schnee. Ein Krieg hier, ein Krieg dort. Du stehst auf und wischst dir mit den feuchten, kalten Innenflächen deiner Hände übers Gesicht. Du spürst deine Bartstoppeln und fragst dich, wann du dich das letzte Mal rasiert hast. Wie lange bist du schon in dieser Stadt? Und warum ist hier Winter, wo doch in deiner Stadt, so weit weg, auf einer anderen Rundung der Welt, auch Winter ist. Und du stehst zwischen den beiden Hunden auf den steinernen Sockeln, zwei, drei Schneeflocken bewegen sich ganz langsam vor deinem Gesicht, als würden sie schweben, als würden die Sekunden langsamer vergehen auf dem Hof des Tempels, wieder schließt du die Augen, und wieder siehst du einen Blitz und zwei silberne Projektile, die irgendwo in der Dunkelheit verschwinden, ganz langsam gehst du über den leeren Hof, die Augen immer noch geschlossen, du hörst deine Schritte, den Tempel im Rücken, den Tempel vor dir, was spielt das für eine Rolle, denkst du, ob die Vergangenheit stimmt, was wann einmal wahr war, und ob deine Wege hier enden … Das gelbe Licht aus dem Inneren des Tempels. Es ist Abend geworden, und du bist immer noch hier. Auf dem

kalten Stein des Hofes. Deine Haare sind feucht, dein Atem dampft weiß in der Dämmerung.
Wie eine überdachte Futterkrippe steht das kleine Wasserbecken im Schatten des Tempelgebäudes. Das Wasser ist mit einer Eisschicht bedeckt. Ein hölzerner Schöpflöffel an einem Strick. Du greifst nach dem Löffel, spürst, wie ausgetrocknet dein Mund ist, kannst dich nicht erinnern, wann du das letzte Mal etwas getrunken hast. Dann siehst du den dunkelgrünen, fast schon schwarzen Körper des Frosches, groß wie eine Faust, unter dem dünnen Eis. Reglos treibt er im Wasser, die Glieder weit vom Körper abgespreizt.


III  Kabukichō

Du hebst den Kopf. Du sitzt am Tresen einer sehr schmalen Bar. Grüne glänzende Kacheln an der Wand neben dir. Der Tresen ist aus poliertem Holz. Vor dir steht ein volles Glas. Der schmale Raum ist nur einige Meter lang, wie ein winziger Tunnel.
Du siehst eine Frau vor den Regalen, in denen unzählige Flaschen stehen. Sie scheint dich nicht zu beachten. Ihre schwarzen Haare sind hochgesteckt, und sie trägt ein traditionelles blaues Gewand. Du hast diese Art von Gewändern schon einmal gesehen. Irgendwann in den letzten Tagen, deine Beine und deine Füße schmerzen, du musst viel gewandert sein. Durch Hakone, wo immer dieser seltsame Ort liegt, nur einige Bilder und Erinnerungen in deinem Kopf, das Meer, flache, geschwungene Hügelketten, und durch diese Stadt, Tokio, wie immer du auch hierhergekommen bist, eine lange Zugfahrt, wie bist du aus dem Haus mit den Wänden aus Papier zum Bahnhof gekommen, du erinnerst dich an einen schneebedeckten Berggipfel, den du aus dem Zugfenster gesehen hast. Wann genau ist das gewesen? Kein Bahnhof in deinen zerschnittenen Erinnerungen. Dein Haar ist feucht. Du streichst über dein glattes, kaltes Gesicht, spürst einen kleinen verkrusteten Schnitt unterhalb des Jochbeins. Du drehst dich um und erkennst kaum den Stock, der hinter dir an der Wand im Schatten lehnt. Ein mattes gelbes Licht liegt

über dem Tresen und der Frau und den Regalen. Du greifst nach dem Glas, die Eiswürfel klimpern leise. Als du es zum Mund führst, merkst du, dass es leer ist. »Konichawa«, sagst du in Richtung der Frau und erinnerst dich, dass der Mann in Hakone versucht hat, dir ein paar Brocken Japanisch beizubringen. Der Mann, der dir den Stock überreicht hat, der jetzt hinter dir im Schatten steht. Der Stock mit dem Drachenkopf. Oder war es der Kopf eines Dämons, eine hundeartige Fratze …, du willst dich nicht noch einmal umdrehen. »Konichawa«, sagst du, der Mann, der dich zu den heißen Schwefelquellen geführt hat. Der Mann, zu dem sie dich geschickt haben, ein langer Flug, ein langer Flur, entlang den Grenzen zum All.

Jetzt erst hörst du die leise Musik. Irgendeine japanische Schnulze, eine Frau singt klagend zum Klavier. »Und meine Tränen, Perlen, an einem Wintertag …« Du blickst auf. Summt das die Frau, genau zur Melodie der leisen Musik, oder ist das irgendwo in deinem Kopf, irgendein deutscher Schlager, den du irgendwann einmal gehört hast? Du hast Angst, dass die Stimmen zurückkommen. Die Frau dreht sich zu dir. Die Aufschläge ihres blauen Gewandes hat sie auseinandergeschoben, so dass du ihre Brüste sehen kannst. Eine Brust, ihre linke?, ist braun, fast schon schwarz, und erschrocken erkennst du das große Muttermal, das fast ihre gesamte Brust bedeckt, sich bis zum Schlüsselbein zieht. Die Frau summt wieder etwas vor sich hin, beugt sich vor, greift unter den Tresen und hält dann eine kleine Nagelschere in der Hand.

Du willst etwas sagen, aber sie bückt sich noch einmal, breitet eine Zeitung vor sich auf den Tresen, legt eine Hand unter die Brust mit dem dunkelbraunen Muttermal, schiebt ihren Oberkörper so weit vor, dass ihre Brust sich direkt über der Zeitung befindet, und befühlt sie mit der Hand und schneidet ein paar Haare ab, die an einigen Stellen aus dem Muttermal wachsen, du siehst, wie sie langsam und kaum sichtbar aufs Papier der Zeitung fallen, zwischen den schwarzen Zeichen verschwinden.

»Was machst du«, willst du sagen und kannst fast ihre Schulter berühren, ihre Brust berühren, ohne den Arm weit auszustrecken, so klein und schmal ist der Raum der Bar, so nah bist du ihr.

Du hörst das leise Klappern der Schere zwischen der immer gleich klingenden Schlagermusik. Du knöpfst deinen Mantel zu und stehst auf. Du willst einen Schein auf die Theke legen, spürst dein Portemonnaie in der Innentasche, lässt es aber dann. Die Frau beachtet dich immer noch nicht, scheint sich nicht zu stören an deiner Anwesenheit. *Du bist gar nicht hier.* Du willst gehen, drehst dich zur Wand, siehst aber keine Tür zwischen den glänzenden grünen Fliesen. Ein Geräusch auf der anderen Seite des Tunnels. Wieder drehst du dich um. Die Frau streicht mit beiden Händen über die Zeitung, ein winziges Häufchen schwarzer Haare. Du kannst nicht anders und musst auf das Muttermal blicken. Du erkennst die dunkelbraune Brustwarze inmitten dieses Flecks. Ein Mann steht am anderen Ende der Bar. Du gehst auf ihn zu, er geht an dir vorbei. Deine Schulter berührt seine Schulter. Das Rascheln von Papier. Du hörst, wie er etwas zu ihr sagt. Du greifst die Klinke der kleinen dunklen Holztür, durch die er gekommen sein muss. *Wo bist du. Du willst nach Hause.* Als du dich umdrehst, die Klinke in der Hand, die Tür schon halbgeöffnet, siehst du, wie der Mann im hellen Anzug, der dich an den Mann in Hakone erinnert, der dich an irgendeinen Mann erinnert, ihre Brust mit dem Muttermal mit beiden Händen gepackt hat und sich lachend über den Tresen zu ihr beugt.

Als du später in dem Auto sitzt und durch die getönten Scheiben auf die Straßen aus Glas und Licht schaust, ist deine Hand warm und feucht, weil der Knauf deines Stockes warm und feucht ist. »Willkommen in Kabukichō«, sagt die alte Frau, die dir gegenübersitzt und ein Glas in der Hand hält, in dem die Eiswürfel leise klirren. Sie spricht Deutsch mit einem dunklen Akzent, in einem hölzernen Barkasten neben ihr und vor dir stehen Flaschen und Gläser. »Willkommen in Tokio. Bedienen Sie sich, Kraushaar-San.« Sie weist mit beiden Händen auf den Barkasten, zeigt ihm ihre Handflächen dabei. Kleine Hände. Sie trägt einen aufgeknöpften grauen Mantel über einem dunklen Kostüm. Ihr Haar ist fast weiß. Sie berührt dein Knie. Nein, nur der Wagen bremst ab, und sie beugt sich kurz zu dir, lehnt sich dann wieder in die Ledersitzbank. Du spürst ein Summen in deinem Knie, im Oberschenkel, wo die Wunde ist. »Verzeihen Sie die Umstände, Sie sind sicher müde.«

»Nein«, sagst du, »ich bin nur ..., bin nur ... eben noch woanders gewesen.«
»Ja«, sagt die alte Frau und lächelt, »hai. Sie sind weit gereist.«
Die Tür hinter dir ist geschlossen. Du bist nicht auf der Straße. Eine halbdunkle Halle.
Menschen, die dir bis zur Brust reichen, tanzen im Halbdunkel. Tanzen direkt vor dir. Bewegen sich dann langsamer. Du blickst in ihre starren Gesichter, auf ihre kantigen Kiefer. Erkennst dann, dass es Puppen sind. Siehst die langen dünnen Fäden. Und Männer in schwarzen Gewändern, ohne Gesichter, die kaum erkennbar hinter den Puppen stehen. Du rutschst an der Tür nach unten. Gesang und Worte dringen zu dir. Du erkennst Gestalten auf einem langgezogenen Podest, vor dem sich ein Gitter aus hellen Bambusstäben befindet, einige sitzen, einige stehen, von dort kommt der Gesang, kommen die Worte, die du nicht verstehst, du siehst, wie sie die Arme bewegen hinter dem Gitter, oder sind das die Arme der großen Puppen?, wie sich die Schatten bewegen, auf dem Boden, zwischen den Puppen, deren hervorstehende Augen dich anblicken, und die schwarzen gesichtslosen Männer mit den Fäden bewegen sich mit ihren Puppen von dir weg.
»Ich hätte Sie gern in ein besseres Theater geführt.«
»Was für ein Theater?«
»Eine alte, sehr alte Tradition, Kraushaar-San. Sie waren am Rand von Shinjuku, am Rand von Kabukichō, Kraushaar-San.«
»Ich weiß nicht, wo ich war.«
Und du tastest dich an der Wand entlang, sitzt auf dem Boden, aber das stört dich nicht, weil du gesehen hast, dass sie hier viel und oft auf dem Boden sitzen, in diesem fernen Land, in das sie dich geschickt haben, damit du dich erholst. Du kannst dich nicht daran erinnern, aber der Mann in Hakone hat es gesagt.
Und du schaust aus dem Schatten, »Kage«, sagt einer der Männer, ohne aufzublicken, während du dich zu den Stäbchen, die in deinem Reis stecken, beugst. Schaust aus dem Schatten auf die Puppen und erkennst immer noch kaum die schwarzgekleideten Marionettenführer, deren Gesichter unter den schwarzen Umhängen verborgen sind, die du vielleicht Kimonos nennen würdest, aber du weißt, dass

das sicher nicht die richtige Bezeichnung ist. Der Gesang und die Stimmen, die von dem Podest an der Wand gegenüber kommen, werden immer lauter, klingen immer dramatischer, und du versuchst zu begreifen, wie die Stimmen und die Bewegungen der Puppen zueinanderpassen, zueinandergehören. Und du begreifst, dass du sie nicht sehen musst, nicht sehen sollst, die Männer mit den Fäden. Eine Frauenpuppe in einem blauen Kimono klagt laut und singt laut, beugt sich, verbeugt sich. Legt die Hände an ihre Brust, legt die Hände an ihre Haare. Irgendein Unglück muss passiert sein, denkst du. Und dann denkst du, dass du deine Frau noch nicht angerufen hast, seit du hier bist, in diesem Land bist, aber dann spürst du, dass es dir egal ist. Dann denkst du an deinen Sohn, aber auch das ist fern und berührt dich nicht. Und war in all den Tagen, die du durch diese Stadt gewandert bist, nicht bei dir. Und je länger du ins Halbdunkel der Halle starrst, erkennst du auch andere Zuschauer, die auf Matten hocken, je länger du auf das Spiel der Puppen starrst, umso mehr verstehst du die Geschichte. Ein Vater und ein Sohn. Die Geliebte des Sohnes. Der Vater will, dass er sie verlässt. Der Vater ist wohl ein angesehener Samurai. Der Vater der Geliebten des Sohnes gehört zu einem anderen Clan. Ein Krieg, eine Fehde. Die alte Geschichte, denkst du. Die Geschichte der Welt. Jede der großen Puppen hat mehrere Führer, die in einer vollkommenen Abstimmung die Glieder der Puppen bewegen. Und nur die Gesichter derer, die die Fäden der Köpfe führen, sind zu sehen. Helle Gesichter zwischen dem dunklen Stoff. Du spürst eine große Müdigkeit. Sich einmal nur ausruhen, sich einmal nur hinlegen. Die lauten Gesänge, der Chor der Stimmen von der anderen Seite des Raumes. Gitter kannst du keine mehr erkennen. Dein Kopf sinkt langsam auf die Brust. Du spürst ein Ziehen in deinen Beinen, ein Ziehen in deinen Armen, wie viele Tage und Nächte bist du ohne Schlaf gewandert. Du erinnerst dich an Hakone, diesen seltsamen Landstrich irgendwo auf der Insel, irgendwo in der Nähe dieser riesigen Stadt, erinnerst dich an deine Angst vor der Dunkelheit des Schlafes, wenn du in dem Haus aus Holz und Papier lagst. Die leisen Geräusche eines fremden Waldes, in den du nachts manchmal gegangen bist, Bäume wie große Farne, manchmal schneite es, und du hast dich gewundert, warum diese Farne auch im Winter ihre Blätter behielten, vielleicht eine Art fernöstliche Tanne, *wie grün sind deine Blätter*, der Mond manchmal über dem Wäldchen, wenn der Himmel klar war, die Sterne in einer Ordnung, wie du sie nicht kanntest, du hast manchmal am Ufer des Sees gestanden, in deiner Stadt, an deinem Haus, mit einer alten drehbaren Sternenscheibe, die du vor vielen Jahren im Astronomie-Unterricht benutzt hast, hast den Fuhrmann gesucht und Perseus und den Großen Walfisch, und in dem kleinen Wäldchen legst du den Kopf in den Nacken und denkst, dass die Welt eine andere ist inzwischen, du trägst einen weißen Kimono, als wärst du schneebedeckt, aber du frierst nicht, gehst ein paar Schritte zwischen den Bäumen, blickst in die Schatten, wenn der Mond da ist, blickst in die Dunkelheit, wenn der Mond nicht da ist, der Schnee gibt immer ein wenig Licht, als würde er den Tag speichern, du stützt dich auf deinen Stock, manchmal hörst du leise Stimmen zwischen den Bäumen, aber du weißt, dass da niemand ist, du gehst weiter in den Wald hinein und weißt, dass du nur deinen Spuren folgen musst, um zurückzukommen, auch wenn es schneit, ist der Weg nicht weit, *ein Reim ein Reim, ein Königreich für einen Reim*, Matthias Reim, *Verdammt ich lieb dich*, und du lachst laut und würdest dich nicht über ein Echo wundern, aber dein Lachen verschwindet im Schnee und zwischen den Bäumen.

Einmal hast du einen Hasen gesehen, einen grau-weiß gesprenkelten Hasen, du siehst diesen Hasen wieder im Käfig des »24-Hours-Pet-Shop«, er saß in der Mitte einer kreisrunden Lichtung, kaum zu erkennen auf dem Schnee, der Mond war da, und der Mond war nicht da, er kam dir groß vor, dieser Hase, anderthalb Ohren hatte er nur, abgefroren, abgebissen, und deswegen hast du ihn wiedererkannt in dem Käfig des »24-Hours-Pet-Shop«, was hast du nur mit den Tieren in diesem Land, auf dieser Insel, denkst du, ein Ausflug in den japanischen Zoo, aus dem du den Ausgang nicht findest.

Der Vater verstößt seinen Sohn und klagt und weint und singt dann von seinem Leid. Während der Sohn im Schatten steht und ein Schwert in beiden Händen hält. Und dann in der Dunkelheit verschwindet. Wohin geht er? Du berührst die Blätter der großen Farne. Die Mutter, zumindest denkst du, dass es die Mutter ist, rennt

zwischen Vater und Sohn hin und her, singt hoch und kreischt fast, und du hörst ein Lachen aus den Reihen der Zuschauer, während die Krieger aufmarschieren. Ein Hügel inmitten des Waldes. Nur zwei oder drei verkrüppelte Bäume dort oben. Dein Atem dampft weiß in der Nacht, während du, auf deinen Stock gestützt, über den knirschenden Schnee schreitest, vor den drei Bäumen stehenbleibst. Der Hügel ist nicht besonders hoch, aber du kannst die Umrisse deines Hauses, des Gästehauses, erkennen. Weit hinter den Bäumen. Und die etwas höheren Häuser des Anwesens, in dem der Mann aus Hakone dich als seinen Gast begrüßte. Ehrengast. So leicht sagt sich das in deiner Sprache. Einmal hast du gesehen, als du durch eines der Fenster blicktest, wie er sich mit einer Lupe im Auge über einen Tisch voller winziger glänzender Steine beugte. Du hockst dich hin und presst die Hände in den Schnee, hältst ein paar winzige Flocken zwischen deinen Fingern gegen das Mondlicht. Zwei Nadelbäume und ein halbverdorrter Farn.
Die fächerförmigen großen Zweige und Blätter sind gelb, Zweige oder Blätter mit kleineren Blättern wie die breite Klinge eines Messers. Du erinnerst dich, dass du einmal (oder mehr als einmal, so genau ist deine Erinnerung nicht) im botanischen Garten deiner Stadt gewesen bist. Als du ein Kind warst. Hast du da nicht irgendwelche Früchte gesucht, von Pflanzen, exotischen Pflanzen, von denen du geträumt hast? Oder gelesen. Hast harte, holzige Knollen in deinen Rucksack gepackt. Und ein paar weiche, überreife Früchte, die du nicht kanntest? Aber was kanntest du schon und wusstest du schon in dieser Vergangenheit unter den vergangenen Sternen. Und da musst du wieder lachen und siehst den Hasen mit den anderthalb Ohren am Fuß des Hügels. Grün und erdig wie ein riesiger Frosch. Und schnell ist der wieder weg, weil ihn dein lautes Lachen in dem stillen Wald erschreckt hat. Denkst du. Und hast du nicht vor Farnen gestanden, den roten oder blauen Campingbeutel auf dem Rücken, die dich an große Brennnesseln erinnerten und die du nicht anzufassen wagtest. Und nun stehst du hier und lehnst dich an den toten Baum, zwischen den verkrüppelten Nadelbäumen. Du hast nie viel von den großen Erklärungen gehalten. Nachts in diesem Wäldchen sind deine Erinnerungen seltsam klar. Dein Freund Stef-

fen hatte immer irgendwelche Sprüche parat. Aus seinem »Hagakure« oder den Plaudereien des Buddha, du hast all seine Bücher fast vergessen, obwohl es noch nicht lange her ist. Und hat er dir nicht eins geschenkt zum Abschied? Und war doch auf die Kariere bedacht, wie alle anderen. Wenn es ums Geschäft ging. Hat vom Weg des Samurai geschwafelt und ist dann doch gegangen, weg aus der Stadt, weg von dir, den Weg der Engel, aber du hast ihn gemocht.
Wenige Leute um dich herum, mit denen du reden konntest. Weil er gewusst hat, dass man die Straße verlassen muss. »Ja, ja«, sagst du laut, sagst du leise und denkst dir, dass der alte Farn noch nicht ganz gestorben ist, weil die verkrüppelten Nadelbäume ihm zumindest etwas Schutz gaben hier oben. Hier und da noch einige grüne Blätter an den großen gelben Fächern des Farns. Ob dein alter Freund Steffen weiß, dass du hier bist? Aber woher sollte er. Du selbst weißt es ja nicht einmal richtig. Du steigst von dem Hügel herab und rutschst ein paarmal aus und setzt dich auf deinen Arsch. Scheiß Kimono. Wenig Stoff über deinem Körper. Du greifst links und rechts in den Schnee.
Deine Arme schnellen in den Raum. Auf ebener Erde hockst du, und es treibt dich nach oben. Reißt dich an deinen Gliedern nach oben. Und du drehst sich um und suchst die dunklen Gestalten, die du doch erkennen müsstest in dem plötzlichen, gleißenden Licht. Und Musik dringt in deine Ohren, dringt in deinen Kopf. Frauen vor dir. Eine große Gruppe von Frauen tanzt in seltsamen Mustern durch die Mitte des großen Raums. Dieses ungeheuren Raumes, an dessen Wand du eben noch gesessen hast. Oder befindest du dich in einem anderen Raum? Die Gesichter der Frauen sind weiß geschminkt. Sie tragen Lederhalsbänder in verschiedenen Farben. Du tanzt mit ihnen und weißt nicht, warum, und weißt gar nichts. Hörst ohne Gedanken in deinem Kopf die Rufe der Zuschauer. Und synchron verschwinden die Slips der Frauen, und du siehst ihre Schwänze, kleine, große, dunkelhäutige, hellhäutige, die zwischen den Beinen der Frauen hin und her schwingen (*Moment, Moment, so groß sind die nicht!*). Und als ob eine Vakuumpumpe (Marktschreier 1: *Schwäääänze, große Schwänze!*) dich durch den Raum saugt, taumelst du fremdbestimmt durch dieses verrückte Tanzorchester hindurch.

Du hockst, du stehst. Glieder und Schwänze in deinem Gesicht. Zwei kleinwüchsige Frauen klammern sich an deine wunden Beine. Zwerginnen, deren Köpfe an deinen Gürtel schlagen. Du reißt eine Tür auf und stehst auf der Straße, suchst nach deiner Sonnenbrille in den Taschen deines Mantels, in den Falten deines Kimonos. Denn Strahlungen verbrennen deine Netzhäute, deine Augenhäute. Du legst den Kopf in den Nacken und siehst eine vielfarbige Sonne über den Häusern, du taumelst in die Gasse hinein, eine Hand berührt deine Schulter, du willst dich nicht umdrehen, Schneeregen legt sich auf deine Lesebrille, *aber du hast doch noch gar keine, verdammt nochmal.* »Bleib bei uns in den Schatten, großer Mann.« Und du rennst.
»Und, wie gefällt Ihnen unser Disneyland?«
Du hältst ein Glas in der Hand, blickst aus dem getönten Fenster der großen schwarzen Limousine, nichts Neues zu sehen auf diesen Straßen.
Du bist müde und seltsam wach zugleich und nimmst all die Lichter und Bewegungen um die Limousine herum gar nicht mehr wahr, du bist längst ein Teil dieses Stroms geworden. »Woher können Sie so gut …«
»Mein Großvater liebte die deutsche Sprache«, sagt die weißhaarige Dame, »er hat für die deutsche Botschaft gearbeitet, vor sechzig Jahren. Die alte Achse, wenn Sie verstehen.«
»Die alte Achse«, sagt du, »Berlin, Tokio …«
»Berlin, Rom, Tokio«, sagt die weißhaarige Dame, »Großvater hat mich auf eine deutsche Schule geschickt. Die deutsche Kultur hat mich immer interessiert. Hölderlin, Brecht …, die Ode an die Freude. Mozart. Großvater war ein sehr gebildeter Mann. Ich habe viele deutsche Bücher gelesen. Ich habe viele Jahre einen deutsch-japanischen Club geleitet. Wir haben uns jede Woche getroffen. Bis heute treffen wir uns und reden und lesen.«
»Ein deutsch-japanischer Club«, sagst du.
»Gekommen ist der Maie, / Die Blumen und Bäume blühn, / Und durch die Himmelsbläue / Die rosigen Wolken ziehn.« Sie bewegt die Arme, die Hände vor ihrer Brust, während sie rezitiert, und ihre Stimme klingt viel höher, fast wie ein fließender Gesang, so dass es dir einen Augenblick scheint, eine andere alte weißhaarige Dame

würde vor dir sitzen. »Die Nachtigallen singen / Herab aus luftiger Höh, / Die weißen Lämmer springen / Im weichen grünen Klee.« »Sehr schön«, sagst du, aber sie ist noch nicht fertig.

»Ich kann nicht singen und springen, / Ich liege krank im Gras; / Ich höre fernes Klingen, / Mir träumt, ich weiß nicht was.« Sie neigt leicht den Kopf und lächelt. »Wirklich, sehr schön«, sagst du noch einmal.

»Heinrich Heine. Mein Großvater liebte dieses Gedicht. In Ihrer Stadt, Kraushaar-San ..., wie arbeiten Sie da?«

»Wie wir arbeiten ...«, sagst du und hebst langsam dein Glas, bis es kalt deine Unterlippe berührt, aber du trinkst nicht. Ihre Stimme immer noch in deinem Kopf. *Die weißen Lämmer springen.*

»Kabukichō«, sagt die weißhaarige Dame, »wir leben in einem Land voller Huren.«

»Wir leben in einem Land voller Huren«, sagst du.

»Sind Sie vorher schon einmal in Japan gewesen?«

»Nein«, sagst du.

»Vor langer Zeit gab es hier ein Theater. Deswegen der Name, Kraushaar-San. Kabuki. Es gab dieses Haus wirklich, vor über fünfzig Jahren, auch wenn wir es vergessen haben. Später kamen die Yakuza hierher. Aber ich mag diesen Namen nicht.«

»Die Yakuza«, sagst du.

»Nein«, sagt die weißhaarige Dame und lächelt, »ich bin kein Yakuza. Und ich nenne sie lieber Gokodu. Nicht viele Straßen weiter beginnt McDonald's. Kabukichō stirbt langsam. Die Grenzen verschieben sich. Unsere eigenen jungen Leute haben keinen Respekt vor den alten Geschäften.«

»Ihr Deutsch ist exzellent«, sagst du.

»Sie sind sehr freundlich, Kraushaar-San.«

»*Sie* sind sehr freundlich«, sagst du, »wie darf ich Sie ansprechen.«

»Mein Name ist Sansori«, sagt die weißhaarige Dame, »so würden Sie es sagen, in Europa.«

»Wie haben Sie mich gefunden, Frau Sansori«, fragst du.

»Was spielt das für eine Rolle«, sagt die weißhaarige Dame Sansori und lächelt. Du blickst auf ihre kleinen Zähne, die fast so weiß wie ihr Haar sind. »Ich wollte Sie gerne kennenlernen, Kraushaar-San.

Wir arbeiten in derselben Branche. Sie hatten Probleme mit ihrem Geschäft?«
»Es gab gewisse Meinungsverschiedenheiten«, sagst du.
»Meinungsverschiedenheiten. Ein sehr schönes deutsches Wort. Jemand kam mit einem Schwert aus dem Dunkel? Und Sie waren zwischen den Welten?«
»Ich weiß nicht, wo ich war«, sagst du.
»Das ist alles sehr einfach«, sagt die Dame Sansori, »Sie waren zu Gast in Hakone, jetzt sind Sie zu Gast in Tokio. Damit Sie zurückkehren können in Ihre Stadt. Willkommen, Kraushaar-San.« Sie neigt leicht den Kopf. Und auch du neigst leicht den Kopf. »Sie sagten Gokodu …«
»Das ist jemand, der seinen Weg sucht, Kraushaar-San.«
»Sie können gerne Arnold sagen.«
»Hat es Ihnen nicht gefallen in Hakone, Arnold-San?«
Du antwortest nicht. Die Dame Sansori schenkt sich Whisky nach und nimmt mit einer silbernen Zange Eiswürfel aus einem Fach des Barkastens, die sie in ihr Glas fallen lässt. »Bedienen Sie sich, Kraushaar-San. Das ist der beste japanische Whisky. Eine Unsitte, dass die jungen Leute nur amerikanischen oder schottischen Whisky trinken in Japan. Trinken Sie japanischen Whisky in Deutschland?«
»Ich wusste nicht …«
»… dass wir sehr guten Whisky haben in Japan?« Liegt es an ihrer tiefen, weich und doch rau klingenden Stimme, dass du dich so ruhig und vollkommen gelassen fühlst? Als würdest du seit Stunden mit ihr in dieser Limousine durch die Nacht fahren. Und könntest weitere Stunden einfach hier sitzen. Wenn die Dame Sansori »Japan« sagt, dehnt sie das letzte A dieses Wortes, ein langes, sekundenlanges A nach dem ersten kurzen. Japaaan.
»Unsere Welt ist anders. Ein anderer Stern. Ein lautes ›Ja‹ bedeutet: Nein. ›Vielleicht‹: Niemals. Sie haben sicher viele Fragen, Kraushaar-San.«
»Ich weiß nicht. Vielleicht nur eine.« Du hörst dich sprechen und weißt plötzlich nicht, wie viel du schon erzählt hast und wie viel du schon gefragt hast und wie viel sie schon gefragt hat und wie viel sie schon erzählt hat. Der Strom ihrer Worte.

»Es ist eine alte Tradition«, sagt die Dame Sansori, »wie bei Ihnen auch. Es war mein Weg, dass ich mich dieser Tradition angenommen habe.«

Und wieder wunderst du dich, wie nahezu perfekt ihr Deutsch ist. Die alte Achse. Wer hätte das gedacht. Großvater Adolf. Und draußen, vor den getönten Scheiben des Wagens, werden die Straßen jetzt dunkler, du erkennst Hochhäuser am Rande der weitläufigen Fußwege, spärlich beleuchtete Türme, weite, freie Flächen zwischen ihnen, dann wieder Stein und Glas in seltsamen Ballungen, die Lichter einer Hochstraße, grüne, rote Ampeln, dann wieder stille Straßen, weite Wege, die Nacht scheint hier jetzt Nacht zu sein. Sitzt noch ein zweiter Mann neben dem Fahrer? Du kannst es nicht erkennen hinter der Trennwand, in deren Mitte sich ein kleines ebenfalls getöntes Fenster befindet.

»Die Gesetze, müssen Sie wissen, Kraushaar-San, verbieten den Verkehr. Verzeihen Sie mir meine offenen Worte, aber so sagt man doch ..., für Geld, Kraushaar-San. Hier in Japan.«

»Sie möchten etwas erfahren, über unsere ..., meine Geschäfte.«

»Sie sind sehr kultiviert für einen Gaijin, Kraushaar-San. Ich mache Scherze. Ich bin eine alte Frau.«

»In meinem Land sind diese Dinge, von denen Sie sprechen, auch nicht so einfach. Aber es gibt auch dort Wege für diese alte Tradition.« Auch im Inneren des Wagens scheint es dunkler geworden zu sein, aber die gelben Lämpchen direkt über den Türen leuchten immer noch.

»Gokodu«, sagt die Dame Sansori und nickt. »Die Menschen bei Ihnen würden es sicher nicht mögen, wenn sie uns hören, wie wir sprechen.«

»Nein«, sagst du, »würden sie nicht. Und bei Ihren Geschäften, Frau Sansori ...?«

»Wir sind ein Land voller Huren.«

Hat sie das nicht schon vorhin einmal gesagt, überlegst du. Ihre Lippen sind sehr schmal jetzt, ihre dunklen Augen mustern dich. Sie nimmt eine Zigarette mit einem langen weißen Filter, zündet sie an, und du denkst, dass es sehr elegant aussieht, wie sie raucht. »Verzeihen Sie meine Worte, Kraushaar-San. Ich bin eine alte, harte Frau.«

»Das kann ich nicht beurteilen«, sagst du nach einer Weile, weil du nicht weißt, was du sagen sollst.
»Doch, das können Sie gut, denn Sie wissen, wer ich bin. Was ich bin. Sie verstehen die Dinge, Kraushaar-San. Deswegen sind Sie hier. Und deswegen spreche ich mit Ihnen. Und deswegen sprechen Sie mit mir.«
Du blickst aus dem Fenster und siehst, dass der Wagen jetzt über eine Hochstraße fährt, über eine der Hochstraßen, du siehst die trüben Lichter der Stadt wie durch einen Nebel, weit weg ein buntes Flimmern, aber deine Augen sind müde, der Wagen ist in einem Tunnel, verlässt ihn gleich darauf wieder, du siehst eine andere Hochstraße, die die Fahrbahn über euch kreuzt, dann wechselt der Wagen mehrfach die Spur, und es scheint dir, ihr würdet zurückfahren, den Weg zurückfahren, den ihr gekommen seid, ist das nicht der helle, schneebedeckte Kegel des Fuji-Berges am Horizont? Aber woher willst du das wissen, und deine Augen sind müde.
»Wir sagen immer, die Jungen sind respektlos geworden. Die alten Gesetze gelten nicht mehr. Doch wir selbst sind gierig geworden, Kraushaar-San. Es gab eine Zeit, da habe ich die Ware aus Thailand bestellt. Der große Handelsweg der Thai. Habe Geschäfte mit den Triaden gemacht. Mit den neuen großen Syndikaten habe ich Geschäfte gemacht. Habe bei McDonald's die Ware gekauft. Doch wozu?«
»War es vorteilhaft?«, sagst du, »Ware … bei McDonald's …«
»Die Dinge sind nicht so einfach, Kraushaar-San. Es gab einst die Frauen, die wir Asobi nannten. Sie waren begabte Unterhalterinnen. In Kabukichō stehen jetzt die … Schulmädchen. Wie vor tausend Jahren die Ukareme, die einfachen Huren. Und die Triaden bringen die Thai übers Wasser. Wir haben die alten Werte vergessen. Die Geschäfte haben uns kalt gemacht, Kraushaar-San. Kalt und gierig. Wie arbeiten Sie in Ihrer Stadt?«
Sie drückt ihre Zigarette in den silbernen Aschenbecher. Trinkt einen Schluck von ihrem Whisky.
»Es ist nicht immer einfach, mit den richtigen Leuten Geschäfte zumachen«, sagst du, »es ist besser, bei seinen eigenen Geschäften zu bleiben. Die eigenen Wege zu gehen.«

»Sie sind ein Gokodu, Kraushaar-San. Aber jemand wird Sie irgendwann vernichten. Vielleicht.«

Sie lächelt. Ihre Lippen sind immer noch schmal, Falten bis hoch zur Stirn, Falten auf der Stirn unter ihren weißen Haaren, aber ihre Lippen sehen jung aus, als sie lächelt. »Wir wissen nicht, wie wir fortgehen sollen, Arnold-San. Sie, ich. Ehrenvoll gehen, wenn es Zeit ist.«

»Um nicht alles zu verlieren?«, fragst du.

»Sie verstehen, Kraushaar-San. Schon vor langer Zeit achteten wir die Asobi. Und die Jokagu waren die Damen am Hof, die Damen des Adels. Sie waren gut ausgebildet für den Adel. Sie lebten in den großen Burgen und Palästen, sie waren oft selbst von Adel. Ihr liebt doch den Adel in Europa.«

»Es gibt ihn noch«, sagst du, »aber wir haben ihn verjagt.« Du willst ihr vom Bielefelder erzählen, der angeblich blaublütig sein soll, lässt es aber dann.

»Die Queen«, sagt die Dame Sansori, »the Prince of Denmark. Aber diese Welt, unsere Welt, ist anders, Kraushaar-San. Vor vielen Jahren war ich die Mutter der Asobi. Das Syndikat der Unterhalterinnen. Aber die Dinge änderten sich. Die Gier, Kraushaar-San. Das Geschäft. Ich habe die Waren gesehen und den Profit. Wir mussten neue Wege gehen, um nicht unterzugehen. Und verschwinden am Ende dennoch.«

»Die Waren«, sagst du und blickst sie an, während draußen die Straßen heller und bunter werden. Beginnt der Morgen, oder beginnt die Nacht?

»Gokodu«, sagt die Dame Sansori, »sie waren für nichts anderes vorgesehen in ihrem Leben.«

»Die Thai?«, fragst du.

»... sie und wir. Es ist nicht einfach, die neuen Wege zu gehen und die alten Wege zu achten. Wir vernichten uns selbst, um weiter unser Geschäft zu betreiben.«

»Ich will Ihnen nicht zu nahe treten, Frau Sansori«, sagst du, »aber ich würde in meinem Geschäft nie von Ware sprechen ...«

Und da lacht sie. Du trinkst. Der Whisky brennt in deinem Mund. Die Dame Sansori holt tief Luft.

»Sie sind wirklich ein sehr vorlauter Gaijin. Handeln mit denselben Waren. Ohne Ihren Stock hätte Kabukichō Sie schon längst totgeschlagen.«
Und als du an den Wänden aus Glas entlanggehst, Hunderte Meter über der Stadt … Und als du durch den großen Raum schreitest, Hunderte Meter über der Stadt … Und als du deine Hand über eine der Kerzen hältst, um zu begreifen, dass du noch *bist*, Hunderte Meter über der Stadt … Und als du dann ihre tiefe Stimme wiederfindest in deinem Kopf …, Hunderte Worte und Hunderte Sätze …
»Dass das Ficken verboten ist, du Gaijin. Für Geld. Als Geschäft. Du hast doch die Blowjob-Salons gesehen, du Gaijin. In denen der hölzerne Kopf deines Stockes dir deinen Kopf gerettet hat. Du hast doch die Massage-Salons gesehen, wo das Geld der Gaijins und der Schwanz der Gaijins willkommen ist. Wo die kleinen Thais auf deinem Rücken sitzen. Wo das Ficken verboten ist, Gaijin. Und wo sie dich trotzdem ficken, Gaijin. Du Mann von draußen. Kennst du nicht deine eigenen Geschäfte? Hinter dem Vorhang, hinter dem dunklen Glas? Willst du wissen, wie ich seit fast fünfzig Jahren über diese Dinge wache? Erzähl mir nichts von deinen Engeln, von deiner Unschuld, Gaijin.«
Und du läufst die drei gläsernen Wände Meter um Meter ab. Siehst den großen Schlüssel mit der eingestanzten 27 auf einem Tisch. Aber du bist in keinem Hotel. Du berührst die Flaschen in der Bar. Siehst die Kerzen auf den kleinen Tischen neben dem Bett. Ein silberner Aschenbecher, in dem eine Zigarette qualmt. Du legst den Kopf an das Glas. Hast die Zigarette zwischen den Lippen, und die Glut berührt die Scheibe, und Asche und Glut fallen auf den Teppich, und du hockst dich hin und zerstäubst sie vorsichtig mit beiden Händen.
Und unter dir die Stadt. Der Morgen ist grau. Und kein Berg hinter den Wolken. Wo soll der auch sein, wo du ihn nur einmal gesehen hast, zu sehen geglaubt hast, als du aus dem Fenster des Zuges blicktest. Die Stadt liegt ruhig, und nichts bewegt sich dort unten. Du siehst kleine weiße Flächen zwischen den Straßen und Wegen. Es muss geschneit haben. Und du richtest dich auf und gehst zum Bett. Wirfst deine Zigarette in den Ascher. Du bist nackt. Als du dich auf

die alte Frau legst, erwacht sie. Sie hat ein blaues Tuch um ihren Kopf gewunden. An den Seiten siehst du die Spitzen ihres hellen Haares. Du packst sie an den Schultern. Ihr Schamhaar ist grau. Eine lange Narbe zieht sich von dort bis zu den Rippenbögen unter ihren kleinen hängenden Brüsten. Sie ist ganz still, und dann sitzt sie auf dir, und du spürst ihre Hände um deinen Hals, auf deinem Hals. Du gehst langsam durchs Portal des kleinen Tempels. »Ein Dämon, ein besessener Stier, hat dort einst gewütet. Sie haben sein Haar aufgesammelt und in einen Schrein gepackt. Heilig. Bleib endlich liegen, du verdammter Gaijin, Arnold-San.«

Und du durchschreitest die Türen zwischen den Wänden aus Papier. Gehst durch das gelbe Licht wie durch einen Tunnel. Siehst zwei Kinder, die sitzen an einem Tisch. Sie tragen haarige Gewänder, du kannst ihre weiße Haut zwischen den Fellen sehen. Sie hantieren mit Papieren, die vor ihnen auf dem Tisch liegen. Sie reichen sich die Hände über den Tisch hinweg. Sie blicken dich an, und du erkennst dich selbst in den runden Spiegeln ihrer Augen.

## Früher Abend in Eden City

I

Ecki geht über den Naschmarkt: Der »Tote Eisenbahner« ist genau null Komma neun Kilometer vom Naschmarkt entfernt. Steht auf dem Touristenwegweiser, der ist auf alt gemacht, mit verschnörkelter Schrift, und weist auch nicht den »Toten Eisenbahner« als null Komma neun Kilometer entferntes Ziel aus, sondern den Zentralbahnhof. Ecki geht zum Zentralbahnhof, nicht nur, weil der dort der »Tote Eisenbahner« ist, er will auch Geld ziehen. »Abziehen«? Nee, mich zieht nicht einer ab! *Keine? Oder keiner?* Scheißegal. Hauptsache keine Keime. *Wir schützen uns! Gib mal die Kanne rüber!* (»Abziehen« im Sinne von: »Nachkobern, vor gar nicht langer Zeit durchaus üblich. Erst wurde der Freier gekobert. Erlag er dann dem *Werben* der Prostituierten und vereinbarte eine Dienstleistung, zum Beispiel Französisch, konnte es passieren, dass die Dame, sofern sie ihren Liebeslohn bereits im Vorfeld erhalten hatte, auf dem Zimmer nur Französisch mit ihm sprach.« Lexikon der Prostitution, 2003. Ecki taumelt raschelnd durch die Seiten und die Jahrzehnte.)
Ecki sitzt im »Toten Eisenbahner«, oberhalb der Treppe, die zu den Bahnsteigen führt. Register:
Frank ist da, *abziehen!* Nee, mich zieht Reiner ab! (Nichtmal beim Skat.) Wenn's mal was zu lachen gibt! Reiner sitzt ganz hinten am Tresen und trinkt Schnaps. Der Erste, sagt er, ist schon fünf. *Verzeihung, der Herr, der Friseur ist gegenüber.* Bernd ist da, die Steinfresse ist da, den kennt keiner und niemand, der sitzt nur rum seit zehn Jahren. *Stasi, oder was, ehemalig?* (Geflüster: Frank, Reiner, Bernd sind diskret. Ecki auch.) Oder im Stein? Kiste, Knast, Café Viereck. Also

gewesen, anno danno. Stein macht schweigsam. Und Stasi meschugge? *Biste aus Berlin, oder was?* Burg, Bunker, blauer Sarg. Was hat'n das jetzt damit zu tun? In eine Kanne Bier im »Toten Eisenbahner« passen zwei Liter.
Wenn wir heute nicht rauskriegen, warum die Steinfresse nie einen Ton sagt ...
Musste nicht weiter, Ecki?
Hauptsache heiter. Sterben muss ich.
Ecki geht über den Naschmarkt und lacht. Weil er nicht genau weiß, warum der Naschmarkt Naschmarkt heißt, und weil er immerzu ans Naschen denkt und weil's noch einen Neumarkt gibt, und ans Geldziehen und an den »Toten Eisenbahner«. Und weil er riesige Farne sieht, die in den kleinen Gassen wachsen. Die brechen aus dem Boden und wachsen am Stein empor. Donnerstag. Da denkt er ans Donnern. Bumsen. Und die U-Bahnen rumpeln unter seinen Füßen. Gleich hinterm Naschmarkt ist auch der Marktplatz. Wie heißt der »Eisenbahner« wirklich? »Gleisbar 8«? Oder »Bahnhofsbar Gleis 8«? Komisch, dass man nicht mehr auf das Schild achtet, dabei leuchtet das den ganzen Tag, auf dem Zentralbahnhof ist's immer irgendwie dunkel. Obwohl sie den generalüberholt haben vor über zehn Jahren mit viel Glas. Nee, muss noch länger her sein. In den Rundbögen sitzen Flugechsen. Das Pech war, dass Ecki in die Wechseljahre kam, als der Zentralbahnhof umgebaut wurde. Hatte er andere Sorgen nämlich. *Was erzählst'n da für Sachen?* Ecki nimmt sich zusammen, als er durch die Rathausarkaden läuft, am Tabakladen vorbei. Er hat aufgehört zu rauchen, das ist nicht komisch. Das kann keine U-Bahn sein, denn die ist doch noch nicht fertig. Im Bau. Quizfrage: *Wer hat schonmal gebrummt?* Wer lügt, zahlt die nächste Kanne. Und wie willste das rauskriegen, Direktor Detektor?
Also ich nicht! (Frank, Bernd, Ecki) Reiner sagt: Das wisst ihr doch, vor achtundzwanzig Jahren, wegen der Stasi.
Nee, ist mir neu, hast du noch nie erzählt, ich werd meschugge! (Erzähl doch mal!) Ecki notiert sich für später die Frage, ob Mister Orpheus oder der Mann hinter den Spiegeln schonmal gesessen haben. Nee, bestimmt nicht. Das sind Geschäftsleute, bescheuerte Vorurteile, da kannste genauso den großen A von der großen Bank fragen.

ABC, die Katze liegt im Schnee. Die Farne werden immer größer unter der Glocke.
Am Gleis 8 fahren die Züge nach Berlin. International Congress of the Eroscenter. Wenn's mal was zu lachen gibt. War aber kein Brüller. Da hat er kurz geträumt in der Kantine. Im Sekundenschlaf flimmern die Abkürzungen vor seinen Augen. Ecki arbeitet bei der Versicherung, dieser großen, *da hängt auch die LB mit drin*, nee, keine Krankenkasse, also nicht direkt. Seriöse Sache. *Da kann man kein Knastologe sein.* OV, OV / ist genauso gut wie GV! / GV, GV / jetzt wollen alle AV! *Abschnittsbevollmächtigter, oder was?*
Die Lautsprecheransagen sind gut zu hören, wenn man bisschen leise ist. Da stellen sie sich vor, wohin überall sie fahren können. Paris. Grad mal acht Stunden. Moulin Rouge. Donnerstag ist ein guter Tag. Rennt doch letztens dieses Mädchen, das immer drüben am Seiteneingang stand, wo's in die Dunkelheit geht, zum Zug nach Paris und rennt mich fast um dabei, wo ich aus dem »Eisenbahner« komme und nur mal gucken will. *Der geht doch aber nicht direkt.* Umsteigen in FFM. Faustfick machen sie jetzt alle.
Donnerstag ist ein guter Tag. Am Freitag kommen die Wochenendrammler. Im »Eisenbahner« wissen sie genau, wo er hinwill, jeden Donnerstag, aber er sagt's trotzdem nicht, obwohl sie diskret sind im »Toten Eisenbahner«, *roter Mund hat Wahrheitsschwund*, Moni mit den Kirschlippen, überhängend die Inneren, in der 3 links. Drüben im Haus X. Wo sie den jeweiligen Service mit Filzstift auf die Wohnungstüren geschrieben haben. Und die Steinfresse sagt kein Wort seit zehn Jahren. Die LB ist fast pleite.
Doch, der hat mal was gesagt, vor zwei Komma drei Jahren, jetzt fällt's Ecki wieder ein, hab schon fünf, ist erst eins. Und Reiner hat die Steinfresse angeschrien, *Am Gleis 8 steht zur Abfahrt bereit …*, dass der ihn persönlich, Café Viereck, das hat Ecki so vorher noch nie gehört, als Beschreibung, Ort und Zustand, und musste auch kurz drüber nachdenken, dabei dachte er, dass er all sowas kennt, hat ihm doch mal der ehemalige Fleischer in seinem Club, in den er so gerne gegangen ist und so lange gehen wird, bis der oder bis er …, und weil der ihm doch mal das Lexikon der Knastsprache über den Tresen gereicht hat, denn der hat natürlich auch nie gesessen, denkt

Ecki und weiß es fast und eilt vom Naschmarkt zum Bahnhof und weiter, immer weiter. Und meistens zu Fuß, weil er doch was trinken muss und sich überzeugen will, dass die Farne noch da sind, dass die immer noch aus den Schichten unterm Asphalt brechen, die *Mykose* ist seit mehreren Jahrzehnten ausgerottet, keiner pinkelt mehr Schleim und Blut, aus den holzigen Stängeln der Farne tropft der Kautschuk in die dort festgezurrten Kannen.
*Hast du das gelesen, da gibt's jetzt eine, die bietet AO an, was'n das, alles ohne oder was? Ja. Kann nur 'ne Verrückte sein.* Die Augen der Frauen glitzern wie Diamanten. Frische Luft macht frisches Blut. Er lutscht einen Fisherman's Friend. »Girlfriend-Sex«, sagt das Inserat. *Der verspätete Intercity zur Weiterfahrt nach Hamburg ...* Nur meine Freunde nennen mich Ecki! *Nur bisschen Regelblut.*
Und Reiner wollte einen Bergmannsstollen in die Steinfresse reinschlagen, weil der plötzlich und auf einmal Major war, und wenn einer zehn Jahre nichts erzählt und nur einen Finger hebt, wenn er ein Bier bestellt, da möchte man schonmal reingucken, hinter den Granit. *Ach, geh doch rüber zum Friseur.*
Eckbert, was für ein schöner Name und was für ein schöner Mann ...
*Abziehen?* Nee, mich nicht. Und das sind eh nur noch Legenden aus einer fernen Vergangenheit. Aber ich bin ja sowieso großzügig, mehr so Gentleman, also so seh ich mich selbst, würde mich schon als Gentleman bezeichnen, als großzügig, auch so in meiner Art, alte Schule vielleicht, würd ich sagen. *Ausziehen.*

## II

Unter Eckis Füßen rumpelt's. Und da ist immer noch und schon wieder Donnerstag. Naschmarkt. Null Komma neun Promille. Plötzlich ist er ganz allein. Er kann seit einer Weile nicht mehr verstehen, was da passiert in der schwarzen Stadt. Wundert sich aber auch über gar nichts mehr. Sieht, wie sich der Riesenleib erst hinter den Häusern und dann über den Boulevard bewegt. Na klar. Da sind die

alle hingerammelt. Weil sie gucken wollen. Und erinnert sich, wie sie das am Morgen im Radio angesagt haben. *Ihr hört zweiundneunzig Komma ...* Die Frauen wurden mit Hilfe eines ausgeklügelten Bondage-Systems aneinandergebunden, immer dichter, immer höher, Hunderte Frauen, mehr als fünfhundert um circa genau zu sein, und mehr noch und mehr noch, weil Gastdemonstrantinnen aus ganz Deutschland sich mit einbinden lassen, *Völker, schaut auf diese Stadt!*, die meisten der Einheimischen wird er kennen, bis sie in diesem Riesenkörper vereint sind. Und der marschiert nun los. Wenn sonst nichts los ist. Der Weihnachtsmarkt ist seit Wochen abgebaut.
Und da fällt ihm ein, dass er Geld ziehen muss. Obwohl er ja warten muss, bis der große Protestmarsch vorbei ist, wenn er es an die Frau bringen will. Also bevor er wieder an und in und bei den Objekten, Wohnungen und Clubs klingeln kann. TOCK TOCK. Jemand zu Hause? Auf was für Ideen die Hurengewerkschaft manchmal kommt. *Wir müssen den Bürgern zeigen, dass wir in ihrer Mitte sind!* Er wühlt in seinen Taschen rum. Er sieht die Schlange der Taxen unterhalb des Marktes. Er sieht die riesige wankende Gestalt hinter den Häusern, dann auf dem Boulevard, dann wieder hinter den Häusern. *Wohin gehst du?* Und da steht er plötzlich vor dem kleinen Stand mit den Holzfiguren. Weil heute Markttag ist. Naschmarkt, Neumarkt, Zentralmarkt. Im Sekundenschlaf rotieren die Bilder vor seinen Augen, hinter seinen Augenlidern. Und da steht er wieder Gewehr bei Fuß. Was für ein Stuss, rufen ihm die Taxifahrer zu, die Stadt wird noch versinken!
Sie müssen das Donnern und Rumpeln unter seinen Füßen meinen, der Bohrer gräbt. Ecki will Geld ziehen, der Automat hat immer recht. Und immer mehr Löcher im Schweizer Käse unter der Stadt. *Da gibt's den Nachtzug nach Zürich.* Vielleicht trinken wir noch 'ne Kanne, dann steigen wir zu.
Und am Mittwoch gibt's den Kurzen und den Obstler im »Eisenbahner« für halbiert. Ist aber nicht Mittwoch. Ist auch gut so, denn zu einem Körper gehört auch ein Geist. (*Heinrich* Geist, sagt Bernd, der mal Deutschlehrer war, Himbeer Kleist. Wird aber kein Lacher. Kapiert auch keiner, nichtmal Reiner.)
Riesenkörper und halbierte Kurze kennt der Ecki gut, denn er ist

achtundvierzig, und die LB finanziert das Beben unter seinen Füßen (*mit* zumindest), und die Personalabteilung bringt die Buchhaltung auf Trab, und alle rennen, und der Außendienst rennt, und die Chefetagen diskutieren über die Farne und die Objekte, in denen die Frauen erschöpft liegen, weil das Wochenende vorbei ist und weil die Hurengewerkschaft für die Modifizierung des Prostitutionsgesetzes demonstriert, *Ja, was hat das eigentlich mit uns zu tun?*, und Ecki rennt und rennt durch die Ebenen, in denen die neueste Kunst hängt, da bleibt er kurz stehen vor den Bildern, bevor er weiterrennt, Riesenfarne streicheln seine Schultern, er schaut in die Glut und in den Abend, und dann rennt er weiter durch die Flure, wie waidwund. Zu Hause muss er sich die Käsefüße wegduschen, vor allem am Donnerstag. *Elektronen werden auf ein Molekül geworfen, das führt zur Oxidation.* Wenn's wenigstens kühl wäre, das Molekül, Neutrinos durchdringen Körper und Stein, Ecki blättert in der Kantine im neuen »Geo-Magazin«. Seine Pornosammlung hat er verkauft, wem soll er das denn vererben.
Also ich werde jetzt ... sechsundvierzig in diesem Jahr. Ich bin Angestellter in einer Versicherungsgesellschaft.
Ich hab keine Kinder, und an und für sich, mit meiner Frau hat das nichts zu tun. Ja, ich bin geschieden, nein, Büroarbeit würde ich das jetzt nicht unbedingt nennen. Ja, ich habe so einiges gemacht nach der Wende, weil ..., also dass ich jetzt mit meiner Freundin nicht verheiratet bin, scheint ja eh jeder zu wissen. In der Kantine und im »Eisenbahner«. Ja, was die so erzählen hinter meinem Rücken, ist mir auch egal. Ich bin da immer offen gewesen, auch wenn sie das nicht weiß. Theoretisch wär's möglich, da ich ja geschieden bin. Ich habe mal in einer großen Chemiebude gearbeitet, ja, hier in der Stadt, Galvanisierung und so, schlecht für die Lunge. Deswegen rauche ich auch nicht mehr. Wo das war, da ist jetzt 'n Puff drin. Also was da von dem Werk noch übrig ist. Ist nur ein Haus. Obwohl, Puff würde ich jetzt nicht sagen, weil das ist ein prima Club. Wenn ich da an der Bar sitze, kriege ich sofort mein Stamm-Getränk. Und dann kommt auch schonmal der Chef, und wir schwatzen so dies und das. Wenn er Zeit hat. Hat meistens viel zu tun. Ich auch, wenn ich dort bin. Man sagt das eben so, *meine Frau, deine Frau*, auch wenn man

nicht verheiratet ist. Und mit Kindern, also mit einem Kind, hätt ich an und für sich kein Problem. Mit achtunddreißig ist das ja heute keine große Sache mehr. Für 'ne Frau. Der Anthony Quinn hat ja mit fast achtzig noch, hab ich vor 'ner Weile mal gelesen. Lebt der eigentlich noch? Und, na klar will sie. Und da hat man schon auch noch Träume nach all den Jahren. Und die Sache ist doch die ... Warum erzähle ich das eigentlich?
Ecki steht auf dem Naschmarkt im Schneematsch und führt Selbstgespräche. Eins sieben drei null auf der Digitalanzeige. Warum die da weiterbohren? Muss doch noch kälter sein da unten. Und Mister Orpheus führt den Bohrer immer tiefer in den Stein. Da stößt man auf schwarzen Granit, hat ihm mal jemand gesagt. Deswegen dauert das so lange. Und dass die da unten in immer tiefere Schichten dringen. Deswegen die Farne. Ja komisch, wo doch noch Winter ist. Und dass die da auf die alten Straßen und Gassen und Viertel stoßen. Weil das ein guter *Nährboden* war. Und ist. Das Kupfergässchen, die Ulrichsgasse, die Münzgasse. Dort haben sie im Untergrund ein fast schon versteinertes Holzschild gefunden. »Leichenbrett«. Was für ein bescheuerter Name für ein Bordell. *Woher weißt'n das, Ecki?*
Jaaa, das würdet ihr gerne wissen!
Der Chef der alten Bude, also wo jetzt die neue Bude drin ist, also der Chef vom Nachtclub, der hat ihm davon erzählt, weil der das Schild unter der Hand gekauft hat. Beziehungen. Und er hat's dann wohl dem Alten vom Berge geschenkt. Alles ohne Gewähr. Und ohne Gewehr. Wobei ja im Moment zwischen den großen runden und dreieckigen Blättern der Farne, die sich um die Fassaden winden, alle möglichen Gesichter erscheinen. *Macht euch zurück in euren Dschungel!* Es wachsen zwei Königsfarne, erzählen die Leute, *Osmunda regalis*, bis hoch über die Dächer der Stadt. Einer draußen am See, neben einer Villa in Ufernähe, man kann die Berge von dort aus sehen, der zweite nördlich des Zentralbahnhofs. Dort, wo die Frauen in den Spiegeln warten.
Da dröhnt es ihm vom Wochenmarkt her in den Ohren, WURST KÄSE KÄSE, das echot zwischen den Portalen des Zentralbahnhofs, DER LEBT NOCH, SO FRISCH IST DER, direkt aus dem Herzen der Meere, dabei ist der Zentralbahnhof ungefähr eintausend Meter

vom Wochenmarkt entfernt. Da will Ecki nochmal nachmessen, Schritt für Schritt, weil das nicht stimmen kann. Hand im Schritt. *Weiter, viel weiter noch.* Und Ecki kauft eins von den Figürchen am Holzfigürchen-Stand, für seine Frau nämlich, die noch nicht richtig seine Frau ist, also vorm Gesetz, wie man so sagt. An ihm liegt's nicht. An ihr auch nicht, denn Ecki lebt allein.
Da drängt sich ihm die Stadt auf mit Zeitverzögerung. Grau. Rosa. *Give me pink!* Er hört Musik von weit, weit ... irgendwo, Sexkantine, sieht in einer Schaufensterscheibe seinen eigenen Tod, *also das ist mir jetzt wirklich zu billig*, ein Haus aus Glas, Mode – Modernes Antiquariat – Lecker Pizza – Bäcker Boy – Boyzone – Mode – Moderne Küchen – Kittchen Club – Sven's Super Döner – Süßsauer – Glaswaren – Teppich Mekka – Crossover Laden – Mäc-Geiz – Burgerking – Bürgeramt Talstraße – King Kong – Männer Moden. Ecki liest »Männer Hoden«. Ding Dong. *Jaaa?* It's blowtime!
Was ich sagen will, dass sexuell gesehen, also an und für sich, ich eigentlich ausgelastet bin. Ich meine, mit sechsundvierzig, da hat man ja schon dieses und jenes ..., nichts Unmenschliches ist mir gedanklich nahe. Nee. Die einen erzählen bei den Huren, dass sie alleine sind, ich erzähl, dass ich 'ne Frau hab. Na ja, eigentlich ist sie noch nicht richtig meine Frau, ist nur 'n Verlobungsring. Galeria Kaufhof. Da treibt es ihn aus der Würfelrunde im »Toten Eisenbahner« ins MEKKA DER PORNOGRAPHIE, *die Eins kommt doch*, und weiter, viel weiter noch, Frank schreibt mit, wer fängt an?, reich mal die Kanne rüber. Ecki schleicht durch den Schneematsch. Holz hält Hände fest. Ecki streichelt das Figürchen. Ecki weiß nicht, was ihn jetzt weitertreibt, zu Hause isses kalt und leer, beziehungsweise will es auch gar nicht wissen, *beziehungsweise ist Beziehungsscheiße*, steht hinterm Zentralbahnhof vor der »Sexworld«, die später »Club der Engel« heißen wird, und sieht die Frauen in den Spiegeln warten, der Riesenfarn wirft Schatten, weil der Mond schon aufgegangen ist, da bewegt sich plötzlich alles anders in den weißen Nebeln, er denkt, er fühlt sich, als würde er geometrisch genau in der Mitte von *etwas* stehen, Reduktion, Verlangsamung, verlangsamte Besamung, Galavanisierung der Hoden, *wunderbar!*, Ecki wühlt in seinen Taschen, *Billard, oder was?*, er hat aufgehört zu rauchen. Das ist nicht lustig.

## III

Und da sitzt der kleine Holz-Elch, nix Hirsch, auf der Zapfanlage und macht mit einer Riesenschnute einen Kussmund. Da drängt sich ihm die Nacht auf mit Zeitverzögerung. Grau. Rosa. *Give me pink!* Weil die Karin ihn mit aufs Zimmer nimmt. *War so einsam, der Kleine!* Schrapnelle regnen aus den Wolken, das war nicht angesagt. Das verhagelt mir die Stimmung! Draußen fahren die großen schwarzen Wagen vorbei. Drinnen wird die Musik lauter gedreht. Die erste Nummer des Abends.
Halbe Stunde Sparprogramm. *OV, OV / jetzt wollen alle OV / GV, OV / ich biete kein AV!* Superhits der Achtziger.
Und am Gleis 8 kommen die Züge aus Berlin an, und Soldaten betreten den Bahnsteig. Reiner und Frank und die anderen, die kleine Rollen spielen, gucken durch die beschlagenen Scheiben des »Toten Eisenbahners«.
Und da laufen sie an ihnen vorbei die Treppe runter, Adidas, Gold, *oh Gold*, am Hals, oh Hals, *macht Hosen nass*, Puma-Socken macht se wieder trocken, große Kerle, Arnie on the beach, sieht hellbraun aus, Dschungel, türkische Früchte, draußen warten die dunklen Autos, um die Soldaten aufzunehmen. »Berlin, Berlin, wir scheißen auf Berlin!« Das ist die Steinfresse, die ist aufgesprungen und brüllt: »Bier und Schnaps«, die Luft ist voller Flüssigkeit und voller Angst, und alle ducken sich hinter den Tresen. Wo dann später rauskommt, in der Flüsterkneipe, im »Toten Eisenbahner«, dass die Steinfresse vor fast zwanzig Jahren mal Fahrer gewesen ist, der Fahrer lässt einen fahren nach acht Schnäpsen, und doch Stasi!, ehemalig, und dann Job weg, und zapp-zarapp fährt er die Mädels, der alte arbeitslose Major, damals, *hammer doch gewusst, ist ja der Hammer!*, und jetzt schreit er sich die Lunge wund, und nichtmal Wahrheitsschwund, und der kleine hölzerne Elch vibriert woanders auf der Zapfanlage, roter Mund, und dann aufm Zimmer, *wo is'n Ecki?*, und die nubischen Soldaten durchqueren zu Fuß und in den dunklen Wagen die Stadt. Weidwund. Nee, noch kurz hinter LOS das ganze, Badstraße, E-Werk. Manche sind schlau und fahren in schneeweißen Kutschen. Gebt Gas, gebt Gas, wir wolln Spaß!, Scheißdreck, wir wollen Koh-

len, weißes Gold, wir wolln uns beteiligen am großen Reigen, coole Gängster fahrn fahrn fahrn mit der Eisenbahn, da braut sich was zusammen, ob Ecki schon bei seiner Braut ist?, *Seemannsbraut oder was?*, was'n das?, Schiff ahoi, so nannte man früher die Gummimädels, »Ich hab gehört, jetzt geht viel ohne«, kennst dich wohl aus, »Glaub ich nicht«, bin doch nicht verrückt!, und Ecki vermisst seinen kleinen hölzernen Elch, während er auf der Höhe von Gleis 10a in der Unterführung, die die vielen Bahnsteige miteinander verbindet, die Stahltür mit einem Vierkantschlüssel öffnet, den er wie einen Talisman um den Hals trägt. *Ins tiefe Tal der Superhexen.* Die Nässe an den Wänden ist gefroren. Über ihm rumpeln die Züge. Einbahnstraßen und Eisenbahnstraßen. Im »Toten Eisenbahner« schwatzen sie weiter, als gäbe es kein Morgen, als gäb es keine Sorgen. »Hauptsache, das Bier schmeckt!«, »Jaaa, das schmeckt.« Weit weg hört er den Bohrer. Der ist auf schwarzen Granit gestoßen. Hat er in der Zeitung gelesen. Er hat mal kurz beim Bauamt gearbeitet und kennt fast alle Zugänge zu den Katakomben. Das war nach der Galvanisierung und vor der LB. »Habt ihr schon gehört, dass der Alte seinen Sohnemann auf so 'ne Militärschule geschickt hat?«, »Welcher Alte?«, »Nach Afghanistan oder was?«, *Reiner, lach doch mal!* Die werden ihm kräftig einheizen. Heinz, der Heizer, oder was? Dem Sohn vom Alten, Afghanistan? (Der hatte doch 'ne Gäng? Gäng Bäng!) Nee, dem Alten. Adidas. Gold, oh Gold ... *Wie der Vater, so der Sohn, runter vom Thron!*
Und der kleine hölzerne Elch sitzt wieder auf der Tischkante, im Spiegelzimmer der »Sexworld«, die später »Club der Engel« heißen wird, und wippt im Takt der großen Bumserei. Das kann doch nicht nur der Hänfling da sein, das muss doch von ..., horch, was kommt von draußen rein, wallerie, wallera! *GV, GV* ..., das große Beben in Eden City. Die Gleitcreme wandert über den Tisch. Dildo 1 kippt um. *Werd endlich fertig, du alter Bock, und zieh das nächste Mal die Socken aus.* Nee, will gar nicht sehen, was drunter ist. »Respekt, das ist sowas wie Konfekt. Alles billig heute.« Und Eckis Elch sieht mit großen Augen, wie Karin im Spiegelzimmer in null Komma nichts zehn, fünfzehn, zwanzig, Jahre älter wird unter dem Bock, der plötzlich auf schwarzen Granit stößt, Schnäppchen / Schnäppchen / jeder

trägt sein Päckchen. Und wieder zwanzig, fünfzehn, zehn Jahre jünger. Junges Mädchen, alte Frau. Und draußen regnet es Schrapnelle aus den Wolken.
Und *Ecki himself* (Moment, Moment, die Schule brennt, ich war sogar mal auf der Russisch-Olympiade!) wandert durch die Katakomben zum westlichen Rand der Stadt, wo's den neuen großen FKK-Club gibt. Die legendäre »Love-Burg« liegt in der anderen Richtung und ist nur noch 'ne Grotte, die meisten Zimmer verwaist, die meisten Huren verreist, die Zufahrt vereist. Da muss man ja mal reinschnuppern, wenn es was Neues gibt.
Im Westen ist auch der Hafen und zwischen den Industriekanälen die Wohnungen, die die Firma des Alten vermietet, *wenn das Doktor Sommer wüsste, das Herz tät ihr zerspringen.* Ecki hat immer gerne Märchen gelesen. Und hört Hufgetrappel aus der Ferne. *Kann ja gar nicht sein! Der Schein lügt. Der Schein hat immer recht.* Und nicht weit von den leeren Speichern des alten Hafens der neue große Club. Vom Schnäppchenbumsen hab ich eigentlich nie was gehalten. Bloß gut, dass Donnerstag ist. Am Freitag kommen die Gastrammler. Und am Sonntag die Restrammler. Da sind die Weiden leer und wund. Am Schontag ruht der Verkehr, und die perversen Gedankenverbrecher treibt es um. *Restgammler.* Wir suchen das Maximum. Und heute? Der frühe Vogel stirbt im Sturm.
Und Ecki hört das Echo seines Trapsens, weiter immer weiter, und da singt doch jemand. *Nachtigall,* denkt er.


IV

*Sing, mein Sachse, sing* ... Was hast du nur für eine hässliche Stimme! Und der nackte Mann kriegt eine aufs blanke Fleisch. Ecki ist sich sicher, dass er da eine Frau hat singen hören.
*Es is een eischen Ding* ... Das klatscht ganz prima und gibt Striemen, und der Mann singt weiter schief und krumm. Bumm-bumm. (Nee, das ist später.)
*Schon das kleenste Lied, das leecht sich offs Gemiet* ... Da bekommt er die

Dresche seines Lebens und kriecht wimmernd und singend vor der kleinen Vietnamesin rum, die ihn an der Leine führt. »Höre ich: Bitte? Bitte? Höre ich: Bitte?« Und sie steht breitbeinig und nur *untenrum* (Was für ein Wort. Rudeldumm!) nackt über ihm, und er reißt den Kopf in den Nacken. Nich lang Schnacken, Kopp in 'n Nacken, rufen sie im »Eisenbahner«. Dass die Leine schlaff auf den Boden hängt. Bittebittebitte. Mein Hängebauchschwein. Eine blonde Kanne geht auf mich! *Reiner, mach doch mal!*
Und Ecki steht an der offenen Stahltür, Wasser tropft ihm auf den Kopp, aber er glotzt trotzdem. Wird ganz sentimental. Ganz schön was los in den Katakomben. Und oben fahren die mit fremden Menschen vollgestopften Autos durch die abendliche Stadt. *Wenn ihr wüsstet, Freunde der Sonne ...*
Und um zweiundzwanzig Uhr wird die Tür des Luxus-Stripclubs »Eden« attackiert. Die Disko zwei Straßen weiter gleich mit. Gehört beides den Brüdern R. Manche behaupten, der S. hat seine Finger mit drin. Aber geschwatzt wird viel, ohne Verstand, ohne Sinn. Eine plötzliche Entleerung der Straßen. Die Fieberträume bleiben zu Hause. *Das, mein Junge, ist die Realität.* Auch der Realmarkt hat bis zweiundzwanzig Uhr geöffnet. Netto. Plus. Spar gibt's nicht mehr.
Und Ecki, der eigentlich zum Schnäppchenbumsen will, *FKK! FKK!*, einmal Eintritt, Getränke frei, Fressen frei und jeder Fick Aldipreise ... Mein Junge, mein Junge, mach dich auf die Reise. Steht vor der halbgeöffneten Stahltür. »Herrin? Höre ich: Herrin?«
Da klatscht es wieder. Prima Echo. Prima Po. Also ihrer. (Obwohl der Mann seinen auch reckt, aber nicht so interessant, das olle Wellfleisch.) Hat er besten Blick auf den Prachtrücken. *Ein Arsch, ein Arsch, ein Königreich für einen schönen Arsch!* Wie sein kleiner Elch oben im Spiegelzimmer. Der staunend zusieht, wie der dürre Mann im Leib der wechselweise jungen/alten Lady K., die auf ihm sitzt, verschwindet. Nur die Socken bleiben auf dem Laken. So muss das sein, da hat ja mal eine den Spieß schön weggegärtnert. Und kleine Blüten wachsen aus ihren weißen Schultern (Solarium is out, das macht nur Leder), und der Elch ist ganz verliebt. Auf dass ich hierbleibe bis zum Ende meiner Tage. Shut up, Holzkopf!
Herrin. Das Gesicht des Mannes ist nicht zu sehen unter der schwar-

zen Maske. Und dann bricht sich das Licht, rot, gold, und er trinkt. Und Ecki bleibt die Spucke weg, weil die tropft am Zahn. Loses Mundwerk, ich schäme mich. Weil er die kleine Vietnamesin plötzlich erkennt. »Fühl doch mal diesen Knubbel da, Ecki, ob das Krebs ist? Oh Gott, das muss Krebs sein, das ist schon seit Monaten da und wird immer größer.« Sie presst seine Hand an die Rippen, direkt unter ihrer linken Brust. Warum weiß er jetzt, dass sie ihm gleich von ihrem kleinen Hund erzählen wird? Den sie weggeben musste, weil keine Zeit, und der arme Kerl immer allein, und dann immer auf den Teppich gemacht. Macht sie dann doch nicht. Vom Hund erzählen. Da haben wir die Streckbank. Den Gynäkologenstuhl. Und vor der »Sexworld«, die später »Club der Engel« heißen wird, treffen die Rollkommandos erstmals aufeinander. Und oben im Büro sitzt einer und denkt und plant und weiß, dass das am Ende alles zu seinem eigenen Vorteil führen wird. Dildo 2 kippt um, so heftig geht's zur Sache.
Und wenn es nun doch Krebs ist? *Ausziehen.* Wie einen das manchmal plötzlich überkommt. *Dreilochstute.* Hast du nicht einen Hund, der immer auf den Teppich kackt? Da sagt sie: »Ich möchte ein Pferd, irgendwann mal.«
Und Ecki stapft durch den Schlamm der Katakomben, je tiefer er vordringt, umso feuchter wird es, denkt immer nur an den großen neuen FKK-Club, die Polinnen und Tschechinnen und Ungarn-Girls machen wohl mehr als achtzig Prozent der Belegschaft aus, hat er gehört. Inder für die Nacht, Ausländerquoten, Multi-Kulti on the road. Vitaminbomben. »Ich sag ja immer, von wegen Nacht, Nacht, Nacht, Manager der Nacht und was so alles erzählt wird. Blödsinn. Die meisten Geschäfte machen die Mädels in meinen Objekten am Tag. Ja, am Tag. O.k., FKK ist abends, ist meist nachts. Ist aber die Ausnahme. ›Sexworld‹ und Co. und Haus X undsoweiter, Club Hans, ja, das ist nachts, deswegen die Arbeitsteilung zwischen mir und meinem geschätzten Kollegen, der jetzt oben im baldigen ›Club der Engel‹ sitzt. Einer hat die Majorität der Wohnungsgeschäfte, der andere die Majorität der Clubs, der Puffs, sag ich jetzt mal so salopp, weil das natürlich 'n Unterschied ist, Puff, Club etc. der Nacht, da sind wir wieder. Klar arbeiten manche der Sexarbeiterinnen in

meinen Objekten bis zwei, drei am Morgen. Sind aber die wenigsten. Der Spießer, sag ich jetzt mal so salopp, zieht am Tag los, schleicht.«

Und Ecki schleicht sich von der Tür weg, die auch halbgeöffnet ist, stößt sich an der Wand und spürt seinen wunden Popo, *Penaten, Penaten, macht ihn froh, den wundgedroschnen Po,* Bepanthen ist auch ganz gut, und dann gibt's da so 'ne blaue Tube aus good old England, Saflon, das tuuut guuut. Schleichwerbung. Und Ecki hat Männer hinter dieser Tür gesehen und gehört. Die hoben den Becher und schmiedeten den Pakt. Paar von denen kannte er, vom Sehen, würde er jetzt mal ganz salopp sagen, die haben in dem Jahr, in dem er in den Katakomben unterwegs ist, also ganz aktuell, *schnell, schnell,* Kneipen und Diskos und Restaurants, und haben die rotglühenden Scheine uminvestiert inzwischen, seit Jahren, ein Restaurantbetrieb führt sich auch einfacher, gelle? Quatsch keinen Mist, genauso schwer, *kriegst glei 'ne Kelle* (ugs. für Maulschelle, Ohrfeige, mittelkräftiger Gesichtsschlag). Aua, no, mir zwiebelt noch der Po. Nu is aber genug mit diesem Unwort, pro forma, pro Fauna, hat er nicht vorhin über die großen Farne gestaunt, ob die Wagen, vollgestopft mit den fremden Menschen (die ja gar nicht so fremd sind teilweise, Teilscheiße, weil sie natürlich über eine Basis hier in der Stadt verfügen ... die Syndikate kaufen die Söldner, holen die Brüder ...), vor den exotischen Gewächsen stehen und staunen und vergessen, dass genau um zweiundzwanzig Uhr zweiundzwanzig die nächste Attacke der nächsten Tür ansteht?

Und Ecki wundert sich über das Zeugnis in seiner Hand. Ein richtiges feines Formblatt. Die Lampen an der Decke des Ganges, unter vergittertem Milchglas, und nur hin und wieder noch intakt, sprich leuchtfähig, geben kaum Licht, um das zu lesen. Ich schieb dir den Dildo rein, während ich dich ficke. *O.k.?* Sagt Mann, sagt Frau? Der Spieß wird umgegärtnert. Kriechen: 3, Hocken: 2, Schmerzen aushalten: 3, Gehorsam: 3+, Singen: 5, Trinken: 2.

Ich meine, man kann beides sein, nicht wahr? Quälen und gequält werden. *Reiner, lach doch mal!*

Die Steinfresse erzählt seit drei Stunden ununterbrochen. Leben und Lesben lassen. *Wo hast'n den Mist her?* Pornoqueen, Dschungel-

camp. Sicher, da gibt's Leute, die sind nur das eine, sind nur auf das eine und einzige spezifiziert. Sado-Maden oder eben maso mir, maso hier, ja. Aber wenn ich so an mich denke, nein, die alte Schule hab ich auch drauf, an und für sich … *Es muss nicht immer Kaviar sein.* Und ich dann Gentleman, würd' ich sagen. Zieh die Socken aus! (Nee, wir wolln gar nicht wissen …, aber die stinken! Und der kleine Elch liegt aufm Boden, halb unterm Bett, und meckert leise vor sich hin und wundert sich über den Armani-Anzug, dessen weicher Stoff fast sein Geweih berührt, weil doch der Schlüpper daneben 'n Braunstich hat.) Da denke ich, dass das einige von meinen Stammmädels auch so sehen. Würde ich mal sagen, felsenfest. Jetzt.
Und der Bohrer trifft auf schwarzen Granit, und der innere Gürtel der Stadt vibriert. Das große Beben in … Einen Tag später wird das Gym attackiert, wo einige der Mannschaften der Türen trainieren. Paar Monate später brennt es ab. Von wegen: nur fremde Menschen. Wir haben Anschluss, und wir suchen Anschluss, und wir können noch nicht wissen, dass wir uns demnächst bald verpissen. Die große Komödie. Das große Spiel. Ein Riss tut sich auf im Stein. Und Ecki hat die Zeit verpennt, der Barhocker ist leer im »Toten Eisenbahner«, und die Gäng schwatzt trotzdem weiter, und er legt den Kopf in den Nacken und blickt durch die schmalen Spalten in den grauen Himmel der Nacht. Kann aber auch Tag sein. Wolken ziehen vorüber. Nicht weit von ihm, im Hafenbecken, schippert eine Jacht. Champagner an Deck. Der Mann hinter den Spiegeln hat sein Büro verlassen und plant die neuen Deals. *Smog aus Berlin, nichts wie hin.* Neue Gäste, versteht sich. Die anderen, die mit dem Zug gekommen sind, reiben sich auf auf den Straßen, auf auf, freie deutsche Jugend, bau auf! Aua, sagt Ecki, fünf Minuten zu früh. Und weiß noch nichts von der baldigen Neuordnung, M&M, bunte Perlen werden zusammengeramscht, wir snäcken zwischendurch, Mister Machiavelli, dauert ja auch noch Monate, und Ecki steigt die eiserne rostige Leiter nach oben, weil über ihm der neue große FKK-Club ist, *bloß gut, dass ich 'n Erfrischungstuch einstecken hab*, die Wände des Ganges fühlen sich warm an. Flüssigkeiten tropfen durch den Stein.

# V

Bumm-bumm. Und Ecki fällt. Aus Versehen sozusagen. Ein roter Eisenbahner. Draußen auf der Chaussee … U-Boote tauchen ab im Kanal. Der Alte sitzt auf seiner Veranda und blickt auf den großen See, sollen sie planen auf der Jacht, erst einmal muss *diese* Übernahme abgewendet werden, vielleicht ein viel zu großes Wort, *Attacken, Kanacken, Attacken*, Männer aus der Stadt, Männer in die Stadt, keine Boote, keine Segel, dabei wird langsam Frühling, langsam Sommer, oder träumt er wieder von der falschen Jahreszeit?, eine Decke liegt über seinen Knien, *Hauptsache Kaschmir*, und Ecki schmiegt seinen Kopf auf den Asphalt.
Ein Mann mit einer kleinen silbernen Pistole steigt wieder in die Limousine. Der Wagen verschwindet auf der leeren Chaussee. Hinterm Hafen und hinter den Gewerbegebieten kreuzen sich die Scheinwerfer auf der Autobahn. Ferne Raststätten. Scheidungsanwälte im Neonlicht. Blondinen am Naschmarkt. Kauderwelsch im dunklen Wagen. *Die Fassade war das Ziel, die Scheiben waren das Ziel, Spiegel inklusive.* Kollateralschaden kriecht über den Mittelstreifen. Bahnhof in den Wechseljahren. Lange her. In den Chefbüros der LB hängen neue moderne Bilder. Wenn man hinten rausgeht, sieht man die Kolonnen der Häuser. *Freude, du schöner Funke.* Ein nächtlicher Angler am Hafenbecken. Der Kanal endet in der Pampa. *Die Million ist das Ziel.* Ich sagte: schweigend. Hoch die Kannen. Der Körper kriecht aus der Kreidezeichnung. Farne der Urzeit. Sie finden Höhlen, tief unter dem Granit. *Der Frisör ist gegenüber!*
Mein Bein, mein Bein …, ein Fleischkrampf. Bye-bye, mein Sachsenland. Es geht um wichtigere Dinge. Geschäfte. Standhalten. Neuordnungen. Afghanistan. Halbvolle Geldpipelines. Der Angler weint am Hafenbecken. *Reiner, lach doch mal.* Dass vor über zehn Jahren die Computer überlebt haben, ist doch ein Wunder. *Eine Runde Himbeerkleist!* Wildgänse bilden ein V unter den Wolken. Süden, Süden, wo genau liegt der Süden? Im Prinzip haben wir uns alle lieb. Ein Junge in Uniform sitzt auf der Veranda und blickt auf den See. Junger Mann / what have you done.
Schusslinien werden umgeleitet. S-Bahnen halten am Arbeitsamt

und fahren leer weiter. In den Bergen endet die Strecke. *Sterben muss ich.* Hauptsache heiter.
Ecki im Blitzlicht. Das blendet, ihr Assis! Ecki im Kühlhaus. Das ist kalt, ihr Assis. Sieht einen Diamanten bei seinem neuen Kumpel unter der Haut, nebenan. Vielleicht die falsche Jahreszeit. Türen brechen, Türen halten stand. Und der kleine Elch sitzt wieder auf dem Nachttisch, mal im Spiegelzimmer, mal im Billigzimmer, mal auf der Bar. Marktkämpfe, Machtwaage. Diskret …
Der Bohrer bohrt weiter. Die U-Bahn fährt unter der Stadt. Dildo 3 kippt um. Ecki geht über den Naschmarkt.

# Der große Coup
(Die langen Wege zwischen den Stationen)

Im Frühjahr neun, auf der Fahrt in die kleine Stadt G., wo er den Mann aus der Hauptstadt treffen wollte, las Hans verschiedene Zeitungen. Er war in einem dieser Regionalzüge unterwegs, die an jedem Dorf hielten, es war Vormittag, und über seine Zeitung hinweg beobachtete er die wenigen Leute, die zustiegen.
Er blätterte in der Galopprennzeitung, weil er seit einiger Zeit mit dem Gedanken spielte, sich ein Rennpferd zuzulegen. Ein alter Bekannter von ihm aus Berlin hatte seit mehreren Jahren Galopprennpferde in Hoppegarten im Training, die gewannen hin und wieder ein Rennen, und vor ungefähr einem Monat hatte der ihn angerufen und begeistert von dem jüngsten Erfolg eines seiner Pferde erzählt. Das hatte wohl ein sogenanntes Listenrennen gewonnen, da gab es mehr als zwölftausend Preisgeld für den Sieg. Hans war nur ein paarmal zu den Rennen gegangen, damals in Berlin, in den Hoppegarten oder nach Karlshorst zum Trab, ein bisschen zocken, ein bisschen saufen, und in den letzten Jahren nur am ersten Mai auf die städtische Rennbahn, immer viel los am Tag der Arbeit auf der Rennbahn der Stadt, auf der Tribüne mit Sekt und Fresserei, viel hatte er von der Materie nie verstanden, aber die Begeisterung seines alten Bekannten aus der Hauptstadt hatte ihn ein wenig angesteckt. Sein Bekannter hatte ihm erzählt, wie er regelmäßig die Stallungen besuchte, beim Training zusah, mit dem Trainer die Rennen plante. Irgendwas muss man ja machen, wenn man alt wird. *Ruhe!, wer flüstert denn da so einen Unsinn in meinem Nischel!* Ist eher was für die Zukunft, dachte er, wenn ich mal kürzertrete. *Ein Nischel ist ein Kopf.* Er legte die Pferderennzeitung wieder weg, nahm sich die städtische

Tageszeitung und blätterte und faltete und raschelte mit den Seiten. Er hatte einen Becher Kaffee neben sich auf den freien Sitz gestellt, den hatte er kurz vor der Abfahrt erst beim neuen Starbucks kaufen wollen, das in der alten Wartehalle aufgemacht hatte, war dann aber doch in die kleine Kaffeebude ein paar Meter weiter gegangen, als ihm einfiel, dass dort ja jetzt auch eine Kette drin war; die kleine Kaffeebude mit dem dunklen Winkel, in den er sich oft in den letzten zehn Jahren mit einem guten großen Americano und ein paar Zeitungen und Zeitschriften (Fußball, Boxen, Schach, »Der Spiegel«, Donald Duck) zurückgezogen hatte, war irgendwann in den letzten Monaten übernommen worden (später fand er heraus, dass diese Kette zahlreiche Filialen in ganz Deutschland betrieb und ein paar in Österreich), aber immer noch besser als das amerikanische Syndikat. Dummerweise hatten sie den Laden umgebaut, und sein dunkler Winkel war verschwunden. Er hatte von dort ein paarmal den kleinen Ex-Jockey gesehen, über den sie so einiges erzählten, der in den Abendstunden hereingeschlichen kam, knittriger Trenchcoat, sich ebenfalls einen Americano bestellte, aber meistens einen mittleren, *Ist verrückt geworden, sucht seine Frau, nee, sein Mädchen, seine Tochter.* Das war einige Jahr her. *Lasst ihn in Ruhe,* hatte AK ein paarmal, warum auch immer, gesagt. *Freifahrschein.* Sicher schon tot, der arme Kerl.

Alles wird syndikalisiert, dachte er, blätterte weiter in der Tageszeitung, schaute aus dem Fenster, die Strecke verlief in einem weiten Bogen um den See herum, er sah die Häuser und Villen der Vororte der Stadt, dabei schien es ihm, dass sie schon mindestens eine halbe Stunde fuhren, aber als er auf seine Glashütte blickte, sah er, dass es erst zwölf Minuten waren, er schaute dann nochmal auf sein Handy, da seine Glashütte angefangen hatte nachzugehen, erst ein, zwei Minuten, jetzt musste er jeden Morgen die Zeit korrigieren, er sah den See hinter den Bäumen, hinter den Häusern, irgendwo dort wohnte AK, und in der Nähe der berühmte Maler, dessen Bilder so viel wert waren und dessen Ausstellung im großen Museum er zusammen mit AK besucht hatte, wann war das gewesen, vor zwei Jahren? Er hatte oft überlegt, auch in diesen Vorort zu ziehen, wo die Reichen und Berühmten und die Bürger und die Politik wohnten,

der ehemalige Oberbulle ja auch, ganz in der Nähe von AK. Aber Hans hatte andere Optionen. Und während der See aus seinem Blickfeld verschwand und das flache Land immer hügeliger wurde, versuchte er, sich an die Kartelltheorie zu erinnern, die ihm AK einmal erklärt hatte, oder war das der olle Graf?, weil doch, und das war das Einzige, an das er sich jetzt erinnerte, während er langsam wegdämmerte, die Zeitung auf den Knien, weil es doch gar nicht so sehr die negative Bedeutung verdient, das Wort »Kartell«, weil es doch eine Übereinkunft von Regeln war, im Mittelalter, die alten Ritter, *the last of the independents*, die negativen Auswirkungen der Konkurrenzlosigkeit auf den Markt ...
Er blickte aus dem Fenster, sah weite Felder, noch kahl im beginnenden Frühjahr, grüne Flecken dazwischen, Wälder, kleine Häuser und Gehöfte, wie in Brandenburg, dachte er, die Gegend um die Stahlstadt, entlang der Grenze, der Himmel wolkenbedeckt und ein Dämmerlicht über dem Land, als würde ein Regen aufziehen, und dann sah er auch den dunkelblauen Horizont im anderen Fenster gegenüber. Ein junges Mädchen saß dort, einen Kopfhörer über den blonden Haaren, sie bewegte die Lippen und beachtete ihn gar nicht, als er sie musterte. Der Schaffner musste ihn schon kontrolliert haben, denn er lief an ihm vorbei, blickte kurz zu ihm runter und nickte. Der Mann aus Berlin wusste nicht, dass er seinen Führerschein verloren hatte, wegen einer kleinen Delle und null Komma neun. Es war doch für beide am unauffälligsten, mit dem Zug zu reisen, keine Schatten, keine Kennzeichen, und kein Mensch würde vermuten, dass Verhandlungen auf dem Bahnhof der kleinen Stadt G. und in der kleinen Stadt G. am Arsch der Welt geführt wurden, wo es den längsten Bahnsteig Deutschlands gab, was aber nur Eisenbahnfreaks und Dauerpendler wussten, und wo Hans seit einiger Zeit eine Immobilie im Auge hatte, eine alte Villa, die Schlüssel hatte er einstecken, ein uralter Groß- oder Urgroßcousin von ihm wollte die Hütte verkaufen. Das erste Mal war er mit dem Auto nach G. gefahren, um sich mit dem Alten zu treffen, von dem er sich gar nicht sicher war, ob er wirklich mit ihm verwandt war, aber der kannte seinen Vater und war mit ihm verstritten und erzählte allerlei Geschichten über seine Urgroßmutter, an die konnte er sich er-

innern; als er Kind war, in der Stahlstadt, haben sie sie ein paarmal in einem Nachbardorf besucht; auf dem Rückweg aus G. ist er in diesen Penner und seinen Skoda reingerutscht, ein sehr glatter Dezember, keine Chance, das mal eben unter der Hand zu regeln, *Dann ruf eben die Bullen, Arschloch!*, er hätte ihn wegdreschen und abhauen sollen, die Karre sofort nach Polen verkaufen …, aber er hatte keinen Bock mehr auf diesen ganzen Stress. Nun saß er also in der Eisenbahn, trank seinen Kaffee, schaute aus dem Fenster oder blätterte in seinen Zeitungen. Weit konnte es nicht mehr sein. *Zeugin erhebt schwere Vorwürfe.*

Er hatte erst den Sportteil gelesen, Red Bull, Bundesliga, ein sehr interessanter Artikel über Snooker, diesen Billardsport, in dem er sich immer schonmal versuchen wollte, schließlich war er ja mal ein ganz guter Pool-Spieler gewesen, und als er den vorderen Teil mit Politik und den neuesten Nachrichten aus dem großen Sachsenland durchblätterte und überflog, blieb er bei dem kleinen Artikel hängen. In Klammern stand »dpa« unter der Überschrift. »Die Hauptzeugin in der sogenannten Akten-Affäre hat gestern schwere Vorwürfe gegen Vorgesetzte aus dem Landesamt für Verfassungsschutz erhoben. So seien nach Bekanntwerden der Anschuldigungen wesentliche Akten über den Fall verschwunden.«

Er hatte von dieser Sache gehört. Üble Geschichte. Die jetzt hochkochte, während in der Stadt sich die Dinge zuspitzten, die Invasoren rückten langsam vor, April zweitausendneun. Ein paar Bekannte hatten ihn gefragt, was er denn davon wisse. *Nichts! Was habe ich mit diesem Dreck zu tun?* Er wusste, dass AK einmal ein paar Russinnen hatte hochgehen lassen, weil die miese Geschäfte mit jungen Mädchen und Minderjährigen aus Russland machten, nicht weit von einigen Objekten, die AK vermietete. Eine Dreckversicherung gab es leider nicht. Aber das, was er las, war ein ganz anderer Dreck. Die Sümpfe sind unergründlich. »Konkret listete die Juristin XXX Berichte über Treffen mit Quellen des Geheimdienstes sowie Aussagen von sieben verschiedenen Auskunftspersonen auf. Sie hätten unter anderem Hinweise darauf erhalten, dass Kinder aus Osteuropa zum sexuellen Missbrauch nach XXX gebracht werden sollten. Auch Informationen über korrupte Polizisten und sexuelle

Neigungen von Justizbeamten hätten sich in den Quellenberichten befunden.«

Manchmal konnte er diesen ganzen Scheiß nicht wirklich glauben. Als wär's ein übler Film, Verschwörungen, 8 Millimeter. Aber er wusste, dass vor fünfzehn Jahren, er war damals gerade in die Stadt gekommen, ein ähnlicher Dreck durch den Untergrund schwappte. Richter, Staatsanwälte, Bullen, die geil auf junges Fleisch waren. Die Geschäftsmänner, die an die Aktie Rot glaubten, hatten wohl dazu beigetragen, dass diese Schweine verschwanden. Und die Legende flüsterte, dass AK irgendwie an Fotos der Drecksäue gekommen war ... Er schüttelte sich. *Shut up, alter Mann.* Er kannte genug Leute von der Straßenbrigade, die trugen hin und wieder T-Shirts »Todesstrafe für Kinderschänder«, und die hätten alles gegeben, um solche Menschen, das war ja das Problem, mit den Menschen, in die Finger zu bekommen.

Er fuhr durch eine schöne Landschaft. Wäre er in seinem alten BMW angereist (da machten sie sich schon lustig, dass er immer noch diese Karre fuhr, die fast ein Oldtimer war), hätte er den Blick auf die sächsischen Wälder, die jetzt schon thüringische Wälder sein mussten, den Blick auf die Felder, auf denen der Nebel stand am Horizont, vom Licht durchdrungen, hätte den Blick auf die kleinen Seen, die plötzlich auf Waldlichtungen auftauchten, die Flüsse, die Hänge, die sich auf beiden Seiten der Strecke erhoben und wieder abflachten ..., hätte all das nicht in aller Ruhe genießen können. Was für eine Ruhe. Er war schon immer gerne Zug gefahren, knüllte die Zeitung zusammen und erinnerte sich, wie er einmal, vor wenigen Jahren erst, die Idee gehabt hatte, das Land, also das ganze Land, mit dem Zug kennenzulernen.

Er stand schon seit fünf Minuten mit zugeknöpftem Mantel an der Tür, als der Zug endlich und quietschend hielt. Nein, er hatte still und langsam gestoppt. Das langgezogene Quietschen war nur in seiner Erinnerung, Züge in der Zone, schmutzige Züge auf dem Bahnhof der Grenzstadt, grüne Kunstlederbezüge bei der Einfahrt in den Ostbahnhof, *wir hielten uns die Ohren zu ...*

»Willkommen auf dem längsten Bahnsteig Deutschlands«. Er blickte auf das Schild, diesen Satz, diesen Gruß unterhalb des Namens des

Städtchens G., hörte, wie sich die Türen hinter ihm mit mehreren Pieptönen und dann einem Knall schlossen, hörte, wie der Zug wieder Fahrt aufnahm, spürte den Wind im Rücken, am Mantel, blickte sich dann um. Mit ihm waren nur drei oder vier Reisende ausgestiegen, die jetzt schon ein ganzes Stück weit gelaufen waren, dort musste also die Unterführung sein, Richtung Stadt. Auf dem Gleis gegenüber stand ein anderer Zug. Verdammt nochmal, der Bahnsteig war wirklich lang. Er war ja vorher immer mit dem Auto angereist, also das eine Mal, als er die alte Villa besichtigen wollte.
Der Bahnsteig war überdacht und zog sich in beide Richtungen scheinbar endlos hin. Das musste mindestens ein Kilometer sein. Den verschwundenen Zug im Rücken, blickte Hans auf eine Böschung hinter den Gleisen, der Bahnsteig war so lang, dass der andere Zug weit weg stand, Hans blickte auf den letzten Wagen, dann wieder auf die Böschung, sah die blaue Brücke mit dem geschwungenen blauen Bogen, der sich hoch über die Gleise wölbte, der Bahnsteig schien unter dieser Brücke erst zu enden. In die eine Richtung. In der anderen Richtung, aus der er gekommen war ..., er hatte immer gewusst, dass er langsam eine Brille benötigte.
»Herr Pieszek?«
»Ja?«
Vor ihm stand ein Mann, der trug einen grauen Armeeparka und unter dem Parka einen Anzug, ohne Schlips. Und eine Brille, randlos.
»Entschuldigen Sie, Sie sind doch Herr Pieszek?«
»Ja, das bin ich, entschuldigen Sie.«
»Sie müssen nichts entschuldigen. Wohl überwältigt von der Aussicht.«
»Das kann man so sagen. Willkommen auf dem längsten Bahnsteig Deutschlands.«
Der Mann lächelte kurz, schaute sich um, und dann gaben sie sich die Hand. Sie hielten beide ihre Lederhandschuhe in der Linken.
»Respekt vor der Wahl des Opernhauses, Herr Pieszek.«
»Wie ...«
»Nur ein kleiner Scherz.« Sie schüttelten sich noch immer die Hände, musterten sich. Der Mann musste um die sechzig sein. Graue, fast schon weiße Haare, er setzte eine Wollmütze auf.

»Ein frischer Wind im Osten.«

»Obwohl das hier eher südlich ist«, sagte Hans. Er ließ die Hand los und zog sich seine Handschuhe über. »Frisch ans Werk?«, sagte der andere.

»In aller Ruhe«, sagte Hans, »in aller Ruhe.« Der Zug, aus dem der Mann wahrscheinlich gestiegen war, fuhr jetzt ab.

»Entschuldigen Sie«, sagte der Mann, »Fischer mein Name.«

»Freut mich, Herr Fischer. Wir sollten uns für nichts mehr entschuldigen heute. Direkt aus Berlin?«

»Via Göttingen.« Er wies dem abfahrenden Zug hinterher.

»War eine lange Fahrt?« Sie gingen ein paar Schritte, der Bahnsteig war jetzt menschenleer. Hans strich sich mit dem ledernen Handschuh über den Kopf und wusste nicht, was er weiter noch sagen sollte im Moment.

»Ach«, sagte der Mann, der Herr Fischer hieß, »Zeit zum Nachdenken. Hatten Sie denn eine gute Fahrt?«

»Im Vergleich war's doch 'n Katzensprung«, sagte Hans.

»Ja«, sagte Herr Fischer, »*wir* machen ja auch, wenn ich das so sagen darf, den größeren Sprung. Hierher. Zu Ihnen. In diese kleine Stadt …«

»Die keine Rolle spielt«, sagte Hans. Sie standen neben einem hölzernen braunen Flachbau. Die Fenster vernagelt mit Brettern. Das Holz verwittert. Treppen hinab zur Unterführung, in den Untergrund. Auf der anderen Seite dieses Loches im Bahnsteig, denn mehr war es nicht, in das die Treppen führten, ein weiterer, fast identischer hellbrauner Flachbau, wie der erste mit Brettern vernagelt. Sie standen direkt vor dem Loch und den Treppen, zwischen den beiden hölzernen Bauten. Auf dem Bahnsteig. Auf dem Tausende Menschen Platz gefunden hätten.

»Möchten Sie, dass wir hier reden?«, fragte Herr Fischer und zeigte mit seiner immer noch nackten rechten Hand auf eine Gruppe von Bänken, weit hinter dem zweiten Holzgebäude. Vor den Bänken war eine Scheibe, auf der flatterten unbeweglich schwarze Vögel.

»Wir möchten doch stilvoll über all die Dinge reden«, sagte Hans und wies auf die Treppen, die vor ihnen in die Tiefe führten.

»Nun, das möchten wir«, sagte Herr Fischer, nahm seine randlose

Brille ab, hielt sie ein Stück von sich weg und blickte durch die Gläser auf das Willkommensschild, »mit einem hatten Sie ja recht, wir sind hier so ungestört wie nirgends.«

»Und alles andere«, sagte Hans und ging die ersten Treppenstufen runter, »alles andere wird sich finden, da bin ich guter Dinge.« Und er hörte, wie Herr Fischer hinter ihm die steinernen Treppen hinabstieg.

Dann standen sie auf der blauen Brücke, mit dem großen blauen, geschwungenen Bogen hoch über dem Geländer, und blickten auf den Bahnsteig, auf dem sie eben noch gestanden und sich begrüßt hatten.

»'ne kleine, ruhige Stadt«, sagte Hans. »Da drüben«, er zeigte auf die Gebäude einer verfallenen Fabrik, die vor einem kleinen Berghang standen, »das war mal 'n florierender Betrieb. Alte Tradition.« Eins der Gebäude ähnelte einer Kuppelhalle, aus der Kuppel ragten zwei kleine Schornsteine, auf einem hohen ziegelroten und schwarz verwitterten Rechteck ruhte ein grünes dreieckiges Spitzdach, das in die tiefhängenden Wolken zu stechen schien, Systeme aus verrosteten Rohrleitungen verbanden die Ansammlung von Trümmern, zerfallenen Türmchen.

Hans dachte daran, wie er sich am Morgen noch vorgestellt hatte, sie würden das Geschäft gleich auf dem Bahnsteig abwickeln, auf und ab laufen dabei, verstummen, wenn Menschen aus Zügen stiegen, oder an einen anderen Ort dieses endlosen Bahnsteigs gehen, wenn Menschen zu penetrant auf Züge warten würden … Aber weder er noch dieser Fischer würden etwas überstürzen. Zu viel stand auf dem Spiel. Aber eigentlich war alles ganz einfach.

»Und was haben die da gemacht, ich meine: hergestellt?« Herr Fischer nestelte eine zerknüllte Tüte Krügerol-Halsbonbons aus der Brusttasche seiner Militärjacke. Er nahm eins raus, schob es sich in den Mund hielt Hans die Tüte hin. »Aber gerne doch, gute alte Ostware.« Er nahm ein Bonbon, lutschte eine Weile, bevor er sagte: »Malz.«

»Malz? Eine Malzfabrik. Florierendes Geschäft, was?«

»Malz wurde früher überall gebraucht. Von hier fuhren die Güterwaggons ins ganze Land. Planwirtschaft, Herr Anwalt.«
»Herr Anwalt?«
»Der linke Anwalt, der mal die Welt verbessern ...«
»Für die Utopien sind Sie doch zuständig.«
»Utopien. Habe ich als Kind gerne gelesen.«
»Wichtig ist, dass wir die neue Geschichte schreiben.« Der Anwalt spuckte sein halbgelutschtes Bonbon auf den Fußweg, drehte sich zu Hans und lächelte. »*Der Weg nach Japan.*«
»Der Weg nach Japan«, Hans nickte. »Wir sollten irgendwo in Ruhe einen Kaffee trinken, bevor wir über Fahrpläne und Tarife diskutieren.«
Und während sie die Brücke verließen, Richtung Innenstadt gingen, vorbei an der Villa, zu der Hans den Schlüssel besaß, vorbei an einem kleinen Laden für Modelleisenbahnzubehör, begann der Anwalt, Hans zu nerven, ernsthaft zu nerven, so dass er sich mehrfach zu ihm drehte, »Ja, ja, der berühmte Hans ...«, ihn musterte und zu verstehen versuchte, was, verdammt nochmal, vor sich ging, hier in der Stadt des längsten Bahnsteigs des Landes, der sie immer weiter Richtung Zentrum führte, zum Herzen, zum Ursprung, zum Ziel, und Hans rauchte zwei Zigaretten, um sich zu beruhigen, auf dem Weg zum Marktplatz, wo es eine Bäckerei mit Café gab. Vielleicht 'ne Art Test, dachte er. Wolkenfetzen trieben grau über ihnen.
»Und Sie sind also ein ganzer, harter Kerl?«
»Was soll 'n der Scheiß?«
»Früher in Berlin aktiv gewesen, Brigade Fußball, Brigade Knochenbrecher ...«
»Und Sie, immer schön die Hand aufgehalten?«
»Geschäfte, lieber Hans, Geschäfte ...«
»Ich wusste nicht, dass wir uns duzen.«
»Ich dachte, das sei in Ihren Kreisen so üblich. Und früher sowieso. Das *Du* der Nacht und das *Du* der Genossen ...«
»Verdammte Spielchen!« Hans blieb stehen, zeigte mit seiner Zigarette auf das Gesicht des Anwalts, brachte die Glut so dicht an dessen Mund, an dessen Nase, dass ein dünner Rauchfaden sich zwischen die grauen Haare des Anwalts zog. Schweigend blickten sie

sich an, Hans öffnete mehrmals den Mund, holte Luft, setzte an, schüttelte den Kopf und glaubte dann zu sehen, wie ein kurzes Lächeln die Mundwinkel des Anwalts bewegte, er sah das Lächeln auch in den Augen des Anwalts Fischer, wenn das wirklich sein richtiger Name war, aber auch das spielte keine Rolle.
»Nehmen Sie's mir nicht übel, Herr Pieczek ...«
»Sie erzählen die Scheiße, nicht ich. Was soll'n das plötzlich? Sie können den ganzen lieben langen Tag lang Scheiße erzählen, wenn Sie das so gewohnt sind, aus Ihren Kreisen. Ich kann warten, bis Sie zur Sache kommen.« Er schnippte die Zigarette, die er immer noch in der ausgestreckten Hand gehalten hatte, am Kopf des Anwalts vorbei. Und der Anwalt lächelte wirklich. Er öffnete den Mund und lachte kurz. »Vulgär, vulgär. Sind Sie unser Mann?«
»Nein. Ich habe nur die Passage nach Japan. Sicher und diskret und mit sauberen Kohlen. Vulgär, vulgär.«
Da standen sie schon wieder auf einer Brücke, einer weitaus kleineren diesmal, und schauten auf das schäumende Wasser eines Flüsschens. »Zu einem heißen Kaffee komme ich wohl heute gar nicht mehr«, sagte der Anwalt.
»Kaffee«, sagte Hans, blickte aufs Wasser und fragte sich, wie AK wohl mit der Situation umgegangen wäre. *In den Fluss geschmissen und geschaut, wie er zappelt.* »Ach, hör doch auf ...«
»Was?«
»Nichts. Ich glaube, ich brauche auch dringend einen Kaffee.«
Und Hans schaute auf das schäumende Wasser des kleinen Flüsschens P., das sich zurück durch die Hügel und Berge schlängelte, Dörfer und kleine Städte querte, in eine Talsperre floss, in der das Wasser schwarz lag, auf der anderen Seite die Talsperre wieder verließ, an den großen Seen der großen Stadt vorbeifloss; lange Jahre war der Fluss unter dem Stein verschwunden, in den Katakomben unter der Stadt, floss durch Röhren und unterirdische Kanäle, in denen die Ratten lebten, dunkler, stinkender Schlamm, brach erst im Norden der Stadt zwischen den Häusern wieder hervor aus dem Untergrund; jetzt zeigt er sich, wie ein Kanal, unter Brücken, an Freisitzen von Restaurants, vorm großen alten Gericht im Zentrum, versinkt dann wieder und verliert sich irgendwo zwischen den

Sümpfen, auf denen die Stadt vor fast achthundert Jahren gebaut wurde, bevor der Rest des kleinen Stroms, schmal wie ein Bach, in einen anderen Fluss mündet, die Wasserläufe sind ober- und unterirdisch dicht miteinander verwoben, die Tropfen dringen durch den Stein, der Tunnel, den sie für die U-Bahn unters Zentrum der Stadt graben, läuft voll, Mini-U-Boote sondieren die Schäden, Rohrleitungen werden auf Masten in wirren Mustern in Richtung der großen Seen verlegt, aus denen das Wasser wieder in den Grund sickert, in die Flüsschen und Kanäle und Röhren schwemmt, AK überlegt, sich eine Jacht zu kaufen, aber keine Zeit, die Stimmen dringen durch seine Geschäfte, und er ahnt und weiß, dass die Zeiten schlecht werden, dass es Zeit wird, wieder die Rüstung anzulegen, während die ersten Fremden schon durch die Nacht streifen, *Kann ich auf dich zählen, Hans?*, *Aber immer, das weißt du doch!*, die Geschichten kreisen um den Zentralbahnhof und weiter und weiter durch die ganze Stadt, AKs Makarow liegt in der Villa im Tresor, *Die Engel kommen in die Stadt?*, *Wollen wir wirklich, dass sie kommen?*, noch ist ja Ruhe, aber die ersten Fremden streifen schon durch die Nacht, im Striplokal der Brüder W. versucht eine Gruppierung den Frieden am Tresen zu stören, *Wir sind nur die Vorhut*, aus der Hauptstadt dringen Stimmen, aus der Hauptstadt kommen Truppen, verstärken die Fremden in den beiden Städten, die fast schon zu einer zusammengewachsen sind, die Sümpfe sind so gut wie ausgetrocknet im Lauf der Jahrhunderte, verstärken die Terroristen (*denn das sind Terroristen, die mit den Mitteln des Terrors uns den Markt nehmen wollen ...*), die um den Armenier Pierre (*Wieso heißt dieser Kanackenarsch Pierre?*) seit einigen Jahren in Heroin und Koks und Kristall investieren, obwohl Koks immer noch Marschall Tito und den Albanern das große Geld zufließen lässt (*Wieso haben die Jugos sich nicht gegenseitig weggemacht wie damals auf dem Balkan?*), die Gerüchte umkreisen den Zentralbahnhof wie eine Windhose, *Einfach mal die Hosen runter, damit ich sehe, was Sache ist!*, die Securities an den Türen der Clubs und Diskotheken rüsten auf, Freitagnacht bis Sonntagmorgen, AK fährt durch die Stadt und schaut nach seinen Objekten, besucht alte Freunde und alte Feinde, *Knie dich hin, du Stück Scheiße, und guck mich an, damit ich in deinen Augen sehen kann, ob du lügst*, der Graf sitzt in der Burg und sieht in den Bü-

chern, durch die er blättert, dass die Lichter verlöschen, so oder so, Zeit für ein paar Schachzüge, Zeit, die Rückkehr vorzubereiten, es ist Zeit …, und die Straßen glitzern regennass, Eliot Ness lehnt sich zurück und telefoniert mit der Hauptstadt und spürt, dass die silbernen Fäden schwingen, vibrieren, und wartet auf das Dominoprinzip und wartet auf das große Fallen, während der Mann hinter den Spiegeln über die kühlen Flügel einer grün verwitternden Engelsfigur aus Metall streicht, die Mädels nach der Arbeit nach Hause fahren oder am Wochenende mal in die Disko fahren …, es ist Zeit …, oder ins Kino gehen, wo die richtigen, großen Gangster wohnen, still und dunkel und fast schwarz, bevor das Licht durch den Raum dringt, *Eine Invasion wird stattfinden,* sagt die alte Wahrsagerin in ihrem Wohnwagen auf dem Rummelplatz, die Schreie wehen von der großen Achterbahn mit den olympischen Ringen, die ist zum ersten und letzten Mal in der Stadt, *Warum sagst'n das so einfach und nicht in deinen üblichen Hieroglyphen? – Und dann sehe ich noch ein großes Leuchten in der Dunkelheit, Diamantenaugen,* und Hans schaut ins Schäumen des Wassers, wirft eine Zigarette hinein, an deren Filter ein Bonbon klebt, »Malz, das wurde überall hingekarrt von hier aus.«
»Also ein florierender Betrieb?«
»Ja, lange her. Sagte ich doch schon.« Sie blickten auf das grüne spitze Dach des Turmes der alten Malzfabrik, der hinter den Häusern zu sehen war.
»Ja, sagten Sie schon. Sie kennen sich wirklich aus mit gutgehenden Geschäften.«
»Gefällt mir nicht, wie Sie das sagen.«
»Nein, im Ernst. Was denken Sie, warum wir Ihnen vertrauen?«
»Ich bin mir nicht sicher, ob Sie mir wirklich vertrauen …«
Sie waren weitergegangen und standen jetzt vor dem Café auf dem Marktplatz der kleinen Stadt G.
»Sonst wäre ich jetzt nicht hier«, sagte der Anwalt und zog seine Lederhandschuhe aus und setzte seine bunte Wollmütze ab. Er steckte seine Handschuhe und die Mütze in die Taschen seiner Militärjacke und öffnete die Tür der Bäckerei. Eine Glocke läutete, Hans war hinter ihm, und während der Anwalt schon mit der Dame an der Verkaufstheke sprach, schloss er die Tür mit einem letzten Blick auf den

leeren Marktplatz. Das Backsteingebäude mit dem kleinen Portal war wohl das Rathaus. Das runde Becken eines wasserlosen Brunnens davor. Der Winter war ja erst seit knapp zwei Wochen vorbei.

»Was genau ist denn Schmand?«, hörte er den Anwalt fragen und trat zu ihm an die Verkaufstheke.

Die Verkäuferin, eine kleine blonde, etwas dralle Dame Mitte vierzig, die perfekte Bäckerin, dachte Hans, wollte etwas sagen, aber der Anwalt redete schon wieder weiter. Nerven kann er, dachte Hans.

»Also«, sagte die Verkäuferin und holte Luft, »unser Schmand-Kuchen ist aus Mürbeteig, mit einer Mischung aus Pudding und eben Schmand gefüllt.«

»Nach traditioneller Rezeptur«, fügte sie hinzu.

»Klingt gut. Nehmen wir jeder ein Stück zum Kaffee, nicht wahr, Herr Pieczek?«

»Sehr gerne«, sagte die Verkäuferin, »Sie können schonmal Platz nehmen.«

Sie gingen in den hinteren Teil des Ladens, während die Verkäuferin mit Geschirr klapperte.

»Herrlich«, sagte der Anwalt, »kein Latte, keine extra geschäumte Milch, kein frozen dies und shaken das, keine entkoffeinierte Extravaganz mit Vanille, einfach eine schöne Tasse Kaffee.«

Er zog seine Militärjacke aus und hängte sie über die Lehne eines Plastikstuhls, auch Hans legte seinen Mantel ab. Sie setzten sich. Die Verkäuferin brachte den Kaffee und Kuchen auf einem Tablett, stellte die Tassen und Teller auf den Plastiktisch. »Lassen Sie es sich schmecken.«

»Besten Dank«, der Anwalt nickte und lächelte ihr hinterher. Hans nahm sein Tasse und trank.

»Ah, Sie trinken schwarz.« Der Anwalt nahm einen der kleinen Kaffeesahnebecher, die auf der Untertasse lagen, schüttelte ihn kurz, riss ihn auf und goss die Sahne in seine Tasse. Er nahm den halbvollen Zuckerstreuer aus der Mitte des Tischs, schüttelte ihn kurz, wie vorher die Kaffeesahne, hielt ihn dann gegens Licht, als könnten Fremdkörper drin sein, und schüttete vorsichtig etwas Zucker in seinen Kaffee. Hans trank in kleinen Schlucken und beobachtete ihn über seine Tasse hinweg. Er stellte die Tasse ab und sah, wie der

Anwalt klimpernd und gefühlte fünf Minuten lang mit dem kleinen Löffel seinen Kaffee umrührte.
»So.« Er legte den Löffel auf die Untertasse, und dann trank er einen kleinen Schluck. »Wunderbar.«
Hans schüttelte den Kopf.
Der Anwalt führte ein Stück des Schmand-Kuchens mit der Kuchengabel zum Mund. Hans nahm den fest aussehenden, ganzen Kuchen mit beiden Händen und biss hinein.
»Ja, ja, Sie machen das richtig«, sagte der Anwalt kauend, »bei so einem wunderbaren Kuchen muss man einfach herzhaft zubeißen.«
Hans wischte sich den Mund ab. »Es is'n Kuchen. Da hab ich schon bessere, da hab ich schon schlechtere.«
»Nun, da haben Sie sicher recht. Aber es ist die Situation, das Ambiente, das Drumherum, was einen guten Kaffeetisch ausmacht.«
»Das freut mich, dass es Ihnen mit mir anscheinend besonders gut schmeckt. Ambiente, hm?«
»Nun, wir beide haben einiges vor. Geschäfte, Hans. Wichtige Geschäfte.«
»Bedeutende Geschäfte, ja. Sie wissen ja, was ich zu bieten habe. Der Schmuckhändler ist ein guter Freund von mir.«
»Sagen wir es so, meine Auftraggeber sind durchaus interessiert an dieser Möglichkeit.«
»Es wäre ein Weg, den keiner vermuten würde. Ans andere Ende der Welt.«
»Schonmal in Japan gewesen, Herr Pieczek?«
»Sie können ruhig Hans sagen.«
»Emil. Angenehm.« Er reichte Hans seine Hand über den Tisch. »Man könnte denken, das Geschäft wäre perfekt, Emil«, sagte Hans und drückte kurz die Hand des Anwalts, die sich feucht und warm anfühlte.
»Es sind wie immer die Details, Hans«, sagte der Anwalt, »aber da gibt es marktübliche Richtlinien. Sieben Komma fünf Prozent für Lagerung und Vermittlung.«
»Mein Mann aus Tokio kommt in der zweiten Jahreshälfte wieder in die Stadt. Ich weiß nicht, wie Ihr Fahrplan, also was die Zeit betrifft …«

»Wir haben Zeit, mein lieber Hans. Meine Auftraggeber wollen, dass ein Teil der Ware andere Wege nimmt. Wege, mit denen keiner rechnen würde. Meine Auftraggeber haben momentan kein Interesse an Hektik, an Stress.«
»Den hatten sie ja schon, wie man so hört.«
»Hm. Meine Auftraggeber sind Verbrecher.«
»Wenn Sie das sagen ...« Hans blickte zu der Verkäuferin, die an der Kasse hantierte. Die Glocke an der Tür läutete, und eine ältere Frau betrat das Geschäft. Sie schlurfte zur Verkaufstheke, beachtete sie gar nicht oder schien sie nicht zu sehen an ihrem Tisch. »Tag, Marlene«, sagte die Verkäuferin.
»Verstehen Sie mich nicht falsch, Hans. Ich meine, ganz normale Diebe. Einbrecher. Profis. Kriminelle. Sie ..., oder waren wir jetzt per Du ..., haben doch sicher genug Berufskriminelle kennengelernt.«
»Tja, so denkt ihr Anwälte. Rotlicht, Huren, Nachtclubs und viele böse Kriminelle.«
»Nein, Hans. Ganz im Gegenteil. Und darauf will ich doch hinaus, du bist ein ehrlicher Unternehmer. Hast seit Jahren keinen Stress mit den Behörden, führst deinen Laden, so gut es geht ..., bist transparent, soweit das geht, zahlst deine Steuern, bezahlst deine Leute, hältst deinen Laden sauber, soweit das möglich ist. Hast einen guten Ruf, bietest faire Arbeitsbedingungen, machst deinen Schnitt.«
»Emil und die Detektive. Und wenn mein Schnitt so blendend wäre, würde ich wahrscheinlich nicht hier sitzen.« (*Verdammt nochmal*, dachte er, AK würde sagen, du bist total bescheuert, ein Verhandlungsdepp.)
»Ach, Hans, wer kann da schon Nein sagen, bei einem lukrativen Nebengeschäft. Und Sie wissen doch genauso gut wie ich, dass wir unsere Informationen eingeholt haben, bevor wir ...«
»Das große internationale Konsortium, was? Sie klingen fast wie der Graf ...«
»Der Graf?«
»Ach, vergessen Sie's. Und nein, in Japan bin ich noch nie gewesen.«
»Interessante Kultur. Große Kultur. Ehre. Stärke. Was ich meinte, als

ich sagte, dass Sie …, dass du sicher genügend Berufskriminelle kennengelernt hast …«
»Brich dir keinen ab. Natürlich, damals in Berlin, kurz nach der Wende, jeder wollte das schnelle Geld, aber Beruf würde ich das jetzt nicht unbedingt nennen. Glücksritter, die auch von drüben kamen, Sparkassenknacken war groß angesagt, Anfang, Mitte der Neunziger, jeder wollte das schnelle Geld …, natürlich gab's da paar Spezialisten, aber das warn doch alles Peanuts. Richtig Kohle gab's bei Immobilien und Treuhand. Wie kommen *Sie* denn zu Ihren Kontakten?«
»In der Knochenbrecherbranche war ich nie, Hans.«
»Sie verstehen einen Scheiß, Emil. War eine Art Freiheit, damals. Sich ausprobieren. Auf die Konventionen scheißen. Auf die Kacke hauen. Also noch in der Zone. Und später. Eigene Regeln. Bisschen Spaß beim Sport, dritte Halbzeit, also auf der Straße. Zusammenhalten, eine starke Einheit bilden. Und wir waren jung. Ende der Achtziger. Und später alt genug, um mitmischen zu können im großen Spiel. Da saßen Sie in 'ner schicken Kanzlei im schicken Berlin-West …«
»Räudig war das, Hans. Berlin-West. Westberlin. Räudig. Aber gut. Und dann kam der Osten, und alles wurde noch räudiger.«
»Wir haben euch doch zugeschissen mit eurem Begrüßungsgeld.«
»Und jetzt geben wir ein paar Bröckchen zurück. Die Prozente stimmen, wenn der Preis stimmt. Wenn Tokio Ja sagt, haben wir alle goldene Nasen und goldene Herzen.«
»Tokio wird einen guten Preis machen, Emil. Dafür kann ich garantieren.«
Die Alte schlurfte zum Ausgang, wieder ohne zu ihnen zu blicken, sie hielt einen bunt gemusterten Stoffbeutel in der Hand, Brotlaibe oder Brötchen zeichneten sich in Beulen durch den Stoff ab.

Sie blickten aus den großen Fenstern der Villa auf die bunten Buden und Karussells der kleinen Frühjahrskirmes, die sich auf einer Wiese hinter den Häusern erstreckte. Nur ein paar Menschen liefen zwischen den Ständen und Fahrgeschäften hin und her, es war früher Nachmittag und immer noch recht kühl. Der Himmel war mit Wolken bedeckt, wahrscheinlich würde es Regen geben.

Sie hatten jeder ein Glas Whisky vor sich stehen, hatten auf das Geschäft angestoßen. Nur ein Tisch mit drei Stühlen stand in dem leeren Raum, die Tapete hing von den Wänden, an einigen Stellen war der Putz zu sehen, und auch der Holzfußboden war nicht mehr in bestem Zustand.
»Du möchtest wirklich in dieses Haus investieren? Der Traum vom Alterssitz?«
»Ach, was heißt Alterssitz. So weit isses nun doch noch nicht. Aber irgendwann möchte ich schonmal aus der Stadt weg, ich meine zum Wohnen. Und so weit isses mit dem Auto ja nicht.«
»Mit dem Auto in die Stadt mit dem längsten Bahnsteig Deutschlands ...« Sie lachten. Hans nahm die Flasche Johnnie Walker Black Label und machte die beiden Gläser wieder voll. »Du hast doch vorhin den Pavillon gesehen, also die kleine alte Bahnhofshalle?«
»Ja. Ein wunderbares Gebäude. Der Zauber der alten Eisenbahn ...«
Sie hatten in der kleinen Halle gestanden und dem Echo ihrer Stimmen und Schritte gelauscht. Vom Tunnel, durch den sie gekommen waren, wehte ein leichter Wind den Geruch aller Bahnhofstunnel durch den Stein zu ihnen, Hans dachte an die Auswärtsfahrten Mitte/Ende der Achtziger, der dröhnende Chorus der Horde, einige von damals sind zu den Engeln gegangen, andere waren bürgerlich geworden, aber was hieß das schon ...
»Achtzehnhundertsechzig rum. Die reißen's bald weg. Woll'n Parkpklatz bauen.«
»Ist hier so ein Kommen und Gehen, dass sie einen Parkplatz brauchen?«
»Nein. Sind Idioten. Früher warn's die Bonzen, dann die Treuhand ...«
»So besorgt um die Kulturgüter der Heimat, Hans?«
»Eigentlich brauche ich was richtig aufm Land. Ich hab noch 'ne andere Option, auch ganz in der Nähe der Stadt, aber andere Richtung. 'n richtiges Schloss.«
»Du willst 'n Schloss kaufen, Hans? Nicht dein Ernst? Da braucht's doch aber sicher mehr als unseren kleinen Deal.«
»Nee, nicht das ganze Schloss. Da gibt's ein Nebengebäude, direkt am Wasser, also auf dem Wasser, wie 'ne kleine Insel. Ist 'n Wasserschloss. Mitten im Wald. Wie im Märchen.«

»Sehnst du dich so sehr nach der Einsamkeit?«
Hans nimmt eine Zigarette aus seinem Etui, reicht es dann dem Anwalt. »Danke, warum nicht.« Hans gibt ihm Feuer, zündet sich dann seine Zigarette an.
»Wie wollt ihr mir die Ware liefern?«
»Per DHL. Einschreiben mit Rückschein.«
»Nicht dein Ernst?«
»Wir melden uns vorher.«
»Ich hab's einfach satt«, sagte Hans, »der ganze Lärm. Den ganzen Tag dreht sich's. Die große Mühle. Wird mir zu laut, verstehst du. Irgendwas Gediegenes auf dem Land. Immer mein Traum gewesen.«
»Und deswegen hast du uns kontaktiert? Um die Stadt verlassen zu können? Startkapital?«
»Ist's so gelaufen? Bin ich zu euch gekommen? Mein Mann aus Tokio weiß ziemlich viel. Natürlich könnt ich mir den Scheiß hier auch so leisten. Aber wie du schon sagtest: Bei einem lukrativen Nebengeschäft kann man schwer Nein sagen.«
»Ich sag immer, Hans, ein guter Steuerberater ist das A und O. Geht nichts drüber. Kann man besser schlafen.« Er nahm einen Schluck von seinem Whisky, drückte die halbgerauchte Zigarette in den Aschenbecher. »Kann man trinken, den Johnnie Black.«
»Den trink ich am liebsten. Seit über zwanzig Jahren.«
»Ich bin auf die Malts umgestiegen, Hans.«
»Hm. Hab ich Glenfiddich in meiner Bar.«
»Schaff dir noch ein, zwei mehr an, ist der neue Trend jetzt. Talisker. Lagavulin.«
»Vielleicht in Berlin. Schon der Glenfiddich wird kaum getrunken. Im Büro hatte ich 'ne Zeitlang einen guten Japaner. Hatte nicht gewusst, dass die auch Spitzen-Whiskys machen. Hat mein Freund aus Tokio mal mitgebracht.«
»Dein geheimnisvoller Freund aus Tokio …«
»Da ist nichts geheimnisvoll. Deswegen denkt ihr ja genauso wie ich, dass er der richtige Mann für die kleine Transaktion ist. Er verkauft an die Neureichen in China. Die geschäftstüchtigen Kommunisten müssen den Wohlstand nachholen.«

»Ja, Hans, die Welt, wie wir sie noch kannten, hier ein Block, da ein Block, gibt's nicht mehr.«
»Bin ich froh drüber. In der Zone würden wir nicht hier sitzen und Johnnie Black trinken.«
»So meinte ich das nicht ...«
»Wie auch immer. Ist spät geworden.«
»Ist spät geworden.«
Sie blickten schweigend aus den großen Fenstern. Hans zündete sich noch eine an. Draußen wurde es langsam dunkler, die grauen Wolken hingen tief, es nieselte, winzige Tropfen an den Scheiben, die Lichter der Karussells begannen zu leuchten. Er erinnerte sich an die Rummelplätze der Stahlstadt, in der er groß geworden war. An die Rummelplätze in den Dörfern um die Stahlstadt, an die Zelte, in denen getanzt wurde, Blasmusik, an die Schießbuden, die Alten, die im Krieg gewesen waren, schleppten die Preise weg, kleine Karussellen, von denen die Farbe abblätterte, hölzerne Pferde, Feuerwehrautos, Doppeldecker, Giraffen ..., sein Vater war oft mit ihm auf den Rummel gegangen ...
»Mein Zug geht bald«, sagte der Anwalt.
»Meiner auch«, sagte Hans und blickte auf seine Glashütte.
»Zeit für einen letzten Schluck?«
»Zeit für einen letzten Schluck«, sagte Hans. Der Anwalt nahm die Flasche und goss ein. »Ist eigentlich ganz schön hier«, sagte er.
»Ja«, sagte Hans, »hier oder beim Schloss. Ich bin mir noch nicht sicher.« *Erzähl nicht so viel, du Idiot.*
»Meine Auftraggeber ...«
»Nein«, sagte Hans, »davon will ich nichts wissen.«
Der Anwalt lachte. »Nur das, was in den Zeitungen steht. Wenn ich vorhin etwas ..., wie soll ich sagen ..., forsch war ...«
»Schon gut. Teil des Spiels. Teil der Arbeit.«
Sie tranken. Dann standen sie auf.

Die Gleise verzweigen sich, führen über Brücken, durch Tunnel, durch kleine, große Bahnhöfe, Vorstädte, Hauptstraßen, nächtliche Lumpensammler, Passagiere, die müde nach Hause fahren, der Betonsarkophag Südkreuz, das Rumpeln der U-Bahn unter den Gleisen, zwei Männer auf dem räudigen Boulevard Westberlins, ein Spätverkauf, der schließt, Stehbierkneipe Bahnhof Zoo, zwei Männer, die vorm großen Kaufhaus des Westens im Auto sitzen, Wachdienste, die ihre Wege verlegen, Diamantschneider auf Glas, dunkle Kleidung der Nacht, Kabelknipser, alarmfreie Zonen, zwei libanesische Brüder, sanfte Bewegungen an der Front des Kaufhauses des Westens, Sternbilder weit über den Wolken, Fassaden im gelben Licht der Nacht, Seile an der Fassade, Glas wird beiseitegestellt, Lederhandschuhe, Haarnetze unter Mützen, Tarnmasken, das Licht der Steine im Licht kleiner Taschenlampen, die kühle Schärfe der Karate, die Uhren ticken rückwärts, Zeitfenster, die Ware gleitet in die Säckchen, Glasvitrinen, durchtrennte Elektrizität, die in der Erde versickert, die vorsichtige Platzierung der Spuren neben den Vitrinen, billige Quarzuhren, die auf die Sekunde gestellt sind nach der Atomuhr, das Licht einer Taschenlampe bricht sich in einer stillen Explosion in einem Häufchen unglaublicher Schönheit, in Tokio sitzt ein Mann mit einer Lupe im Auge, im Städtchen G. in Thüringen halten zwei Züge am längsten Bahnsteig des Landes.

## Import/Export 90

Zuhälter? Ja. Ja.

Ich meine, ich gehöre zu 'ner aussterbenden Gattung. Zu 'ner bedrohten Art. Im Prinzip bin ich nicht mehr aktiv, seit paar Jahren schon. Müsste also in der Vergangenheitsform sprechen. Aber wenn ich mich so an die Jahre dran zurückerinnere, dann ist das gleich wieder voll da. Klar, mit dem Ruhestand, das hätte ich mir alles anders vorgestellt. Und die Claudi hat, ich glaub, das muss so um zweitausendfünf gewesen sein, immer wieder gesagt: »Randy, lass die Finger von die Aktien.«
Ja, aber Randy wie immer seinen eigenen Kopp gehabt, wenn's ums Geschäft ging. Zwotausendacht warn die Papiere abgelutscht. Alles weg. Ich meine, wenn ich's wenigstens verprasst hätte. Jetzt sitz ich hier in Bottrop in mein Häuschen und hab Probleme mit den Raten. Bloß gut, dass die Claudi bisschen was abgezweigt hat. Da hätt sie aber was erleben können, wenn das mit den Aktien alles geklappt hätte. Aber sicher. Aber zwo-acht und auch die Jahre davor, war ich schon nicht mehr der alte Bulldozer, Randy räumt auf!, ja, da war Respekt angesagt damals. Ich meine, früher, aufräumen, einen wegwemmsen, das war auch eher die Ausnahme. Da hat die Claudi aber aufs Wort ... Das ist aber natürlich das, was Coppenrath & Wiese ..., übrigens ist das ja meine Kreation, also dieser Begriff ..., das kursiert jetzt, und 'n Haufen Leute, vor allem so Ostpocken, behaupten, dass sie da das Monopol drauf haben, aber nee!, das haben die mir geklaut, als ich einundneunzig drüben war. Also wer hat's erfunden? Der alte Randy, richtig.
Jedenfalls, was ich sagen will, die Claudi damals noch 'n bisschen was auf Tasche gerettet und dafür in 'ne Bahnhofsboutique von der

Freundin mit eingestiegen, das läuft so halbwegs, na ja, und davon leben wir jetzt. Da, wo wir früher mit 'nem Arsch voll Weiber rumgezogen sind, also Dortmund, Essen, der Pott halt, da sind jetzt die Kanacken oder die Russen am Drücker oder die Engel, oder da stehn Riesenpuffs von jungen Investmenttypen, Aktie Rot läuft irgendwie immer. Aber so Klassiker wie uns, wie die alte Garde, Fehlanzeige.
Man darf auch nicht unterschätzen, wie viele Weiber heute auf eigene Rechnung ackern, also in großen Läden, FKK-Clubs, Nobelpuffs, Laufhäusern, wo dich keiner so einfach angraben kann.
Ich hab meine Mädels früher immer aufgeteilt, zwei in 'n Puff, zwei auf die Straße. Also wenn ich vier Hühner auf der Stange hatte. Ich hatte nie 'n Großharem, da hätt ich ja gleich 'n Puff aufmachen können, aber nee, viel zu viel Arbeit, das ist nämlich 'n Schweinejob. 'n paar von den alten Kumpels sind in 'n Laden mit eingestiegen oder haben einen aufgemacht, manche sogar 'ne richtige Bar oder 'n Restaurant. Mit Bar oder Restaurant hatte ich auch 'ne Zeitlang überlegt, aber siehe oben. Ich meine, ich hatte ja wirklich viel verdient, die Mädels haben geackert wie blöd in den Neunzigern, die Claudi immer vorneweg. Da hatten wir 'n klasse Apartment in Dortmund, wo wir alle gewohnt haben, dann hatte ich noch 'ne Wohnung in Essen, da hatte ich die Melanie untergebracht, weil die mit den anderen nicht konnte, und später die Grit, und dann immer hin und her, ist jetzt nicht so, dass ich da gar keine Arbeit hatte. Im Gegenteil. Halt du mal 'ne Handvoll Mädels bei Laune. Gekommen sind die meisten immer von alleine. So ging das auch los, damals in den goldenen Achtzigern.
Ich war ja kein Hüne oder kein Karate-Champ wie der U., den ich gut kannte. Der hat ja wie so viele an der Tür angefangen im Pott. Also in den damals berühmten Diskos. Klar, Sport war immer ein Thema, weil gut aussehen musst du ja schon, also körperlich.
'n Gesichtsquasimodo zieht natürlich die Bienen nicht an. Und 'n Körperklaus auch nicht, wenn ihr wisst, was ich meine. Obwohl, da gab's den F. aus Schwerte, dem sein Gesicht war 'n einziges Unglück, wie in den Rasenmäher gekommen, aber eben gefährlich. Der war aber 'n Hüne. Ich eher so Marke Drahtesel. Also ohne Esel. War früher 'n Leichtathletik-Ass, aber immer schon gut und ge-

schmeidig unterwegs, was die Keilerei betrifft. Hab mit dem U., also dem Karate-Champ, auch hin und wieder trainiert, aber Verein, nee, das war nicht meins. Jetzt meckert die Claudi immer rum oder macht sich lustig, wenn ich die ollen Geschichten auspacke. Gesichtsquasimodo und Körperklaus. Hab ja auch ordentlich zugelegt. Aber damals ... Na ja, ich konnt sie echt kaum von der Backe kriegen, das muss achtundachtzig gewesen sein. Wollt ich ja auch gar nicht.

Ich hab mich seit der Schule, also seit der zehnten Klasse, hab ja 'n ganz guten Abschluss gemacht, ja, ja, Realschule, eigentlich immer in den Diskos rumgetrieben. Sah da schon aus wie zwanzig oder so. Einer meiner besten Freunde hatte 'ne Bar, der war etliches älter als ich und kam aus derselben Siedlung in Bottrop, alte Arbeitersiedlung, wo ich groß geworden bin. Da hing immer die ganze Ludengarde rum. Und dem hab ich oft geholfen, also neben der Lehre, hab Raumausstatter gelernt, weiß gar nicht, ob's das heute noch gibt, hab da mal im Lager und für die Jungs, also die Ludengarde, die da immer rumhing, dies oder das besorgt und geholt, und später, als ich die Fleppe hatte, bin ich auch für ihn und die 'n bisschen rumgefahren, hab die Mädels abgeholt, wenn die Jungs mal wieder einen im Tee hatten. Mein Chef, bei dem ich die Lehre gemacht habe, hat da immer bisschen komisch geguckt, wenn ich 'n Auftrag angeschleppt hab, für 'n Laden oder 'ne Wohnung.

Ich hab die, muss ich ehrlich sagen, immer bewundert, von Anfang an bewundert. Die fuhren die geilsten Schlitten, klar, da hat man sich gesagt, so 'n Schlitten will man auch mal fahren. Und die hatten immer Zeit, also diese Jungs. Konnten jeden Abend in die besten Bars und Diskos gehen, die's zu der Zeit gab im Pott. Die hatten die teuersten Lederjacken, Ledermäntel, Hugo Boss war da noch das Billigste, sag ich mal. Scheißteure Uhren, Klunkers, Ketten undsoweiter. Und nicht nur die geilsten Schlitten, die geilsten Schnitten. Na klar hat der kleine Randy da geguckt. Nur 1-a-Miezen. Ja, ich muss das so sagen, das war wie aus Tausendundeiner Nacht. Und die haben 'n Scheiß auf gar nichts gegeben. Die lebten in ihrer eigenen Welt. Und wenn mein Kumpel, also der die Bar da hatte, die Jalousien runterzog, ging's da richtig ab. Weißes Gold und sowas, wenn

ihr versteht. Und dann am Morgen, also irgendwann drei, vier, weiter in die Diskos. Und ihre Mädels klebten richtig an denen dran. Na klar, da hat der kleine Randy auch schon mal mitgekriegt, dass es mal einen Satz heiße Ohren gab, also mit den Kollegen beziehungsweise der Konkurrenz, aber auch mal bei den Mädels. Aber nie richtig doll. Da muss ich gleich dazusagen, dass ich später eher Marke Poussierstengel war, ist 'n altmodischer Begriff, 'ne ganz feine Pflanze, das war dann aber sowas von selten, dass mir mal die Hand …, also bei meinen Mädels. Und die Erste kam von ganz alleine. Da war ich grad mal zwanzig geworden. Da hab ich noch ganz schön rumgestümpert, und das hat noch paar Jahre gedauert, bis ich wusste, wie das alles richtig läuft, wie man so 'n Mädel richtig bei der Stange hält. Und auch wenn das die Claudi nicht so gerne hört, die Mädels von der Ludenbrigade, die haben mich damals ganz schön rangenommen, so 'nen Pimpf wie mich, und ihre Männes haben drüber gelacht, weil die mich alle schon gut leiden konnten. Tut dem schönen Jungen mal was Gutes. Aber wenn's dann mal zur Sache ging, weil irgendwelche Typen Streit anfingen, war ich sofort mit dabei. Da haben die mich unterschätzt, alle. Also nicht lange. Den U., den Karate-Champ, und der war wirklich mal deutscher Meister Anfang oder Mitte der Achtziger, den kannte ich da schon ganz gut. Wobei das schon inflationär war, mit den Karate-Namen, damals. Da gab's Karate-Andy, Karate-Mike, Karate-Theo (alias der »schöne Theo«), Karate-Werner, dann den sogenannten Karate-Opi, Karate-Schwärtner, Karate-Mannie aus Essen, Karate-Horst, Karate-Micha, Karate-Steffen, nee, das war so 'ne Ostpocke etliche Jahre später, Karate-Karl, Karate-Bernd, Karate-Schwanz …, obwohl den kaum einer außerhalb von Bottrop kannte. Da waren schon etliche harte Jungs drunter, aber da gab's auch den ein oder anderen, der war eher Karate-Film-Fan. Bruce Lee und so. Obwohl, das war ja nun Kung Fu.
Also mit dem Karate-Boom hatte ich da nicht so viel am Hut, aber, und das war das, ich kannte paar von den Typen ganz gut. Und wenn's zur Sache ging, war ich auch ohne Karate gut dabei. Die Siedlung in Bottrop, wo ich aufgewachsen bin, das war schon echt Ruhrpott. Hartes Pflaster. Mein Häuschen habe ich mir schon woanders

zugelegt, also wir, Bottrop-West, mit schönem Landschaftsblick. Klar, das gibt's hier.

Und mein erstes Mädel, da muss ich so zweiundzwanzig gewesen sein, da bin ich zu gekommen wie Mutter Maria zum Begründer des Christentums. Na ja, nicht ganz. Aber ich glaube, die Jungs wollten mich bisschen austesten. Die Disko gibt's heute schon längst nicht mehr. Ich sagte ja, alles aussterbend. Die hat sich mir, wie man so sagt, an den Hals geschmissen. Und da gab's 'n anderen Assi, meine, überhaupt 'n Assi, weil der Großteil, eigentlich alles, von dem, was ich verdient hab in meinem Job, also kurz nach der Lehre, ging für Klamotten drauf. 'ne Corvette und so konnte ich mir da noch nicht leisten, war immer als Sozius unterwegs mit den Jungs, da war ich auch immer stundenlang beim besten Friseur, ich hatte ja Naturlocken, und das dauerte seine Zeit.

Jedenfalls macht der Assi Stress, weil da die Kleine bei mir am Tresen und dann auf der Tanzfläche. Und als der uns und mir blöd kam, musst ich ran. Ran und rein in den Mann. Das ging aber ganz schnell, weil der hatte mich Leichtathletiker einfach unterschätzt. Und da hatte ich dann meinen Ruf weg. Das Blöde war, dass ich da noch heimlich, mehr oder weniger, bei meiner Mutter ein Zimmer hatte. Aber der G., was einer von den Jungs war, hat mir sofort eine seiner Wohnungen weitervermietet. Und dann fing das an zu laufen. Klar, erstmal richtig gut, dann wieder holprig, wie das eben so ist. Und das war schon 'ne klasse Frau, die Grit aus Bochum, da kann man gar nichts sagen. 'ne junge Frau. Die ist dann bis Mitte der Neunziger bei mir geblieben, also fast zehn Jahre. Die hat dann einen kennengelernt, der wollte mit ihr 'ne Familie gründen, also sie mit ihm, weil irgendwann wird der Ruf des Nestes übermächtig, obwohl wir beide, anfangs allein und dann mit den anderen Mädels, 'n ganz prima Nest gehabt haben. Der Typ, und das hat die Grit auch so gewollt, hat dann bisschen was hingelegt, weil der natürlich wusste, was los ist, weil der sie ja so kennengelernt hat. Das ist nicht immer so gelaufen, wenn eine von mir wegwollte. Ich meine, da gab's die Hardcore-Luden, das kann ich von heute aus schon so sagen, die haben da nichts anbrennen lassen und haben den Mädels jede Mark abgeknipst, dafür hatten die 'n schönes Leben, also wie

man's nimmt, Disko, Klamotten, Klunkers, Schampus und Highlife, aber ich hab meinen Mädels immer was gegeben, war da nicht knausrig, wenn ich die Kuppe in der Hand gehalten hab, die schönen alten D-Mark-Scheine, da könnt ich glatt sentimental werden. Die Claudi war da ganz froh, wo die Grit weg war, weil sie immer bisschen eifersüchtig auf meine Erste gewesen ist.
Na ja, und so hat sich das eingespielt. Den Job hab ich dann irgendwann geschmissen, wann genau, kann ich gar nicht mehr so genau sagen. Sechsundachtzig, Siebenundachtzig. Klar, in den Diskos hat man natürlich auch sondiert. Hat geschaut. Was geht, welche geht. Wo kannste dich dranhängen. Ich meine, damals, da war ich auch einer zum Anbeißen, immer fit, Körper und Kopf, immer mit 'nem super Wagen, weil die Corvette hab ich mir gleich gekauft, wo die Kohle durch Grit auf Tasche war. Und so weiter. Ich meine, so schwer war das nun doch nicht, wenn man damals bei den Jungs mit dabei war. Na klar kam das vor, dass man das eine Mädel mal bisschen mehr beschwatzen musste. So nach dem Motto, da weiß ich ja nun nicht weiter, und wenn du da nichtmal mit dem und dem, dann bin ich halt weg. Aber vorher natürlich immer in der Corvette unterwegs, und da 'ne Klunker an ihren Hals dran, und dann mal ein Wochenende auf Sylt, ich meine, das waren die Achtziger, da war so 'n Mädel, was sonst nicht viel auf Tasche hatte und sonst auch nichts, das konnte man schon erkennen; ich war immer im inneren Kreis unterwegs, also bei den Jungs, die ich aus der Bar von meinem Kumpel kannte …, da war man wer …, ja, da war ich wer, und den Ruf, dass der Randy in den Mann reinhaut, den hatte ich auch schon …, und die Mädels hatten meistens ja Freundinnen, an die man leicht rankam …, und wenn da die Karla zum Beispiel grad 'nen Job hatte bei Karstadt an der Kasse und seit Monaten immer in meiner Disko rumstand mit ihren schönen Augen, ja, schönen Augen, da war ich da natürlich dran, wenn die Jungs mir grünes Licht gegeben haben. Was soll ich sagen, schon bisschen Arbeit manchmal, aber nicht so, dass ich da die Biene anklapsen musste, nee, gar nicht.
Vielleicht später, dann und wann mal. Aber wie gesagt, da war ich nie so.

Ich würde sagen, dass die alle gut dabei waren, damals. Erstmal die große Liebe, Schampus, Sex, Schampus … und immer wieder. Immer wieder. Dann haben wir da auch Sachen inszeniert. Oh je, da kommt dir einer blöd, Baby, na fix ist der Randy da. Und hilft dir. Aber wie gesagt, da stehst du so rum bei den Kings am Tresen, da sind die fast …, ja, und das könnt ihr glauben oder nicht, von ganz alleine gekommen.

Du, Baby, weißt du, was wir da an Kohle scheffeln, vergiss alles andere. Und dann aus den Siedlungen im Pott voll rein ins Highlife. Party, Schampus, Koka, Geld. Und der schöne Randy, der dich liebt. Na, aber hallo!

Das ging dann so weiter und weiter. Und Kohle hatten wir ohne Ende. Ich und die Mädels, die Mädels und ich. Die Claudi, was meine wirkliche große Liebe war, hat da schon mitgeholfen. Die geht mal lieber auf die Straße, klar, da kannte man alle Brigaden inzwischen, die geht mal lieber in Bochum ins Laufhaus …, und die Claudi selber stand in Essen auf der Straße, also nicht auf irgendeiner Straße, wie die Königin. Alle haben sie gekannt, alle haben die respektiert. Weil sie 'ne klasse Frau war, klar, auch noch ist, und der Randy steht dahinter. Und dann kam das, was sie drüben die Wende nannten …

Wir haben das anfangs gar nicht richtig mitgekriegt. Wir waren ja ständig am Feiern, die Mädels am Geldranschaffen, da waren die Nächte oft erst am Vormittag zu Ende, Disko, Disko, und der Schampus floss, die Mädels hab ich gut gemanagt damals, die Claudi hat den Laden auf jeden Fall mit zusammengehalten, die wusste immer, wenn einer mal der Schuh drückte oder wenn eine mal Urlaub brauchte, wir waren schon wie 'ne große Familie, eher wie so 'ne große Ehegemeinschaft, damals hatte ich auch die Rosie, die kam aus Bayern, vom Lande, und der konntest du alles erzählen, die stand schon nach paar Tagen für mich in Dortmund auf der Meile. Ein guter Lude, und das sage ich mit 'nem gewissen Berufsstolz, obwohl ich ja schon längst im Ruhestand bin, muss schon 'ne Menge von Psychologie verstehen. Aber die Mädels hatten ein gutes Leben beim alten Randy, das muss ich mal so sagen. Alles im Überfluss, wer sagt da schon Nein? Na ja, und die Wende jedenfalls. Das mit der Mauer war ja alles weit weg. Aber Anfang neunzig, da fing man schon an, sich da Gedanken zu machen. Also was das Geschäft betrifft. Oder *die* Geschäfte. Da war ja plötzlich 'n Riesenmarkt offen auf einmal. Da setzte die Völkerwanderung ein, also beidseitig. Plötzlich hatten wir die Ostpocken hier, da schlichen die bei uns ums Eck und wollten auch mal mit 'ner richtigen Hure, weil sowas gab's ja bei denen nicht in all den Jahren. Aber das war nicht so, dass das uns plötzlich die Taschen vollgemacht hat. Na klar, ein bisschen schon. Da warn wir auch clever und haben da die Sondertarife fürs Begrüßungsgeld eingeführt. Da ist so manche Ostpocke auf der Bahnhofsmission gelandet, weil er nach ein, zwei Nummern vollkommen pleite war und nichtmal mehr 'ne Rückfahrkarte hatte. Oder die haben ihre Alte zu Karstadt geschickt und standen dann mit offenem Mund und offener Geldbörse im Bahnhofsviertel oder auf der Meile.

Aber da war mir schon klar, dass das viel besser in die andere Richtung laufen kann. Mit der Völkerwanderung, mit der Völkerverständigung. Und was da Anfang neunzig alles an Waren nach drüben in den Osten geflossen ist. Was wir denen alles für Nippes und Fresskram rübergeschleppt haben. Also jetzt nicht wir direkt, die gute alte Luden GmbH, nee, ich meine so Glücksritter und Geschäftemacher und alle möglichen Arten von Abziehern. Ein Bekannter von mir kaufte regelmäßig tonnenweise Joghurt auf, wo das Verfallsdatum fast rum war. Haben die eh nicht drauf geguckt in ihrem Wahn. Na klar, dachten die Kumpels und ich da gleich, dass wir da doch unsere Mädels rüberkarren müssten, die waren ja wenigstens frisch, und das meine ich jetzt nicht irgendwie respektlos. Der Kuchen-Klaus, ein Freund von mir, ein alteingesessener Zuhälter aus Bielefeld, hat sich 'nen kleinen Imbisswagen besorgt, Bouletten, Hotdogs, Pommes, der kannte sich ein bisschen mit sowas aus, weil er mal in 'ner Bäckerei gearbeitet hat in den Siebzigern, der suchte noch 'n zweiten Mann, und da bin ich das erste Mal rüber in den Osten gekommen. Die Claudi und die Rosie hab ich mitgenommen, der Rest der Kompanie blieb im Pott, was im Nachhinein ein Fehler war, weil ohne die Claudi ging's da drunter und drüber bei den Mädels, eine war weg, als ich wiederkam. Der Klaus hatte zwei von seinen Mädels mit. Da sind wir dann durch die sächsische Provinz getingelt. Zwickau, Karl-Marx-Stadt, Mutzschen. Die Leute haben uns den Fresskram aus den Händen gerissen, Pommes rotweiß war der Hit in der Zone, und dass wir Mädels dabeihaben fürs Spezialmenü, hat sich schnell rumgesprochen. Das war noch vor der Währungsunion im Juni. Da hatten wir bündelweise Ostgeld, das wir dann eins zu zwei zurückgetauscht haben, der Klaus kannte da einen von der Sparkasse Bielefeld, also zumindest hatten wir das vor, die Kohle zur Sparkasse b. Da waren manchmal plötzlich paar tausend weg, Aber richtig ging der ganze Wahnsinn dann erst im Sommer los. Das mit dem Imbiss war uns dann doch zu anstrengend, die Mädels haben auch nur nach Frittenfett gerochen, weil mit der Braterei und der Fritteuse, das haben die dann doch besser hingekriegt als der Klaus und ich. Also haben wir den Imbiss verkauft, an wen und für wie viel kann ich heute gar nicht mehr sagen, das war in irgend 'ner Kneipe in 'nem Nest namens Altenburg, aber es gab ja auch an jeder Ecke da im Osten 'ne Imbissbude plötzlich, keine schnelle Mark mehr aufm Frittenmarkt, war ja auch nur so 'ne Idee gewesen, um unsere eigentlichen Geschäfte bisschen zu tarnen.

Also ich und der Klaus wieder zurück in Pott beziehungsweise der Klaus nach Bielefeld. Und wenn ich so an meine erste Ost-Tour zurückdenke, muss ich sagen, dass mir da die Zonen-Gabys, also die Ostpöckchen, richtig gut gefallen haben, eigentlich viel besser als unsere Ruhrpott-Uschis, weil die einfach natürlich waren, auch in der Art, wie die gequatscht haben, wie die ihren Körper immer selbstbewusst so straff und zugleich lässig ... Und immer die Ruhe weg. Nix etepetete. Jetzt, wo seit Jahren immer diese ganzen Jubiläen sind, dieses ganze Abgefeier mit Abgeseier wegen der Wende und der Neuerschaffung Deutschlands, da denk ich oft dran, was das eigentlich für 'ne Welt da drüben war, damals. Ich meine, jetzt verfällt der Pott hier endgültig, mehr Stein als Sein, und im Osten glänzen die Investpaläste, aber damals waren wir die Einzigen, die da geglänzt haben. Die Häuser waren da teilweise so runter, dass ich gesagt hab, wenn wir da irgendwo 'n Zimmer hatten, wo die Mädels die Kunden abmelken konnten: »Macht nicht so dolle, sonst sitzt ihr im Keller mit dem Bett.« Ja, so war das. Ich meine, die richtig großen Geschäfte waren ja damals mit der Treuhand zu machen, wir waren da eher so Marke Handbetrieb. Ein Kumpel vom Klaus, also dem Kuchen-Klaus aus Bielefeld, ist dann später groß eingestiegen in der großen Stadt unten im Osten. Zweihundert Kilometer vor Dresden, da haben die sich in den Arsch gebissen, dass die nicht Landeshauptstadt geworden sind, obwohl die ja mächtig am Expandieren waren, die große Stadt ist ja förmlich verschmolzen mit der Nachbarstadt, da hieß es immer: »Die Million ist das Ziel«, hat sich irgend so ein Arsch dann auch als Slogan sichern lassen, habe ich jedenfalls gehört. Ist ja auch 'n gutes Ziel, war auch mal meins, obwohl die das ja bevölkerungstechnisch meinten. Die Völkerwanderung hat den Osten ja dann an vielen Ecken und Enden ausgeblutet, »Gemeinsam einsam«, aber dort, in der großen Stadt, lief's komischerweise. Jedenfalls ab Mitte der Neunziger. Und da hat dann der Kumpel vom Klaus, der aber auch die Mittel hatte, der gehörte zu so 'nem Rotlichtkonsortium, sag ich jetzt mal, 'nen großen Laden aufgemacht, 'ne richtige Burg. Marke Eroscenter.

Aber neunzig, ja, da war das alles noch ein wüstes Land. Das große Chaos nach dem großen Knall. Da haben wir in Bottrop in der Bar von meinem alten Schulfreund gesessen, also die Vereinigung der freiberuflichen Zuhälter, die Landkarten aufm Tresen. Und da waren wir nicht die Einzigen. Da dachten die in Hamburg und München genauso. Dass man da rübermuss, dass man da die Mädels hinkarren muss, nicht nur den Fuß in die Tür, am besten gleich die ganze Tür. Aufbau Ost. Klang alles gut, klang alles einfach. Und der alte Randy war ja schon mal drüben gewesen, Anfang neunzig. Aber mit der zweiten Welle sollte das alles bisschen überlegter starten. Kein Frittenbudenkapitalismus mehr. Ich denke heute noch, dass wir da heute noch die neuen/alten Länder verwalten würden, wenn wir uns richtig zusammengetan hätten. Kein Klein-Klein. Aber selbst so 'ne Type wie Karate-Schwanz aus Bottrop hatte auf einmal große eigene Ideen. Aber dem haben sie dann in Zwickau ziemlich schnell die Eier ramponiert. Es gibt sogar Leute, die sagen, dass er mit seiner einen Uschi, denn mehr hatte er nicht, in Hof hängengeblieben ist, auf 'ner LKW-Raststätte, weil er dachte, da kann er das

große Geld machen. Transit, Transit, Import/Export. Nie wieder was von ihm gehört.
Jedenfalls war das 'ne richtige Goldgräberstimmung damals. Ich war mir mit dem U., also dem Karate-U., und dem Klaus schnell einig, dass wir da mal rüber in die große Stadt machen. Wo die sich immer noch in den Arsch gebissen haben, dass sie nicht Landeshauptstadt geworden sind. Da kann mir ja einer erzählen, was er will, aber die Sachsen, die ticken einfach nicht richtig. Muss mit der Geschichte zusammenhängen. Meinte der Kuchen-Klaus jedenfalls immer. Was die Geschichte betrifft. Und ich glaube, aber das sagte ich ja schon, wenn wir damals gemeinsam und mit allen Truppen zusammen einen auf Napoleon gemacht hätten, die Völkerschlacht wäre sicher zu gewinnen gewesen. Aber o.k., der alte Randy war ja eher einer von der smarten Sorte. Und so sind wir da zu dritt hin. Der Klaus, der U. und ich.
Das muss so im Herbst neunzig gewesen sein. Vor kurzem wollte mir die Claudi einreden, dass das schon beziehungsweise *erst* einundneunzig gewesen war. Meistens hat sie ja recht mit sowas, mit Zahlen kennt sie sich aus, sie hat ja auch jahrelang unsere Steuer gemacht, also das, was über der Hand und nicht unter der Hand reinfloss. Den Karate-U. haben sie nämlich paar Jahre später ordentlich verknackt wegen Steuerhinterziehung, Förderung der Prostitution konnten sie ihm dann doch nicht richtig nachweisen. Als wär er 'n Al Capone, den haben sie auch nur wegen der Steuerscheiße drangekriegt. Richtig angefangen mit der Buchführung, also dem Umschreiben von einigen Geldern, habe ich erst Mitte der Neunziger, also was dann die Claudi für mich gemacht hat. Die hatte nämlich 'nen Stammkunden, der war Steuerberater, und das war jedes Mal 'ne Art Schulung nach der Nummer oder den Nummern. Sogar ein richtig hohes Tier, war mal bei der Finanzbehörde gewesen. Der hatte 'ne kleine Dienstwohnung, da hat die Claudi mit dem so manches Wochenende verbracht. Was da an Kohlen reinkam, man kann schon sagen, dass der ihr hörig war. Und sie wiederum mir. Auch wenn die Claudi mir heute ordentlich den Kopf wäscht, wenn sie das hört. War ja auch alles kein Wolkenkuckucksheim, lief aber. Bei ihr, bei den Mädels und bei mir. Klar, vor allem bei mir. Ich geb's

zu, so richtig anzupacken, so richtig auf Maloche hatte ich nie Bock. Aber da hatte ich dann 'ne Firma, Mitte der Neunziger, über die lief das alles. Was eben darüber laufen sollte. Der Rest ging in cash in die Täsch, wie immer.
Und dann die große Kaffeefahrt. Der Klaus hatte sich ja schon bisschen rumgehört. Zur Wiedervereinigung waren wir in Erfurt. Die Claudi hat schon recht mit dem, was sie so sagt. Denn das war damals ein einziges Gependel. Große Stadt, Ruhrpott, Provinz, Ruhrpott, große Stadt. Dann mal rüber nach Dresden, wo zwei Kumpels von mir 'n Laden aufgemacht haben. Lief als Bar, Gaststättenbetrieb, aber war 'n astreiner Puff. Na, und nicht dass die da meinen Mädels die guten Mietpreise gemacht haben, nee. Die beiden waren ja selbst astreine Luden. Der Micha und der Samuel G. aus Gelsenkirchen. Heute würde ich sagen, Doof und Doof. Obwohl den ihr Laden da in der Landeshauptstadt 'ne Zeitlang richtig gut lief. Und ich hatte meine Mädels nur 'n paarmal dort am Start. Ging ja auch alles schief dann später, bei Schalke-Sammy und Micha. Scheiß Ruhrpott-Connection.
Als ich das erste Mal in die große Stadt kam …, na ja, das war schon 'n Schock. Aber irgendwie dachte ich auch, ja, das sieht gut aus. In meiner Erinnerung zog da abends der Nebel durch die Straßen. Grauer Nebel, graue Fassaden. Der Zentralbahnhof wie 'ne schwarze, verfallene Sandburg. Die hatten da überall nur Kohleheizungen, und in dem Herbst, als wir da hinkamen, Frühjahr einundneunzig!, sagt die Claudi immer, aber das ist Quatsch, da war dort alles wie von 'ner Ascheschicht überzogen. Kurz nach dem Ausbruch des Vesuv. Sagte der Kuchen-Klaus damals immer, aber der war der Erste, der dann weg war. Hat dann woanders weitergebacken.
Auf dem Weg in die große Stadt hatten wir schon an paar Wohnwagen-Magistralen haltgemacht. Thüringen zum Beispiel. Bei Weimar. Ja, die Klassiker. Die Wohnwagenschiene gab's ja bei uns im Pott auch. War aber nicht meins. Ich meine, wir wussten Bescheid und hatten zwei prima Modelle dabei. Da musste ich mir 'n Mercedes zulegen, weil das an die Corvette nicht dranging. Aber da habe ich dann gedacht, dass da die Holländer die ganzen Bumsmeilen übernommen hatten. Da war Hurenzeltplatz an Hurenzeltplatz. In

Thüringen kam man da noch halbwegs rein, wir hatten ja Karate-U. dabei und auch Artillerie unterm Sitzpolster. Wenn's da Stress gab, gab's auf die ostdeutsche Murmel. »Nischel« sagen die da. Ich meine, ich komme ja aus der Leichtathletik, aber da ging's um viel, da ging's um richtig Kohle und Geschäfte, und da hab ich mich natürlich nicht die Bohne lumpen lassen, da gab's schon mal 'n Satz heißen Eintopf, wenn ihr wisst, was ich meine, aber die Claudi sagt immer, dass das auf dem Weg in die große Stadt doch alles eher harmlos abging. Weil's da in den Trailerparks der Huren und Zuhälter relativ international zuging, und damit meine ich deutschdeutsch. Da standen und parkten sie aus allen Provinzen und Stadtstaaten unseres neuen/alten Deutschlands.

Und die Claudi sagt, dass man da sogar mal zusammensaß am Morgen der Tage und Nächte und sich beschwatzte, 'n Grill aufbaute, sich austauschte, wie machst'n du dein Geschäft und wie läuft das bei dir und deinen Mädels. Aber ich sag immer, das ist ihr Idealismus Marke Ferienlager, aber auf dem Weg in die große Stadt, das stimmt schon, haben schon Spesen hoch zwei gemacht.

Jetzt hängen die Italiener in Erfurt, Thüringen, drin, also was man so hört, und wollen da 'n großen Laden à la »Pascha« aufmachen, haben's vielleicht auch schon, nicht dass mich das interessieren tät, aber klar, dass die Pizzabuden-Connection da auch die Hand drauf haben wollte und will ..., die waren ja schon immer in Duisburg und Bochum gewesen, aber gestört haben sie uns nicht groß, da ging's ja eher um Immobilien und Restaurants und solche Geschäfte, das war eher das Kaliber von dem großen, ach so legendären Bielefelder Kumpel vom Kuchen-Klaus.

Und als wir da, neunzig oder einundneunzig, ist ja schon gut, Claudi!, mit unseren Wohnwagen und unseren Mädels on board in die große Stadt reinkutschiert sind ...

Jetzt brauch ich mal 'ne kurze Auszeit, 'ne Fuffzehn, wie sie da in der Zone immer gesagt haben, da brech ich doch glatt den »Springer Urvater« an, den ich aus Nostalgiegründen im Keller hab. Eine ganze Kiste hab ich von dem Stoff. Trinkt heut kein Arsch mehr. Hab ich versucht Mitte der Neunziger, als ich mit meiner kleinen Firma nochmal und wieder in die große Stadt kam, den verrückten Ostpocken zu verdealen. Hatte ich nämlich 'ne ganze Wagenladung von. Hat mir mein alter Schulfreund vermittelt. Sechzig Wagen ostwärts. Nee, is'n Film, 'n Western, den hab ich als Kind immer gern gesehen. »Sechzig Wagen westwärts«. Da ging's um 'ne Riesenladung Schnaps, die mit 'nem Wagentreck durchs Indianerland unterwegs war, weil die Saloons westlich von St. Louis auf dem Trockenen saßen.

Und dass die da alle bekloppt sind, drüben im Osten, war mir sofort klar, als ich gehört hab, damals in der großen Stadt hab ich das das erste Mal gehört, dass die Mitte der Achtziger plötzlich unsere Winnetou-Filme in der Zone sehen konnten. Ja, scheiße! Old Shatterhand und Winnetou. Der große blonde Lex Barker und der schöne Pierre Brice. Zwanzig Jahre nachdem das bei uns lief, also Anfang, Mitte der Sechziger, ich kenn noch die Wiederholungen aus den Siebzigern, standen die da Schlange an den Kinos der Zone. Und waren begeistert von dem alten Schrott. Kann mir keiner sagen, dass das normal ist.

Und in der großen Stadt jedenfalls …, da haben wir erstmal paar schöne Zimmer in 'nem schönen Hotel genommen. Direkt im Zentrum. Blick aufs Zentrum. Recht weit oben. Siebenundzwanzigste Etage, man will sich ja nicht lumpen und so weiter. Direkt am Zentralbahnhof. Und nicht weit weg war der große Umschlagplatz der Wohnwagen, die Allee der schönen Augen, das war so 'ne De-facto-Freihandelszone der Stadt. Will meinen der Stadt-Politik. Kann man sich heut gar nicht mehr vorstellen. Und der alte Randy, also ich, hat damals auch mit großen Augen vor diesem flachen Disneyland gestanden. Da hätt ich mir schon 'n Riesenrad drin vorstellen können. Ein Riesenrad voller Huren. Glitzernd über den Dächern der Stadt, glitzernd und bunt über den Dächern der Wohnwagen. Und da haben wir gesehen, der Klaus aus Bielefeld, der Karate-U. und ich, dass da bereits ein großer Markt am Kochen war. Fleischmarkt würde ich heute sagen. So wie die heute, also jetzt, dort Metamphetamin und sonstwas kochen, aber das ist 'ne andere Geschichte, 'n anderer Markt. Bin ja längst raus, zum Glück.

Na ja, da haben wir da erstmal schnell angedockt. Mit unseren schönen Wohnmobilen, mit unseren schönen Mädels. Haben da auch

gleich paar Bekannte und Kumpels getroffen. Aber da war die Stimmung schon verschärft. Lude 12 zu Lude 23: »Fahrt mal lieber nach Hause.«
Karate-U. hatte nach drei Tagen Migräne. Dem musste dann erst sein eigenes Mädel und dann meine Claudi den Nacken frei massieren. Das hatte meine Claudi nämlich besser drauf als dem seine eigenen Mädels. Da hab ich auch gleich gesagt, du, hab ich gesagt, das kostet aber Verdienstausfall. Da haben wir erstmal paar Pullen Schampus gelehrt und uns alle vertragen. Die Artillerie war da schon immer am Mann. Die meisten hatten 'n paar Spritzen dabei. Aber da hat man sich schon zusammengenommen, um nicht die zahlende Klientel zu vertreiben. Trotzdem hat's dort öfters geknallt. Bumm bumm. Ja, genauso wie's klingt. Paar Schießereien. An das Loch im Wohnwagen werde ich mich wohl immer erinnern. Man war da und wollte eben nicht so schnell wieder weg. Ich weiß noch, wie die Leute, also die Kunden, die da hinkamen, wie die durch die Gassen der Wagenburg flanierten. Mit großen Augen. Und die Frauen im Spalier. Und wie die Wohnwagen wackelten und das Geld floss.
Und was soll ich sagen, den Osten hatten wir unterschätzt. Da gab's diesen Typen, der hat die Türen der Ost-Diskos gemacht vor der Wende, der hatte seine Brigade, alte Knochenbrecher aus der Zeit vor neunzig, die hattest du gleich an der Backe, wenn du in der Allee der schönen Augen dauerhaft parken wolltest. O.k., da hat man sich arrangiert. Ein Schein hier, ein Schein da.
Und da haben wir schon auf Augenhöhe verhandelt. O.k. oder K.o. Dass was fließt, ist normal. Aber kommt uns nicht frech. Da haben wir alten Ruhrpottkanacken uns schon versucht zusammenzutun.
Dieser AK, der BWL-Mann, der dann später in der großen Stadt seinen Weg gemacht hat, sein Ding gemacht hat, von dem man heute so viel hört, der hatte damals schon diese Fußballtruppe hinter sich, hat sich aber klugerweise aus diesem Chaos rausgehalten. Hat in Spielotheken investiert und scheinbar gewusst, dass die Stadt dann all den Wahnsinn in der Allee der schönen Augen, den wir nicht so erwartet hatten, verbieten würde. Weg von den Straßen, rein in den Stein. Wohnungen, Immobilien. Die Zukunft.

Eine Zeitlang ging's ja gut auf der Straße, der Osten liebte unsere Mädels. Und wir hatten die Artillerie. Und die Erfahrung der Geschäfte. Die Ostpocken hatten die Straßenbrigaden. Und die Jugos, die aus ihrem zerfallenden Staat kamen, wo's dann später und auch damals schon die Kriege gab, die waren vollkommen hemmungslos. Ja, und der alte Randy mittendrin. Eigentlich heiße ich ja Reinhold, aber man hat mich schon immer Randy genannt.
Der Osten hat uns ausgespuckt. Und es war nicht so, dass wir nicht versucht hätten, da in 'ner Immobilie mitzumischen. Der Klaus und der U. und ich, wir hatten da schon unsere Kohlen zusammengeschmissen. Da gab's 'ne alte Mühle am Rand der großen Stadt, da wollten wir einen Puff reinbauen. Dependance Ost. Aber als wir mitten in den Verhandlungen waren, kamen plötzlich die Bullen in unser Hotel, und die wussten genau, wo unsere Artillerie ist. Scheiß Kommunisten-Connection. Eine Knarre in der Minibar. Eine Knarre im Ersatzcowboystiefel.
Und zack!, warn wir weg aus der Kriegszone.
Über fünf Ecken kannte ich da einen, der hat's 'ne Weile ausgehalten in der großen Stadt. Zwischen den Jugos und den Ost-Brigaden. Der hatte 'n kleinen Club. Hat da einiges investiert. Und irgendwann, das muss so dreiundneunzig gewesen sein, da war ich schon längst wieder drüben im Pott, die Mädels auf den Straßen, wie sich das gehört, der Ostblock, also die Russen, Rumänen und diese ganzen Mischbatterien, und die Türken und Araber noch auf dem Weg zur absoluten Kontrolle, der Kuchen-Klaus sagte immer: »Wie wir doch unsere Ausländer lieben, wenn sie doch nur im Ausland blieben«, also was ich sagen will, da traf ich dreiundneunzig diesen Typen, bis zur Halskrause voll mit gescheiterten Plänen war der, in Bottrop in der Bar von meinem alten Schulfreund saß der, und der war so mit den Nerven fertig, der hatte seinen kleinen feinen Club drüben in der großen Stadt aufgegeben. War ein Fall für den Seelenklempner, der gute Mann. Und trotzdem hab ich 'ne Weile gequatscht mit ihm am Tresen. Und ich muss zugeben, dass ich damals, bei den Schüssen in der Allee der schönen Augen, ganz schön zu tun hatte, um mich nicht an meine großen Leichtathletikzeiten zu erinnern. Randy rennt.

Und da hab ich dem Typen, der mit vollkommen ruinierten Nerven aus der großen Stadt geflohen ist, von Sammy und Micha erzählt, die ich beide ganz gut kannte aus der guten alten Zeit im Pott. Wo wir die Diskos beherrschten und den Mädels die Edelsteine auf die nackte Haut geklebt haben. Um sie dann mit Schampus wieder abzulösen. Randy spinnt mal wieder, sagt die Claudi.
Die zwei hatten ja in der Landeshauptstadt ihren Puff, ihren Club.
Ja, sagt der Typ, 'n Club hatte ich ja auch im Osten.
In der großen Stadt?
In der großen Stadt.
Dem flattern die Hände auf der Theke, wie mir damals die Hände in der Allee der schönen Augen geflattert haben. Das Geheimnis ist, dass das keiner mitkriegen darf. Wenn deine Hände mal wieder so auf mir flattern würden, ruft die Claudi. Jetzt ist aber gut! Ja, ich weiß, dass du die Kohle ranbringst, Baby! Scheiß Rente.
Aber damals, also dreiundneunzig oder vierundneunzig, erzähle ich dem Typen die Story mit Samuel und Micha. Wie die da in der Landeshauptstadt plötzlich richtig Druck bekommen haben.
Die einen machen Druck, die anderen haben 'ne Schrotflinte.
Von heute aus gesehen weiß ich ja, dass die beiden dann wegen präventiver Notwehr freigesprochen wurden. Da haben wir hier die Pullen aufgemacht. Obwohl die alten Zeiten unwiderruflich vorbei waren. Aber das war nochmal 'n kleiner Sieg über den Osten. Oh nein, Randy rennt nicht! Beziehungsweise: OH JA.
Ich wollte dem Typen ja nur erklären, wie gut er da weggekommen ist. Kann man wie immer so und so sehen. Aber die Nazi-Rollkommandos in der Landeshauptstadt hatten schon ihre ganz eigene Qualität. Weil's da nicht um die Knochenbrecher-Brigade ging, sondern um die ideologische Knochenbrecher-Brigade. Ja, hallo!, ich bin immer noch der alte Randy! Aber was sind denn das für Assis, denen unser uraltes Geschäft, unser jahrhundertealtes Geschäft, nicht mehr deutsch vorkommt? Die die Straßen der Landeshauptstadt wieder sauber und volksdeutsch halten wollen. Hallo?
Und da erzähle ich dem Typen, der mit dem Post-Ost-Belastungssyndrom scheinbar heftig belastet ist, wie der Laden von Micha und

Sammy einige Male von den Neonazi-Brigaden zerlegt wurde. Aber die zwei hatten 'ne Schrotflinte. Hab ich ja schon gesagt. Und als dann der Mister Obernazi, kurioserweise kein Ossi, sondern einer ausm Pott, der dort im Osten die Brigaden ideologisch geschult hat …, als der also mal wieder am Rumstänkern war, haben die ihn weggeschossen. Bumm, bumm.
Ja, sagt der, da haben wir uns wohl alle mächtig verschätzt. Haben wir, sage ich, haben wir.
Damals ging das Gerücht um, dass sie oben an der Küste, in Rostock, einen Investor aus dem Hessischen radikal aus dem dortigen Markt gedrängt haben. Was auch so war. Also wahr war.
*Ins Messer gelaufen.* Die Armeen marschierten an der Strandpromenade auf. Wie will man im Ausland gewinnen. Und ich sag immer zur Claudi, wenn's um den ganzen alten Kram geht und wenn's mal was zu lachen geben soll: Wie hieß der Ministerpräsident von MV? Was für 'n MV? Wer wird Millionär?
Mecklenburg-Vorpommern. Applaus für Rudi Geil!
Und da gab's Containerpuffs, also damals, die die Mecklenburger Brigade betrieb. Die sich auch untereinander totschoss und abstach und ins Koma prügelte. Kein großer Kuchen. Nur 'n kleiner Kuchen. Rauer Wind an der See. Rauer Wind im Osten. Nix für Randy. Trotz Rudi Geil. Leckt mich doch!
Und so blieben wir dann doch unter uns, machten wir unsere Geschäfte im Pott. Zuhälter? Ja.
Ja.

Sechsundneunzig war ich dann nochmal in der großen Stadt.
Hatte ja 'ne Firma, wegen der Steuern.
Der alte Randy, also ich, wir hatten 'ne Idee vom Sesshaft-Werden.
Da hatte ich auch nur noch die Rosie und die Claudi.
Die große erste Liebe war schon lange weg, aber das darf die Claudi gar nicht hören sowas.
Karate-Opi hab ich übrigens mal wieder getroffen, als ich meine Mutter im Altersheim in Hagen besucht hab. Da sah's schon immer aus wie im Osten. Also in Hagen, nicht in dem Altersheim. Das war schon vom Allerfeinsten. Da hatte ich noch gut Kohle.

Ich hatte sogar zwei Angestellte. In der Ausstattungsfirma. Der Bekannte vom Kuchen-Klaus hat mir das damals vermittelt. Den Auftrag im Osten. Da wollen wir gar nicht drüber reden, was der Klaus da für Prozente für bekommen hat. Na ja, wieder zurück bei den Irren. Ging ja um Geld.
Meine Jungs sollten da drei Spiegelzimmer einrichten. In der Burg beim Bielefelder, also dem Bekannten vom Klaus, dann noch in so 'nem kleinen Club, und dann gab's da noch so 'n Typen, der war auch schon damals bekannt und hatte den einen oder anderen Laden in der Stadt oder wollte den einen oder anderen Laden eröffnen, das hab ich jetzt nicht mehr so parat. Heute jedenfalls ist er 'ne große Nummer, 'n guter Unternehmer, was man so hört. Hängt bei den Engeln mit drin. Sein Auftrag ist jedenfalls damals flöten gegangen. Siebenundneunzig!, ruft die Claudi. Ja, ja, kann schon sein.
Wir waren da in 'ner Vierundzwanzig-Stunden-Kneipe verabredet. Da hingen die alle rum. Der AK, der da gerade in der Wohnungsvermietung groß aufstieg, der Bielefelder kam manchmal, auch 'n paar Immobilienärsche, denn wie das so ist, zog sich das über Tage hin. Ich wollt nur das Geschäft klarmachen. Ein paar Typen kamen da rein, die rannten früher auf der Allee der schönen Augen rum, Mitglieder der diversen Brigaden, waren aber bei irgendwelchen Securities inzwischen. Erkannt haben die mich nicht. Hatte die Haare auch kürzer und 'n Bart. Haben die Mädels immer geschimpft über meinen Bart.
Es herrschte Frieden in der großen Stadt. Die hatten sich an einen runden Tisch gesetzt. Gar nicht so dumm die Ostpocken. Der runde Tisch des Rotlichts. Irgendwie hatten die's plötzlich verstanden mit der Demokratie. Schmiedeten einen Pakt. Verteilten die Kuchenkrümel. Jeder mit jedem, und alle für sich.
Und wie die da gefeiert haben, Darts gespielt um paar hundert Mark, Fressereien aufm Tresen, Sekt und Bier, und ab vier, fünf kamen auch die Mädels rein. So wie bei uns damals, nur 'ne Nummer kleiner.
Und einmal, als ich da war, springt da der Typ, dem ich mit meiner Firma das Spiegelzimmer einrichten soll in seinem Club, aufn Tre-

sen und singt die Internationale. *Steht auf, Verdammte dieser Erde* ... Da haben die Ostpocken alle im Chor mitgesungen und dann weiter Darts gespielt.

Und am zweiten Abend ging's um irgendwelche Stasi-Sachen, was soll und kann ich da mitreden ..., da ging's um 'ne Akte, ich glaube um die von AK, dem gelernten Verkäufer, der heute so 'ne große Nummer geworden ist, da haben die beinhart einen vertrimmt, einen von den Security-Typen, weil der wohl zum Ende der Zone über AK irgendwas erzählt hat. Aber am nächsten Abend saß der schon wieder mit am Tresen. Mit 'nem zugeschwollenen Auge. Schien keiner mehr sauer zu sein. Ich hab 'ne Runde Darts mitgespielt und zweihundert Mark verloren. Scheiß drauf. Meine kleine Firma habe ich Ende der Neunziger abgegeben. Die zwei Zimmer habe ich einrichten lassen in der großen Stadt. Mit den Mädels lief's noch 'ne Weile. War dann aber auch Schluss. Zu viel Druck. Zu viel Konkurrenz. Harte Zeiten.

Wenn ich aus dem Fenster schaue, sehe ich den Pott. Ich bin ganz zufrieden. Quatsch mich ja nicht blöd an. Ich bin Randy!

## Gesichter

Er stand vor einer Mauer. Efeubewachsen, Büsche davor, kleinere Bäume. Grabplatten auf dem Mauerwerk oder eingelassen in den Stein. Verwitterte Buchstaben, Namen, Inschriften. Er konnte nirgendwo einen Durchgang erkennen auf die andere Seite. Er war schon zuvor auf weitere Mauern gestoßen, die ihm den Weg versperrten. In einer scheinbar willkürlichen Anordnung verliefen sie über das Gelände, er fand hin und wieder ein Tor, einen Durchgang, einmal sogar eine Art kleinen Tunnel, ein auf beiden Seiten offenes, leeres Mausoleum. Ein Grabgebäude. Wie ein kleiner Tempel im Inneren. Er konnte die Abdrücke der herausgebrochenen Grab- und Ziertafeln erkennen. An beiden Wänden ein langer Sims, ein schmaler Vorsprung, auf dem man wohl sitzen konnte. Er war schnell durch diese offene Gruft getreten, er hörte den lauten Hall seiner Schritte, Laubblätter auf beiden Türschwellen, dann war er auf der anderen Seite. Dasselbe Gelände hinter der Mauer, hinter diesem Tor. Was suchte er hier? Und wie war er hierhergekommen? Er wusste nur, dass er plötzlich vor dem Haupteingang des großen Friedhofs gestanden hatte, den Autoschlüssel in der Hand. Der Wagen eingeparkt auf der anderen Straßenseite dieser schmalen stillen Straße, direkt vor einem Café, Plastiktische auf dem Fußweg, Gäste sah er nicht, auch keine Passanten.
Er lief den Hang hinauf; durch Gruppen von Tannen, Fichten, Laubbäumen führte der Weg, das Gelände hob sich, ein Hügel vor ihm, er konnte nicht erkennen, wie weit sich der kleine Wald hinzog, je weiter er sich vom Eingangstor entfernte, umso dichter wurde er, Büsche, Bäume, Zierpflanzen, Hecken; und die Steine, die Gräber, große, kleine, mittlere Steine, Gräber, die von niedrigen eisernen Zäunen umgeben waren, Grabfiguren, Statuen, Felsbrocken, in die

Namen hineingemeißelt waren und die wie Findlinge aussahen, dann kleine helle Steine über neuen hellen Urnengräbern, riesige Familiengräber, wie Inseln von Bäumen gesäumt oder an den Mauern, die die Friedhöfe, die im Lauf der Jahrzehnte zu einem Zentralfriedhof zusammengewachsen waren, immer noch voneinander trennten, aber durch einige Tore und Durchgänge miteinander verbunden waren, er drehte sich um und konnte hügelabwärts in der Ferne hinter und zwischen den Bäumen den sehr spitzen und sehr schwarzen Turm einer Kirche erkennen, der wie ein dünnes, kahles und astloses Gewächs in den Himmel stach, irgendwo draußen vorm Friedhof stehen musste. Er konnte sich nicht erinnern, diese Kirche, diesen Turm früher einmal gesehen zu haben. Ein schmales, hohes Fenster befand sich unterhalb der langgezogenen Spitze, ein schwarz gerahmtes Blau, ein paar zerfaserte weißgraue Wolken hinter und neben dem Turm, kurz musste er überlegen, in welcher Zeit er sich befand. Selbst der Monat war ihm nicht ganz klar, und es dauerte ein paar Sekunden, bis er sich wiederfand in diesem Oktober des Jahres zehn. Nachmittag. Er hatte seine Uhr vor einigen Stunden abgelegt, als er schwimmen gewesen war, sie musste noch auf der Veranda liegen. Er war nicht in den Pool gegangen, sondern runter zum See gelaufen. Das Wasser war kalt und klar, weit draußen konnte er die bunten Rechtecke und Dreiecke der Segel erkennen. Es war ein schöner Oktober, aber der Wind war frisch und kühl, kam aus den Hügeln am anderen Ufer, die man mit bloßen Augen von hier nur schwer erkennen konnte, geschwungene Silhouetten, die felsiger wurden, je weiter sie sich von der Stadt wegbewegten, ein bewaldetes Bergland, durchbrochen von schroffen Hängen und Kämmen. Eine Schnellstraße führte durch das Bergland, vor einigen Jahren erst verbreitert und neu asphaltiert, manchmal fuhr er dorthin um die großen Seen zu den Bergen, den Wäldern.
Er suchte nach seinem Handy. Dann fiel ihm ein, dass er es im Auto gelassen hatte. Er versuchte, die Uhr an dem Kirchturm zu erkennen, blickte mit zusammengekniffenen Augen gegen das Licht der tiefstehenden Sonne zu der Kirche, an die er sich nicht erinnern konnte, man musste diesen Turm doch kilometerweit sehen, so

lang und dünn stach er zwischen den Häusern hervor. War es vier? Er konnte den Stand der Zeiger nur erahnen. Er brauchte wohl auch bald eine Brille für die Ferne, die Lesebrille trug er in einem Lederfutteral in der Innentasche seines Mantels. Er zog sie heraus, hielt sie ein Stück von sich weg und blickte durch eins der Gläser wie durch eine Lupe auf den Turm und die Uhr und sah verschwommen, dass es tatsächlich zehn vor vier war. Ihm fiel die Stille auf. Kein Vogel zwitscherte. Die Stadt war hier nicht zu hören. Er war mit dem Wagen ziellos herumgefahren. Früher hatte er das oft getan, wenn er nachdenken musste, wenn er die Geschäfte überdenken musste, wenn es Probleme gab. Meistens war er dann nachts unterwegs, hörte Radio, den Klassiksender, das entspannte ihn. Investitionen, Immobilien, was machen die Jugos?, soll er die Informationen über die Russin weitergeben?, die ihre kleinen schmutzigen Geschäfte machte, zusammen mit ihrer Tochter, aber das war alles vor mehr als zehn Jahren gewesen. Und ein Strom aus Farben, Erinnerungen, Reisen, Frauen, Scheinen, Geschäften, Häusern, Aktien, Kalkulationen, Geburtstagen, Krisen, Renditen, Angriffen, Weihnachtsfeiern, Lichtern, Frauen, Kurzschlüssen, *Son, my son, what have you done*, dazwischen. Dazwischen. Wie viele Jahre? Wenn er ziellos durch die Stadt fährt, durchs Zentrum, durch die Randbezirke, rüber in jene andere, kleinere Stadt, in der er auch Objekte hat, Eden City 2, aber die Dörfer werden zu Vororten, die Nachbarstädte wandern und rücken näher, die Verbindungsstraßen werden kürzer und kürzer, die S-Bahn fährt durch einen Tunnel unter der Stadt, er sieht die Baumaschinen und Gruben und die großen schmalen Arme der Kräne, er sieht die Deutschlandfahne flattern im Wind auf dem Dach des Clubs der Madame Gourdan, wie er sie manchmal scherzhaft nennt, er fährt am alten Stadion am Stadtrand vorbei, in dem er früher so viel Zeit verbracht hat, über zwanzig Jahre her, mehr noch, fährt am neuen Stadion vorbei, neben dem Fluss und dem Flutbecken, wo einst die Kinder ertranken, als er am Fenster stand, fährt über die Brücken der kleinen Flüsse und Kanäle, neunzehnhundertneunundneunzig und irgendwo und irgendwann zweitausendzehn. Er hört die Turmuhr läuten. Der Schall der Schläge berührt seinen Rücken, breitet sich aus um ihn, geht durch ihn und verliert sich zwischen

Steinen und Bäumen. Er steht vor der Mauer, die den Friedhof oben auf dem Hügel begrenzt, Brachland dahinter, verfallene leere Kleingartenanlagen, Ödland, ein abfallender Berghang, Geröll und Büsche, und dann die grauen Häuser der Vororte, der Vorstadt, der Randstadt, Ausfallstraßen, und rot und rosa rückt der Abend näher. Er läuft an der Mauer entlang, dort vor ihm eine breite Lücke, ein Durchgang, groß wie ein Tor ohne Flügel, er stößt auf einen Bauzaun, vielleicht wollen sie den Friedhof hier vergrößern, ein neues Gräberfeld anlegen, er sieht in einigen hundert Metern Entfernung drei Gestalten auf dem Brachland. Sie bewegen sich inmitten eines großen Quadrates aus rot-weißem Absperrband. Sie scheinen etwas in den Boden der langgezogenen Brache hinter dem Friedhofsgelände zu graben. Hantieren mit Kisten und Apparaturen, die er von hier nicht erkennen kann. Wieder hält er seine Brille wie eine Lupe vor sich. Aber bevor er seine Augen zusammenkneifen kann, hört er einen dumpfen Knall. Kniff die Augen zusammen und sah die drei, die orangefarbene Anzüge trugen, hinter dem Absperrband stehen, in der Mitte des abgegrenzten Quadrats stieg eine weiße, dünne Rauchwolke empor. Noch ein Knall, sehr dumpf, als würde er tief aus der Erde dringen, eine weitere kleine und dünne Rauchfahne, neben der bereits fast verwehten. Er erinnert sich, dass ihm mal jemand von der alten Methode, den Boden mit Hilfe von Sprengstoffen aufzulockern, erzählt hat. Er drehte sich um, ging zurück, immer an der Mauer entlang.

Er blickte auf das steinerne Gesicht. Direkt vor ihm wuchs es aus der Mauer. Leere Augen, der Mund geöffnet, wie klagend. Schrift darüber, eine Tafel, die Buchstaben und Worte so verwittert, dass er sie kaum lesen konnte. Irgendein Leutnant, jung gestorben, noch vorm ersten Krieg, wie er aus den nur teilweise lesbaren Jahreszahlen entzifferte. Irgendwann zuvor, vielleicht zwanzig, dreißig Minuten, hatte er plötzlich in einer Art kleinem Hof gestanden, durch Mauern abgegrenzt, und in der Mitte des Hofs ragte eine Säule empor, auf der ein rundes steinernes Emblem ruhte, Hammer und Sichel, hinter der Säule eine Reihe von Grabsteinen. Er erinnerte sich, dass er hier einmal als Kind gewesen war, mit seiner Schulklasse, mit anderen Schulklassen, irgendein Gedenktag, vielleicht der achte Mai, der Tag der Befreiung, Pioniere und Blauhemden, Lehrer und Parteisekretäre, Offiziere, und langsam kehrte dieses Bild zurück, als er da stand und auf diese Gräber blickte. Russische Soldaten. Sowjetische Soldaten, so sagten sie damals. Mitte der Siebziger muss das gewesen sein. Reden wurden gehalten. Oder erinnerte sich nur an diesen Gedenkplatz, hatte ihn aber nicht betreten seit damals, *jetzt*, dieses seltsame steinerne Gesicht vor sich. Auch ein Soldat. Aber im Frieden gestorben. Herz, Krebs, Suff, Selbstmord. Unfall. Duell. Er drehte sich ein paarmal, blickte über die Wege, durch die Bäume, wo war dieser kleine Kriegerhain? War es vielleicht seine Erinnerung an dieses große Schweigen zwischen den großen Reden, die ihn hierher, auf diesen Friedhof am Rand der Stadt gebracht hatte? Stimmen, Gesichter. *Warum bist du hier?* Er wollte zurück zur Straße gehen, zu seinem Wagen, in sein Büro fahren, nach Hause fahren, runter an den See gehen, aber da hatte er am Vormittag schon gestanden. So weit stimmte das alles. Er dachte an Tokio, dieses neonbeleuchtete Metropolis am anderen Ende der Welt, Roboter und Menschen auf dieser Insel, durch die bald die Strahlung kriecht. Dort war er das erste Mal verschwunden. Im Jahre null. War zurück nach Hause geflogen. Hatte weitergemacht. Jahr um Jahr. Hatte alle Attacken und Angebote überstanden. Jugos, Kanacken, Engel, Politik, Freunde, Russen, Verbündete ... Hatte so getan, als wäre alles vollkommen normal. In ihm. Mit ihm. War in den Nächten durch fremde Viertel gefahren. Fand sich in Wiederholungen wieder. Fand Veränderungen. Briefe, die er nie geschrieben hatte, Dokumente, die er nicht haben sollte, Informationen, Kontakte, die ihn verwunderten. Ging zu einem Therapeuten. Ließ sich das Gehirn durchleuchten. Ließ sich die Seele durchpusten. War vollkommen normal. Brachte die Geschäfte voran. Verkaufte seine Aktien, bevor die den Bach runtergingen. Investierte in Immobilien. Verhandelte in Berlin und Hannover. Kaufte Kunst. Trank mit dem Grafen, diesem halben Hochstapler, der ihn immer noch beeindruckte. Und der ihm den Österreicher vorstellte, der früher mal ein Anwalt gewesen war und jetzt einen exklusiven Club betrieb, der ihm ein Vermögen eingebracht hatte, ein Vorzeigeobjekt für die österreichische Bürokratie, ein sauberes Haus, das die Behörden und die Bürger erfreute.

Träumte mit ihnen von der Aktie Rot. Champagner. Nein, er hatte vorhin nicht auf diese Gräber geblickt, die gefallenen Helden des Großen Vaterländischen Krieges. Aber er hörte die Musik, die damals gespielt wurde, gesungen wurde, der Chor der Soldaten, als er in seiner Pionieruniform, rotes Halstuch, blaues Käppi, dort gestanden hatte. Leise erst, dann immer lauter, die toten Helden, zerschossene Herzen, zerrissene Lungen, aus denen dieses letzte große Lied … Selbst diesen verrückten Bullen hatte er ausgesessen, als wäre er ein Vollblutpolitiker, diesen hageren Alten, der nicht weit von ihm wohnte und der längst schon kein Bulle mehr war und der ihn mit der Nase, mit der ganzen Fresse in den Dreck hatte drücken wollen. Sollte er im Rathaus wühlen, dieser Wahnsinnige, der doch in seinem eigenen Netz gefangen war, jede Nacht brannte bei ihm Licht, sah er ihn in seinem Wintergarten auf und ab gehen, ruhelos und stundenlang und jahrelang, und sollte er bei den Bonzen wühlen, die jetzt ganze Straßenzüge besaßen. Mit denen er Geschäfte machte, mehr nicht. Alles sauber. Verdammt nochmal sauber. Er hatte Gänsehaut bekommen, als sie die Hymne der großen Sowjetunion gespielt und gesungen hatten. Sein Russisch war immer noch ganz gut. Er könnte die Gedenktafeln und Inschriften der Gräber gut lesen. »… gefallen im Großen Vaterländischen Krieg«. Das Ende der Utopien. »Ruhm und Ehre der Sowjetunion«. Das Ende des Wahnsinns. Der Anfang des anderen Wahnsinns. Neunzig. Ein reeller Wahnsinn zumindest. Er starrte immer noch auf das Gesicht im Stein. Junger Mann, *what have you done*.

Er hörte die Vögel. Hatte sich doch die ganze Zeit über gewundert, dass er keine Vögel hörte. Hier in diesem Grün, diesem Wald. Wo sie sicher zu Zehntausenden lebten. Aber vielleicht war es der nahende Abend, der sie aktiv werden ließ. Ein Zwitschern und Singen aus den Bäumen, das dann aber plötzlich verstummte. Dann begann es wieder, dann verstummte es wieder. Während er immer noch auf das Gesicht des jungen Leutnants starrte. *Für Frieden und Sozialismus: Seid bereit!* Er blickte auf das Mädchen, das eine Reihe vor ihm stand, wie gern er sie hatte, unten am Kanal, vor zwei Tagen sind sie zusammen in den alten Hafenspeichern gewesen, er hatte ihr von diesem Buch über die utopische Stadt Eden City erzählt, bevor er sie

küsste, er ist zwölf Jahre alt, er möchte so viel wissen, und er träumt von den Häfen für Schiffe und Raumschiffe, und er spürt und sieht den Schlag ihres Herzens, die Hand auf ihrer Brust, und schämt sich und will wieder mit ihr allein sein und blickt dann auf das steinerne Emblem, Hammer und Sichel, denkt an den großen hydraulischen Hammer, den er durchs offene Werktor sieht und hört, die Hitze drückt bis auf den Fußweg und die Straße durch dieses offene Tor, die stetigen Schläge des riesigen Hammers, Funken sprühend bearbeitet er das Metall, den Stahl, was auch immer, sie jagen ihn weg, wenn er zu nah ist, er hockt auf dem Fußweg und blickt auf die Arbeiter der Gießerei, der großen Schmiede, zusammen hocken sie dort auf dem Bordstein, ihre Schultern berühren sich, bis sie zu dem alten verfallenen Hafen gehen, er sieht ihr Gesicht in dieser Stille, der Chor der sowjetischen Soldaten, es sind bestimmt über hundert, und mehr noch, er will nicht zählen, Thors Hammer hat er schon fast vergessen, das gefiel den Lehrern ganz und gar nicht, utopische Literatur, das ist schon was anderes, das sind Sozialismus und Utopien zwischen den Sternen, jawoll, was willst du mal werden?, Kaufmann will ich werden, Geschäftsmann will ich werden, Häuser will ich bauen, für mich und für andere, große Häfen will ich bauen, und dann entfernen sie sich, *Immer bereit!*, laufen Hand in Hand zwischen den Gräbern, immer tiefer in die kleinen Wälder, diese Baumgruppen, Büsche und verwilderte Zierpflanzen, stoßen auf Mauern, sitzen auf steinernen Bänken, sehen den Abend kommen und berühren dann, irgendwo dazwischen, die Flügel des Engels, den Bart des Engels, der auf einer steinernen Bank sitzt, am Fuße einer Grabstätte, den Kopf gesenkt, die Augen geschlossen unter der zerfurchten Stirn, klopfen an seine Haut und hören, TOCK tock, DONG dong, dass die Figur aus Eisen ist, wie sie denken, aus irgendeinem Metall, das grün geworden ist im Laufe fremder Jahrzehnte.
Er starrte immer noch auf das graue Gesicht im Stein. Vielleicht war er deswegen auf diesem Friedhof. *Wohin gehst du?* Auf dem er seit jenem Jahr, genau konnte er nicht sagen, welches Jahr es gewesen ist, obwohl ..., wenn er zwölf, dreizehn Jahre alt war, dann ... Er zählte, nahm die Hände und Finger zu Hilfe und musste lachen darüber. Was spielte das auch für eine Rolle. Der Abend kam langsam über

die Mauer. Leises, dumpfes Knallen. Sie rannten, sich an den Händen haltend, sahen die drei orangen Männer auf der anderen Seite der Mauer ...
Er hatte das Buch vor einigen Monaten wiedergefunden. »Eden City«. Er hatte es gekauft, in einem der Antiquariate im Stadtzentrum. Ein sehr langer, sehr hagerer Mann mit Glatze hatte eine Weile in den hinteren Räumen gesucht, er hatte ihn murmeln und flüstern gehört, vielleicht blätterte er in einem Register oder Verzeichnis der utopischen Bücher, der sozialistischen utopischen Literatur, und während der Dürre in seinem Kabuff kramte, ging er an den Regalen auf und ab, studierte einige Titel mit geneigtem Kopf, er las wenig Belletristik, nur hin und wieder einen Kriminalroman, er beschäftigte sich mit Geschichte, Machiavelli, der Untergang des Römischen Reiches, die Geschichte der Prostitution, »Das Kapital«, dessen dickleibige Lederbände jetzt direkt vor ihm im Regal standen, er hatte es nie ganz durchgeackert, nur größere Teile gelesen, die ihn interessierten, er besaß genau dieselbe Ausgabe, braunes Kunstleder, er zog einen der Bände aus dem Regal, den ersten, »Dietz Verlag Berlin 1951«, er blätterte weiter und sah, dass der ehemalige Besitzer des Werkes ganze Passagen rot unterstrichen hatte, Seite für Seite, mal ein, zwei Sätze, mal ganze Abschnitte, mal einzelne Worte, er blätterte, zog auch den zweiten Band aus dem Regal, und auch in diesem fand er die roten Unterstreichungen ... *Das tendenzielle Sinken der Profitrate ist verbunden mit einem tendenziellen Steigen in der Rate des Mehrwerts, also im Exploitationsgrad der Arbeit ... Die Profitrate fällt nicht, weil die Arbeit unproduktiver, sondern weil sie produktiver wird ... Der Markt muss daher beständig ausgedehnt werden, so dass seine Zusammenhänge und die sie regelnden Bedingungen immer mehr die Gestalt eines von dem Produzenten unabhängigen Naturgesetzes annehmen, immer unkontrollierbarer werden ...* Heilige Scheiße! Er lachte, schob die Bände zurück ins Regal, ja, daran erinnerte er sich, das hatte er vor einigen Jahren gelesen, während seines Studiums. Als er seine Lehre gemacht hatte, Ende der Siebziger, Anfang der Achtziger, er will jetzt nicht zählen, hatte er, wie die meisten, einen großen Bogen um den alten Meister Marx gemacht. Er starrte auf das Gesicht des Dürren, das in der Lücke des »Kapitals« auftauchte, auf der anderen Seite des doppelten

Regals, der ihn vielleicht schon eine ganze Weile beobachtete, dann sah er, dass es gar nicht der Antiquar war, der auf der anderen Seite des doppelten Regals stand, irgendein Kunde, ein Gast stand dort und studierte die Titel mit geneigtem Kopf durch eine große braun getönte Brille und beachtete ihn gar nicht, schien ihn nicht einmal zu sehen. Langsam schob er die beiden Bände des »Kapitals« zurück ins Regal. Später, der dürre Antiquar hatte ihm das Buch, das er suchte, endlich gebracht, hatte es aus irgendeiner Kiste gekramt, er hätte eine große Sammlung utopischer DDR-Literatur vor einigen Tagen angekauft, erzählte er, »Da kommen Sie gerade richtig«, später, bei einem Kaffee im Büro zwischen zwei Terminen, jemand interessierte sich für eine Wohnung in der Nähe des alten Hafens, Zukunftslage, weil sie ihn in einigen Jahren wieder in Betrieb nehmen wollten, als er endlich »Eden City. Stadt des Vergessens« durchblätterte, die Seiten beroch, sah er, dass das Buch neunzehnhundertfünfundachtzig erschienen war. Aber er hatte es doch als Kind gelesen. Wieder und wieder war er doch in seiner Phantasie und manchmal auch in seinen nächtlichen Träumen durch die Bunkerwelten gewandert, hatte sich gegen die Hierarchien aufgelehnt, die Klonmenschen vereint und aus ihrer grauen kalten Welt geführt, die Luxuswesen erobert ..., er muss zwölf oder dreizehn gewesen sein, selbst wenn er schon vierzehn oder fünfzehn war ... Nein. Später, als der Fußball und der Wahnsinn der Spiele in sein Leben traten, hatte er kaum noch gelesen, und die utopische Literatur verstaubte in seinem Regal. »1. Auflage, 1985«. Aber er hatte aufgehört, sich über solche scheinbaren Unklarheiten zu wundern.

Er entfernte sich langsam von dem Leutnant und dem steinernen Gesicht in der Wand. Die Wege waren voller Laub. Er schob die Hände in die Manteltaschen, es wurde kühl. Er nahm jeden Tag zwei Ginkgo-Tabletten, die hatte ihm der Graf einmal empfohlen, »Gut für die Durchblutung, gut fürs Gehirn, kannte und nahm schon der alte Goethe!« Er versuchte, den Weg zu finden, den er gekommen war. Aber immer wieder stieß er auf eine Mauer, hatte das Gefühl, im Kreis zu laufen, er schwitzte. Gelbes und rotes Laub an den Bäumen, auf dem Boden. Ihm fiel auf, dass er, seit er hier war, in dieser Zeit niemanden gesehen hatte. Wieso besuchte keiner die Toten an so einem schönen Tag? Doch, eine Frau war ihm begegnet, als er vorhin den Hügel hinaufgegangen war. Sie hatte etwas gesungen, er konnte es nicht genau verstehen, und sie verstummte, als sie ihn sah. Eine ältere Frau, aber nicht uralt, sechzig, siebzig vielleicht, schwer zu sagen. Kurze Haare, oder hatte sie eine dunkle Wollmütze getragen? Wollmütze, ja. Vielleicht ein Trauerlied oder so etwas. Sie hatte zu Boden geblickt, als sie aneinander vorbeigingen, als würde sie sich schämen für ihren Gesang, kurz später hatte er sie wieder singen gehört, sehr leise und wie aus weiter Ferne, sich aber nicht noch einmal umgedreht. Er überflog einige der Namen auf den Grabsteinen, verließ den großen Weg und verlor sich in den kleinen Verästelungen zwischen den Gräbern. *Familie Schuster, Jochen Krien, H. und F. Gehrleben, Familie Leer, Unserer lieben Mutter, 1908–1989, die Liebe währet ewiglich.*

Er dachte selten über den Tod nach. Stimmte das? Der Vermieter der Liebe. Denn die Liebe währet ewiglich. Er lachte. Die ältere Frau konnte auch ein Mann gewesen sein. Sie trug einen hellen, vielleicht grauen Mantel. Oder ein in Würde gealterter Ladyboy, aber ältere Semester dieser Absonderlichkeit waren sicher selten, das würde noch einige Jahrzehnte dauern, bis die jungen Transen alt geworden waren, ununterscheidbar von Männern oder Frauen, je nachdem, die Medizin machte es möglich, er hatte selbst einige wunderschöne Frauen gesehen, die früher Männer gewesen waren und jetzt die Liebhaber dieser Transformation für gutes Geld empfingen. Nur eine Frage der Zeit bis sich welche bei ihm meldeten, weil sie in seinen Wohnungen arbeiten wollten. Aber vielleicht hatte er sich dann schon zurückgezogen aus dem Geschäft. In dieser Zukunft, die nicht so weit weg war. *Alt wie ein Baum möchte ich werden ...* Vielleicht gehe ich deshalb hier spazieren, dachte er, um zu planen, ein wenig in die kommenden Jahre zu schauen. Und so lief er weiter, raschelte mit den Füßen im Laub, dachte an dies, dachte an das, fühlte sich sehr fern von der Stadt, lief mit seiner Großmutter durch das kleine Dorf, trug die Gießkanne auf dem Weg zum Gottesacker, wie sie den Dorffriedhof nannte, versuchte, sich zu erinnern, wie dieses winzige Dorf hieß, das in der Nähe der kleinen Industriestadt war, deren Fabriken und Raffinerien nachts weit übers

Feld leuchteten, so dass sie sie sehen konnten, Flammen über den Schornsteinen, seine Großmutter und er, wenn sie am Dachfenster saßen, wo der kleine Fernseher stand. Schwarzweiß. Er würde das gern jemandem erzählen. Seiner Frau? Seinem Sohn? Der ging durch den Wahnsinn anderer Spiele. So wie *er* früher. Vielleicht war das gut, vielleicht musste das so sein. Wenn er ihm einmal alles übergeben wollte. Die Immobilien, die Firma, das Fitnessstudio. Niemand konnte ihm das wegnehmen. Niemand würde ihm das wegnehmen. Zu viele Jahre. Nach all den Jahren. Zu viel Kraft und Zeit. War das alles?, dachte er manchmal. Und dachte es wieder.

Er stand vor einer breiten Treppe. Nur wenige Stufen bis zu einer großen Tür, Säulen links und rechts. Er drehte sich um. Hinter ihm ein Wasserbecken, ein rechteckiger, in Stein gefasster See. Es war noch recht hell. Das Licht eines späten Oktobernachmittages. Das Gebäude, zu dem die Treppe führte, ein seltsam geometrisches Gebilde, spiegelte sich auf dem Wasser, eine hohe Front mit einem kuppelförmigen Dach, wie ein großes Eingangsportal. Die Türen zwischen den Säulen geschlossen. Er sah den Abendhimmel auf dem Wasser. Wo war er? Den Turm der Kirche konnte er nirgends erkennen, er bewegte seinen Kopf in alle Richtungen. Zwei Enten auf dem Wasser. Er musste zurück zu seinem Wagen, zurück in die Stadt fahren, die irgendwo weit weg war, zurück zu seinem Büro. Telefonieren. Er griff in die Innentasche seines Mantels und spürte die Packung mit den Ginkgo-Tabletten. Keine Enten auf dem Wasser.

»Ich hätte nicht gedacht, dass du es sein wirst.«

Er drehte sich nicht gleich um, die plötzliche Stimme im Rücken, schaute übers Wasser, über die Gräber und Mauern, über dieses sich immer weiter streckende und ausdehnende Areal des Friedhofs, über das er gewandert war. Jetzt war er also hier. »Und wer bist du?«

Er drehte sich langsam zu dem Gebäude. Ein Mann saß da, auf der obersten Stufe, direkt vor der immer noch geschlossenen Tür. Er trug einen blauen Arbeitskittel und eine Art Schiebermütze, die direkt über seinen Augen lag, die Stirn verdeckte. »Obwohl ich es nicht wirklich glaubte«, sagte der Mann, den Kopf hatte er auf beide Arme gestützt, die Ellenbogen auf den Knien, »dass ihr hierher kommen würdet.«

»Hierher? Ihr? Ich bin allein.« AK ging ein paar Schritte, bis seine Schuhe die unterste Treppenstufe berührten.
»So? Bist du das?« Der Mann auf der Treppe zog langsam die Hände unter seinem Kinn weg, legte den Oberkörper nach hinten und blickte AK an. »Haben sie dich ganz allein geschickt?«
»Und wer, wer hat mich geschickt?«
»Die Engel.«
AK ging in die Knie. Legte kurz beide Handflächen auf die Steinplatten des Bodens, die sich warm anfühlten, blickte dem Mann von dort unten direkt ins Gesicht, bevor er wieder aufstand, erkannte nichts, sah nichts, was vielleicht auch daran lag, dass der untere Teil dieses Gesichts von einem kurzen dunkelblonden Vollbart verdeckt war. »Keine Engel«, sagte er, »ich gehe nur etwas spazieren.«
»So, so. Spazieren geht der große Mann. Und kommt hierher zu mir.«
»Und wo bin ich? Und bei wem genau bin ich?«
»Du weißt es nicht, großer Mann? Stehst vor meiner Pforte und sagst, dass du nicht weißt, wo du bist?«
»Ich sagte dir bereits, dass ich nur spazieren war. Aber nun bin ich hier. Komm doch runter und erzähl mir deine Geschichte. Ich bin ganz Ohr.« Er legte die offene Handfläche an sein rechtes Ohr. Vielleicht war es auch das linke, weil er die rechte Hand frei neben seiner Hüfte behalten wollte. Er war zu alt für diesen Scheiß.
»Komm du doch hoch, Arnold Kraushaar, und erzähl mir *deine* Geschichte.« Der Mann saß immer noch auf der Treppe, den Oberkörper zurückgelehnt, die Handflächen auf den Knien.
»Da du mich anscheinend kennst, kennst du bestimmt auch meine Geschichte.«
»Mehr als die Legenden, großer Mann. Ich habe dich lange gesehen auf deinen Wegen.«
»Was also soll das Spiel? Wer bist du. Was willst du.«
»Das Spiel, das Spiel, Meister Kraushaar. Du bist es doch, die Engel sind es doch, die spielen. Die ewig gleichen Sandkastenspiele, nicht wahr? Das ist meine Burg, und du darfst hier nicht … undsoweiter. Wir machen uns den Markt und die Welt, wie sie uns gefällt.«
AK ging langsam die Treppe hoch. Stufe um Stufe. Um dem ande-

ren ins Gesicht zu sehen. Um zu erkennen, an was er sich langsam zu erinnern glaubte. »Und«, sagte der Mann mit dem Bart, erhob sich, auch sehr langsam, und sie standen sich direkt gegenüber, getrennt nur durch eine Treppenstufe, »wer sitzt hinter den Spiegeln?«

»Ich hätte nicht gedacht, dich noch einmal wiederzusehen. Nach all den Jahren.«

»Und ich hätte nicht gedacht, dass du dich so einkaufst, der große Arnold Kraushaar, bei den Engeln, hinter die Spiegel ..., dass mein Kopf dein Eintritt sein wird. Deine Versicherung, dein Geschenk an die neuen Geschäftspartner.«

»Du irrst dich. Ich gehe meinen Weg. Ohne Engel. Keine Spiegel. Nennen wir es einen Zufall, dass ich hier bin.«

»Einen Zufall, soso. Wie hast du mich aufgespürt? Wie habt ihr mich aufgespürt?« Der Bärtige ging ein paar Schritte rückwärts, lehnte sich mit dem Rücken an die geschlossene Tür, zwischen die beiden Säulen.

»Niemand hat dich aufgespürt. Du solltest mich kennen. Auch wenn's lange her ist. Ich habe immer gedacht, du sitzt irgendwo im Schoß des Staates. Haus, Frau, Kind und mit neuem Namen. Oder willst du mir erzählen, dass sie dich hier untergebracht haben?«

Der Bärtige lachte. »Nein. Auch wenn das sicher nicht das Schlechteste gewesen wäre. Wer sucht schon den Verräter vor den Mauern. In der Bestattungsbranche. Im großen Flamarium.«

»Der Verrat«, sagte AK und überlegte eine Weile, um sich den genauen Wortlaut ins Gedächtnis zu bringen, »... liegt wie die Schönheit im Auge des Betrachters.« Er neigte leicht den Kopf, *da staunst du, mein Lieber, nicht wahr?*, und sah, dass der See sich rosa färbte unter dem Abendhimmel. Es war wirklich, wie man so sagte, ein goldener Herbstabend im Oktober, auch wenn die Farben durcheinandergerieten.

»Die Schönheit ..., da kennst du dich aus, mein Freund, nicht wahr? Aber wenn wir schon dabei sind ..., schönreden müssen wir uns nichts. Gar nichts. Du nicht. Und ich sowieso nicht. Ich habe immer gedacht, die Dinge würden sich anders entwickeln, würden anders enden.«

»Wer weiß schon, wann etwas endgültig zu Ende ist. Ich konnte deinen Schritt sogar verstehen, als ich davon hörte. Nicht mehr, nicht weniger. Vielleicht hättest du hierbleiben sollen, hättest bei mir bleiben sollen ...«
»Vielleicht hätte ich das. Damals. Aber die Engel, die große Fahrt, die großen Geschäfte, die Macht der ...«, er lachte wieder und bewegte beide Arme kurz auf und ab, »geflügelten Horde. Das war immer mein Traum. Glaubte ich damals, dachte ich damals. Und jetzt komme ich mit der Tram zurück.«
»Keiner weiß, dass du hier bist.«
»Du weißt es.«
»Ja. *Jetzt* weiß ich es. Und das ist auch alles. Wie ...?«
»... ich hier gelandet bin, willst du wissen? Das ist keine lange Geschichte. Die Bullen machten mir Angebote, aber ich wusste, dass die nicht mehr sicher waren. Obwohl ich rauswollte und raus war, habe ich immer noch dies und das gehört. Hab mich dann abgesetzt.«
»Du hast viel geplaudert vorher ...«
»Willst du was trinken? Ist ja sozusagen Feierabend für mich.«
»Auf einmal so handzahm? Glaubst wohl nicht mehr, dass sie sich gleich auf dich stürzen werden, aus den Bäumen, hinter den Gräbern hervorkommen?«
»Es wäre schon vorbei, wenn du es gewollt hättest, wenn du deswegen hier wärst. Warum nicht einmal an den Zufall glauben? Hast du Verwandte hier?«
»Nein.«
»Siehst du. Ein *Ja* hätte mich sicher zweifeln lassen.«
»Vielleicht bin ich zu clever für dich.«
»Schon möglich. Tritt ein, bring Glück herein.« Er zog ein großes Schlüsselbund aus der Tasche seines Kittels und öffnete die Tür.
Sie durchquerten einen großen Raum, nur ein paar kleine Lampen an den Wänden gaben etwas Licht, Stuhlreihen, helle, schlichte, fast schon kahle Mauern, wieder öffnete der Bärtige eine Tür, die in eine Art Kuppelhalle führte, Bilder auf und in dieser großen blauen Kuppel, die so blau war, dass er erst glaubte, in den Himmel zu blicken, wenn da nicht die Bilder und Fresken gewesen wären, die er

nicht genau erkennen konnte, die Stimme des Bärtigen vor ihm, Steffen, so hieß er, so war sein Name früher gewesen, »dieser Rundbau ist ein Abbild des Kosmos, soll das sein, ein Abbild des Kosmos, wie einen Tempel haben sie das damals gebaut, neunzehnhundertfünfzehn, allen Göttern, aber das wird dich nicht groß interessieren ...« AK antwortete nicht. Er war sich nicht sicher, was ihn jetzt genau interessierte. Es war seltsam genug, hier zu sein. Steffen wiederzutreffen. Er wusste, dass der obligatorische Preis auf ihn ausgesetzt war. Die Lampenbauer leuchten hell in der Dunkelheit, dachte er. Und ob es nicht möglich wäre, dass er einen Tipp bekommen hatte und deshalb hier war? Aber von wem? Er war sich sicher, dass niemand wusste, dass Steffen hier war. Als Fremdenführer und Arbeiter im großen Flamarium, so hatte er diesen Ort der Toten, dieses Gebäude, das ein Krematorium zu sein schien, vorhin selbst genannt. Er hatte viel von ihm gehalten, hatte immer gedacht, dass das sein zweiter oder dritter Mann sein könnte.

Ein Mann, der nicht so einfach wegzukriegen war. Der seine Kraft und seinen Einsatz zu kontrollieren wusste. Der damals aus einem der Dörfer um die Stadt herum gekommen war, ein junger Mann, ein Kampfsportler, Judo, Ringen, Kung Fu, der aber seinen Kopf nicht nur nutzte, um in der Schlacht Nasenbeine zu zertrümmern. Dem es auch um die Philosophie hinter alldem ging. Der wusste, dass dieses ihr Marktsegment ein sehr empfindliches war. Der das Hagakure las, als wäre es seine Bibel. Und das Sun Tsu. Das Buch über die Kriegskunst. Steffen hatte ihm das einmal gezeigt. Daran erinnerte sich AK jetzt, obwohl das fast fünfzehn Jahre her sein musste, und wunderte sich, dass er diese Vergangenheit nicht sofort erkannt hatte in dem bärtigen Gesicht. Ein anderer Mensch. Dieser da vor ihm. *Wahrhaft siegt, wer nicht kämpft.* Stand auf dem Einband der zerlesenen Kladde. Aber es war nicht so, dass Steffen diesen gut klingenden Spruch verinnerlicht hatte, denn kämpfen konnte er. Wenn es nötig war. Der bärtige Mann, der damals sein Gesicht nicht hinter einem Bart versteckte. *Verharrt man aber in der Verteidigung, so offenbart man einen Mangel an Kraft und Stärke, greift man hingegen an, so zeigt man ein Übermaß an Kraft.* AK hatte in diesem Buch gelesen, als Steffen verschwunden war. Es war nicht so, dass er einfach so weg-

ging, er hatte sich abgemeldet, sozusagen, wollte nach Hannover, oder wollte er damals nach Kiel und ist dann später in Hannover gelandet? Die Bilder und Gespräche, die Erinnerungen an diese vergangenen Jahre kehrten langsam zurück. *Der General, welcher erfahren in der Verteidigung ist, wird sich in den tiefsten Tiefen verstecken; jener aber, der den Angriff kennt, der fährt aus den höchsten Höhen des Himmels hernieder. So besitzen wir auf der einen Seite die Fähigkeit, uns zu schützen, und auf der anderen, einen vollständigen Sieg zu erringen.*
Er wusste nie, was er davon halten sollte. Steffen wollte zu den Engeln. Lange bevor die in die Stadt kamen. Und er hatte sich ins Netz begeben, Steffen, verschwand zwischen den Fäden (den *Silberfäden*, wer hatte das einmal gesagt?), in den Strukturen, kaufte sich ein, diente sich hoch, Kiel, Hannover-City, verlor sich, damals. So wie sein getreuer Alex jetzt. Das Kopfgeld kassieren? Für welchen Preis? Was konnten *sie* ihm bieten, was er nicht schon selbst erarbeitet hatte. In all den Jahren. Er, der General, der Alte, der Mann mit den Firmen und Geschäften.
Und als der bärtige Steffen, den er nicht erkannt hätte, wenn der ihm nicht selbst auf die Sprünge geholfen hätte, als der einen weiteren Raum aufschloss …, nein, als der sagte: »Wir setzen uns hier auf dieses Gestell und fahren mit dem Fahrstuhl nach unten«, wurde er misstrauisch. Was, wenn es umgedreht war? Wer wartete hier auf wen? Und wohin wollte ihn der Überläufer, der ehemalige Engel, der jetzt auch ein ehemaliger Kronzeuge war, bringen? Wer war noch dort unten? Stimmten die Geschichten überhaupt? War er wirklich ehemalig? Aber AK setzte sich neben ihn auf dieses längliche Eisengestell in der schlichten Trauerhalle, das auf einem Podest konstruiert war, auf dem wohl der Sarg platziert wurde vor den Trauernden, er war die Wege gegangen, und er würde jetzt hier nicht haltmachen. *Kein Rotstopp am Güterring* (Wer hatte das vor Jahren gesagt?).
Es war nicht einmal eine Fahrt zu nennen, war auch kein Fall, eher ein langsames, fast geräuschloses Sinken, Gestänge an den Wänden des gemauerten Schachts, »Endstation«, sagte Steffen, »alle Fahrgäste aussteigen, bitte.« Ein Gang, in den das Licht eines Raumes fiel, in der kurze Gang mündete, einige Meter nur entfernt. AK duckte sich ein wenig beim Gehen, obwohl er gerade aufrecht ste-

hen konnte, sein Kopf hätte die Decke nur berührt, wenn er sich auf die Zehenspitzen gestellt hätte. Der kleine Raum war durch mehrere zapfenförmige Lampen erleuchtet, die direkt aus dem Stein der Decke zu wachsen schienen und von kreisförmigen Gittern umgeben waren, zwei schmale eckige Säulen, und dann sah AK auch schon die beiden Öffnungen in der großen rotbraunen gemauerten Wand, auf Bodenhöhe. »Warum sind wir hier?«, fragte er, seine Stimme klang dumpf, gedämpft, untererdig, Steffens Erklärungen hatten oben gehallt unter der großen Kuppel und auch in dem schlichten Saal, was war hier was?, Trauerhalle, Kapelle, »Von Flammen umkreist, hält dort ein ebenfalls geflügelter Genius eine Schale empor, die, gleichsam brennpunktartig, gebündeltes Licht aussendet«, nein, er hatte das nicht gesehen in den Fresken der Kuppel, die Worte und Sätze seines Fremdenführers hallten und doppelten sich und begegneten sich, wie kleine Echos.

»Warum wir hier sind? Um zu reden.« Ein Stahlträger, eine Schiene, verlief in etwa zwei Meter Höhe in Richtung der Öffnungen, von stählernen oder eisernen Deckenstreben gehalten, eine Art fahrbares Flaschenzugsystem mit Ketten und Haken, sicher um die Särge zu heben und zu den Öffnungen zu bringen, in die ebenfalls Schienen führten, ebenerdig, seltsamerweise waren die gelb-schwarz gemustert.

»Reden. Ja. Vielleicht sollten wir das.« Drei kleine zweirädrige Karren standen direkt an der Wand, unterhalb des Flaschenzugsystems. Er setzte sich auf eine, spürte Müdigkeit, eher eine Mattheit, *ach, wie still ist mir am Abend*, dachte er, ist das ein Kinderlied?, der zweirädrige Karren kippte auf den Boden, er stand wieder auf.

»Kann ich dir einen Stuhl bringen?«

»Danke, es geht schon.«

»Willst du was trinken?«

»Ein guter Gastgeber bist du. Was hast du denn da?«

»Cognac. Für einen guten Gast.«

»Ein Glas Cognac. Warum nicht.«

AK sah, wie Steffen zu einem braunen Metallspind ging, der ihn an die Spinde in seinem Fitnessstudio erinnerte. Dann sah er eine weitere Tür, an der Wand gegenüber den dunklen Öffnungen, die unverschlossen schienen, das Flamarium oder was auch immer dahinter, die Brenner, die Roste, was auch immer. Neben der Tür stand ein kleiner Tisch, AK machte ein paar Schritte in Richtung des Tisches und sah, dass er mit eigenartigen Broschüren bedeckt war, kleine und größere Hefte, einige waren aufgeschlagen, er sah Pflanzen, Blumen, Bäume, Kräuter, in anderen Büchern die Bilder von Vögeln, *der Schnabel der Bekassine ist gelb und sehr lang.* Er lehnte sich an eine der Säulen, hörte das Öffnen und Schließen der Spindtür, welchen Genius er wohl meinte dort oben, als er erzählte, als würde er die Sätze irgendwo ablesen, Steffen reichte ihm einen Plastikbecher, »Mit einem Schwenker kann ich leider nicht dienen«, »Schon in Ordnung«, »Auf dein Wohl, Arnold«, »Vielleicht auch auf deins«, und dann tranken sie. Schien wirklich ein ganz guter Cognac zu sein, kein Billigmist. Während sie tranken, den schweren Duft einatmeten, das Aroma des Brands wieder ausatmeten durch Nase und Mund, vor allem durch die Nase, dem feinen Abgang nachspürten, bevor Steffen dann sagte: »Hast du gewusst, dass das Feuer den Körper nicht direkt berühren darf, Gesetz von 1933«, saß Hans im Keller seines Clubs, am anderen Ende der Stadt, die dort irgendwo da draußen noch sein musste, saß in seinem Raum, und er starrte auf den kleinen Tresor in der Wand, in dem die Steine lagen, und er spürte sein schweres Gesicht, die geschwollenen Augen, die voll gewordenen, hängenden Wangen, spürte auch die Bumsenden über ihm, das dumpfe, scheinbar ferne Grummeln der Musik, fragte sich, ob er sich alles versaut hatte, jetzt, wo sein Toter auftauchte, glaubte aber immer noch an diese seine Chance (Razzien und ähnlicher Scheiß passierten ihm nicht, ihnen nicht, war alles abgesichert, abgesprochen, und niemand wusste, dass und das ..., und nur die Steuerfahndung ging ihm auf den Sack und schaute vorbei und die Hurengewerkschaft, der Hurenverband, aber mit denen konnte man gut reden, waren oft Ehemalige, und die sahen, dass bei ihm alles in Ordnung war), die Glockenschläge der beiden Hämmer schwingenden Männer auf dem Dach des sehr alten und gar nicht so hohen Hochhauses im Zentrum der Stadt, eine weiße Wolke, wie ein langsamer, sich windender Atompilz aus Dampf (»Also doch kein Atompilz!«), steigt hinterm Zentralbahnhof in diesen Himmel, die Flug-

zeuge blinken rot dazwischen wie die Windräder, die aus dem Ackerboden wachsen vor der Stadt, die Zentrale der Stadtwerke, dieser Kubus aus Glas und Stein, lässt Druck ab, die Alten, die nicht schlafen können, lehnen sich aus den Fenstern der Altersheime und denken, es ist Krieg, Taxis fahren die letzten Gäste nach Hause oder fahren leer nach Hause, weil nicht mehr so viel los ist seit einigen Jahren, der Herbststurm peitscht das Wasser des großen Sees, auf dessen Grund die alten Bagger ruhen …, *der Mond ist aufgegangen*, auch im Club der Engel gehen die letzten Gäste und versuchen die Mädels, ein bisschen runterzukommen, Sternschnuppen fallen in die Seen, wie das Wasser zischt, eine Frau (30?) stützt sich mit den Händen am großen Glasfenster ab und schaut über die dunkle Stadt und spürt fremd und groß den Schwanz in ihrem Körper und lacht dennoch in sich hinein, was für ein Idiot, was für ein idiotischer Gentleman, der so viel zahlt für den Hotelbesuch, lacht still, weil manchmal alles so einfach scheint, die Zeit wird umgestellt, die Uhrzeiger rotieren …, *die letzten Sternlein prangen* …, durch die Burg, in der Nähe der Autobahnausfahrt, wandern die Schatten, die Drehkreuze sind geschlossen, leere Taxis ziehen Lichtschweife in der Nacht, Kanacken träumen in der Hauptstadt von der Herrschaft, *wir nehmen, was wir kriegen*, der Föhn zieht wie der Golfstrom bis rüber nach Österreich, wo der ehemalige Anwalt in seinem modernen Club sitzt und die Steuer erfreut, *wozu verstecken, wenn man vorzeigen kann* …, und *der weiße Nebel wunderbar* …, und der Graf investiert woanders und sitzt in seiner Burg in Frankfurt/Main, *was, verdammt nochmal, ist hier los*, guten Morgen, Deutschland, der Oktoberabend legt sich über den kleinen Wald am Rand der Stadt.
»Die Flammen … Ist kühl hier unten.«
»Wenn du noch einen willst.«
»Bist gut zu deinen Gästen. Auf einmal.«
»Kann leider nicht anfeuern grade.«
»Und willst du in der Zukunft immer hier unten sein und in der Glut stochern und die Asche sammeln? Oder oben zwischen den Steinen? Ein Gärtner und Bestatter?« Er hielt Steffen den Plastikbecher hin, den dieser wieder füllte.
»Kein Bestatter. Das ist eine andere Branche.«

»Lass den Quatsch. Darum geht es nicht.«
»Wenn ihr mich lasst.«
»Darüber waren wir doch schon hinaus, dass es kein *ihr* gibt.«
»Waren wir, Arnold? Aber es ist egal, wo ich mich umdrehe, hier oder woanders, immer sind die Schatten da. Ich hätte nach Frankreich gehen können. Und denkst du, dass ich dort sicher wäre?«
»Ich weiß es nicht. Du bist der Lampenbauer. Und die leuchten hell in der Dunkelheit.«
»Das hatten wir doch schon. Wahrscheinlich willst du wissen, warum …«
»Warum du zur Plauderstunde gegangen bist, bei den Bullen?«
»Rauchst du?« Steffen zog ein Päckchen Tabak aus der Kitteltasche.
»Habe schon lange aufgehört.«
Steffen legte etwas Tabak auf ein Zigarettenpapier und fummelte und drehte.
»Haben dir die Bullen nicht etwas und viel versprochen? War nicht mehr für dich drin als das hier?«
Er schlug Steffen leicht gegen den Arm, so dass der Tabak runterfiel, vom Blättchen auf den Boden fiel. »Die Vorzüge des Tabaks, mein Freund, mein steinerner Gast«, Steffen ließ sich nicht aus der Ruhe bringen, legte neuen Tabak auf ein neues Blättchen, während das alte, zerknitterte, das er weggeworfen hatte, sehr langsam zwischen ihnen auf den Boden schwebte, »kennen sie schon seit Jahrhunderten. Pfeifen, Zigarren, Zigaretten, die das Wohlbefinden steigern. Die kleinen Gifte, die uns auf dem Weg zwischen diese Pforten begleiten.« Er zeigte mit seiner fertig gedrehten Zigarette auf das Flaschenzugsystem und die unterhalb der Decke verlaufende Schiene. Und auch auf die beiden schwarz-gelb bemalten ebenerdigen Schienenstränge vor den beiden Öffnungen, von denen er gesprochen hatte.
»Ich lass mich nicht verbrennen«, sagte AK, »ein schöner großer Sarg.«
»Ich hatte den Glauben verloren, Arnold.«
»Den Glauben? Bist du unter die Christenmenschen gegangen? Wäre mir neu.«

»Nein. Spar dir die Scherze. Den Glauben an meine Religion der Macht. Ich habe immer gedacht, wir ..., also die Engel, wären die Speerspitze, die Ordnungsmacht.« Er rauchte, spuckte ein paar Krümel Tabak aus.

»Und deswegen gehst du hin, gehst zu den Bullen und erzählst, verrätst *deine* Firma, verrätst all die Jahre, die du investiert und geopfert hast und geerntet, wie ich annehme.«

»So einfach ist das nicht.«

»Natürlich nicht. War es je einfach gewesen? Hast du mal Marx gelesen ...?«

»Was ...?«

»Nein. Hast du nicht. Du bist beim Hagakure und beim Sun Tsu hängengeblieben und diesem ganzen fernöstlichen Palaver. Was hast du dir vorgestellt, als du zu den Engeln gegangen bist, das große Abenteuer, die große Freiheit Nummer 7? Ich meine, du warst doch hier, vier, fünf Jahre, warst doch bei mir, wusstest doch, wie die Dinge laufen, wie der Markt rotiert.«

»Was würdest du machen, wenn man dich reinlegt? Wenn man deinen Platz einnehmen will? Wenn sie dir Dinge in die Schuhe schieben, mit denen du nichts, aber auch gar nichts zu tun hast. Wenn sie dich rausdrängen wollen, dir alles wegnehmen, weil sie irgendeinem Arschloch glauben, das schnell nach oben will ...«

»Oben? Du warst ein Soldat, vielleicht ein Unteroffizier, aber immer noch ein Soldat. Im Dienste von ... Wallensteins Feldlager. Alles, was du grad aufgelistet hast wie meine Sekretärin, ist hier und mir auch passiert. Im Osten und im Westen nichts Neues.«

»Du stehst doch auch nicht schlecht mit den Bullen in deiner Stadt. Arnold Kraushaar, der Bullenversteher.« Er warf seine runtergerauchte Zigarette auf den Boden, trat sie mit der Schuhspitze aus. AK lehnte immer noch an der Säule und blickte ihn an. Wie lange war er schon hier unten? Zwanzig Minuten, eine Stunde? Ihr Gespräch schien ihm endlos zu sein, irgendwann vor langer Zeit begonnen zu haben. Zwei Spieler, sich fixierend, aber worum ging es? An der hinteren Wand des Raumes erkannte er ein System aus Rohren und Zylinder, aus denen die Rohre kamen, in die sie führten, Ventile, Drehknöpfe, Messuhren und unterhalb der Decke zwei grö-

ßere nebeneinanderliegende Rohre, die von Wand zu Wand führten, die beiden Öffnungen und *das Dahinterliegende* mit etwas zu versorgen schienen, Feuer, Gase, Rauch abführten oder wechselweise zuführten, er verstand nichts von diesen Dingen, welcher normale Mensch kennt schon die Technik und die Funktionen eines Krematoriums, eines Flamariums, der Raum lag im Halbdunkel, *pietätvoll*, dachte er, war vorhin nicht mehr Licht gewesen? Er spürte, dass er schwitzte. Er war zu alt für diesen Scheiß. Er war neunundvierzig geworden vor etwas mehr als einem Monat. Er blickte immer noch auf dieses Aderwerk der Rohre. Spürte dann plötzlich den Plastikbecher in seiner Hand, den er fast zerdrückt hatte; als er trank, spürte er Cognac auf seiner Hand, ein kleiner Riss im dünnen, knackenden Kunststoff.
»Wo waren wir stehengeblieben?« Hatten sie das tatsächlich beide gleichzeitig gesagt? Nein. Wohl eher nicht.
»Ich habe gehört, dass sie dich weghaben wollen, Arnold. Dass die Engel nicht mehr hinter dir stehen. Dass *er* die Fäden ziehen will. Alleine. Keine Marktteilung mehr.«
»Du erzählst nicht nur viel. Du hörst auch viel, viel Scheiße, wie es scheint. In deinem Loch. Ich sollte gehen. Und du, schließ die Türen gut zu, begrab dich hier unten, bleib unter der Erde. Ist besser für dich.« Er warf seinen leeren Becher vor die Öffnungen in der Wand, kurz wünschte er, er könnte sich hinhocken und hineinsehen in diese Dunkelheit, ob ein Tor irgendwo hinter den Eingängen war oder ob der Weg, die Schienen direkt in jene Kammer führten.
»Der große AK verliert die Nerven? Setzen sie dir so zu, alter Freund?«
»Freund? Das war einmal. Das ist lange her. Es ist gar nicht so sehr, dass du ein Verräter bist …« Er hatte sich wieder beruhigt, war aber langsam Richtung Tür gegangen, aus der sie gekommen waren. »Verräter? Vielleicht. Wir sind wohl beide nicht mehr die, die wir mal waren.«
AK blieb an der Tür stehen. Steffen lehnte an der Säule, blickte ihn nicht an, blickte an die Wand gegenüber, hielt seinen Plastikbecher direkt vor seiner Brust. AK schwieg, wartete. Er wusste, dass der andere gleich etwas sagen würde. Dass er seine Geschichte erzäh-

len wollte. Dass er sich rechtfertigen wollte. Später, am Abend, als er wieder draußen auf der Veranda am See saß, ein Glas Rotwein trank und auf die Silhouette der Berge schaute, versuchte er, sich an seine Flucht durch die Katakomben zu erinnern, an sein Zurückkehren in den Raum mit den Öffnungen, die Backöfen ähnelten, er hatte einmal als Kind in eine Bäckerstube geschaut, bei der Oma auf dem Dorf, hatte gesehen, wie die riesigen Brotlaibe (in seinen Erinnerungen sind sie groß wie Körper) auf den Blechen in die halbrunden Öffnungen geschoben wurden, in denen es rot glühte, versuchte, sich zu erinnern, ob …, und ist er wirklich durch diese unterirdischen Gänge geirrt, vor Stunden erst, die Stimme seines ehemaligen Mitarbeiters Steffen hinter sich, der ihm aber nicht gefolgt war, und warum floh er? Oder wollte er einfach raus dort, verschwinden, nach Hause, zurück in den Herbstnachmittag, der schon längst zum Abend geworden war. Geducktes Hasten, die Luft mal kalt, mal stickig, Türen aus Eisen, Abzweigungen, und immer wieder ein Gewirr aus Rohren, Röhren an den Wänden, Zylinder, Hähne mit Messgeräten, graue Zinkrohre, rötliche Kupferröhren, die Luft mal heiß, mal kühl, Lüftungsschächte sah er keine, alle paar Meter das matte Leuchten einer kleinen Glühbirne hinter vergittertem Milchglas, dann plötzlich Licht von oben, wellenförmig bewegte es sich vor ihm auf dem Boden, ein großes, rechteckiges Glasfenster in der Decke, AK blickte in den Teich, das langgezogene Wasserbecken vorm Krematorium, denn weiter konnte er nicht gekommen sein, sah durch das trübe grüne Wasser den Abendhimmel, der sich auch bewegte, von einigen rötlichen Schlieren durchsetzt, sind das Fische oder Vögel, die über der Wasseroberfläche kreisen, oder Flugzeuge weiter oben, Zeppeline, die der Teich, die das Wasser in einer seltsamen Brechung zu ihm bringt, wie durch mehrere Linsen …, er hört das Knirschen der Scheibe über ihm, »Komm doch rein, es wird kalt. Und es soll Regen geben.«
»Gleich, Katrin. Ich trink meinen Wein noch aus.«
»Katrin?«
»Entschuldige.«
»Trink nicht so viel!«
»Ich hatte einen langen, harten Tag.«

»Ja, ja, du hast immer lange, harte Tage. Und sag mir lieber gleich, wer Katrin ist.«

Er rennt durch den Gang, geduckt, stößt sich ein paarmal den Kopf, hört Lachen von irgendwoher, aber vielleicht bildet er sich das nur ein, vielleicht muss er sich an die Rohre halten, muss diesem Aderwerk an den Wänden folgen, das nicht in alle Abzweigungen des Ganges führt, der sich wieder teilt, er rüttelt an einer Eisentür, »System III« steht dort, schwarze, abgeblätterte Farbe, jemand klopft von innen, wer ist dort eingeschlossen?, hört er Stimmen?, aber er läuft weiter, er muss den Weg nach draußen finden, dann hört er das Rauschen hinter sich, das immer lauter wird, das Wasser stürzt über ihn hinweg, er hält die Luft an, er fällt, wird mitgerissen von dem Strom, er treibt mit offenen Augen, Wasserwirbel um ihn, die Lichter hinterm vergitterten Milchglas, er presst die Lippen zusammen, sieht vor sich den Raum mit den beiden halbrunden Öffnungen, er versucht, sich an den Wänden festzuhalten, kämpft gegen die Strömung, die ihn dort hinreißt, er war ein guter Schwimmer gewesen, ist es immer noch …, Meter um Meter …, und da schauen sie ihn an, die Gesichter …, schauen aus den höhlenartigen Ein- oder Ausgängen.

»Schonmal was von der chinesischen Meile gehört?«

»Was?«

Sie sitzen beide an der Wand, direkt neben den Schienen, die in die zwei Öffnungen führen. Zwischen ihnen steht eine Flasche Weinbrand. Er nimmt sie und schaut auf das Etikett. Seine Hände sind feucht. Zittern ein wenig.

»Was hast du erwartet? Remy?«

»Die Bullen scheinen nicht so gut gezahlt haben. Was waren deine Silberlinge?«

»Sicherheit. Für mich, meine Frau …«

»Deine Frau.«

»Du verträgst nichts mehr, alter Mann. Ich habe dir doch von meiner Frau und meinem Kind erzählt …«

»Wo …«

»Auch wenn ich dir vertraue, so sehr vertraue ich niemandem. Das ist mein Preis, dass ich sie …«

»Du hast sie verlassen?«
»Ja. Auch wenn sie's nicht wollte. Ist alles schiefgelaufen.«
»Das tut mir leid. Aber du hättest nicht ...«
»Was blieb mir denn anderes übrig? Mein Posten war begehrt ... Und als ich Schwäche zeigte ...«
»Du hast doch gewusst, dass du dich nicht einfach so umdrehen kannst. Weggehen kannst. Oder: Es macht mir doch keinen Spaß mehr. Ich habe meine Ideale verloren ...«
»Ideale. Als wenn wir je wirklich Ideale gehabt hätten. Sauberer Markt. Ja, ja. Macht. Geld. Brüder. Und ob du's glaubst oder nicht, ich hätte ja weitergemacht. Ehrlichkeit – Zuverlässigkeit – Respekt – Freiheit. Aber wenig davon ist geblieben. Meine Engel sind davongeflogen. Und trotzdem wollte ich weitermachen. Wahrscheinlich. Sehr wahrscheinlich. Nennen wir es eine Midlife-Krise.«
»Die habe ich auch. Aber ich kann selbst entscheiden, wie weit ich gehe, wann ich wo aufhöre, mit wem ich Geschäfte mache ...«
»Wenn *du* das glaubst. Die Engel sind gierig, vergiss das nicht.«
»Und? Ich könnte gehen. Jederzeit. Habe meine Firma, meine Agentur. Hab mein Fitnessstudio ...«
»Monopoly, Monopoly. Und am Anfang standen zwei kleine Spielotheken. Badstraße.«
»Wenn du auch an diese Legenden glaubst ...« Er nimmt die Flasche und trinkt. Reicht sie Steffen rüber, will dann auf seine Uhr schauen, aber sein Arm ist immer noch leer.
»Die haben mich reingelegt«, sagt Steffen, »hast du von dem Türken in der Hauptstadt gehört?« Er bewegt die Flasche vor seinem Gesicht hin und her.
»Was man so hört.«
»Natürlich hast du. Überläufer werden plötzlich große Führer. Geschäft, Geschäfte. Und keine Ehre mehr. Klingt blöd, ich weiß. Kapitalismus, ich weiß. Die alten Regeln gelten nicht mehr. Vielleicht bin ich ein Nostalgiker. Ich wollte nie singen. Nein, das wollte ich nicht.«
AK schweigt. Er hat anderes gehört. Vor zwei, drei Jahren. Aber er weiß, wie das ist, mit den Geschichten. Variante A, Variante B, System III, es wäre zu einfach, es auf die Blickwinkel zu schieben.

Und die Bullen warten und machen Angebote. Wenn sie wissen, dass Person X schwach ist, in Schwierigkeiten ist. Aber er hat ganz anderes gehört. Dass Steffen von selbst gekommen ist. Zu den Bullen. Vor einigen Jahren schon. Aber er wollte und konnte an all diese Dinge nicht so einfach glauben. Früher waren Fotos Fotos. Heute ist das anders. V-Mann Steffen beim Treffen mit dem Kommissar OK. Oha, Oha! Jeder kann das zusammenbasteln, virtuell. Er selbst steht seit zwölf, dreizehn Jahren nicht besser oder schlechter mit den Bullen als jeder normale Bürger. Kein Kommissar OK ermittelt gegen ihn. Er hat Geschäfte zu führen. Seit Januar zweitausendzwei, seit dem Inkrafttreten des Prostitutionsgesetzes, geht das wesentlich einfacher. So dachte er zumindest zu Anfang, in jenem fast schon mythisch gewordenen Jahr, als sie die alten Gesetze änderten, als die Beamten entdeckten, dass sie die Gelder unter ihre Kontrolle kriegen mussten, die Rechte der Frauen und die ach so wichtigen Fragen der Moral wurden da nur mal so mitgenommen, kollateral sozusagen, aber besser als nichts, so dachte er damals, ein Anfang, und so dachte auch Mr B., an den er sich hin und wieder erinnert, an den er sich oft erinnert, sein geschätzter Kollege aus und in der Hauptstadt, dessen Wohnungsbordelle all die Jahre geduldet wurden und ohne große Probleme liefen und der seinen Gewinn erwirtschaftete und bei dem die Frauen ihre Gewinne erwirtschafteten, die Ruhe und die Preise und die Arbeitsbedingungen bei ihm waren fast schon legendär (wie bei AK, sie trafen sich Ende der Neunziger auf einer Tagung der Vermieter und Betreiber von Modelwohnungen und bordellähnlichen Betrieben), und plötzlich, nach zweitausendzwei, begann sein Kollege Mr B., an den er sich hin und wieder erinnert, an den er sich oft erinnert, in den Fokus der Behörden zu rücken, wurde ins Visier genommen, wurde reglementiert, gesetzlich erfasst, das Bauamt torpedierte die Gewinnabsichten der Steuerbehörden, indem sie, »diese doppelköpfigen Schlangen«, wer hat das so gesagt damals?, indem sie …, das OVG Berlin schaltete sich ein, die BauNVO sowieso, das Finanzamt schickte Agenten aus, die sowohl die Verwaltungsgerichte, die BauNVO und alle anderen, die mitmischten in diesem Chaos, dazu bewegen sollten, die Terminwohnungen, die Wohnungsprostitution, die bordellähnlichen Betriebe ja nicht am Geldumsatz zu behindern, die BauNVO widersprach sich mehrfach, die Gerichte widersprachen sich mehrfach, alles wurde komplizierter als vorher, Terminwohnungen, bordellähnliche Betriebe oder doch Wohnungsprostitution, aber dann muss die Person, sprich die Prostituierte, auch in dieser Wohnung wohnen, bordellähnliche Betriebe sind in Wohngebieten unzulässig, oder doch nicht?, weil das VGH Mannheim schon am 9.8.1996 (mein Gott, wie lange das her ist, denkt AK und streicht über das steinerne Gesicht am Grab des Leutnants und fragt sich, wann er dieses augenlose Lächeln schon einmal gesehen hat, war nicht dieser seltsame Mann, den sie Mondauge nannten, auch auf der Tagung gewesen?) ..., später aber, am 9.4.2003, stellte das OVG Berlin fest: »Bordellartige Betriebe sind im allgemeinen Wohngebiet grundsätzlich unzulässig, sie können insbesondere nicht gemäß § 4 Nr. 2 BauNVO als sonstige nicht störende Gewerbegebiete zugelassen werden ...«, und dann setzten sie ihnen zu mit dem Begriff der »milieubedingten Unruhe«, »Oh Coppenrath & Wiese!«, hätte er früher gerufen, rief es vielleicht auch, obwohl er wusste, dass der Lude aus Tausendundeiner Nacht beziehungsweise Dortmund oder sonst einer Ruhrpott-City neuerdings die Urheberrechte darauf, also auf dieses Bonmot, beanspruchte, und er ist nach Berlin gefahren im Jahr zweitausendzwei, oder war es schon -drei?, um seinen Freund und geschätzten Kollegen Mr B. zu unterstützen, denn der hatte ihm einmal bei einer Immobiliensache geholfen, danke der Nachfrage!, Mr A., Mr B., wir müssen doch zusammenhalten, wenn es gegen die Ämter geht, *Lärm im Treppenhaus durch unzufriedene und / oder alkoholisierte Kunden, Klingeln an falschen Wohnungstüren, Ansprache und Belästigung von Frauen und Mädchen, die in demselben Haus wohnten, An- und Abfahrtsverkehr sowie gewalttätige Begleiterscheinungen des Rotlichtmilieus,* das Bundesverwaltungsgericht hat unter NVwZ-RR 1998, S. 540 die Frage offengelassen beziehungsweise die Antwort offengelassen, ob Bordelle als Vergnügungsstätten oder Gewerbebetriebe einzuordnen sind, das Problem der Unterscheidung des bordellartigen Betriebs ist hiermit nicht hinreichend ausgeführt, das VG Osnabrück wiederum widersprach in seinem Beschluss vom 7.4.2005 (der April scheint ein guter Monat für Beschlüsse zu sein) dem bisher unveröffentlichten juristischen Dokument des OVG Rheinland-Pfalz (verdammt nochmal: Ländersache?) MWRE 101080400, aber wurde nicht schon im Monat zwölf des Jahres zweitausend von der 35. Kammer des Berliner Verwaltungsgerichtes die allgemeine Einstufung der Prostitution in bordellartige Betriebe und anderswo und im Allgemeinen als unsittlich, wie es ja all die Jahre vor Einführung des ProstG ..., wenn es nicht den Bürgerinitiativen »Kontra Großbordell in Dülmen« und »Front gegen Groß-Bordell in Heidenau« (welche Schreibvariante die richtige sei, »Großbordell« oder »Groß-Bordell« konnte trotz Intervention am OVG Berlin nicht geklärt werden) gelungen wäre, eine Klage beim Hessischen Verwaltungsgerichtshof ..., was blieb AK da anderes übrig, als Immobilien zu erwerben, schon in den Neunzigern haben sie ihn regelrecht in die Immobilienbranche gezwungen, keine Kindergärten in der Nähe, keine Kirchen, keine Ämter, keine Altersheime, damit er die Objekte ausschließlich gewerblich vermieten konnte, damit sich niemand störte, nur Huren wurden als Mieter zugelassen, aber irgendeiner störte sich immer an seinen Plänen, seiner Anwesenheit, seiner Notwendigkeit. Und er wollte doch nur seinen Geschäften nachgehen hier in der Stadt, ganz normal, wie in jeder anderen Branche auch. Träumte schon Anfang der Neunziger von Häusern, in denen nur Huren arbeiteten, seinen Häusern, hellerleuchtete Fenster beziehungsweise Lichter hinter den Gardinen und Herzen wie Diamanten. Und er hatte seine Beziehungen über die Jahre gepflegt, Bullen, Politik, Ämter, das war leichter als in Berlin, wo sein geschätzter Kollege Mr B. zweitausendvier Insolvenz anmelden musste (Jahre später hörte er, wer angeblich dahintersteckte).

»Jeder legt jeden rein, Arnold. Gier, alle wollen sie schnell nach oben kommen.« Steffen setzt die Flasche wieder an.

»War das nicht immer schon so?«

»Nein. Nicht *so*. Manchmal denke ich, das hat mit dem Internet zu tun. Mit der Schnelligkeit, dem Verschwinden der ... Kennst du die chinesische Meile, Arnold?«

»Erinnerst du dich an diesen seltsamen Mann, den sie Mondauge nannten?«

»Aus Berlin?«

»Ja.«
»Nein.«
»Schnell nach oben kommen«, AK blickt sich in dem Raum um, Sackkarren, ein Sarg, ein kleiner Tisch, auf dem Papiere und Zeitschriften liegen, »Das wolltest du doch auch. Wolltest weit und hoch mit den Engeln. Damals schon. Und hast alles vergessen, von wegen Versicherungen, lässt dich abservieren und rennst zu den Bullen, anstatt zu kämpfen.«
»So wie du?« Steffen lacht. Reicht ihm die Flasche rüber. »Du hattest doch deine Versicherungen. AKs große Schwanzversicherung. Jeder wusste das.«
»Worauf willst du hinaus?«
»Nichts. Gar nichts. Aber waren Fotos nicht damals noch Fotos?« Er holt seinen Tabak aus der Brusttasche seiner Arbeitsmontur. Dreht sich sehr langsam und mit zitternden Fingern eine Zigarette. »Willst du nicht doch eine? Aufs Wiedersehen.«
»Du hast Nerven, Steffen. Das muss ich dir lassen, schwingst hier große Reden über meinen Schwanz und …, als würden wir wie früher bei Ivonne in der Kneipe sitzen …«
»Bei Ivonne in der Kneipe. Karate-Steffen mit den eisernen Nerven.« Wieder lacht er. »Das war einmal. Hab ich dir nicht damals schon von der chinesischen Meile erzählt?«
»Man sagt, du hättest schon vor Jahren den Ausstieg gewählt. Hättest dich angedient. Hättest über Jahre doppelt gedient.«
»Man sagt, man sagt … Du weißt doch selbst, wie das mit den *man sagt* ist. Ein Dreck ist das.«
»Nicht alle Informationen sind Dreck.«
»Informationen? Klatsch und Tratsch, Arnold, das war schon immer ein Faktor in unserer Branche.«
»Schon möglich. Aber die Branche, die du damals gewählt hast, als du die Stadt verlassen hast, ist nie meine gewesen …, motorisierte Syndikate.«
»Du hast doch selbst eins hinter dir. Neuerdings. Wie man hört.«
»Klatsch und Tratsch, Steffen.«
»Touché, touché. Ich kann deine Schritte verstehen. Maßnahmen. Versicherungen. Wie *ich* schon sagte, die Engel sind gierig.«

»Dann brauchen wir darüber nicht weiter zu reden.«
»Nein, das brauchen wir nicht. Deshalb bin ich hier. Bei den Toten.«
»Ich lebe. Du hättest zu mir kommen sollen, damals, zurück in die Stadt hättest du kommen sollen. So oder so. Wir hätten einen Weg gefunden.«
»Lüg dich nicht selbst an. Lüg mich nicht an. Wie hätte ich für dich arbeiten sollen? Die Engel waren im Anmarsch. Und für den Moment war das für dich das Allerbeste. Kanacken-Attacken, Los Locos. Die große böse Übernahme. Wir müssen uns doch nichts vormachen. Und die Geister, die du riefst …«
»Lass Shakespeare aus dem Spiel. Und ich war nicht der Einzige, der sie gerufen hat.«
»Goethe. Und was spielt das noch für eine Rolle jetzt, wo sie da sind und sich ausbreiten, immer weiter ausbreiten …«
»Ich bin noch längst nicht am Ende, das solltest du wissen.« AK greift nach der Flasche. Spürt, dass er viel zu viel redet, dass er sich öffnet, so wie er sich nicht öffnen will. Er möchte die Lippen aufeinanderpressen, hört das Rauschen hinter der Wand, an der sie lehnen. Er hat seinen Mantel aufgeknöpft, es ist warm hier unten. Hat sein Hemd aufgeknöpft.
»Wer sagt denn, dass du am Ende bist? Du selbst fängst ja damit an. Aber vor zwei Jahren, oder wann war das genau?, da dachtest du, jetzt überrollen sie dich, nicht wahr? Die Kanacken, die Los Locos. Und schon schickt ihr nach Hilfe, ins ferne Königreich …«
»Wir haben nur Angebote gemacht. Haben die Dinge nur forciert, die Truppen der Verbündeten standen eh schon bereit. Hannover, Berlin.«
»Immer frei nach Wallenstein, nicht wahr, General? Und alles wurde gut mit den neuen Wächtern der Nacht.«
»Clausewitz. Die Geschäfte gingen weiter. Wie immer. Ein paar neue Verträge, Absprachen …, wie immer.«
»Wie immer.«
Und dann schweigen sie und sitzen, lehnen sich schwer an die Wand. Reichen sich die Flasche zu. Die so feucht geworden ist, dass sich das Etikett zu lösen beginnt.
»Ich habe keinen anderen Ausweg gesehen. Damals.« Steffen zieht

die Knie an, legt die Arme auf die Knie und dreht sich langsam zu AK. »Das erste Mal in meinem Leben hatte ich Angst.«
»Angst ist manchmal nicht das Schlechteste«, sagt AK.
»Sicher. Man wird nicht zu unvorsichtig. Aber auf die Dosis kommt es an. Weißt du noch, wie du mich damals zu den Jugos, in ihren Laden geschickt hast ...«
»Du warst nicht alleine. Alex war dabei.«
»Ja, ja, dein großer Alex ..., auf die Dosis kommt es an. Das waren damals kleine Geschichten. Und dann höre ich, dass du tot bist. Und dann höre ich, dass du lebst.«
»Ich hätte dich gebraucht damals. Die Jugos hatten Respekt vor dir.«
»Vor dir auch. Sonst hätten sie dir nicht die Beine weggeschossen.«
»Lassen wir die alten Geschichten ...« AK steht auf, geht langsam zu dem Tisch, blickt auf die aufgeschlagenen Hefte und Bücher, fährt mit der Hand über die Abbildungen der Pflanzen, Bäume und Vögel. *Großes Windröschen, Trollblume, Rotes Waldvögelein*, zwei Bücher, in denen Zettel und Fotos stecken, *Leitfaden der Pflanzenkunde*, *Leitfaden der Tierkunde*. Er zieht ein Foto aus dem Tierkundebuch. Steffen vor einer Harley, neben ihm der Pate aus Hannover, fast zwei Köpfe größer, beide in Lederwesten, die rot glühenden, weiß leuchtenden Engel. Er schiebt das Foto ins Buch zurück. Nimmt ein weiteres heraus, Steffen auf der Veranda eines Gartenhauses neben einer Frau, er hat die Hände auf ihren runden Bauch gelegt und lacht.
»... und als die Engel sagten, ich hätte dies und das und hinter ihren Rücken. Und als sie sagten, ich hätte hinter ihren Rücken und dazu noch dies und das ..., Geschäfte, auf eigene Faust, den Brüdern Geld vorzuenthalten ist das schlimmste Verbrechen, Gebot eins: Du sollst nie deinen Brüdern ...«
»Und, hast du?«
»Nein.«
Und als AK später am See sitzt, auf seiner Veranda, den Mantel bis oben hin zugeknöpft, der Wind kommt kühl aus den Bergen am anderen Ufer, als er sein Weinglas nochmal vollmacht, obwohl seine Frau schon wieder zetert, obwohl sie selbst einen Prosecco nach

dem anderen trinkt, diese kleinen Büchsen, die sie jetzt plötzlich alle trinken, seine Reinigungsbrigade beschwert sich, dass manche Objekte richtig vollgemüllt sind mit diesen Dosen, »Ja, Arnold, das mag schon sein, aber wir trinken immer nur nach Feierabend ein, höchstens zwei Döschen!«, »Na, klar doch, Dornröschen«, und als er aufs Wasser blickt, kein Mond, keine Sterne, weder dort noch oben, nur hin und wieder hört er das leise Grollen eines Flugzeuges irgendwo hinter den Wolken, die vor einigen Stunden den Himmel zu verdecken begannen, es riecht nach Regen, es riecht nach Herbst, der Wind wird stärker, das Blinken der Positionslichter zwischen den Wolkenfetzen, »Den ganzen Tag sitzt du schon hier und starrst aufs Wasser«, er hört den Fernseher viel zu laut, irgendeine von diesen bescheuerten Talente-Shows, »Sing dich zum Millionär« oder so, wie viele Körper beziehungsweise Särge Steffen wohl verbrannt hat, seit er dort unten beziehungsweise dort draußen arbeitet?, und er sieht ihn im Feuerschein Sarg um Sarg in die rotglühende Luke des gewaltigen Backofens schieben, »Das ist wie Holz, wenn ich sie verbrenne, nichts, nur lange tote Scheite«, gelber Rauch über den Bäumen, das Wasser wie ein trüber, blinder Spiegel in diesem rechteckigen Becken, wer sitzt hinter den Spiegeln?, er hat das Schutzprogramm verlassen, weil es eine undichte Stelle gab, so sagt er doch?, sie wussten, wo er war, er hat seine Frau und sein Kind verlassen, um sie zu schützen, er sagte, dass das System nach beiden Seiten undicht wäre, und nicht nur wegen ihm, die Dinge würden sich ändern und neu organisieren und letztlich so bleiben, er hatte von dem V-Mann erzählt, dessen Märchen das ganze BKA auf Trab hielten, »Und du bist dir sicher, dass du nicht von dir selbst sprichst?«, *Spieglein, Spieglein im dunklen Raum, wer kommt und holt mich aus meinem Traum*, der V-Mann, der sogar die NSU ins Spiel brachte, um sich wichtig zu machen, um so viel wie möglich rauszuholen aus diesem Spiel, »Du meinst diese verrückte braune Clique? Was hat die mit den Engeln zu tun?«, »Nichts. Im Prinzip«, Waffengeschäfte, die Fleischmärkte im fernen Kosovo, »Ich habe keine Skrupel, das weißt du, aber ich habe immer gedacht, die Engel würden den Markt strukturieren und halbwegs sauber halten«, oh, du Narr, am Ende fragen die Scheine nach nichts, Silberlinge, Schweinsohren haben wir als Kinder doch immer gerne gegessen, aus Hefeteig, nein Blätterteig, und Amerikaner auch, die hießen aber nur im Volksmund so, verdammt heiß hier unten, verdammt kalt hier unten, und jetzt weiß er wieder, was es mit dieser chinesischen Meile auf sich hatte, und Steffen trifft im Knast von Kiel einen halbtoten Typen, der ihm rät: Belaste die Großen, den Paten aus Hannover und alle, die wichtig sind, und die Unwichtigen gleich auch mit, nur dann kommst du in ein Schutzprogramm, Südfrankreich wäre doch schön. Und sie sitzen in »Ivonnes Eck«, AK, Steffen, Alex, Hans, der Mann vom Haus X, das inzwischen unter anderer Verwaltung steht, die Gebrüder Wöhler und ein paar andere der üblichen Verdächtigen, Wichtige, Unwichtige, fünf Uhr morgens, Dreiundzwanzig-Stunden-Kneipe mit dreiundzwanzig Stunden warmer Küche, Scheine auf dem Tresen, Dartpfeile nähern sich in Zeitlupe den Zahlenfeldern, Tripple Seven, das Bullen-Auge in der Mitte des Kreises, die Mädchen trinken Sekt oder Weißweinschorle, oder Kaffee mit und Kaffee ohne, »Hast du gewusst, dass die Chinesen die Wegeabstände nicht nach den genauen Abständen messen?«, »Wie meinen?«, die Flasche ist längst leer, es muss schon Nacht sein draußen, einmal hat er in einem Sarg geschlafen, sagt er, »Glaub ich nicht!«, Dartpfeile bohren sich in die Tripple Seven, das Bullen-Auge in der Mitte des Kreises wird wieder mal verfehlt, ein Pfeil prallt ab und klirrt zwischen die kleinen Gläser, »Was für ein bescheuertes Netz, und was soll das sein genau?«, neunzehnhundertsiebenundneunzig, »Science-Fiction oder was, ein Fall für Lem!«, Hans lacht und greift sich die Scheine, weil er seine Punkte ganz sauber und Runde für Runde runtergeschossen hat bis zur Null, »Herbert Lem?«, fragt jemand, »Quatsch«, sagt Hans und stopft die Scheine in seine Jackentasche, »Du meinst Herbert Lom, das ist der Böse aus ›Schatz im Silbersee‹«, »Wer den großen Lem nicht kennt, dem ist nicht zu helfen«, sagt AK und drückt seine Zigarette aus, die er noch nichtmal zur Hälfte geraucht hat, er will, verdammt nochmal, endlich aufhören, aber das ist nicht so einfach, wenn sie alle qualmen wie die Schlote von good old Bitterfeld, aber da raucht ja auch nichts mehr inzwischen, zum Glück, im Winter drängte das alles in die Stadt, Smogalarm Ende der Achtziger, *live is life*, und da grölen sie

alle mit, Gabi isst Rindsrouladen, bald sieht sie aus wie Molly Luft, sagt das jemand?, und diese blödsinnige chinesische Meile? »Dir fehlt das Verständnis, Arnold. Die Chinesen, die alten Weisen und Philosophen …«, und er läuft am Ufer entlang, hält das leere Weinglas noch in der Hand, schleudert es dann ins Dunkel, hört, wie es aufs Wasser prallt, sieht erst die Schatten und dann die Gesichter zwischen den Büschen (sein Sohn?, Mary? … Alex? Das fast vergessene Gesicht des Lübbke, den sie den »Steinmann« nannten?, Bärbel?, aber das sind nicht seine Baustellen! Wer seid ihr?), »… die Schwierigkeit des Weges, verstehst du, so waren die Meilen immer unterschiedlich lang. Je nachdem, was dazwischenlag, wie unwegsam das war, Felsen oder Bergpässe oder Flüsse ohne Brücken. Die konnten nie sagen, so und so ist die Entfernung. Die chinesische Meile kann eine Meile oder anderthalb Meilen lang sein. Zweitausend Meter, fünfzehnhundert Meter …«
»Und was soll mir das sagen? Soll ich die Welt jetzt neu verstehen?«
»Nein. Nichts. Ich erinnere mich nur, wie ich es dir einmal erzählte.«
Rauch über dem Gebäude. Er stolpert über die Wege. Wieso denkt er, dass sein Sohn sich hier irgendwo rumtreibt? Sich irgendwo hier im Dunkeln rumtreiben könnte. Aber das ist ein anderes Kapitel. Steine, so weit er blicken konnte, vor ihm in der Dunkelheit. Die Umrisse von Bäumen, Büschen, er stieß auf Mauern, während er versuchte, den Weg nach draußen zu finden. Die Berge am anderen Ufer des Sees.
Er blickt und schaut und weiß nicht, was er sieht. Ein Engel zwischen den Büschen, auf einer steinernen Bank. Den Kopf geneigt, die Stirn gerunzelt, ein langer Bart fällt bis auf seine Brust. Die Flügel wölben sich über seine Schultern. Die Augen hat er geschlossen, eine Hand stützt den gesenkten Kopf. Er verwittert in der Zeit. Irgendwo klingelt ein Telefon. AK dreht sich um, sieht das Licht auf der Veranda und geht zum Haus. Zwei Drohnen mit Nachtsichtkameras kreisen still unter den Wolken.

## Hinter den Spiegeln

Gaaaanz elegant! Mit bisschen Alice.

»Was meinen Sie?«
»Oh, sorry, hab nur laut gedacht.«
»Alice, Alice, who the fuck is ... Oder meinen Sie die Alice unten an der Bar?«
»Ja, wahrscheinlich.«
»Nun ja, dann heißt sie jetzt also Alice. Ein gut klingender Name für unsere Gäste«
»O.k. Also wenn Sie wollen, können wir jetzt anfangen.«
»Sie kommen also zu mir und denken, Sie können so mir nichts, dir nichts beginnen.«
»Es heißt, Sie seien nicht mehr der Vorsitzende der Engel, also der Engel GmbH hier in der Stadt.«
»Sie steigen ja groß ein, mein Freund, ich denke, wir sollten unser Gespräch etwas vertagen.«

Abwarten. Tage und Nächte. Und schweigen. Tage und Nächte. Und zuhören. Und sehen. In einem Raum aus Spiegeln.

»Und, wie geht es Ihnen heute?«
»Gut. Und Ihnen?«
»Gut. Sie haben sicher eine Menge Fragen vorbereitet.«
»Ihr Pressesprecher war mir gegenüber, was das betrifft, was die Auswahl betrifft, sehr hilfreich.«
»Der Pressesprecher. Warum sitzen Sie nicht bei unserem Pressesprecher? Sie wissen, wie weit Sie da kommen ...«
»Nicht weit?«

»So weit wie jeder andere. Sind Sie wie jeder andere?«
»Ich weiß nicht.«
»Ja, Sie wissen nichts. Natürlich wissen Sie nichts. Wir können uns ruhig duzen. Würden Sie das gut finden?«
»Ja.«
»Vergessen Sie den Alice-Scheiß. Haben Sie mit ihr gesprochen?«
»Ja. Kurz.«
»Und was meinen Sie, was Ihnen unsere Damen erzählen?«
»Ich versuche, nicht zu viel zu fragen.«
»Es würde auch keinen Sinn machen. Hören Sie gern Musik?«
»Ja, ich würde jetzt nicht sagen, dass ich …«
»Langsam, langsam. Mögen Sie die Musik in unseren Bars, in unseren Räumen?«
»Ich weiß nicht. Es ist eben einfach Musik. Ich bin da relativ offen.«
»Man kann Ihnen also jede Art von Musik vorspielen?«
»Es gibt wenig, was mich da stören würde …«
»Sie wollen mir doch nicht weismachen, dass Sie keinen Standpunkt haben, was Musik betrifft. Sie haben doch wohl eine Lieblingsband, einen Lieblingskomponisten …«
»Ich bin früher ganz gerne zu Jazzkonzerten gegangen.«
»Na also!«
»Also ich versuche, ich meine, was unser Gespräch betrifft, die Klischees zu vermeiden …«
»Sie versuchen. Wie finden Sie diesen Raum, mein Büro?«
»Es ist … schon beeindruckend.«
»Die Spiegel stören Sie also nicht?«
»Nein.«
»Können Sie sich noch an Ihre letzte Frage erinnern, vor zehn Tagen?«
»Ja. Aber es ist mehr als zehn Tage her.«
»Sie führen Buch?«
»Nein. Nicht über die Einzelheiten, die wir hier besprechen.«
»Und wollen Sie immer noch Details über die Veränderungen in unserer Führungsebene erfahren?«
»Auf der Straße hört man, ein gewisser P. würde in Kürze die Führung übernehmen.«

»So, so. Auf der Straße. Nicht in den Salons der Stadt? Sie hören viel, wie es scheint.«

»In diesem Fall gehört wirklich nicht viel dazu.«

»Hören ist das eine. Sehen und Wissen das andere.«

»Sie dementieren das also nicht?«

»Fürs Dementieren ist unser Pressesprecher zuständig. Das hier ist kein offizielles Gespräch. Ich kann also alle möglichen Dinge erzählen. Zum Beispiel, dass ein gewisser P., wie du es formulierst, die offizielle Führung der Engel hier in der Stadt übernommen hat.«

»Und dennoch treffe ich mich mit *dir* hier in diesem Raum, in deinem Büro …«

»Hier sitze ich schon seit vielen Jahren. Du weißt ja, dass die Geschäfte schon vor all den Veränderungen liefen, dass ich schon seit einigen Jahren, Jahrzehnten kann man schon fast sagen, meine Geschäfte betreibe.«

»In der Stadt.«

»In der Stadt. Ich bin ja hier geboren.«

»Und wie …«

»Wie es jetzt weitergeht? Im Prinzip wie bisher. Was hast du erwartet? Den großem Umsturz, die große Revolution?«

»Hat es die nicht schon gegeben, als vor drei Jahren die GmbH hier einen Standort eröffnete? Und haben Sie nicht damals die Dinge vorangetrieben?«

»Bleiben wir doch beim Du, mein Freund. In unserem inoffiziellen Gespräch. Also noch einmal … Wie war deine Frage?«

»Hast du nicht damals den entscheidenden Anteil daran gehabt, dass die GmbH hier ihren Standort eröffnet hat, und hat sich der Status quo, haben sich die Gegebenheiten im …, im …«

»›Milieu‹ willst du sagen, nicht wahr? Was soll das sein. Ein ›feuchtwarmes‹, wie mein alter Geschäftsfreund A. immer zu sagen pflegte? ›Coppenrath & Wiese‹ war auch noch eine seiner zugegebenermaßen selten dämlichen Formulierungen. Aber die war ja nicht von ihm. Ein alter Lude aus dem Ruhrpott pflegte das so zu formulieren. Einige aus dem Westen versuchten sich hier damals in der Stadt, lange her, die große Goldgräberzeit. Als wär's San Francisco, achtundvierzig/neunundvierzig. Als hier und in Europa die Barrikaden

brannten, schürften sie Gold in der neuen Welt. Westküste. Wildes neunzehntes Jahrhundert. Status Quo. Eine alte Rockband. Klasse Rockband. Kennen Sie sich ein wenig aus in Geschichte? Sorry, mein Fehler.«
»Wie meinen Sie?«
»Das Du, mein wissbegieriger Freund, das Du. Also noch einmal.«
»Ich verstehe nicht …«
»Langsam. Ganz langsam. Schweigen. Zuhören. Abwarten. Tage und Nächte. Und einen Fehler ruhig und ohne Angst rückgängig machen beziehungsweise zugeben. Wir wollten uns doch duzen.«
»Du hattest das vorgeschlagen.«
»Und daran halten wir uns. Also mein Fehler. Nimm das zur Kenntnis. Dass hier kein Mann sitzt, wie sagt ihr, hinter den Spiegeln?, der nicht in der Lage ist, für die Dinge geradezustehen. Also, kennst du dich ein wenig aus in der Geschichte? Und damit meine ich nicht alte Rockbands wie Status Quo.«
»Ich würde mich nicht als Experten bezeichnen.«
»Nun, so weit würde ich auch nicht gehen, was mich betrifft. Aber ich bin interessiert, versuche, mich dahingehend zu bilden. Milieu. Dieses Wort scheint mir ein Zeichen von Ahnungslosigkeit derjenigen zu sein, die es so gerne benutzen für alle unerklärlichen und unappetitlichen Dinge jenseits ihrer Vorstellung. Nehmen wir Alice …«
»Alice?«
»Ja, Alice beispielsweise. Schau, da sitzt sie, da drüben im Spiegel Nr. 3, nun tu nicht so erschrocken, man muss informiert sein, was passiert, wenn man so ein Geschäft führt. Wenn man überhaupt ein Geschäft führt. Vor zwei Wochen hieß sie noch Caro, aber ich fand deinen Vorschlag, was den Künstlernamen betrifft, doch recht annehmbar. Zumal hier vor drei, vier Jahren schon einmal eine Alice gearbeitet hat, und ich muss sagen, das war ein gutes Mädchen. In meinem Geschäft wünscht man sich nur solche Mädchen wie damals Alice. Sie hatte das Besondere. Den Funken. Und war klug genug, das Geld zu nehmen und zu verschwinden, auf zu neuen Ufern. Caro, die jetzt wegen dir, mein Freund, Alice heißt, ist ebenfalls eine wunderbare Frau. Notier dir das ruhig. Eine wunderbare Frau.«

Ein junges schwarzhaariges Mädchen an der Bar. Sie wippt mit dem Kopf zur Musik. Andere Mädchen, andere Frauen, neben ihr an der Bar, in den Sitzecken, auf den dunklen Ledersofas. Alice schiebt sich die Haare aus der Stirn, raucht eine Zigarette. Ein Mann setzt sich neben sie. Noch nicht viel los, wie es scheint. Früher Abend in Eden City.

»Es ist schön für mich, diese Momente der Ruhe von hier oben zu sehen. Der Abend beginnt. Noch sind die Mädchen unter sich. Es ist nicht so, dass ich sie beobachte. Ich werfe nur hin und wieder einen Blick auf die Spiegel. Es gehört auch dazu, hin und wieder mal nach unten zu gehen, ein paar Stammgäste zu begrüßen, mit den Männern an der Tür zu plaudern, kurzer Smalltalk mit den Mädchen ... Weißt du, wir haben hier einen großen Trumpf ...«
»Die Sicherheit?«
»Du hast deine Hausaufgaben gemacht. Die GmbH bietet Sicherheit.«
»Und die Rivalität mit der GmbH der Los Locos? Vor einiger Zeit war von Sicherheit doch keine Spur, also hier in der Stadt ...«
»Die Los Locos ..., lassen wir diesen Namen doch einfach für sich stehen.«
»Soll das bedeuten, dass im Gegensatz dazu die Engel GmbH & Co. KG eine rational handelnde Organisation, eine Gesellschaft ist, die den Markt, die Märkte, also auch Teile des sogenannten Rotlichts, mit rationalen, kontrollierten Geschäftsgebaren ...«
»Moment, Moment. Mein Schädel brennt. Kleiner Scherz. Natürlich weiß ich, worauf du hinauswillst. Zum einen: Ich will nicht nachtragend sein. Die Sandkastenspiele in unserer Stadt sind längst beendet. Und unter uns, aber das ist auch kein Geheimnis, in der Stadt M. an der schönen Elbe laufen die meisten der Geschäfte im Rotlicht über die GmbH der Los Locos.«
»Ja, das ist mir bekannt. Wird die Engel GmbH dort versuchen, in den Markt zu drängen?«
»Du bist zu schnell, mein Freund, viel zu schnell. Und du denkst doch in den alten Klischees. Geduld ist in meiner Branche eine der unterschätztesten Tugenden. Worauf ich hinauswollte, ist nicht die all-

seits bekannte Tatsache, dass die Los Locos in der Stadt M. einen Teil der Geschäfte betreiben und kontrollieren, sondern dass ihr Vorsitzender ein alter Freund von mir ist. Ich respektiere ihn, er respektiert mich. Wir arbeiten nur für konkurrierende Unternehmen. Oder denkst du, dass Merkel und, sagen wir, Steinbrück oder Steinmeier nicht auch hin und wieder ein Glas Wein zusammen trinken ...«
»Aber eine große Koalition ist zwischen den Unternehmen der Locos und der Engel ja nun doch nicht möglich. De facto.«
»Und de jure. Bravo. Da hast du einen etwas unpassenden Vergleich enttarnt. Aber sagen wir die Vorstandsvorsitzenden zweier großer Betriebe. Fusion natürlich ausgeschlossen ...«
»Und feindliche Übernahme ja auch nur, was die Gebiete und Märkte betrifft, verbessere mich bitte später, wenn ich falschliege. Wenn wir aber schon bei Fusionen und Übernahmen und Koalitionen sind ...«
»Ja?«
»... dann möchte ich doch den wunden Punkt Berlin ansprechen.«
»Die gute alte Hauptstadt der Deutschen Demokratischen Republik. Wunder Punkt, sagst du ...«
»Nur nebenher, wie alt warst du zur Wende?«
»Da war ich vierundzwanzig. Das beste Alter, wenn du mich fragst. Aber ich halt's da mittlerweile mit Udo Jürgens. Das war doch Udo Jürgens.«
»Fünfzig Jahr, graues Haar? Nur ein kleiner Scherz. Mit sechsundsechzig Jahren ...«
»Genau das. Da bin ich noch zwanzig Jahre drunter. Aber das geht jetzt alles sehr schnell, mit den Jahren, mit den stetigen Wechseln. Die Engel versuchen, eine Konstante zu sein. Aber wo waren wir stehengeblieben ...«
»Berlin. Unter anderem.«
»Ja.«
»Ich meine, man las und liest ja viel darüber in der Presse ...«
»Und genau das ist das Problem.«
»Aber es gibt doch Fakten, die sich nicht bestreiten lassen ...«
»Niemand streitet. Niemand bestreitet. Ich habe dir doch eben erzählt, dass es durchaus Beziehungen, Freundschaften, Bekannt-

schaften und Achtung gibt, was das Verhältnis der Locos und der Engel betrifft.«
»Aber dass eine ganze Abteilung der Locos zu den Engeln überläuft, wie es aus Berlin zu hören war, ist dennoch ein besonderer und auch in ihrer Organisation höchst umstrittener Vorgang.«
»Zum einen: Ich stehe für die Engel. Immer für die Engel. Das ist unser Wahlspruch …«
»Ehrlichkeit, Zuverlässigkeit, Respekt, Freiheit.«
»Natürlich. Das auch. Aber was ich sagen will: Ich bin ein Teil der Organisation. Einer weltweiten Organisation …«
»Ist die Mafia nicht auch eine weltweite Organisation?«
»Die Mafia. Erstens: welche? Die Italiener? Welche. Die Russen? Die Triaden? Was für einen Scheiß erzählst du mir?«
»Entschuldige. Ich wollte die Engel GmbH & Co. KG nicht mit irgendeiner Mafia gleichsetzen, aber …«
»Dann lass diesen Scheiß. Du beleidigst die Engel, du beleidigst mich. Und sitzt hier in meinem Raum und denkst, ich lasse dir das durchgehen.«
»Möchtest du, dass wir unser Gespräch ein andermal weiterführen?«
»Du bist ein kleiner cleverer Bastard. Entschuldige. Jetzt sind wir pari. Was denkst du, wer vor dir sitzt, ein bockiges Kind?«
»Der Ex-Chef der Engel, Niederlassung Eden City?«
»Ein Science-Fiction-Freund, ich sehe schon. Nein, atmen wir einmal kräftig durch. Respektlosigkeit ist etwas, mit dem ich schlecht umgehen kann und auf das ich reagieren muss. Zugegebenermaßen. Mafia …, mein lieber Scholli, wie wir Sachsen sagen.«
»Ich wollte nicht respektlos sein, ich wollte nur etwas Schärfe in unsere Diskussion bringen.«
»Ich muss zugeben, dass ich das verstehe und dass ich es durchaus respektiere, wenn du hier gewisse Fragen stellst, gewisse Verbindungen ziehst, und dass du denkst, du kommst damit durch. Weil die wenigsten den Arsch dazu in der Hose haben.«
»Danke.«
»Spar's dir. War kein Kompliment. Grundsätzlich kannst du aber natürlich alles fragen. Und was Berlin betrifft …«
»Die Los Locos sind ja nach dem Übertritt einer ihrer wichtigsten

und stärksten Abteilungen in Berlin nun de facto nicht mehr existent.«
»Ich werde dir da nicht widersprechen. Aber sieh es doch einmal so, wenn wir vorhin von Fusionen sprachen, wobei diese Fusion, das hast du ja schon richtig erkannt, den Namen und die Firma außen vor lässt, es geht nur um den Wechsel, um die Übernahme eines qualifizierten Personals. Wären wir, also die Niederlassung der Engel in Berlin, nicht schön blöd, wenn wir dieses Angebot, diese Möglichkeit ausschlagen würden? Ich würde sogar in der Folge von einer Befriedung des Marktes sprechen. Die Dinge haben sich nun beruhigt in der Hauptstadt.«
»Der Markt, von dem wir hier sprechen, ist das Rotlicht.«
»Gut, dass du uns zu diesem Punkt zurückbringst. ›Rotlicht‹ ist für mich ein ähnliches Unwort wie ›Milieu‹. Was soll das sein? Wir lesen die Schlagzeilen, wir sehen die Filme im TV, erst kürzlich dieser ›Tatort‹ beispielsweise …«
»Der die Engel und ihre Geschäftspartner in der Stadt H. thematisierte …«
»Ihre angeblichen Geschäftspartner. Genau. Und die Engel zu Menschenhändlern stilisierte, sie als permanent gewaltbereite, vollkommen skrupellose Organisation verunglimpfte. Die grimmig in die Landschaft schauend wie die Höllenreiter der Apokalypse auf ihren Mopeds durch die Stadt brausten, um hier und da die Mädchen auf den Müll zu werfen.«
»Zumindest was das grimmig Dreinschauen betrifft, muss ich hier kurz anmerken, dass …«
»Was erwartest du? Bubis mit Mittelscheitel auf Schwalben und Vespas?«
»Coppenrath & … Weil du es erwähnst, ich habe eine Schwalbe bei mir im Keller stehen. Baujahr 78, eins a gepflegt und gewachst. Ist schon 'n Kult-Moped.«
»Da sind wir uns einig. Als ich fünfzehn geworden bin, hat mir mein Opa 'ne Schwalbe geschenkt. Ein Jahr nach der Jugendweihe. In Blau. Ich habe das Teil geliebt. Hab dran rumfrisiert mit meinen Kumpels, bis sie fast hundert Sachen brachte. Hab's dann später dummerweise gegen 'ne S51 getauscht.«

»Und dann mit achtzehn kam die ETZE, hunderfuffzig oder zwohundertfuffzig, stimmt's?«
»MZ. 'ne 125er.«
»Jetzt Harley?«
»Klar. Bist du 'n Motorradfreak?«
»Nicht wirklich. Hab nur noch die Schwalbe. Fahr ich manchmal im Sommer mit an den See.«
»Wärste mal mit der ollen Schwalbe bei uns vorgefahren. Hätte Eindruck gemacht.«
»Die Engel als ein Club der Motorradfreaks?«
»Natürlich. Auch das. Entschuldige mich mal paar Minuten, muss kurz runter. Wenn du was trinken willst, Bier, Whisky, Wodka oder Wasser, bedien dich.«

Allein zwischen den Spiegeln. Die Bilder auf dem Glas. Harleys stehen in einer Reihe unten auf der Straße vorm Club der Engel. Ein Polizeifahrzeug vorne an der Kreuzung. Das Logo der Engel über dem Schreibtisch am anderen Ende des Raums. Silbern schauen diese geflügelten Köpfe aus den Spiegeln. Musik und Stimmen, kleine Lautsprecher über dem Glas. Alice im Gespräch mit einem Gast, unten an der Bar. *Das ist ja wundervoll! Nie hätte ich erwartet, so schnell Königin zu werden. Wenn alle bloß reden, nachdem sie gefragt worden sind und das Gegenüber immer darauf wartet, angeredet zu werden, dann würde doch keiner jemals etwas sagen, so dass ...*
Der Club füllt sich langsam. Alice trinkt einen Piccolo. Der Mann ein Bier. Beide rauchen. Auf einem schwarzen Ledersofa sitzt ein älterer Herr zwischen zwei Damen. Er trägt ein Cordjackett. Im Eingangsbereich steht ein Mann im weißen Trainingsanzug, eine weiße Mütze mit dem schwarzen Schriftzug »Engel« auf dem Kopf, er redet mit den beiden dunkelgekleideten Securities, begrüßt einen Mann im Ledermantel, der den Club betritt, mit Handschlag. Der Mann auf dem Sofa steht auf und geht mit einem der beiden Mädchen an der Bar vorbei zu den Zimmern. Zigarettenqualm dringt aus den Spiegeln in den Raum. Zwei Füchse mitten auf der Fahrbahn der kleinen Straße vorm Club, kurz schleichen sie um die Harleys, verschwinden dann zwischen den Häusern. Auf einem Abstellgleis des

Zentralbahnhofs, das seit Jahren nicht mehr genutzt wird, haben sie sich in einem alten Waggon ihr Winterquartier eingerichtet.

»Der ewige alte Reinstecke-Fuchs.«
»Wo waren wir stehengeblieben?«
»Rotlicht möglicherweise? Deswegen meine erste Dialogzeile, als ich in den Spiegel blickte. Kleiner Scherz.«
»Äh, ja. Wir haben ja kein Programm, dem wir folgen müssen.«
»Nein. Wir können einfach plaudern, über Gott und …«
»Bist du gläubig? Vielleicht eine blöde Frage.«
»Es gibt dümmere. Nein. Nicht im eigentlichen Sinne. Früher, in der Zone, habe ich einige Christenmenschen kennengelernt. Wer den Staat damals kritisch sah, hatte meine Sympathie. Obwohl es eine vollkommen andere Welt war. Also die der Christenmenschen. Aber einige von denen haben sich was getraut. Hatten Mut. *Schwerter zu Pflugscharen*, das habe ich schon verstanden, das machte schon Sinn, damals. Vielleicht auch heute. War aber nie meins gewesen. Ein Ideal, dem der Mensch einfach nicht entspricht. Es sind eher die alten Philosophen, die mich interessiert haben. Selbst der größte Esel fragt sich irgendwann, warum er *ist*.«
»Die Platon GmbH & Co.«
»Bis hin zum alten Heidegger. Es freut mich, dass ich mich mit dir darüber unterhalten kann.«
»Ich würde nicht sagen, dass ich da ein Experte bin. Aber da du den Esel erwähnst, mich hat das auch immer ein wenig interessiert.«
»Den Esel lass mal schön stecken, mein Freund, war nur ein überspitzter Vergleich.«
»Nein, ich meinte das vollkommen ironiefrei.«
»Ironie ist etwas für Besserwisser und Dummschwätzer. Aber nichts gegen einen Witz. Und ich stoße immer wieder an diese großen und vielleicht sogar kleinen Fragen, Platon GmbH hast du gut gesagt, auch und vor allem wenn jemand wie du mich löchert, was die Engel und das Rotlicht …, da wollt ich ja eh noch was sagen, aber wir haben ja Zeit …«
»Wenn du Zeit hast. Ich will dich nicht von deinen Geschäften abhalten. Und auch nicht löchern.«

»Die Nacht ist lang. Und ich kann mich auf meine Leute verlassen. Aber wer sich abhalten lässt und ablenken lässt, ist früher oder später raus aus dem Spiel, raus aus dem Geschäft. Disziplin.«

»Hat dir da deine sportliche Erfahrung, so nenne ich das jetzt mal, geholfen? Du hast ja früher geboxt und hast auch eine Zeitlang im Trainingsbereich gearbeitet.«

»Ach, das ist lange her. Das ist wirklich lange her. Und ich bediene ja damit wieder eins der typischen Klischees. Aber das sind so Sachen, wo man einfach drübersteht, drüberstehen muss. Weil man ja wirklich mit dem Herzen dabei war. Egal. Nee, natürlich nicht egal. Der Boxer, der Ex-Boxer, der sich seinen Weg … undsoweiter. Aber es war ein toller Sport. Den ich bis heute liebe. Und ich habe großartige Menschen kennengelernt. Auch später als Trainer, das war dann schon Ende der Achtziger, Anfang der Neunziger. Der Rücken hat schon früh angefangen zu streiken, da konnte ich nicht so lange im Ring aktiv sein, wie ich das wollte, weil ich da gerne viel länger im Ring aktiv gewesen wäre. Aber wir hatten eine tolle Amateurboxszene hier in der Stadt. Ist leider alles nicht mehr so, obwohl's da immer noch paar Verrückte gibt, die sich nicht unterkriegen lassen, auch im Profi-Bereich.«

»Philosophie und Boxen und Rotlicht. Ist dann die Philosophie das Ungewöhnliche in diesem Triptychon?«

»Du willst mich wohl testen, was? Denkst wohl, der Mann wird blind und taub und blöd hinter den Spiegeln?«

»Nein, so hab ich das jetzt nicht gemeint.«

»Und was das Rotlicht betrifft, da waren wir doch eigentlich stehengeblieben.«

»Du sprachst vorhin von einer möglichen Befriedung der Szene in Berlin, dass dort die Auseinandersetzungen um den Markt ein Ende finden könnten. Wie erklärst du dir das Attentat auf den neuen sogenannten Paten von Berlin, der ja, aus der Abteilung der Locos kommend, mittlerweile eine hohe Position bei den Engeln innehat, um es mal vorsichtig auszudrücken. Oder die Schüsse am Germanenhof, was ja ein bekannter Rockertreff ist.«

»Ich bin nicht das große Orakel oder Onkel Jean Pütz, der alles erklären kann und alles weiß, was irgendwo ein Mitglied der Engel treibt.

Ja, ja, Krise in Berlin, Krise überall. Und die europäische Krise dauert auch an, manche sagen, es ist ein Krieg, die sind pleite, und jener ist bankrott, und der kommt auf die Bühne …, und dann gibt es dort einen Quertreiber …, bemühen tuen wir uns doch alle, nicht wahr?«

»Besser ein Quertreiber als ein Querschläger.«

»Was soll dieser Quatsch jetzt bedeuten? Spielst du auf den armen Kerl an, der hier vor einigen Jahren auf der Straße liegengeblieben ist? Wir haben zu diesem Zeitpunkt bereits versucht, die Invasion einzudämmen. Es wäre wohl zynisch, von einem Kollateralschaden zu sprechen. Ich kann mich auch nicht erinnern, dass wir Engel ähnliche Personenschäden hier in der Stadt oder meinetwegen in H. oder der Hauptstadt verursacht hätten. Wir haben unser ehrliches Mitgefühl damals in einer Zeitungsannonce zum Ausdruck gebracht. Die auch nur gedruckt wurde von den Schmierfinken der hiesigen Presse, weil sie unter einem Pseudonym lief. Also worauf willst du hinaus.«

»Ich meine nur, der vielbeschworene Frieden zwischen den beiden großen konkurrierenden Firmen scheint nicht zu funktionieren. In unserer Nachbarstadt, die ja mittlerweile und seit einigen Jahren de facto schon ein Teil unserer Stadt geworden ist, scheinen die Locos noch aktiv zu sein, nachdem sie sich von hier, also dem Zentrum des großen Steins, zurückgezogen haben. Die Haustür rückt näher. Die Ränder rücken näher. Kurzzeitig gab es hier das motorisierte Syndikat der Outsiders, das aber wieder aufgelöst wurde, und wie man hört, durchaus unter einem gewissen Druck, weil es dem Geschäft des A. …«

»Ein gewisser P., ein gewisser Druck … Ich habe dir vorhin schon einmal gesagt, dass du nichts weißt.«

»Und da sind wir wieder bei Platon.«

»Zumindest gibst du es zu.«

»Was? Die Allgemeingültigkeit der großen Philosophen?«

»Nein. Auch, dass wir alle weniger wissen, als wir glauben. Was denkst du, welche Rolle ich spiele. Wir sind hier. Die anderen sind dort. Und die anderen sind auch wir. Und dennoch nicht. Reim dir das zusammen.«

»Wenn die Deutsche Bank, entschuldige den Vergleich, irgendwo auf der Welt investiert beziehungsweise fehlinvestiert, ist es dennoch die Deutsche Bank, nicht wahr?«
»Mein Freund, das sind Totschlagargumente. Die Engel sind nicht zentral organisiert durch einen Betriebsrat oder einen Weltpräsidenten. Hegel sagt und beruft sich dabei auf Aristoteles und andere beziehungsweise zitiert sie: In der Metaphysik, und meiner Meinung nach damit auch zwangsläufig in unserer sogenannten Realität, haben wir den Gegensatz von Substantialität und Individualität. Im Grunde genommen sind wir Chemie. Die sich im Raum bewegt. Ich bin als Individuum nicht verantwortlich für die Dinge, die im Club der Engel weltweit passieren.«
»Ich bin beeindruckt …«
»Nichts ist zu bestimmen. Das Sein, was soll das sein? Sind wir nichts außerhalb unserer Zeit? Wer, verdammt nochmal, klopft an unsere Tür.«
»Ist es möglich, dass ich vorhin deinen alten und, wie man hört, ehemaligen Geschäftsfreund A., so nanntest du ihn zu Anfang, unten an der Tür gesehen habe?«
»Ach, haben die Spiegel zu dir gesprochen?«
»Wie soll man hier ohne sie sein.«
»Da hast du dich wohl verguckt. Natürlich war er ein paarmal hier, natürlich kennen wir uns seit vielen Jahren. Haben Geschäfte gemacht, haben uns ausgetauscht, haben Vereinbarungen getroffen, der alte AK und ich. Aber heute haben dich die Spiegel getäuscht. Da hast du einen anderen Ledermantel gesehen.«
»Wie stehst du zu eurem alten Pakt?«
»Welcher Pakt? Hast du wieder auf das Geflüster der Straße gehört?«
»Wie soll ich es sagen …, ein Mann: die Räume, die Clubs. Ein Mann: die Wohnungen, die Zimmer. Korrigier mich, wenn ich wieder mal vollkommen falschliege.«
»Der Tag war lang. Die Nacht ist lang. Und die Erklärungen sind endlos …«
»Ich …«
»Ja. Du. Komm in 'ner Woche wieder.«

Alice ist verschwunden. Die Bar ist fast leer. Die beiden Füchse liegen in dem alten Eisenbahnwagen auf dem stillgelegten Abstellgleis hinterm Zentralbahnhof. Noch gucken sie aus der offenen Tür des Güterwagens in die Nacht. Sie hätten gerne eine Frau. Aber die anderen Füchse sind woanders. Wenn sie die Autobahnen und Schnellstraßen überqueren, sterben sie. In den Parks ist viel Platz. Müll und Essbares unter den Brücken. Drei Harleys stehen noch vorm Club der Engel. In dem Polizeifahrzeug an der Kreuzung, einem Kleinbus, umgangssprachlich Sixpack, schlafen zwei Männer in Uniform. Eine Frau sitzt hinterm Lenkrad und liest in einer bunten Zeitschrift, die sie aufs Lenkrad gelegt hat. Prince Charles ist tot. Nee. Eine tote Dame, namens Sexy Cora, bekommt einen Nachruf. Ist aber schon lange tot. Hat sich die Titten machen lassen und ist dabei eingeschlafen. Schlechte Narkose. Die uniformierte Frau zieht eine Schachtel Zigaretten aus der Jackentasche des schlafenden Kollegen. Hab doch schon längst aufgehört. Der Mann, der seinen Club im Westen der Stadt hatte, Südwesten eigentlich, um genau zu sein, ist verschwunden. Die Frau legt die Illustrierte vorsichtig auf den breiten doppelten Beifahrersitz neben ihren Kollegen. Sie zündet sich die Zigarette am Zigarettenanzünder an. Sixpacks haben keinen Zigarettenanzünder. Die letzte Straßenbahn quietscht zwei Straßen weiter in die Endstellenschleife.
Im Club der Engel kommt Alice vom Duschen. *Königin Alice*. Leck mich doch. Feierabend. Da kommt noch 'n Stammgast. Der sie immer sehr begehrte. Da setzt sie sich doch nochmal hin. Wassertropfen auf ihrer Stirn. Auf der Zapfanlage wippt ein kleiner Elch aus Holz. Kussmund. Keiner weiß, wo der herkommt. Der späte Gast setzt sich dann aber doch zu Magda aufs kaltgewordene Leder des Sofas. Leck mich doch. Auch gut. Feierabend. Wir schlafen schon im Stehen und im Sitzen.
*Im nächsten Augenblick kamen Soldaten durch den Wald gerannt, anfangs zu zweit und zu dritt, dann in Gruppen von zehn bis zwanzig Mann und schließlich in solchen Mengen, dass sie den ganzen Wald zu füllen schienen. Alice stellte sich hinter einen Baum, um nicht umgerannt zu werden, und sah zu, wie sie an ihr vorbeiliefen.*

»Bist du eigentlich bei Facebook?«
»Nein. Ich halte dieses Medium für gefährlich. Es zerstört unsere sozialen Strukturen. Es beginnt, die Gesellschaft zu kontrollieren. Da bin ich vielleicht etwas altmodisch. Obwohl früher einige aus unserer Branche über das Netz an sich, als es noch neu war, also Mitte der Neunziger, auch gelacht haben. Und jetzt hat jeder kleine Schmuddelpuff seine Seite. Die Werbemöglichkeiten sind natürlich enorm, früher lief alles über die Printmedien, ›Bild‹, Rotlichtführer ... Wobei ›Bild‹ & Co. auch nicht zu unterschätzen sind, wir haben da nach wie vor unsere Annoncen. Die aber gleichzeitig auf unsere Webseite hinweisen. Das Ende der Printwerbung werde ich sicher nicht mehr erleben.«
»Du denkst also schon, dass es so etwas wie ein Ende der Printkultur geben wird. Was hältst du von Sexcams, ist das ein Markt, wo du dir vorstellen kannst, aktiv zu werden?«
»Wer sagt, dass ich das nicht bereits bin? Unsere Webseite, also die des Clubs, wird seit Jahren ständig weiterentwickelt. Es gibt ein Kundenforum, man kann die Damen virtuell besuchen, es gibt kleine Filme, aber nicht mit ihnen sprechen oder chatten, es gibt ein Gästeforum, wo man sich austauschen kann, auch mal Kritik äußern kann, wir sind dabei, einige spezielle Räume hier im Haus mit Sexcams auszustatten, so dass ein oder zwei Mädchen dort sitzen und auf Kundenwunsch strippen oder eine Live-Dildo-Show abliefern oder eine lesbische Performance, man glaubt nicht, wie viele Leute da mit ihren Kreditkarten ..., stundenlang. Mach dies, mach das, schieb dir das da rein.«
»Nochmal zurück zu Facebook. Es gibt dort jetzt ja den sogenannten Bums-Bottom. Sind diese vielfältigen Möglichkeiten, sich Sexualpartner zu suchen, ›My dirty Hobby‹ und Co., schlecht für das Geschäft mit den Sexdienstleistungen?«
»Ich denke schon. Webcams, Pornos, YouPorn und alle diese Onaniemaschinen heizen ja die Männer eher an. Die sind dann früher in Scharen in unsere Clubs gekommen. Aber heute gibt es die vielfältigsten Möglichkeiten, sich einen Sexualpartner auf diversen Seiten zu suchen. Obwohl ich davon überzeugt bin, dass es immer und im ausreichenden Maße die Klientel geben wird, der das alles viel zu

anstrengend ist. Und am Ende kann mir keiner erzählen, dass diese Formen der Sexualmaßnahmen nicht doch Kosten aufwerfen. Früher hat man ja immer wieder gehört, ach, da gehe ich mit einer essen, spendiere dann noch paar Drinks, das Taxi …, da kann ich ja gleich in 'n Puff. Das war natürlich nur so 'n dummer, salopper Spruch, aber wie das eben so ist mit den Sprüchen, die Wahrheit …«

»Entschuldige, dass ich dich unterbreche, aber du sprichst von früher. Damit kannst du ja nur eine rückwärtige Zeitspanne bis Anfang der Neunziger meinen oder die Marktmechanismen, die in der alten Bunderepublik vorherrschten und die man natürlich auch, bedingt zumindest, kennt. Also du, denke ich. Bordelle und bordellähnliche Betriebe existierten ja zu DDR-Zeiten de facto nicht.«

»Eher de jure. Wenn wir schonmal wieder dabei sind. Es gab schon ein paar Möglichkeiten, und damit meine ich nicht die berühmte Messeprostitution oder die altehrwürdige ›Storchenbar‹ oben in Rostock. Das war ja eher für die Westgeld- oder Dollar-Kundschaft. Es gab schon ein paar Kneipen, wo man wusste, da kann ich den oder den fragen, er gibt dir dann 'ne Adresse …, aber das war schon sehr vereinzelt. Das lag natürlich am System.«

»Nicht an einer gewissen Offenheit, an einer gewissen Lockerheit, was die sexuelle Kontaktaufnahme betrifft? FKK, schnell heiraten, damit's Wohnung gibt, mal eben mit der Kollegin usw. …«

»Das wiederum lag ja auch am System. Ich glaube, dass, wenn es von Staats wegen her einige organisierte bordellähnliche Betriebe, wie du es nennst, gegeben hätte … Meine Fresse, wir reden wie Meister Kolle und Doktor Sommer …«

»Wir hatten da ja ein paar Punkte, die wir letztens nur angesprochen haben beziehungsweise zu denen ich dich …«

»Nicht so förmlich. Schieß los. Ich habe gegen eins noch einen Termin.«

»Menschenhandel.«

»Was soll das sein? Was hat das mit mir zu tun?«

»Ich weiß, dass ich da jetzt Dinge aufgreife, die der gemeine Bürger, sag ich jetzt mal, eben so permanent in der Presse liest. Wenn es um die weltweit operierende GmbH der Engel geht …«

»Kommt ein Mann zum Import/Export und sagt, ich hätte da gerne ein paar Frauen aus der Ukraine, oder was? Du kannst gerne, mein Freund, durch den Club gehen und jede der hier tätigen Frauen darauf ansprechen, kannst sie gerne fragen, auch in den anderen Läden ...«
»Du sagtest selbst, dass ich da nicht sehr weit kommen würde ...«
»Amazon, Leiharbeit, Putzkolonnen aus dem Ostblock, Hosen und Schuhe aus Singapur. Ist das nicht Menschenhandel?«
»Es gibt da ja immer wieder mal Zahlen, also was das Rotlicht betrifft ...«
»Das Rotlicht. Das berühmte Rotlicht. Sind wir die Einzigen, die in diesem Segment arbeiten? Geh lieber zu den Russen, zu den Albanern, wenn du nach Menschenhandel fragen willst. Und Zahlen? Ja, wir zahlen. Und zwar nicht zu knapp. An die gute alte Großmutter Staat. Du hast doch gesehen, dass vorne an der Kreuzung immer 'n Sixpack steht. Und du willst nicht wissen, wie oft wir hier kontrolliert werden, wie transparent unsere Geschäfte sind. Meinst du, ich könnte es mir leisten, dass hier irgendwelche illegalen oder halblegalen Schmuddeleien ablaufen? Wir bewegen uns hier eindeutig und seit Jahren im Rahmen unserer Gesetze.«
»Der deutschen?«
»Natürlich. Welchen sonst?«
»Den Gesetzen der Engel?«
»Welche wären das, deiner Meinung nach?«
»Vielleicht als erstes *Macht*? Vorherrschaft auf der Straße, im Rotlicht, entschuldige, dass ich wieder dieses Wort verwende.«
»Sehr viele unserer Mitglieder haben ganz normale Berufe. Einige, wie ich auch, sind in der Dienstleistungsbranche tätig. Das ist alles. Einige arbeiten für Security-Unternehmen. Macht interessiert mich vielleicht im philosophischen Diskurs. Was ist das, und wer hat sie, und wie wirkt sie sich aus. Und wann korrumpiert sie ... Und wann führt Macht zur Ausübung eines gewissen Gewaltmonopols. Hier geht es nicht um Macht, hier geht es um ganz normales Geldverdienen. Und um gewisse Werte, die es so in der bürgerlichen Gesellschaft nicht mehr gibt. Ich hab ein paar Clubs. Ich will meine Geschäfte machen, zusammen mit den Engeln. Und ich und die

Engel garantieren für eine gewisse Unangreifbarkeit unserer Geschäfte.«
»Du hast zwei Kinder, bist verheiratet.«
»Ja. Keine weiteren Kommentare.«
»Stimmt es, dass deine Unternehmen, auch deine Clubs, auf den Namen deiner Frau eingetragen sind?«
»Noch einmal: Einzelheiten über meine Familie, über mein Privatleben, denn stell dir vor, so etwas habe ich auch, gebe ich grundsätzlich nicht zum Besten.«
»Das verstehe ich gut, dass du deine Privatsphäre so schützt. Und ich wollte in keinster Weise behaupten, dass du mit so etwas wie Menschenhandel zu tun hast. Doch das Netz der Engel GmbH zieht sich ja bekanntermaßen über den ganzen Globus. Und Schlagworte wie dieses, also Menschenhandel, oder auch Waffen- und Drogenhandel tauchen nun immer wieder auf. Sind auch, was zum Beispiel Niederlassungen in Kanada oder den USA, dem Mutterland der Engel, betrifft, durchaus belegt.«
»Du schaust wohl auch immer diese Dokus auf NTV, oder welcher Sender ist das nochmal …«
»Na ja, ich meine, es sind *Dokumentationen* …«
»Die Welt dreht sich und dreht sich …«
»Ja, das tut sie.«
»Kein Grund, spitzfindig zu werden, mein Freund. Worauf ich hinauswill, ist, dass es seit Anbeginn der Menschheitsgeschichte, ich formuliere das jetzt mal bewusst so schwammig, dass es Kriege und Gewalt gibt, dass das ein elementarer Teil unseres Seins ist. Was nicht bedeutet, dass ich das gutheiße. Aber es ist so. Es muss keine Engel GmbH geben, damit es Waffen gibt. Auf der ganzen Welt sterben in diesen Minuten vollkommen sinnlos Menschen in irgendwelchen Kriegen …«
»Aber die Vorwürfe, dass Niederlassungen oder Mitglieder der Engel in Menschen- beziehungsweise Frauenhandel verstrickt sind …«
»Die Niederlassung in unserer Stadt ist sauber. Da kann ich nur für uns sprechen. Und ich würde meine Hand ins Feuer, wie man so schön sagt, dass die Niederlassungen in ganz Deutschland sauber sind. Menschenhandel? Nein. Unsere Mitglieder haben bestimmte

Werte und sind dazu die meistüberwachten Menschen in Deutschland.«
»Vor einigen Monaten kam es in der Stadt H. zu einer spektakulären Polizeiaktion gegen den Vorsitzenden der dortigen Niederlassung, der einer der einflussreichsten Engel in Deutschland gewesen sein soll.«
»Spektakulär nennst du das, wenn sich militärisch organisierte Spezialkräfte aus Hubschraubern auf ein privates Grundstück abseilen, Hunde erschießen, Hausfriedensbruch begehen, Türen eintreten, den Mann mit entsicherten Schnellfeuergewehren bedrohen ...«
»Es müssen ja gewisse Verdachtsmomente gegen ihn vorgelegen haben.«
»Verdachtsmomente, aha. Andere Bürger werden vorgeladen. Und was wurde gefunden? Nichts. Wurde er inhaftiert? Nein. Am Ende konnte er, und das meine ich vollkommen ironiefrei, froh sein, dass er nur seine Hunde begraben musste. Es scheint mir, dass man als Mitglied der Engel GmbH elementare Rechte verliert in diesem Land.«
»Inzwischen ist er zurückgetreten beziehungsweise hat den Vorsitz der Niederlassung abgegeben. War das ein taktischer Schachzug, um die GmbH und sich selbst aus der Schusslinie zu nehmen, die Geschäfte anderweitig weiterzuführen? Er besitzt oder besaß ja, ähnlich wie du, mehrere Läden im Rotlichtbezirk der Stadt H.«
»Spielst du Schach?«
»Nicht besonders gut.«
»Dann wäre es vielleicht sogar möglich, dass ich dich schlage, denn auch ich spiele leider nicht besonders. Habe zu spät angefangen. Habe mir vor kurzem aber ein Schachprogramm zugelegt. Lernen, lernen, nochmals lernen ...«
»Lenin?«
»Ich habe die Roten nie gemocht, wie du dir denken kannst. Dogmatiker. Spießer. Halbe Faschisten. Schach und der Boxsport haben einige bemerkenswerte Gemeinsamkeiten.«
»Dann ist dein eigener Rücktritt also kein ..., wie soll ich sagen ..., keine Maßnahme, um deine Geschäfte in Ruhe zu betreiben, der ge-

wisse P. nicht nur ein Strohmann, während du in Ruhe hinter den Spiegeln ...«
»Du schaust zu viele Filme, mein Freund. Und damit meine ich nicht die Dokus auf NTV. Du kennst einen der Leitsprüche der Engel ...«
»Einmal Engel, immer Engel?«
»Fast. Engel für immer, für immer Engel.«
»Ist es für dich als Ex-Präsident einfacher, das große Geschäft mit der ehemaligen Burg zu tätigen?«
»Welches große Geschäft? Und welche Burg? Burg bei Magdeburg? Oder Burg bei Chemnitz? Ich tätige dort keine Geschäfte.«
»Also ist es nur ein Gerücht, dass du die leerstehende Immobilie der ›Love-Burg‹, die damals der Bielefelder und dieses Konsortium eröffnet haben, ich habe den Namen dieser Organisation jetzt vergessen, ist aber ja auch schon fast zwanzig Jahre her, also dass du dort eine Art Nobelbordell eröffnen willst? Und dass der Bielefelder paradoxerweise einer deiner Geschäftspartner bei dem Vorhaben ist?«
»Ich würde sicher keine Geschäfte mit ihm machen. Er hat den Laden schließlich über die Jahre runtergewirtschaftet. Die Burg, die ›Love-Burg‹, was für ein bescheuerter Name ...«
»Ich kann dir hier jetzt kein Ja oder kein Nein entlocken?«
»Entlocken kannst du mir gar nichts. Wir unterhalten uns nur, plaudern nur ein bisschen.«
»Dann lass uns doch noch ein bisschen über die momentane Situation hier in der Stadt plaudern ...«
»Ich fand es wesentlich angenehmer, mit dir über die alten Philosophen zu sprechen. Boxen, Schach, Musik, die virtuellen Welten ...«
»Fußball vielleicht? Da hattest du ja früher gute Kontakte zur Fanszene in Berlin ...«
»Berlin ist groß. Lassen wir doch diese alten Geschichten. Damals, also in der Zone, war es ein Aufbegehren gegen den Staat ...«
»A., der hier in der Stadt den Bereich der Wohnungsprostitution abdeckt, aber darüber sprachen wir ja schon ...«
»Nein. Nicht dass ich wüsste.«

»Wir hatten aber doch die alte Aufteilung des Marktes kurz gestreift.«
»Streifschuss oder was? Worauf wolltest du hinaus?«
»Na ja ..., dass es auffällt, dass er, also AK, was die Biographie betrifft, dass es da durchaus Ähnlichkeiten gibt.«
»Das sehe ich nicht so.«
»Zumindest was die Fußballsache, die Hooliganszene betrifft ...«
»Diesen Begriff gab es damals noch nicht einmal. Ihr seht die Dinge immer schwarz-weiß, ihr differenziert nicht genug. Und meinst du, ein Mann studiert jahrelang Jura oder Wirtschaft und übernimmt oder eröffnet ein Bordell oder einen Club oder vermietet Objekte an Dienstleisterinnen?«
»Hin und wieder kommt das wohl vor. A. hat auch in BWL gemacht, soweit ich informiert bin.«
»Ja, später. Er ist aber nicht von der Uni oder der Fachhochschule und hat dann beschlossen, diesen Geschäften nachzugehen. Natürlich gibt es Ausnahmen. Wie diesen Ex-Juristen in Österreich. Und es gibt keine manifestierten Regeln, um in diesem Marktsegment erfolgreich zu arbeiten, zu unternehmen. Aber es erfordert natürlich gewisse Führungsqualitäten, die lernst du auf keiner Uni, gewisses Durchsetzungsvermögen, Geschäftsbeziehungen ..., aber du brauchst natürlich schon mindestens ein Grundwissen BWL oder einen Partner, der das hat, und denke nicht, dass das kein einfacher und kein langer Weg war ...«
»Doppelte Verneinung? Kennst du eigentlich einen Steffen?«
»Was? Nein. Natürlich, nicht nur einen. Ich habe mir meine Position in all den Jahren hart erarbeitet. Das war unser kleines Wirtschaftswunder, damals, während um uns der Wahnsinn tobte. In den Neunzigern. Aber ich will mir hier nicht selber auf die Schulter hauen, das sollen andere beurteilen. Frag doch mal einen Manager oder einen Banker oder einen Unternehmer, was ihren Erfolg ausmacht. Wir haben das Rotlicht, wenn wir zum wiederholten Male diesen Begriff verwenden wollen, nicht erfunden. Wir versuchen nur unser Bestes, damit es ein ganz normales Gewerbe wird, was es ja unserer Meinung nach auch ist ...«
»Wir? Du und AK? Es gibt ja Gerüchte, dass seine Position hier in der

Stadt nicht mehr besonders gefestigt ist. Dass der Markt mittlerweile viel zu aufgebläht ist, dass es Leute gibt, denen sein Monopol im Bereich der Wohnungsprostitution schon länger ein Dorn im Auge ... Der alte Spruch vom Kuchen, der groß genug ist, gilt wohl nicht mehr?«

»Es wundert mich immer wieder, wie sehr du auf irgendwelche Gerüchte hörst. Wenn du mich fragst, halte dich fern von diesen üblen Gerüchten. So etwas vergiftet einen nur. Und wenn du von Dornen sprichst, am Ende ist er es vielleicht selbst, der sich die Dornenkrone aufsetzt, auch wenn das 'n drastischer Vergleich ist, die Schuld bei anderen sucht, weil die Geschäfte in unserer heutigen Zeit einfach nicht mehr so gut laufen wie vor wenigen Jahren noch, die Wirtschaftskrise macht auch vor uns nicht halt, und manchmal muss man gewisse Zugeständnisse machen. Mehr will ich dazu nicht sagen, wir haben uns immer respektiert in all den Jahren.«

»Muss man vielleicht offensiv investieren, zum Beispiel in einen exquisiten Nachtclub, eine Art Großbordell mit Ambiente, wie das ›Pascha‹, wie man das aus Köln kennt, aber müsste man dann nicht an anderen Standorten, sagen wir, kürzertreten? Beziehungsweise sie ganz schließen?«

»Konkurrenz hat immer das Geschäft belebt. Das solltest sogar du wissen. Der Markt regelt das von ganz alleine.«

»Du erwähntest ja eben die vielzitierte Wirtschaftskrise ... Über die eventuellen Auswirkungen, die die explodierenden virtuellen Möglichkeiten, das Sex-Net, verursacht, sprachen wir ja schon.«

»Sicher ist das für uns nicht gut, wenn jeder auf jede Mark achten muss. Wenn's eine große Unsicherheit im Land gibt. Es darf in unserer Branche auf keinen Fall zu einem Preisverfall kommen, auch schon aus moralischen Gründen nicht.«

»Aus moralischen Gründen?«

»Natürlich. Da musst du gar nicht so erstaunt tun. Eine Zeitlang gab es die Gefahr, dass diese ganze Flatrate-Scheiße auch auf das Marktsegment der sexuellen Dienstleistungen übergriff. Wenn ich mit einer Dame eine Stunde verbringen will, hat das natürlich seinen Preis und soll auch seinen Preis haben. Es gibt ja viele Assis, und ich

weiß, wovon ich spreche, ich sitze ja nicht nur hinter den Spiegeln, sondern spreche seit all den Jahren mit den Mädels, die hier bei mir tätig sind, Alice zum Beispiel könnte dir da Geschichten erzählen, also die alte und die neue, wobei wir in unserem Club glücklicherweise ein gewisses Niveau bei den Stammgästen haben. Worauf ich hinauswollte, ist, dass diese ganze Geiz-ist-geil-Scheiße doch auch zu einem Verfall der gegenseitigen Achtung führt.«
»Der berühmte Verfall der Sitten?«
»So weit würde ich jetzt nicht gehen. Wenn ich über Moral spreche, will ich mich hier nicht als Moralapostel aufführen. Aber die Idee, dass man für wenig immer mehr bekommt, ist doch kontraproduktiv, und das im wahrsten Sinne des Wortes. Ich habe ja gesagt, dass ich AK und seine Geschäfte hier in der Stadt respektiere, und dazu stehe ich auch, aber vom Modell FKK-Club halte ich nunmal nicht besonders viel.«
»Von seinem FKK-Club, den er seit einiger Zeit neben den Wohnungen betreibt?«
»Von dem Geschäftsmodell an sich. Einmal zahlen, und dann für so wenig wie möglich so viel wie möglich bumsen. Dann lieber das ›Pascha‹.«
»Aber der Markt regelt das selbst, sagst du. Und da es eine Nachfrage vonseiten der Verbraucher anscheinend gibt, was das Modell FKK-Club betrifft …«
»Die vielzitierte Wirtschaftskrise löste vor allem im Ostblock eine Art Völkerwanderung aus. Die Frauen kommen aus Ungarn, der Tschechoslowakei, Polen, den russischen Teilstaaten, also den ehemaligen, und natürlich ist auch die Arbeit im FKK-Club, und das ist jetzt nur ein Beispiel, für sie immer noch ein guter Geldverdienst. Ich will mich da jetzt auch nicht drauf einschießen, denn dieses Modell gibt es schon seit vielen Jahren. Und nicht dass wir uns missverstehen, in meinen Clubs arbeiten natürlich Frauen aller Nationen, auch Ostblock, und dagegen ist auch nichts einzuwenden, im Gegenteil, solange die Mischung stimmt. Es gibt Gäste, die bevorzugen die deutschen Mädchen, andere lieben die Exotik oder die Tiefe der russischen Seele. Wie sieht das bei dir aus?«
»Ach, ich habe da jetzt keine speziellen Vorlieben.«

»Setz dich doch nachher einfach mal runter und genieße die Atmosphäre.«
»Was würdest du eigentlich sagen, wenn ich jetzt zu dir komme und sage: Du, ich habe da 'ne kleine Immobilie am Stadtrand im Auge, da möchte ich gerne 'n kleinen Nachtclub eröffnen. Vier, fünf Zimmer, Barbetrieb, vier, fünf Mädchen …«
»Wenn du denn welche findest.«
»Ungarn, Tschechen, Polen, sagst du …«
»Schlag dich mit den Behörden rum, würde ich sagen, und wundere dich nicht, wenn du häufig Besuch kriegst.«
»Wie meinst du das?«
»Stell dir das alles nicht so einfach vor, ich bin nicht der einzige Mann in der Branche in unserer kleinen großen Stadt.«
»Das war jetzt auch nur *was wäre wenn*.«
»Wer wird Millionär. Der Markt würde dich schnell wieder ausspucken, ohne dass irgendjemand einen Finger rühren müsste. Du bräuchtest Beziehungen, Kontakte, Security, da würdest du nichts finden auf die Schnelle. Es wäre nicht möglich. Mehr will ich dazu nicht sagen.«
»Es ist gleich eins.«
»Du solltest mein Agent werden. Hast du noch viele Fragen?«

In den Spiegeln flimmern die Bilder der Nacht. Weißt du eigentlich, woher der Begriff »Rotlicht« kommt? Alice hat einen Tag frei. Sie macht einen Ausflug zu ihrer Mutter. Mit ihrer Tochter. Die wird bald fünf. In vier Tagen ist Sommerfest im Club der Engel, draußen auf dem Hof wird ein mobiler Swimmingpool aufgebaut. Die Bullen bereiten sich vor auf die große Filzaktion aller Gäste. Engel aus Holland haben sich angesagt. Engel aus Berlin. Die Outsiders, die keine Niederlassung mehr im Zentrum der großen Stadt haben, kommen zum Freundschaftsbesuch. In der Nachbarstadt, die immer mehr in diese Stadt hineinwächst, ist die Lage angespannt. Madame Gourdan steht oben auf dem Dach und hisst die große Fahne. Freut mich, dass du auch gerne klassische Musik hörst. Wir sollten uns ab und an auf 'ne Partie Schach treffen. Alice will irgendwann mal ein Kind. Da kann ich aber noch warten bis Anfang dreißig, Mitte dreißig, ist heutzutage ja ganz normal. Meine Mutter war dreiundzwanzig, als sie mich gekriegt hat. Mit der Katze geht's ganz gut. Katzen kommen auch allein zurecht. Manchmal sehe ich Füchse hinten auf dem Hof. *Es kann nur einen geben.* Der alte Bulle sitzt unten am Tresen und träumt immer noch von seinem Mahagoni-Boot, die lange Fahrt ins Haff. Der Diamant liegt in seiner Brusttasche. Was interessieren mich die Kollegen, ich gehe hin, wo ich will. Eliot Ness sitzt im Wintergarten und schläft. Den Kopf auf dem Gewirr aus Papieren. Who the fuck ist der Eierscheckenäquator. Fünfhundert Meter vom Sixpack entfernt tritt ein Crystalfreak einem alten Mann einen Zahn aus. Der hat aber nur zehn Euro einstecken. War wohl auf dem Weg zur Tankstelle. Der Club der Engel ist gut besucht. Im Eingangsbereich reden sie darüber, dass Hans verschwunden ist. Ist heute Vollmond? Alice schläft oben im Zimmer. Ihr letzter Gast ruft sich ein Taxi. Im Schlaf wird alles seltsam. Der Mond verformt sich zu einem großen gelben Ei. Alice liegt auf dem Bett, aber ihre nackten Füße berühren den Boden. Sich einmal nur kurz ablegen, die Augen schließen. Der Mann hinter den Spiegeln trägt eine silberne Kette mit einem kleinen silbernen Boxhandschuh um den Hals. Kümmert euch doch lieber um den wirklichen Abschaum. Die bewahrt er zu Hause in einem Fach seines alten antiken Sekretärs auf, ein wunderbares Biedermeier-Möbel. Die Schubfächer sind voll. Erinnerungen an die alten Zeiten. Während der Arbeit trag ich 'ne andere Kette. Ist schon fast 'n Vierundzwanzig-Stunden-Shop. Nee, Job. *Als wär's ein Teil von mir.* Wo ist Alice? Sie träumt. Ich fahre mit einem Segelbett, wie der kleine Häwelmann, durch den nächtlichen Himmel. *Indessen wurde das Ei immer größer und menschlicher. Als Alice ein paar Schritte von ihm entfernt war, sah sie, dass es Augen, Nase und Mund bekam.* Jemand bestellt Champagner. AK fährt seine letzte Runde und sitzt dann auf der Veranda und schaut auf den dunklen See. Sein Telefon leuchtet in seiner Manteltasche. Bald bin ich wieder bei dir. Am liebsten würde ich den Club mit Mahler beschallen, aber die würden sagen, ich bin verrückt. Als Cora ins Zimmer kommt, sitzt da ein kleines schwarzhaariges Mädchen mit weißem Kleid auf der Bettkante. Das glaubt mir doch keiner, dieses Lächeln.

»Scheint es dir nicht absurd, dass der Sex überall regiert, in allen Medien, im Internet, in der Werbung, überall, dass aber das uralte Gewerbe der Prostitution immer noch gesellschaftlich geächtet ist. Oder ist es das nicht, und ich sehe das falsch?«
»Nein, du siehst das schon so, wie es ist. Vor einigen Wochen oder Monaten, ich glaube, wir haben schon bei unserem letzten Treffen darüber gesprochen, gab's diesen ›Tatort‹.«
»Du guckst regelmäßig ›Tatort‹?«
»Wenn es möglich ist, ja.«
»Entschuldige, dass ich kurz deinen beziehungsweise unseren Gedankengang unterbreche, wir kommen gleich drauf zurück, aber hast du einen Lieblingsermittler, ein Team oder einen Kommissar, die du besonders gerne siehst?«
»Ach, ich habe da jetzt keine speziellen Vorlieben. Die Münchener sieht meine Frau am liebsten.«
»Batic und Leitmeier?«
»Ja, genau die. Den Axel Prahl fand ich mal ganz gut mit diesem Boerne, aber das hat sich bisschen abgenutzt. Und früher, da war ich, ja, das kann man schon so sagen, ein richtiger Schimanski-Fan.«
»Schimmi fandst du gut?«
»Ja, das war schon ein guter Typ. Zusammen mit seinem Kollegen, diesem Spießer, der war auch wunderbar. Ich habe übrigens so einen Festplattenrekorder, der nimmt mir das alles auf, wenn ich, und das ist oft, wegen dem Betrieb, nicht gucken kann. Solltest du dir auch zulegen. Oder hast du schon?«
»Nein. Aber macht schon Sinn.«
»Die, die hier in der Stadt unterwegs sind, finde ich ehrlich gesagt richtig scheiße.«
»Also diese beiden Kommissare, die kleine Dunkle und dieser Typ.«
»Ja, der hat auch so 'n lächerlichen Mini-Schnäuzer.«
»Obwohl, die letzte Folge ging.«
»Der mit diesen Kids, die in der Straßenbahn geprügelt haben?«
»Ja.«
»Ja, der war ganz o. k.«
»Aber du sprachst gerade von diesem ›Tatort‹, der dich wohl etwas

verärgert hat ... War das der, der in H. spielt, wo's um diese Motorradgang ging?«
»Ja, der. So in etwa. Das war, muss ich sagen, an Dummheit und Unwissenheit kaum zu überbieten.«
»Man versuchte, sich authentisch zu geben, aber im Prinzip war es doch die reine Kolportage. Willst du darauf hinaus?«
»Natürlich. Ich bin mir jetzt nicht sicher, ob wir das nicht schon bei einem unserer letzten Gespräche abgehandelt haben.«
»Ich auch nicht. Da war doch der böse Chef dieser den Engeln nachempfundenen Truppe. Die mit den Wegwerfmädchen handelten und sie dann auch tatsächlich auf dem Müll entsorgten.«
»Natürlich ist es ein Film. Und es muss da natürlich einen gewissen Spannungsbogen geben. Auch was diese lächerlichen Verquickungen mit der Politik anging. Aber es gab da diese eine Szene, in der die Kommissarin, diese blonde Kommissarin, ihren Freund fragte, ob er schonmal bei einer Hure gewesen ist.«
»Ich kann mich jetzt nicht konkret daran erinnern.«
»Er druckst jedenfalls rum, und sie ist zutiefst erschüttert. Das ist diese Art der gemalten, der weichgezeichneten Verlogenheit, die mich ankotzt. Und natürlich das Bild der Engel, also wie dieser Retortenverein, der der GmbH nachempfunden ist, da dargestellt wurde. Und das dunkle Rotlicht, das nur unter einem Zwang existiert. Bei Günther Jauch, also nach diesem ›Tatort‹, behaupteten sie doch tatsächlich, neunzig Prozent aller Prostituierten wären Zwangsprostituierte. Als würde es so etwas wie das Prostitutionsgesetz, was ja durchaus noch verbesserungswürdig ist, gar nicht geben. Und das Wissen über dieses alte Geschäft, die Geschichte, die Mythen, das ist doch auch die Geschichte unserer Geschichte, unserer Jahrhunderte.«
»Wie meinst du das jetzt?«
»Zum Beispiel haben wir da ja jetzt unseren deutschen Papst. Nicht, dass mich das irgendwie tangiert, aber dass es da einen Pius den Vierten gab, der im vierzehnten Jahrhundert ein riesiges Bordell bauen ließ, um die Einnahmen, also einen Teil der Einnahmen, der Kirche zuzuführen, das ist doch ..., das taucht doch nie auf, wenn es mal wieder um das unsägliche Milieu geht.«

»Unsäglich?«

»Nur das Wort, nur das Wort. Weil ich dieses ganze scheinheilige Gequatsche nicht mehr hören kann.«

»Du hast dich also schon mit der Geschichte und der Vergangenheit des Rotlichts auseinandergesetzt?«

»Zumindest weiß ich, woher all das kommt, wo es einmal seinen Anfang nahm. Und immer schon ein Teil der Gesellschaften gewesen ist. Ob's die Leute wahrhaben wollen oder nicht.«

»Was würdest du zum Beispiel einer Alice Schwarzer entgegnen, die ja ein entschiedener Feind der ...«

»Feindin, Gegnerin.«

»Ja.«

»Nichts. Gar nichts. Weil sich da eine Diskussion überhaupt nicht lohnt.«

»Wie wird man eigentlich ein Engel?«

»Schon immer hat mich dieser Mythos fasziniert. Da hab ich immer gedacht, ob das nicht ein besonderer Weg sein kann. Schon Mitte der Neunziger. Ein eigener Weg, weil die Gesellschaft keine Wege mehr zeigte, eine Vereinigung, die für etwas steht.«

»Ich könnte jetzt fragen, für was ...«

»Das hatten wir doch schon.«

»War es auch die Faszination eines Männerbundes, einer Art Geheimloge?«

»Quatsch. Schon in den Neunzigern hatte ich Kontakte zu Mitgliedern der Engel. Habe die Biographie des alten Gründers B. gelesen. *Born to be wild.* Habe einige Engel getroffen, mit denen ich bis heute befreundet bin.«

»Auch den großen Mann aus H.?«

»Ja. Natürlich. Sonst würde ich mich nicht so sehr über diesen bescheuerten ›Tatort‹ aufregen. Ein Mensch, der mich sehr beeindruckt hat. In seiner ganzen Konsequenz. Er ist immer unbeirrbar seinen Weg gegangen. Und den Weg der Engel. Das zu vereinbaren, vielleicht ist das eins unserer großen ... Ideale.«

»Es gab ja viele Jahre hier in der Stadt eine Niederlassung eines kleineren Motorradclubs, der als Ableger beziehungsweise Unterstützer der Engel gilt. Es war doch kein Zufall, dass die Engel erst kamen

und du den Vorsitz übernommen hast, als die feindliche Übernahme des Marktes durch die Locos drohte ...«
»Hör mal, mein Freund, erspar mir die Mutmaßungen. Nur weil ich müde bin, solltest du nicht den Bogen überspannen.«
»Und jetzt hast du den Vorsitz der Niederlassung niedergelegt. Aus welchen Gründen auch immer ...«
»Weißt du eigentlich, woher der Begriff Rotlicht kommt?«
»Nein.«
»Im Mittelalter mussten die Frauen als Zeichen dieser Zunft rote Kappen tragen.«
»Rotkäppchen war also eine Hure?«
»Du solltest jetzt gehen. Ich habe noch viel zu tun.«

Nacht. Morgen. Der Club ist leer. Die Stadt ist leer. Der Mond ist ein gelbes Ei. Katzen kriechen über den Hof. Ein kleines Mädchen steht am Fenster. Ein Mann sitzt hinter den Spiegeln.

# Tote Taube in der Flughafenstraße

Hans blinzelt in die Sonne, die direkt über dem Flachbau vor ihm noch recht hoch am Himmel steht. Keine Wolken, kein Wind, er wischt sich über den schweißnassen Hals. Wieder der Geruch nach Fäulnis, und er blickt kurz auf die überquellenden Aschentonnen neben ihm an der Hauswand.
Es scheint ihm, dass es auf dem kleinen Hinterhof viel schwüler und heißer ist als draußen auf der Straße. Er kann den Verkehr hören, kurz nach vier, Freitag, vor drei Tagen war der längste Tag des Jahres, Rushhour, Hauptverkehrszeit, Pendlerzeit, Feierabend, Schritte in der Toreinfahrt hinter ihm, er dreht sich um, aber da ist niemand. Er blickt auf die Fenster des Flachbaus, das geteerte, nach vorne abfallende Dach glänzt flüssig in der Sonne. Außer dem mal lauter und mal leiser werdenden Verkehrslärm ist nichts zu hören in dem Innenhof, als stünden alle Häuser leer. Hans blickt an der Fassade der Wohnhäuser empor, einige Fenster sind geöffnet, und die Gardinen bewegen sich leicht, obwohl kein Wind zu spüren ist.
Hans greift in die Innentasche seines Jacketts, steckt das Zigarettenetui aber dann wieder zurück. Viel zu heiß zum Rauchen, und ihm ist noch leicht schwindlig von dem Sekt, den er vorhin getrunken hat. Hätte er sich sparen können alles. Bin ich zu alt für diesen Scheiß?, denkt er, schiebt die Aufschläge seines Jacketts zur Seite, wieder scheint es ihm, in einem der Fenster des Flachbaus würde sich etwas bewegen, und er berührt kurz seinen Gürtel, an dem er sein Handy in einer kleinen Ledergürteltasche trägt. Vor einigen Monaten hatte er wieder seine Herrenhandtasche rausgekramt, weil er gehört hatte, dass die alten Dinger wieder angesagt waren, Handys, Sonnencreme, Zigaretten, Sonnenbrille, K.o.-Spray, alles für den Herrn, aber jetzt muss er lachen, als er sich vorstellt, wie er

mit der Hand in der Schlaufe der kleinen braunen Ledertasche über die Flughafenstraße flaniert. Sein Vater hatte sie ihm zu seinem siebzehnten Geburtstag geschenkt, und dass sich manche Leute über diese Handgelenkstaschen lustig machten und sie »Stasi-Taschen« nannten, hatte er erst ein paar Jahre später in Berlin erfahren. Und tatsächlich trugen einige von der *Firma* diese Taschen, damals, als sie ihn anwerben wollten, zwei Jahre vor der Wende. *Vorwärts, und nicht vergessen ... Den Sozialismus in seinem Lauf hält weder Ochs' noch Esel auf.* Bis zum Schluss. Standhaft bis zum Schluss. Ich ja auch, dachte er und blinzelte in die Sonne und ging ein paar Schritte auf den Flachbau zu. Er kannte ein paar Leute, die direkt von der Firma ins Geschäft eingestiegen sind. Oder Ex-Bullen, Ost. Die hatten gute Kontakte und waren Experten in Sachen Sicherheit. Von der Stasi in den Puff. Wieder lachte er leise, und als hätte sein Lachen in dem stickigen Hinterhof gehallt und die träge Stille zerrissen, öffnete sich die Tür des Flachbaus, und ein Mann trat auf das kleine hölzerne, verandaähnliche Podest, von dem ein paar Stufen runter in den Hof führten.

Hans legte die flache Hand an die Stirn, über die Augen, sah weiße Türme, Plattenbauten, hinter dem Flachbau, verschwommen in dem flimmernden Licht überm Asphalt der vielen Straßen, sah, wie die Stadt und das Viertel und die Häuser sich in diesem Licht bewegten, graue Wände, rote Ziegelquader, hohe Silos, Tausende Fenster warfen ihre gläsernen Strahlen fächerförmig durch den kürzer werdenden Tag, Kondensstreifen von Flugzeugen darüber im Hellblau, Hans blickt in das Gesicht des Anwalts Emil Fischer, mit dem er vor etwas mehr als zwei Jahren Eierschecke im Städtchen G. in Thüringen gegessen hat, oder war es eine örtliche Spezialität namens Kaiserschmand mit einer dezenten Malznote?, der Anwalt stand auf der untersten Stufe und reichte ihm die Hand. In der anderen Hand hielt er einen Aktenkoffer, über den er sein Jackett gelegt hatte. »Freut mich, Hans, schön dich zu sehen, die Kollegen kommen gleich. Nichts für ungut, aber ich muss weiter. Hab's eilig. Geschäfte, Geschäfte.«

Er trug eine weite braune Bundfaltenhose und ein kurzärmliges weißes Hemd. Eine dunkelrote Krawatte klebte auf dem verschwitzten

Stoff. »Und *unser* Geschäft?« Hans ließ die schlaffe, feuchte Hand los, die sich ihm bereits wieder entwand, weil der Anwalt Emil Fischer sich schon halb zum Gehen weggedreht hatte. »Unser Geschäft«, sagte er und legte seine kurz auf Hans' Schulter, und Hans spürte, dass sie plötzlich nicht mehr schlaff war, sondern fest zudrückte, »da ist doch alles klar, ist doch alles geklärt, mein Lieber, die Ware ist auf dem Weg ins Land der aufregenden Sonne, der Rest der Provision wartet, alles klar wie ein schöner Sommertag.«
»Ich dachte nur, du wärst dabei, um die … hm … *Formalitäten* zum Abschluss zu bringen. Ist ja eine große Summe. So hatten wir das doch …«
»Abgesprochen. Ich weiß, ich weiß. Aber ich muss nun doch nochmal … kurz … weg.« Er griff etwas umständlich in seine Hosentasche und zog eine Taschenuhr heraus, Hans war überrascht von diesem plötzlichen silbernen Funkeln in der Hand des Anwalts. »Aber ich denke«, der Deckel der silbernen Uhr sprang auf, und Emil Fischer blickte auf das Ziffernblatt, und kurz glaubte Hans, eine leise Melodie zu hören, »dass wir uns nachher noch sehen. Dann könnten wir vielleicht etwas essen gehen. Nicht weit von hier gibt's ein sehr gutes Lokal.«
»In der Flughafenstraße«, sagte Hans. Der Anwalt lachte. »Nein, nicht in der Flughafenstraße. Lass dich überraschen …«
»Träume werden wahr«, sagte Hans.
»Rudi Carrell«, sagte der Anwalt, »mit dir könnte ich mich stundenlang unterhalten über die alten Relikte. Freut mich, dass ihr die Sternstunden der Unterhaltung auch in der Zone zu schätzen wusstet.«
»Was denkst du denn, was wir …, wo wir …? Die dunkle Seite des Mondes?«
»Hans, die Kollegen kommen gleich, Rushhour, Geschäfte, du verstehst, also bis nachher …« Er winkte kurz und verschwand in der dunklen Toreinfahrt, Hans hörte die Schritte leiser werden. Er setzte sich auf die Stufen, die zu dem hölzernen Podest und der Tür führten. »Ist ein guter Treffpunkt«, hatte der Anwalt am Telefon gesagt, »eine kleine verschwiegene Oase, meine Mandanten haben da eine Art kleines Büro, Import/Export.«

Hans war am frühen Morgen schon nach Berlin gefahren. Die Stadt war ruhig im Moment. Die Kulissen schienen sich nicht zu bewegen. Eine Frau stand an einem der Fenster im vierten Stock und blickte zu ihm runter. Sie schloss das Fenster, und er sah, wie sie die Gardinen zuzog. Während der Fahrt hatte er darüber nachgedacht, ob er einen Teil der Summe nicht doch in den Immobilien anlegen sollte, die ihm der Anwalt so ans Herz gelegt hatte. Aber diese Möglichkeit würde es später auch noch geben. Er hatte sich immer rausgehalten aus den steinernen Geschäften. Sein Freund AK hatte dort schon vor vielen Jahren (wie klingt das denn jetzt, wie ein vergangenes Jahrhundert, aber Scheiße, es stimmt ja!) investiert und mitgemischt. Aber alles veränderte sich in kurzer Zeit, seit zwei, drei Jahren, nach der Invasion, obwohl man es nicht direkt sehen konnte und immer noch vom großen Frieden sprach. »Geh doch ein wenig vom Gas, Arnold, du musst doch keinem mehr was … Lass sie sich doch gegenseitig ficken. Die Engel, die Bengel, wer hat den größten Schwengel …«
»Jetzt sag bloß nicht, ich …, wir sind zu alt für diesen Scheiß!«
»Nein, nein, so meinte ich das doch nicht. Aber all die Jahre …, all die Jahre warst du …, hast du die Dinge geregelt. Jeder weiß das. Wir waren, und wir sind.«
»Vollkommen richtig, Hans. Wir waren, und wir sind. Ich habe gehört, dass du …«
»Was hast du gehört?«
»Dich zieht es in die Ferne, dich zieht es weg, mein Freund.«
»Ein kleiner Urlaub hat noch keinem geschadet, Arnold.«
»Solange du gestärkt zurückkommst. Ich setze auf dich. Ich brauche dich hier.«
»The last of the independents. Mehrzahl.«
Die Kulissen scheinen sich nicht zu bewegen, dachte er, während er die Spur wechselte und sich der Hauptstadt näherte, aber … *Die Silberfäden werden zu Stolperdrähten.* Shut up! Aber so ähnlich hätte er es auch formuliert. Die Engel arbeiten jetzt schon mit den Kanacken zusammen. Die absolute Syndikalisierung ist das Ziel. So würde er es formulieren. Schalte das Radio ein und höre Musik. Warum nicht, mon général, wer immer du … auch rumschwatzt in meinem Kopf. Aber sein Radio hängt zwischen zwei Stationen und dudelt verschie-

dene Songs und Stimmen, Nachrichten, die Superhits der Achtziger, *Ba-da-da-dam ... kauft ... auf neunundneunzig Komma neun.*
Es ist erst zehn, als er über den Ring fährt. In einer Raststätte hat er gefrühstückt. Bei McDonald's. Aber irgendwie war das scheiße, und er ist noch rüber in die Tankstelle gegangen und hat ein Schnitzelbrötchen gegessen. Die große Schlange der LKW. Da dachte er, dass das früher mal so ein Trend gewesen ist, *Haus&Hotel&LKW*, dicht gedrängt in den Annoncen, Raum kostet Geld, er selbst hatte so etwas nie für seine Freiberuflerinnen, seine Arbeitnehmerinnen, angeboten. Die Sicherheit des Clubs, und Auswärtsspiele nur nach Absprache mit den Mädels. Weil da mussten sie gewisse Konditionen aushandeln, Zimmerpreis auch draußen, wo der Mond scheint. Keine Einsamkeit der kleinen Kabinen. Obwohl das sicher ein Verdienst war, eine Geschäftsmöglichkeit, für sie. Wenn sie das gewollt hätten ..., woanders, AK, die Wohnungen des S., der dank der Absprachen mit AK eine Zeitlang ein kleines Marktsegment bedienen konnte ... Hans hatte sich stets an Absprachen, an diese einst und vor langer Zeit heiligen Verträge (*Wir hoben die Becher und schmiedeten den Bund.* Shut up!), gehalten. Aber wer mir zu nahe kommt, dem breche ich den Hals. Jetzt reicht's aber. Endlich läuft ein Sender, Berlin, Berlin, wir fahren nach Berlin. Die kleine verräucherte Oase seines Nachtclubs. Er sieht den Fernsehturm, dessen Spitze in die Wolken sticht.
Hans blickt wieder in den blauen, vollkommen wolkenlosen Himmel, der ihn blendet, ein hellblauer Spiegel, so dass er die Hand über die Augen legt, obwohl die Sonne hinter ihm langsam, ganz langsam sinkt.
Er hört Geräusche in der Toreinfahrt, »Is wohl 'n Erbstück, dein fetter Silberdollar«, er kann sich nicht erinnern, dass der Anwalt damals im Städtchen G. diese Uhr bei sich trug, »Erinnerungen, Hans, reine Sentimentalität, ein altes Geschenk«, Schritte verklingen, Gardinen bewegen sich, jemand öffnet das Eingangstor der Toreinfahrt, leise Stimmen, er bleibt sitzen, ob am Freitag in Berlin die Müllabfuhr kommt?, seinen BMW hat er paar Straßen weiter abgestellt. Er kennt sich nicht aus in Neukölln, war das letzte Mal vor fast zwanzig Jahren in der Ecke gewesen. Am Vormittag ist er durch den

Prenzlauer Berg und Mitte gefahren. Hat sich langsam Richtung Mauer bewegt, Richtung Stadion, wollte kurz bei Biene reingucken, auf der Prenzlauer Allee, ließ es aber dann. Die Kneipe gab es noch, er war sich nicht sicher gewesen, schaltete dann den Warnblinker ein und rauchte eine Zigarette und blickte auf die Tür und das Schaufenster. Er konnte nicht erkennen, ob sie schon geöffnet hatten, aber dann sah er einen alten Mann und eine alte Frau, Hand in Hand, sie blieben vor dem Lokal stehen, der Alte sagte irgendwas, sie gab ihm einen Klaps auf die Backe, sie lachten, und dann gingen sie hinein.

»Gib mir mal noch 'n Bier, Biene.«

»Gerne, Hans.« Und sie legte ihre Hand auf seine Hand, und er bewegte ihre Hände über den Tresen und summte ein Lied, weil das Lied im Radio lief, und Biene summte mit: »If I had a hammer, I'd hammer in the morning, I'd hammer in the evening ...«

»Der Hans hat 'n Hammer, er hämmert am Morgen, er hämmert auch am Abend, er hämmert immerzu ...« Sie lachten. Sie tranken. Nacht bei Biene. Irgendeine Nacht im Jahr neunundachtzig, im Jahr achtundachtzig.

Er hält auch noch vor einigen anderen Häusern, erinnert sich, wie er auf den Gerüsten gestanden hat, wie er auf den Dächern gestanden hat, wie er Wände gestrichen hat, *rauf und runter immer munter*, Farbe im Haar, wie er in dunklen feuchten Kellern ausgeschachtet hat, Ziegel schleppte, Zement mischte, Hilfsarbeiter Hans, Bauhelfer Hans, Hilfsmaurer Hans, an den Wochenenden hat er manchmal in den Diskos oder draußen in Dörfern beim Tanz gearbeitet. Wenn er nicht ins Stadion gegangen ist, wenn er nicht bei irgendeinem Auswärtsspiel in der Provinz mit dabei war. Wenn sie in der Stahlstadt spielten, ist er nie mitgefahren. Er war auch nicht so verrückt wie die anderen, die jedes Wochenende, jedes Spiel den Wahnsinn rausbrüllten, aber er war ja froh, dass er Leute kennengelernt hatte, auf die er sich verlassen konnte, damals, als er in die große Hauptstadt der DDR gekommen war. Nach der großen Wende ging das richtig los auf dem Bau. Die Kräne wuchsen in den Himmel, *so würde er das formulieren*. Shut up. Er fährt durch die Vorstädte, die Plattensiedlungen, Schweineöde-Schöneweide, an irgendeiner Baustelle hat

er angehalten, ist aus dem Wagen gestiegen und ein paar Schritte Richtung Gerüst gelaufen, hat diesen Geruch nach Staub, Erde und Feuchtigkeit tief eingeatmet. Manchmal wünscht er sich, er könnte wieder auf den Dächern stehen, über die Gerüste laufen, Wohnungen entkernen, die Mischung machen, diesen Geruch einatmen. War 'ne schöne Zeit. »Heh, das ist hier aber unbefugt.« Halt die Fresse, ich verfug dich gleich.
»Hansi?« So hat ihn schon seit fast zwanzig Jahren keiner mehr genannt. Er steht am Auto, den Schlüssel in der Hand, und dreht sich um. Der Mann im staubigen Blaumann kommt auf ihn zu. Er nimmt den gelben Helm ab, auch seine Haare sind staubig und grau unter dem Staub.
»Wer will das wissen?« Nein, er hat nichts gesagt und schweigend gewartet, bis der Blaumann vor ihm stand, den Helm an die Brust gedrückt.
»Du bist doch der Hansi, ich erkenn dich doch, jetzt sag bloß, dass du nicht der Hansi bist.«
Der Blaumann lächelt, lacht fast, lacht und lächelt mit dem ganzen schmutzverkrusteten Gesicht, Augen, Nase, Mund, Stirn. »Achim?«
»Ja, Hans, Achim.«
Hans fährt langsam durch die Brunnenstraße. Kein Verkehr hinter ihm. Seine Schultern sind noch etwas staubig. Sie haben sich lange umarmt. Alt geworden, der Achim. Der hat ihm damals viel beigebracht. Auf dem Bau. Seine steinernen Geschäfte. Hat ihn an machen Wochenenden mit zum Pfuschen aufs Land und in die Vorstädte genommen. So nannten sie die kleinen Nebenverdienste. Fliesen, Mauern, Fußböden legen, Dächer ausbessern. Geld und Naturalien. Einmal hatten sie zwanzig Kästen Radeberger von einem Kneiper in einem kleinen Nest bei Neubrandenburg bekommen. Die haben sie dann in der Hauptstadt verscheuert. Hatten das zumindest vorgehabt. Blieb aber nicht viel zum Verscheuern. Drei Kästen hat er Biene geschenkt.
Achim wusste, wie sie Material organisieren konnten, er kannte fast jeden Vorarbeiter in Berlin, da was abgezweigt, da was verschoben, zehn Kästen Bier, tausend cash, Gipskarton gegen Fliesen, Terminlieferungen, Schneeballsystem, Achim der Fuchs, so nannten sie ihn

damals. Neunzig hatten sie sich aus den Augen verloren. Als Hans nur noch in den Diskos und Bars und Tanzschuppen arbeitete, überall gab es neue Türen, und er hatte schon einen gewissen Ruf. Der Hans, der kann's. Schweine-Hans. »Wie hast du mich jetzt genannt, du Arschloch?«
»Achim. Bist immer noch auf den Dächern, schwingst immer noch den Hammer. Einmal im Stein, immer im Stein, was?«
»Ach ...« Er atmet laut aus, sie sitzen auf dem Bordstein neben Hans' BMW und rauchen. »Ich will ja nicht klagen ...«
»Du klagst schon, Achim ...«
Und Hans fährt Richtung Mauer, durch die Mauer, fährt um das Areal, das jetzt Mauerpark heißt, fährt zu weit und weiß kurz nicht, ob er schon auf der anderen Seite der Mauer ist, ein Bahndamm hindert ihn am Weiterfahren, und er fährt eine Weile parallel zur Strecke, unter einer Brücke wendet er und bewegt sich wieder Richtung Osten, sieht dann die Flutlichtmasten des Stadions über und hinter den Häusern, er hat die Fenster runtergekurbelt und schwitzt, vielleicht hätte er seinen Mercedes-Kombi nehmen sollen, der hat Klimaanlage, wie sich das gehört heutzutage, aber der ist voller Kisten und Flaschen und anderem Kram, und er war zu faul, das alles rauszuladen, am Abend zuvor, am Morgen, er hat bis drei im Büro gesessen, eine Flasche Limo vor sich, er muss klar und frisch sein in der Hauptstadt, zuckerfrei, weil er Probleme hinten rechts hat, da tupft er Nelkenöl drauf seit ein paar Wochen, und die Mädels sagen, er riecht nach Zahnarzt, ein Glas Talisker gönnt er sich, den hat er seit einigen Monaten auf der Karte stehen, zwölf Euro für vier cl, das ist moderat, wenn er vergleicht, was der woanders kostet und was der Sekt und der Schampus kosten bei ihm. Früher hätte er sich was reingezogen am Morgen oder wann auch immer, vor der Abreise, aber seit er die leuchtenden Steine vor Augen hat und tief in seinen Träumen, wo sie neben den Körpern im trüben Wasser schweben und Strahlen durch diese endlosen Fluten schießen ..., ja, verdammt nochmal, es sind doch Sümpfe, unterirdisch, zäh, schwarz, kein Licht und kein Sauerstoff und gar nichts ... Ein Moor, und leer, denkt er und sitzt schwitzend, den Kopf zurückgelehnt, in seinem BMW, den er vorm Kreisverkehr geparkt hat, und blickt auf die ver-

rostete, fast schon schwarze Eisenbahnbrücke, unter der der Kreisverkehr hindurchführt. Kleine Wälder auf beiden Seiten der Straße. Er kurbelt die Fenster hoch, obwohl er so schwitzt. Die dumpfen Detonationen eines Motorrads. Sieht aus wie 'ne Harley. Zwei Harleys, drei Harleys. Macht euch vom Acker, ihr Engel. Der Türke ist jetzt der Pate, neue Bündnisse, alte Pakte werden aufgekündigt, neu geschmiedet, weggeworfen, aufgefrischt, Pakete verschickt. Oben und unten, die Kanäle wechseln die Fließrichtung ..., dunkle Limousinen fahren von Mitte über die Kurfürstenstraße, Kurfürstendamm, Charlottenburg, geflügelte Motorräder, macht euch vom Acker, ihr Engel, ein Hoch auf den neuen Fürst ..., der König ist tot, lang lebe ..., Kingsize-Betten, Klappliegen ... Hans hat vorm KaDeWe gestanden, ist nicht reingegangen, eine Menge Steine, so viele Steine. Er lehnt sich zurück und sieht, dass die Eisenbahnstrecke, die zur Brücke führt, nicht mehr existiert. Keine Bahndämme mehr, nur noch diese schwarze eiserne Brücke, vergessen, mitten zwischen den Bäumen über den Straßen, überm Kreisverkehr. Er bewegt sich, neigt den Kopf, sucht die Sonne, das Blech seines Wagens glüht, aber sie stehen im Schatten, und die Baumwipfel schließen sich über ihm und seinem BMW wie ein großes dunkles Dach.
Hans blickt auf die Motorhaube des Wagens, der sich langsam, ganz langsam aus der Toreinfahrt in den Hof bewegt. Er sitzt immer noch auf den Stufen der hölzernen Treppe. Der silber-metallic Mercedes hält im Schatten, die Sonne wandert seltsam, dann steht er wieder im Licht, Wolken oder Zeppeline am Himmel. Hans legt die Hand über die Augen, nimmt sie weg, legt sie wieder über die Augen, beschließt aufzustehen, bleibt dann doch sitzen. Zeit, eine zu rauchen, denkt er und greift nach dem Etui in seiner Innentasche. Er schiebt sich die Zigarette zwischen die Lippen und sucht das Feuerzeug. Die hinteren Scheiben des Wagens sind getönt, und er sieht nur den Fahrer und den Mann auf dem Beifahrersitz, verschwommen, als stände der Wagen auf flüssigem Asphalt, Hans steht auf, die Kippe im Mundwinkel, sucht mit der linken Hand immer noch das Feuerzeug in den Taschen seines Jacketts.
»Herr Pieczek?« Die Seitenscheibe auf der Beifahrerseite wird heruntergefahren.

»Ja«, sagt Hans. *Wer will das wissen?*
»Schön, Sie zu sehen«, sagt der Mann und beugt sich aus dem Fenster. Türke, denkt Hans. Oder sowas in der Richtung. Der Mann trägt ein graues Sakko über einem schwarzen T-Shirt, die dunklen Haare hat er zu einem Scheitel aus der Stirn gekämmt.
»Schön, Sie zu sehen«, sagt Hans und geht ein zwei, drei Schritte in Richtung des Wagens, dessen Heck noch in der Toreinfahrt steht.
»Entschuldigen Sie, dass wir zu spät sind«, sagt der Mann mit dem grauen Sakko, sein Arm hängt aus dem Fenster, und seine Hand berührt das silberne Metall der Seitentür, »aber die Stadt hat uns ein wenig aufgehalten.«
»Schon in Ordnung«, sagt Hans, »ich warte erst seit zwei Stunden hier.«
»Sie machen Scherze«, sagt der Mann und lächelt, jedenfalls kommt es Hans so vor, »nehmen Sie doch bitte meine Entschuldigung an. Darf ich Ihnen Feuer geben?«
»Sie dürfen«, sagt Hans und geht an dem silbernen Stern vorbei zur Beifahrertür.
»In Tokio ist es jetzt ungefähr null Uhr«, sagt der Mann mit dem grauen Sakko, bewegt den Arm langsam zwischen die Aufschläge seines Sakkos und hält Hans ein Feuerzeug hin. Ist ein grünes Einwegfeuerzeug, und Hans braucht ein paar Sekunden, um im Gegenlicht der Sonne zu erkennen, dass die kleine Flamme brennt. Er beugt sich runter, so dass seine Zigarette die Flamme des Feuerzeugs berührt. »Kein Raucherwetter, nicht wahr?«, sagt der Mann.
»Nein, nicht wirklich.« Hans legt eine Hand aufs warme Dach des Wagens, schaut über die Schulter des Mannes im grauen Sakko, der seinen Kopf immer noch aus dem offenen Fenster streckt, schaut auf die Hinterbank, auf der zwei Männer sitzen, zurückgelehnt, entspannt, wie es scheint. *Vorne zwei, hinten zwei, und das Geschäft ist gleich vorbei. Also gut abgewickelt. Ist's ja schon. Shut up.*
»Was unser Geschäft betrifft, Hans ...«
»Nun, ich höre.« Hans beugt sich wieder vor, bläst den Rauch an dem Mann vorbei ins Innere des Wagens.
»Im Prinzip ist ja alles geklärt«, sagt der Mann und dreht sich kurz zum Beifahrer um, ein kleiner dicker Türke, *oder sowas in der Art*, der

scheinbar teilnahmslos und ohne sich groß zu rühren durch die Frontscheibe auf den Flachbau und in die Sonne blickt. Hans wirft seine Zigarette, von der er nur wenige Züge genommen hat, weg, bewegt den Arm, so dass er seine Glashütte sehen kann, und sagt: »In Tokio ist es jetzt genau dreißig Minuten nach Mitternacht.«
»Bestens, dann können wir ja gleich ins Büro.«
Hans hatte Lust zu bumsen. Scheiße, dachte er, was ist denn jetzt los? Er klopfte sich den Staub von den Schultern und lief durch Neukölln. Die Türen der Spielhallen waren geschlossen, in den getönten Scheiben sah er sein Spiegelbild, Hauptsache, kein Licht stört die Zocker, dachte er.
Rathaus Neukölln, auf der anderen Straßenseite ein gläsernes Einkaufszentrum. Er ging kurz in den Eingangsbereich, stand still zwischen den vielen Menschen, die an ihm vorüberliefen, kamen und gingen, sah die Werbung eines Juweliergeschäftes, das in der oberen Etage war. Daneben die Werbung eines Buchladens im Untergeschoss. Bis zur Pannierstraße war es nicht weit. Als er merkte, dass er Lust aufs Bumsen hatte, war er in einen Zeitungsladen gegangen und hatte sich eine Bildzeitung gekauft. Und noch eine Berliner Tageszeitung, aber die brauchte er nicht, er hatte beim Studium der Annoncen was gefunden, das gleich ums Eck war. Eigentlich hatte er am Morgen noch vorgehabt, zu Mondauge zu fahren auf einen Schluck, aber dann fiel ihm ein, dass es den Laden gar nicht mehr gab.
Hatte ihm vor kurzem jemand erzählt. War das nicht sogar AK gewesen? Aber der konnte ja nicht wissen, dass er in die Hauptstadt fuhr, keiner wusste, dass er hier Geschäfte machte. Und hier bewegten sich die Kulissen, und hier wurden die Silberdrähte neu verlegt. Und hier hatten die Engel fast alles übernommen. Der Mann hinter dem großen Hauptstadtspiegel war jetzt ein Türke. Was man so hörte, weit weg, in der kleinen großen Stadt, und doch nah. Aber was ging ihn dieser ganze Scheiß an? Hans hatte Lust zu bumsen. Verdammt, dachte er, was ist denn jetzt los.
Er lief an unzähligen Spielhallen und Zockerbuden vorbei, die Sonne im Rücken, die Sonne im Gesicht, kurz nach halb eins auf seiner Uhr. Die Glashütte ging immer paar Minuten vor. Und er stellte

sie immer ein bisschen zurück, alle zwei, drei Tage. Hatte sie schon zweimal generalüberholen lassen. »Das ist normal«, hatte der alte Uhrmachermeister, der vor Hunderten von Jahren in Glashütte gelernt hatte, gesagt, »das ist das alte Spezimatic-Laufwerk …«
»Aber die hat Erich Honecker persönlich …«
»Sind Sie da sicher«, sagte der alte Uhrmachermeister, die Lupe im linken Auge, beugte er sich über das geöffnete Gehäuse.
»Vollkommen sicher«, sagte Hans, »schauen Sie doch auf die kleinen Brillanten links und rechts auf …, auf den Halterungen fürs Armband, und da sieht man auch die Initialen.«
»In der Tat, ein schönes Stück.«
»Sag ich doch.«
Hans hielt die Uhr an sein rechtes Ohr. Er bewegte den Arm hin und her und hörte das leise Rascheln des Spezimatic-Laufwerkes, das jede Bewegung registrierte, auffing und in Energie umwandelte. *So würde er es formulieren.* Und das leise stetige Ticken der Glashütte in seinem Ohr, blickte er über die Pannierstraße.
Bäume wuchsen in regelmäßigen Abständen auf beiden Seiten der Straße. Daddelbuden wie in der Flughafenstraße konnte er keine erkennen. Früher hatte er ab und an gezockt und gedaddelt. Nichts Besonderes. Nur um die Nerven zu beruhigen. Automaten, Roulette, Poker. Nichts Besonderes, hatte auch nach einigen Jahren die Lust dran verloren. Kostete nur Zeit. Hatte AK nicht mit zwei Spielhallen begonnen, damals, in den ersten Jahren nach der großen Wende? Das Sonnenlicht zerfaserte sich in den Baumwipfeln, die Straße sah still und ruhig aus, und er schaute noch einmal auf die Annonce, die er aus der Zeitung gerissen hatte, und verglich sie mit den Hausnummern. Na, dann wolln wir mal, dachte er und lief los.
Im »Sweet Life« entschied er sich für eine blonde Russin. Der Laden lag ebenerdig, die Tür direkt neben dem Fußweg, er hatte geklingelt, es hatte gesummt, und die Chefin, Mitte fünfzig, die ihn mit »Hallo, junger Mann« empfing (*Was soll'n das jetzt?*), führte ihn in einen kleinen Raum der ausgebauten Kellerwohnung, wo er auf einem Sofa Platz nahm, ein Couchtisch davor, auf dem ein Strauß Blumen stand (*Ja, ja, Schweine-Hans, der kann's …*), dann die Parade der Mädels, die Chefin stellte sie vor, fünf Mädels, die blonde Rus-

sin kam als Dritte, »Das ist unsere Tanja, eine ganz liebe Perle«, Tanja, in Slip und BH, Badewetter, blieb lächelnd vor ihm stehen, drehte sich einmal, drehte sich zweimal, stütze die Hände in die Hüfte, suchte Blickkontakt, er nickte ihr zu, und sie verschwand wieder.

Später versuchte er, sich an die anderen vier Mädels zu erinnern. Und wie die Chefin sie ihm vorgestellt hatte. Eine frauliche, leicht mollige Türkin. Aisha? Hießen nicht die meisten Türkinnen in der Branche *Aisha*? Eine dünne blonde Deutsche, eine dunkle Kroatin mit Schmollmund ... Er hatte gleich gewusst, dass es Tanja sein würde, oder wie immer sie auch hieß. Wann war ich eigentlich das letzte Mal privat in einem Laden, dachte er, während er duschte. Er hatte sich für das Spiegelzimmer entschieden. Tanja hatte ihn durch die Zimmer geführt. Ja, das Spiegelzimmer war nicht übel, so ähnlich wie das Spiegelzimmer bei ihm. 'n Spiegelzimmer ist 'n Spiegelzimmer, wenn's nicht zu klein oder zu versifft ist. Die Spiegel müssen permanent gesäubert und gepflegt werden. Und zwar so, dass sie keine Schlieren kriegen, zu scharf darf das Zeug auch nicht sein, vor allem die Deckenspiegel sind aufwändig, da stand er oft selbst mit dabei, wenn seine Putzbrigade sich um sein Spiegelzimmer kümmerte. Wie hieß der Typ gleich nochmal, der ihm das damals eingerichtet hat? Der hatte alle oder fast alle Spiegelzimmer in der Stadt, in der Nachbarstadt und in der Region eingerichtet. Hatte das Spiegelmonopol. Obwohl es so wahnsinnig viele Spiegelzimmer ja nicht gab. War dann irgendwann verschwunden. Mit der Firma weitergezogen, umgesattelt oder sich zur Ruhe gesetzt. Aber eigentlich kannte er keinen, der sich zur Ruhe gesetzt hatte. Da muss man schon 'ne ganze Menge auf der Kante haben, und einen guten Grund braucht's auch. Das Geld fließt und fließt, meist in beide Richtungen, rein und raus, das alte Spiel, und wir waren, und wir sind, und wenn man seinen Platz hat im großen Spiel, geht es weiter ... Immer weiter. Was sollte man auch sonst tun. Am Strand liegen? Jeden Nachmittag Torte essen? Er lehnte sich an die Fliesen und ließ das Wasser über seinen Körper laufen. *Wir denken heute wieder mal um viele Ecken.* Hatte er einen guten Grund? Das kleine Schloss? Beziehungsweise das kleine Nebengebäude des großen

Wasserschlosses. War das nicht zu nah dran an allem? Und was sollte er da allein rumsitzen? War ja nicht so, dass er keine Optionen hatte. In den ganzen Jahren, seit die Scheidung durch war, hatte er immer mal wieder 'ne Frau, was Festes, was halb Festes, manchmal sogar 'ne Option. In seinem Spiegelzimmer ist er paarmal mit Mandy, also Mandy 1, gewesen. Das war so 'ne Option. Aber die ist dann weg. Diese etwas unscheinbare Dunkle war auch nicht schlecht gewesen. Um die vierzig. Bisschen unsicher. Die Unworte. Aber Tanja hatte Ausstrahlung, ihr rundes, sehr hübsches Gesicht hatte Kraft. Ja, so würde er das formulieren.

Er stellte die Dusche ab, trocknete sich die Haare, richtig viel war da ja nicht mehr zu trocknen, er zog sich die Badelatschen an, die Tanja ihm gegeben hatte, trocknete sich nochmal richtig ab und nahm dann den Bademantel. Dann merkte er, dass er scheißen musste, setzte sich auf das Klo, spülte schon vorher kurz, um den Lärm zu übertönen, es war ruhig im Objekt, vielleicht war er der einzige Kunde (*Gast! Comprende?*) um diese frühe Zeit. Er wischte sich den Arsch ab, und dann duschte er nochmal. Kurz. Sein Laden öffnete erst um einundzwanzig Uhr. War aber auch 'n Nachtclub. Mit Barbetrieb. Im »Sweet Life« ging's mittags los, wie er der Annonce entnommen hatte. Hauptstadt, Neukölln, viele Menschen, viele Läden, viele Männer, dreiundzwanzig Stunden warme Küche, sweet life, und wer zuerst kommt ... *Zahlst du noch, oder f... du schon?*, hatte er über einer anderen Annonce gelesen. Da ging's aber erst am Abend los. »Willst du was trinken«, sagte Tanja, als er ins Spiegelzimmer kam.

Wo bist du? Staub in der Sonne.
»Manchmal, Hans, da denke ich, das kann doch nicht alles sein.«
»Wer denkt das manchmal nicht. Das Übliche.«
»Und dann denke ich, dass das doch nicht einfach weg sein kann.«
»Was? Und *was* weg?«
»Na, die Zeit. Unsere Zeit.«
»War's für dich so gut damals?«
»Besser als heute, Hans. Denkst du nicht manchmal auch sowas?«
»Wegen damals?«

»Nee. Allgemein. Irgendwann geh ich in Rente. Der Rücken geht noch. Komisch. Und Berlin geht auch noch. Komisch. Die Maxi ist längst ausm Haus ... Du kannst dich doch noch an die Maxi erinnern?«
»Da war'se gerade mal so da.«
»Ich weiß gar nicht, wie ich das sagen soll, wie ich das jetzt ... Man wird halt 'n bisschen bekloppt, hast du nicht auch das Gefühl?«
»Nee. Na ja. Doch. Aber 's geht ja immer weiter.«
»Was quatschen wir hier eigentlich für Müll.«
»Ich weiß nicht, Achim.«
»... dass man zurück kann. Weißt du, wie früher mit 'nem Flaschenzug. Kannste heute keinem mehr erzählen. Wie wir die Säcke und das Zeug mit 'nem Flaschenzug ... Wie so 'ne Linie. Dass das mal da war und mal da. Gerüsttechnisch. Erster, zwoter, dritter. Und dass du das Seil doch noch in der Hand hältst. Ach, vergiss es.«
»Das Seil, Achim.«
»Wie 'ne Linie, Hansi. Wo's mal war, da war's halt. Dass das nicht weg sein kann. Eigentlich. Verstehste, was ich sagen will?«
»Ich denk schon.«
Wo bist du? Wie lange siehst du dich schon selbst, ausgestreckt und nackt? Blickst auf dich und schläfst doch noch.
»Wie spät is'n, Tanja?«
»Warte, ich geb dir deine Uhr.«
Sie rollt sich zur Seite und greift auf den Stuhl, wo deine Sachen liegen. Hans neigt den Kopf, blickt zur Seite in einen anderen Spiegel. Sieht, wie sie die Uhr auf seine Brust legt. Spürt die Uhr kühl auf seiner Haut.
»Zwei Uhr«, sagt sie, »wir haben noch Zeit.«
»Gut«, sagt er und will Russisch mit ihr reden, aber er findet die Fäden nicht in seinem Kopf.
Sie sitzt auf ihm, und er sieht ihren Arsch in den Spiegeln. Legt seine Hände auf ihren Rücken.
Sieht sich allein auf dem großen Bett. Ein Laken über den Beinen.
Wo bist du?
Sie greift nach seinen Eiern, und er reißt sich zusammen. Blickt dorthin, blickt dahin und schließt die Augen. Die Flughafenstraße

leuchtet, denn die Sonne steht hoch. In der Pannierstraße zerbrechen die Bäume das Licht.

»Noch viel Zeit«, sagt die dunkle Kroatin zu ihm, sagt die Türkin mit den riesigen Brüsten, sagt die dünne blonde Deutsche, und sie tippen mit ihren Fingern auf seine Uhr, die er wieder an seinem linken Arm trägt. *Als wär's ein Teil von mir. Shut up.*
Sie trinken Söhnlein, und die Russin erzählt. Tochter, Schwester, Geld verdienen, kleines Nest. Anderthalb Stunden ticken in der Glashütte.
Was für ein Nest war das, denkst du später, von dem sie dir erzählt hat? Wo sie wohnt. Du hast noch für eine Stunde mehr bezahlt, weil ja dein Termin gleich ums Eck ist. Vielleicht wirst du dir trotzdem ein Taxi nehmen. Irgendwo Richtung Schwerin. Hans hört zu, denn sie erzählt von ihrer Tochter. Und dass sie nur drei Tage die Woche hier arbeitet. Dienstag, Mittwoch und Freitag. Warum nicht Donnerstag?, denkt Hans. »Und es läuft?«, fragt er.
»Ja«, sagt sie und lächelt, »ganz gut.« Er kramt sein Russisch raus, das ist gar nicht so einfach.
»Menja sawut Gans«, sagt er, als sie auf ihm sitzt und er ihren Arsch in allen Spiegeln betrachtet.
Sie lacht und verschluckt sich fast dabei und lehnt sich zurück und rollt dann doch von ihm runter.
Er sieht seinen Schwanz mit dem Gummi, der wie eine Mütze von der Eichel hängt, was für ein blödes Wort, der Herbst kommt, und die Eicheln fallen, weil es im Russischen doch das H nicht gibt und sie das G oder so einen anderen komischen Buchstaben nehmen, der wie ein heiseres Husten klingt, so erinnert er sich zumindest, in der Schule haben sie das so gelernt, »Menja sawut Gans«, und die Flasche Söhnlein ist fast leer, und sie hat nur ein Glas getrunken, und er erinnert sich an all die russischen Worte, *Morozhenoe s fruktami*, »Ja, bist schon ein Fruchteis, du Gans«, »Nee, du bist ein Fruchteis, ochen krasivoe Fruchteis«, und er weiß nicht, wie oft sie gebumst haben in den drei Stunden, Moment, wie kann das sein, da ist ihm wohl mit der Zeit was durcheinandergekommen, das lange Seil des Flaschenzuges, dreihundert Euro, oder waren es vierhundert wegen dem Spiegelzimmer?, und während er dann doch zu Fuß durch die Flug-

hafenstraße läuft, wie hat er wieder geschnattert als alte Gans, die kann's, und dass ihr Kind, ihre Tochter, jetzt bei ihrer Schwester ist, wenn sie arbeitet, weil ihre Schwester da in einem Imbiss arbeitet, aber nicht so, dass sie die ganze Zeit keine Zeit hätte ... undsoweiter, du kennst diese Geschichten und lauschst ihnen trotzdem, weil diese blonde, sehr nette Russen-Tanja sie dir nach anderthalb Stunden erzählt, und du beißt dir auf die Lippen, um nicht von deinem Laden zu erzählen, als wenn das einen Unterschied machen würde, aber vielleicht doch, und Hans liegt im Sekundenschlaf, der Minuten dauert, und kommt zu sich und greift neben sich, und sie sagt: »Heh, meine Gans, ich bin nicht Liv«, und er wälzt sich auf sie, dass sie sagt: »Moment«, und nochmal rausgeht, weil keine Gummis mehr da sind, aber er wollte sie nur an sich pressen, »Na komm, Mädchen, nun hab dich nicht so«, *Na, belüg dich doch selbst*, nee, nix Lüge, und die Sonne wandert schnell, und er gibt ihr einen Extraschein, den sie erst nicht nehmen will, »Na komm, Mädchen, nun ...«, aber dann trinken sie noch ein Glas, ihr zweites, neue Flasche, scheißegal, die bleibt halbvoll, halbleer am Kopfende stehen, und Hans blinzelt in die Sonne, fühlt sich schwach, fühlt sich stark, weiß kurz nicht, in welche Richtung er gehen muss, versucht, sich an die Wegmarken zu erinnern und ..., und wacht nach Luft ringend auf, streicht über die lederne Haut, *Moment mal, Tanja*, ihre Haare liegen feucht nach der Dusche auf seiner Brust, er wirft Münzen in diesen bescheuerten Daddelautomaten in einer Spielhalle in der Flughafenstraße, wie die Mädchen früher manchmal geschimpft haben hinter seinem Rücken, wie war das noch, damals in der Schule?, *Lernen, lernen, nochmals lernen*, Lenin, ist eben nicht einfach, so einen Laden zu führen, Tanja setzt sich auf ihn, und er spürt die Spiegel im Halbdunkel auf seinem Körper, seinem Gesicht, und Hans steht auf der Pannierstraße unter den Bäumen und blickt auf seine Uhr.

Noch ist Zeit, und er hat Kleingeld, das ihm die Hosentaschen ausbeult. *Dass man dann doch wieder und wieder versucht, privat zu sein. Oder es wird. Weil sich's manchmal nicht vermeiden lässt. Dass das kommt, so wie es kommt, ob man will oder nicht.*

»Und, schonmal ganz gut gewonnen heute«, sagte der Mann im

grauen Sakko und stieg immer noch nicht aus, »draußen auf der Straße. Wir sollten alle in diese Maschinen investieren.«
»In der großen Zeit des Wartens«, sagte Hans und wunderte sich, weil er das so sonst nicht formulieren würde, »habe ich mich nur umgeschaut, wie ihr so lebt, wenn es das ist, was du meinst.«
»Es geht doch hier nicht darum, wie irgendjemand lebt«, sagte der Mann im grauen Sakko und öffnete die Tür, »wir haben ein gutes Geschäft gemacht. Du warst der richtige Mann. Deutsch-deutsche Beziehungen und die alte Achse Tokio.« Er stieg aus dem Mercedes, und Hans ging ein paar Schritte zurück, damit die Tür ihn nicht berührte. »Lass uns hoch ins Büro gehen und alles zum Abschluss bringen. Ich glaube, dass wir alle zufrieden sein können.«
Er reichte Hans die Hand. »Das glaube ich auch«, sagte Hans und nahm die Hand und drehte den Kopf, nur ein wenig, während er die Hand hielt, Richtung Flachbau und blinzelte in die Sonne und blinzelt in die Stadt. Bewegungen.
Es ist immer noch heiß am Nachmittag, und er schwitzt. Wischt die Hände an seiner Hose ab und wirft ein paar Münzen nach und wartet auf die Diamanten. Es ist ein alter Automat, und er kann sich erinnern, dass er vor Jahren schon einmal an so einem Daddelding gesessen hat. Um die Nerven zu beruhigen. Wo war das gewesen? Und er sieht seine verschwitzte Stirn auf dem Automaten, sieht die anderen Spieler, neben ihm, hinter ihm, die leisen Melodien, die elektronischen Drehgeräusche der virtuellen Walzen, wischt mit dem Ärmel seines Jacketts über das Glas, denkt an das versiffte Spiegelzimmer in Hildesheim, weil er vorhin doch überlegt hat, wo das gewesen ist, als er über die Spiegel nachdachte. *An der Wand, an der Wand ...* Besoffen ist er in diesen Laden getaumelt. Blöd angequatscht haben die ihn dort von der Seite. Das kann er gar nicht leiden, wenn ihn jemand blöd anquatscht, so von der Seite. »Halt mal du deine Fresse, sonst brech ich dir den Hals.« Da hatte er die Hand schon am Hals, den Hals schon an der Hand, der bescheuerte Doorman, aber sich selbst noch halbwegs unter Kontrolle. *So kann man's auch sagen, Hans, nicht wahr?*
Die haben dann auch Ruhe gegeben, und er ist in dem versifften, viel zu kleinen Spiegelzimmer eingepennt. An eine Frau kann er

sich nicht erinnern. Hildesheim, Ruhrpott undsoweiter, Midlife-Krise, so würde er das formulieren. Als er dachte, er müsste das Land kennenlernen und rumfahren. Er hat sich immer gewundert, warum die ihn in dieser Absteige in der Nähe des Bahnhofs der Stadt H. nicht zur Sau gemacht haben, ihn nicht fertiggemacht haben. Vielleicht, weil er die Kohle in dem Laden verteilt hat und weil er 'n teuren Mantel getragen hat, und das war kein Laden, der so aussah, als würde da viel Kohle verteilt werden. Die Diamanten kommen nicht. Die bringen Extraspiele, da gehen die Zahlen nach oben. Warum spielt er das? Vielleicht 'ne Art Aberglauben. Tokio im Jahre null. Der Mann am anderen Ende der Welt. Dem er vor Jahren in der Stadt geholfen hat. Nicht jeder Japs kann Kung Fu. Und da steht Hans im Schatten und sieht, wie die den Mann fertigmachen. Warum auch immer. Und da überlegt er kurz und greift dann ein. Junge Typen, die klatscht er weg wie nichts.

Na ja, ein Zahn war raus. Vorne, da hat er Gold seit fast fünfzehn Jahren.

Und die Melodien daddeln in seinen Ohren, *Ich möchte ein Pferd, irgendwann mal*, und dann steht er wieder auf der Flughafenstraße, oder ist das immer noch die Pannierstraße?, und er weiß nicht, wo er sein Auto geparkt hat, dann fällt es ihm wieder ein, und er weiß, wo er hinmuss, hat schon vor einigen Stunden an der Toreinfahrt gestanden, um das Terrain zu prüfen, *Aber wir sollten doch alle zufrieden sein mit diesem Vermittlungsgeschäft*, er ärgert sich, dass er nur kurz am alten Stadion gestanden hat, die vier Flutlichtmasten wie gekrümmte stählerne Finger, und die meisten alten Kneipen und Läden hat er nicht wiedergefunden und ist doch deshalb so zeitig losgefahren, und er blickt auf seine Uhr und denkt: Na dann wolln wir mal.

Und als die Türen des silber-metallic Mercedes sich öffnen und er schon an den Stufen zum Flachbau steht ...

»Scheiße«, sagte er, »nimm deine Finger weg von mir.« Der Typ trägt eine Pudelmütze mit Bommel, die sich auf seinem Rücken bewegt, hin und her schwingt, diese dicke bunte Bommel, weil der Typ seinen Oberkörper auf und ab bewegt. Er spricht nicht, er lallt. Und greift nach Hans und packt Hans an den Schultern. »Ach so, Geld

willste, na, da kann ich dir mit 'ner kleinen Spende aushelfen. Aber nicht anfassen, Kollege.«
Er schüttelt sich, ist wieder voll da und blickt den Mann mit der bunten Mütze an, der da vor ihm steht und lacht und den Mund dabei so weit aufreißt, dass Hans die braunen, schwarzen Stummel sehen kann. Ein Geruch nach Fäulnis weht ihm entgegen. Hans tritt ein paar Schritte zurück und blickt in den kleinen Sackkarren, den Handwagen, den der Typ hinter sich herzieht. Plastikbeutel, leere Flaschen und Büchsen, Zeitungen, und zwischen dem ganzen Müll sieht er graue Federn auf einem kleinen grauen Körper, ein Schnabel sticht durch das Papier, das diesen Körper kaum verdeckt. Schwarze Augen, die sich bewegen, die sich nicht bewegen. Ein toter Vogel, der auf der Seite liegt, die Krallen geschlossen.
Der Typ lallt irgendwas und beugt sich fast bis auf den Bordstein und geht ein paar Schritte und zieht den Wagen mit dem Müll und der toten Taube hinter sich her.
Hans schwitzt und wühlt in seinen Taschen nach Geld, Kinder sind plötzlich da und rennen um den Mann und seinen Karren rum. Sie tippen den Mann an, stoßen ihn mit den Händen, reden Türkisch oder was auch immer, und Hans steht da, die Hände in den Taschen, und weiß nicht, was er machen soll.
Er steht zwischen der Meute der Kinder und will sie wegjagen, die ganze Flughafenstraße scheint ihm voller Kinder zu sein, die schreiend und lachend um ihn und den Bommelmützenmann und seine Sackkarre tanzen.
Und Hans sieht, wie sein linkes Bein immer länger wird. Wie sein Fuß über den Boden gleitet. Was für ein gewagter großer Spreizschritt. Da knackt was in seinem Rücken. DONG, und die Sonne flammt dunkelrot auf, hinter den Häusern, vor seinem Gesicht. Er dreht sich um und fällt in den Sackkarren, dieses große graue Loch, in dem die Federn glänzen. »Jetzt passt mal schön auf, ihr Rotzer!«
»Gans, hee, Gans, es ist fast drei, du wolltest doch weg.«
»Nee, Achim, so darf man das nicht sehen.«
»Geh ruhig ran, das scheint wichtig zu sein.«
Ein Telefon klingelt, Hans greift nach seinem Handy, jemand tritt

auf seine Hand, erst kurz und dann heftig, der Knochen bricht, ein
Mann springt auf seinen Kopf, ein Telefon klingelt, alt und schrill.
In den Boden zu atmen ... »Ja? Wisst ihr nicht, wie spät's ist?«
»Acht Uhr dreißig. Haste Interesse an 'nem Club?«
»An was? Swingerclub?«
»Nee. Nachtclub. Ist grad was freigeworden. Ist aber nicht Berlin.«
»Ja und?«
»Du willst dich doch selbständig machen.«
»Wer ...«
»Du selbst. Wir geben dir Kredit, du übernimmst, die Jungs in der
Stadt sind einverstanden. Hast einen guten Ruf, hast dir den erarbeitet.«
»Was solln der Straßenmüll ... Jetzt lasst mich doch erstmal munter
werden ... Wer spricht'n da überhaupt? Markus?«
»Wer wohl, die ehemalige Knochenbrecher GmbH. Wird Zeit für seriöse Geschäfte. Wir geben dir Kredit, du versorgst uns mit Informationen aus der Stadt, hin und wieder ...«
»Sind wir bei der Stasi, oder was? Kommt vorbei, wenn ihr was
wollt.« Er knallt den Hörer auf die Gabel, sein Schädel bricht. Sein
Nasenbein dringt in den Schädel. Jemand steht auf seinem Becken.
Seine Augen bewegen sich und bewegen sich nicht. Silber-metallic
reflektiert. Die Häuser hinterm Flachbau bewegen sich, schnell und
immer schneller. Seine Wirbelsäule biegt sich, und er versucht, sich
wegzurollen. Da muss man doch mal auf die Beine kommen. Die
Welt ist bunt und rot und stimmt nicht mehr.
Sich wegrollen, immer nur wegrollen, still trifft ihn die Sonne, sein
Kehlkopf wird in die Luftröhre getreten. *Und er bewegt sich noch.* »Andere Träume«, sagt Liv, sagt Sonja, sagt Mandy, sagt ... Neunzehnhundertdreiundneunzig. Das Telefon klingt wie ein Faxanschluss.
Der erste Schlag. Mehrzahl. Er sitzt und wirft Geld nach und wartet
auf die Diamanten. Aber nur die bescheuerten Vögel flattern über
*den Screen.* Ein Holz trifft seinen Kopf, als er sich umdrehen will. In
der Kneipe, neben der Toreinfahrt, schwatzen sie über die besten
Rezepte für Buletten, hausgemacht. »Wenn ich's doch sage, da muss
das Verhältnis anders sein ..., mehr Brösel ...«
Als er auf die Treppe fällt, schafft er es noch, den Arm unter den Kie-

fer zu kriegen. Ein Fuß auf seinem Hals, und er spürt, wie die Vorderzähne brechen.
Im Nebengebäude des Schlosses ist es ruhig um diese Zeit. Das Licht fällt durch die Baumwipfel und besprenkelt die Straße, den Fußweg.
»Wir haben doch immer einen Scheißdreck auf irgendwelche Gerüchte gegeben, Arnold.«
»Wenn du das hörst, Hans, ich versuch's nachher nochmal, hau sofort ab, wo immer du auch bist, Berlin, scheißegal, ich ..., jemand will sich mit dir einkaufen, ruf mich zurück, sobald du kannst ...«
Acht Füße bearbeiten den Körper. Haut platzt, die Trommelfelle reißen, Gefäße werden traumatisiert. Blut in der Lunge. Ein Auge ist geöffnet, weiß. Ein Auge ist geschlossen. Die Hand, die Hans gehörte, bewegt sich.
Er läuft am Fluss entlang. Im Ufersand findet er einen weiß-schwarzen Hühnergott. Er winkt einem Schiff, das unter der eisernen Brücke verschwindet. Und die Sonne wandert schnell.

»Und bis diese ... Steine in deinem Leben plötzlich aufgetaucht sind, ich meine, du hattest doch ein gutgehendes Geschäft ...«
»Wie man's nimmt. Und was ist jetzt deine eigentliche Frage? Was ich gemacht habe ohne den Flitterkram vor Augen?«
»Ja. Bevor die ...«
»Sag's doch ruhig. Die Diamanten kamen ...«
»Ja.«
»Das Übliche natürlich. Und von ihnen geträumt.«

## Der Traum von Reinharz

»Ich kann dir das alles nicht erzählen, aber da gibt's diesen kleinen Kurort, nicht weit von der Stadt weg. Ich meine, *das* kann und könnte ich dir schon erzählen. Ich fahr da seit paar Jahren regelmäßig hin. Da gibt's wunderbare Moor- und Schwefelbäder. Is wegen dem Rücken. Ja, mit meinem Rücken, das hast du ja schon mitgekriegt, Liv. Ist sicher wegen der Zeit auf dem Bau. Jetzt hör mir aber auf von wegen Alter. Willst mich wohl ärgern. 'n Freund von mir, Arnold, den kenn ich schon seit fast zwanzig Jahren inzwischen, hat mir den Tipp gegeben. Der ist dort manchmal wegen seinem Bein, also beiden Beinen. Der hat mal 'n Unfall gehabt. Ist aber schon zwölf Jahre her. Ach, Quatsch, jetzt sind wir einfach mal ehrlich. Dem haben sie die Beine weggeschossen. Sollte nur so 'ne Art Warnung sein, aber das ging irgendwie daneben. Manche sagen, der Jugo war zu blöd, aber ich denke, dass er einfach überreagiert hat, durchgedreht ist. Ich meine, die hatten ja da kurz vorher noch diesen schrecklichen Krieg. Und im selben Jahr, also das muss neunundneunzig gewesen sein alles, mit dem Bein und den ..., da bombten die Nato und unsere deutschen Flieger in Belgrad rein. Also *Ex*-Jugo, um genau zu sein. Serbe. Serben. Die waren damals noch gut im Geschäft in der Stadt. Der Arnold, also mein Freund Arnold, ist in der Vermieterbranche. Wohnungen. Für Frauen. Ja. Huren. Die mieten sich 'ne Wohnung bei ihm, 'n FKK-Club hat er auch noch. Ich hab 'n Nachtclub. Auch mit Frauen. Ist 'ne prima Bar, und alles im Prinzip legal. Ich meine, Liv, ich bin nichts weiter als ein stinknormaler Geschäftsmann. Im Prinzip. Wie ich dazu gekommen bin?, ach, das ist 'ne lange Geschichte. Nee, 'n FKK-Club ist kein Spaßbad für Nacktbader. Du bist süß.
Mein Laden ist 'n ganz normaler Nachtclub. 'ne Art Bordellkom-

mune mit Barbetrieb, na ja, ist jetzt so halb im Scherz. Aber nix hier Eckkantine, wir haben da die besten Drinks und Cocktails und Weine und Schampus ..., na ja, alles.

Und wir achten da immer drauf, dass wir nicht zur selben Zeit in dem kleinen Kurort sind. Ich und Arnold. Und soll auch keiner wissen, dass wir da unsere maladen Knochen bekuren. Da quatschen die Leute bloß, und du weißt ja, wie das ist mit dem Tratsch. Die beiden Opis sitzen im Schlammbad und reden über alte Zeiten. Ist auch ziemlich runtergekommen, das ganze Nest, war früher mal 'n richtig florierender Kurbetrieb. Berühmt, sag ich jetzt mal. Wunderbarer Bahnhof, da hielt die alte Bäderbahn, gibt nämlich noch 'n anderen Kurort ganz in der Nähe. Der ist jetzt stillgelegt, der Bahnhof, ob in dem anderen Kurort noch gekurt wird, weiß ich nicht. Wär wahrscheinlich blöd, wenn man da so nebeneinander im Schlammbad sitzen würde. In seiner Freizeit will man ja schon seine Ruhe haben. Ja, ja, das Alter, nun fang du wieder an, mit deiner Stichelei. Und warum ich jetzt so weit aushole, bevor ich dir meinen Traum erzähle, wobei ich mich natürlich frage, wie ..., wie sowas zusammenkommt, wie solche Träume entstehen. Ich meine, so richtig versteh ich's nicht, warum ich's jetzt träume, weil es nun schon einige Monate her ist, dass ich dort war. Im Herbst. Und kurz zuvor habe ich ..., habe ich einen totgeschossen. Ist irgendwie blöd gelaufen. Man kann sagen, dass ich ihn nur warnen wollte, eigentlich, manch anderer wird sagen, ich sei durchgedreht. War dummerweise ein Riesen-Kaliber. Also nicht der Mann, die Wumme.

Und wenn du da aus den Bädern wieder rauskommst, wieder raussteigst, das ist 'ne Wonne, kann ich dir sagen. Da müssen wir unbedingt mal ... Da fühl ich mich so richtig. Da bin ich locker und entspannt, ja, so wie jetzt, aber eben mit richtiger Tiefenwirkung, nee, so mein ich das nicht, das geht eben in jeden festen Muskel rein, na, die Scherze kannste dir jetzt aber sparen, geht zwischen jeden schiefen Wirbel. Und wie ich da so rauskomme aus der Bäderanstalt, der Typ, den ich totgemacht habe, war übrigens ein wirkliches Arschloch, Liv, kannst du mir glauben!, also da kriege ich Lust, noch 'ne Runde zu wandern. Wälder sind da gleich in der Nähe, da gibt's eine riesige Heidelandschaft, die zieht sich fast bis vor unsere Stadt, nein, nicht die Stahlstadt, so groß ist dieser Märchenwald nun auch wieder nicht, also bis vor *meine* Stadt. Und ich fahr mit dem Auto noch ein Stück über die Dörfer, bis ich 'n schönen Weg und 'n schönes Stück Wald sehe, latsche dann am Rand eines Feldes los. Es is 'n schöner Herbsttag, obwohl schon fast November ist. Anfang November war's, glaube ich, schon. Ich mag den Wald, Liv. Bin als Kind oft alleine in den Wäldern spazieren gegangen. Ja, ich mag die Wälder. Wenn's Abend wird oder ganz früh am Morgen. Der Alte hat immer geschimpft, wenn ich so spät nach Hause kam oder am Morgen ausgebüxt bin. Hat eben immer schon geschimpft. Und später, also viele Jahre später und bis zu seinem Tod, hat er geschwiegen. Ja, ja, geht gleich los mit meinem Traum. Ich muss dir ja nur noch erzählen, wie ich das Schloss gefunden hab. Reinharz. 'n komischer Name. Kommt einem irgendwie bekannt vor, aber ich hatte vorher noch nie was von diesem Nest gehört, denn das ganze Dorf, 'n ziemlich winziges Dorf, wo das Schloss steht, heißt so.

Ich marschiere also durch den Wald, es ist Nachmittag, aber noch recht hell. Früher Nachmittag. In die Bäder gehe ich meist immer schon am Morgen. Fahre dann richtig zeitig los, damit ich gegen neun, wenn die aufmachen, mit meinem Programm beginnen kann. Schwefel, Schlamm ..., na ja. Und da sehe ich plötzlich 'n Wegweiser. Neben einer kleinen Wiese, direkt an einem sehr schmalen Hohlweg, der vom Hauptweg abgeht. So sumpfige Wiesen waren da zwischen den Bäumen. Ich find Sümpfe unheimlich. Hat mich aber immer fasziniert. Da gab's 'n Sumpf, direkt an 'nem See, der hieß, glaube ich, Blauer See. Kennst du den, Liv? Kann nicht weit weg sein. Der versumpft langsam. Unzählige Sümpfe um ihn rum. Und schmale Wege dazwischen. Einmal hab ich 'nen langen Holzstock genommen, riesenlang war der. Und hab den in den Sumpf, direkt neben dem Weg ..., der war weg. Ja, ja, ich komm schon zur Sache. Der Wegweiser, genau. ›Schlosscafé‹ stand da. Und ich denke, scheiße, wo soll denn hier 'n Schloss sein oder 'n Café, ich meine, ich war ja mitten im Wald. Und nichts zu sehen zwischen den Bäumen. Ich laufe also den kleinen tiefer gelegenen Hohlweg lang, man sagt doch Hohlweg, oder?, auf der einen Seite Bäume, auf der ande-

ren die sumpfigen Wiesen. Und dann macht der Weg 'n Knick und führt in 'ne Art Park, in 'ne Art Garten. Alles aber schon bisschen verwildert. 'ne riesige Kastanie. Kleinere Zierbäume. Beete, aber schon alles verblüht, weil ja Herbst. Und paar kleine halbverwitterte Steinstatuen zwischen den Wegen und Wiesen und Bäumen. 'ne kleine Ziegelmauer konnte ich erkennen, auf der anderen Seite vom Park. Und so große leere Blumentöppe aus Stein. Ja, und steinalt. Und eine unglaubliche Stille. Nur das Rauschen der Bäume. Im Herbst machen die Vögel ja nicht mehr so 'n Lärm, aber hier war kein einziger Piepmatz zu hören, als hätten die Ehrfurcht oder sowas. Und ich, das muss ich sagen, auch ganz schön beeindruckt. Das war wie 'n verwunschener Garten, wie in 'nem Märchenbuch. Und ich laufe also durch den Park, der von Bäumen, großen Laubbäumen, umgeben ist. Der Wald war eher so 'n Mischwald. Stellenweise Nadelwald. Und Wasser schimmert durch die Bäume. Erst denke ich, das ist der Himmel, aber dann sehe ich 'n Schwan, direkt zwischen den Ästen, ganz kahl waren die Bäume ja noch nicht, im Gegenteil, wenn ich mich zurückerinnere, waren die bunt, golden, wie das im Herbst eben so ist, aber in meinem Traum sah ich sie später kahl, und lauter Raben oder Krähen auf den Ästen, das war aber erst am Ende meines Traums, obwohl, so 'ne richtige Chronologie …, ich weiß nicht, das war alles ziemlich durcheinander, und ich weiß gar nicht genau, was da nun Ende, Anfang oder Mitte gewesen ist, ja, ja, Liv, ich komm zur Sache, noch etwas Geduld, Süße, und ich muss aufpassen, dass mir nicht alles entgleitet, und der Schwan jedenfalls. Und ich gehe auf die Bäume zu, die den Park umgeben, und sehe einen großen See. Eigentlich mehrere Seen, die miteinander verbunden sind. Also zwei waren es, glaube ich. Der eine voller Seerosen, dicht mit Seerosen bedeckt, dass ich ihn erst für eine Wiese oder so etwas in der Art hielt. Dunkelgrüne Seerosenblätter, in meinem Traum blühten die Seerosen, irgendwann mal jedenfalls, es kommt mir vor, als hätte ich ihn vor Jahren geträumt, dabei war es doch gerade erst eben gewesen, ja, Liv.
Und vor mir eine kleine Brücke, die Bäume öffnen sich wie ein Tor, eine kleine steinerne Brücke über einen Graben, der in den See führt, auf dem zwei Schwäne schwimmen, nur ein paar Seerosen

liegen dunkelgrün auf dem Wasser. Die vielen Seerosen, fragst du? Ein Stück weiter hinter dem See mit den Schwänen, neben dem Weg, den ich gekommen bin, dem Hohlweg, am Waldrand, ein schmaler Damm zwischen den beiden Seen.
Aber das interessierte mich alles nicht mehr, Liv. Denn da sah ich zum ersten Mal das Schloss. Ich stand auf der Brücke, und direkt vor mir lag es. Weißgraue Mauer, ein rotes hohes Ziegeldach, die Außenmauern direkt am Wasser des Sees mit den Schwänen, und in der Mitte des langgezogenen, mehrstöckigen Gebäudes erhob sich ein Turm, dessen Spitze ich kaum erkennen konnte, ich legte den Kopf zurück. Er war beinahe doppelt so hoch wie das Gebäude, ganz oben verjüngte er sich noch einmal, eine zwiebelförmige grüne Kuppel. Ich weiß nicht, wie ich dir dieses Schloss genau beschreiben soll, da müssen wir unbeding mal ..., ja, ja, langsam mit den jungen Hunden. Das Ding war wie ein großes U, was anderes fällt mir jetzt nicht ein, nur dass die äußeren ..., wie soll ich das jetzt sagen ..., Balken ... kürzer waren, in den Hof hineinstanden, also die beiden äußeren Gebäudeflügel. Und der untere Balken, also wenn du dir ein U vorstellst, eben etwas länger, und der Turm zwischen den beiden Gebäudeflügeln, er war nicht direkt rund, eher achteckig, das habe ich nun nicht gezählt ..., ja, scheiße, das ist eben schwer zu beschreiben, bin eben ein Nachtclubbetreiber, der eigentlich Schlachter, meine natürlich Gärtner, gelernt hat. Jedenfalls war dieser Turm so gebaut, dass er ..., ja, aus dem Gebäude hervortrat, der hintere Teil im Gebäude drin ..., ach, verflucht, Liv, ein wunderschönes Schloss, mir sind bald die Tränen gekommen, sowas habe ich, weißt du, noch nie gesehen habe ich so ein schönes verwunschenes Schloss. Das lag da, wie auf einer großen Platte, mitten auf dem Wasser. Und kein Mensch zu sehen. Und da beginnt mein Traum. Wie ich in diesem Hof stehe. Und ich habe damals, also so lange ist das ja noch gar nicht her, ganz kurz gedacht, wie man eben sowas denkt, ob du's glaubst oder nicht, dass ich irgendwie in eine andere Zeit geraten bin. Schon als ich den Schlosspark betrat, von dem ich ja da noch nicht wusste, dass es ein Schlosspark war, weil ich das Wasserschloss ja noch nicht sehen konnte hinter den Bäumen. Vielleicht lag's auch am Oktober. Weil alles so ruhig und so ... golden

war. Laub auf den Wiesen, Laub auf den Steinplatten des Schlosshofes. Über die kleinen Mauern konnte man sich beugen und aufs Wasser blicken. Und später, vielleicht habe ich ja deshalb das alles geträumt, entdeckte ich ein Nebengebäude, eine andere Brücke führte dahin über einen Wassergraben, das muss ein Gesindehof oder ein Wohnhaus für die Dienerschaft gewesen sein, was weiß ich, wie so etwas genau heißt, und das stand jedenfalls zum Verkauf. War ein Schild dran. Mit 'ner Telefonnummer. Habe ich mir natürlich gleich aufgeschrieben. Und später auch angerufen. Ein schönes kleines gelbes Haus, zweistöckig, Barock, na ja, das konnte man schon sehen, ohne dass man sich mit sowas groß auskennt, barock. So wie das ganze Schloss. Ich hab sofort gewusst, dass das was für mich ist.
Dass ich mich da mal zur Ruhe setzen werde.
Und vielleicht hab ich ja deswegen diesen Traum hier bei dir gehabt. Und in der Stahlstadt, wo ich geboren wurde. Ich habe vorher nie von diesem Schloss geträumt. Und ich stehe also wieder auf diesem Hof, aber das Schloss sieht etwas anders aus. Das war nämlich schon ein bisschen angeranzt. Das Dach war neu, aber die Mauern, also der Putz, schon bisschen bröckelig. Ich meine, klar, das steht ja auf dem Wasser, direkt über dem Wasser. Und erst dachte ich, also in meinem Traum, verdammt, jetzt bist du in der Zeit zurückgereist, nein, ernsthaft. Hast noch keinen totgeschossen, obwohl, und dabei bleib ich, dieser Typ ein Oberarschloch war, der mir da was kaputtmachen wollte, mich kaputtmachen wollte, aber … das ist doch jetzt egal. Und dann sehe ich zwei Diener, direkt am Eingangstor, das sich unten, am Fuße des Turmes, befand. Die hatten so Perücken auf, Barockperücken, mit 'nem kleinen Zopf. Ich hab früher immer gerne das ›Mosaik‹ gelesen, du kennst doch dieses Comic-Heft, ja, aus der Zone, und irgendwann Ende der Siebziger waren diese drei Kobolde im frühen achtzehnten Jahrhundert unterwegs, also in der Barockzeit. Nee, da war ich kein Kind mehr, aber das war ja auch nicht nur für Kinder. Da waren die in Wien, K. u. k., und dann sogar in Paris, wo dieser Sonnenkönig herrschte. Und genauso sahen die Typen aus, also die Diener. Mit so Livrees an. Und dann sehe ich, dass ich auch so gekleidet bin. Also schon etwas anders, nobler, wie

ein Herzog oder sowas. Und hinter mir fährt 'ne Kutsche über die Brücke. Und wie ich so gucke, führt da 'ne Straße durch den Park und weiter mitten durch den Wald. Zwei weiße Pferde und ein Typ aufm Bock. Alles Barock. Hm, ja. Und ein Bekannter von mir steigt aus. Und der sagt auch irgendwas zu mir, aber ich kann's nicht richtig verstehen. Klang französisch. Oder italienisch. Und der ist auch im wirklichen Leben ein Graf. Von Geburt her, wie man so sagt. Also zumindest erzählt man sich das.

Der betreibt 'n großes Laufhaus. Läuft aber nicht gut grad. Ja, da sind viele, viele Zimmer, und in denen sitzen die Frauen. Läuft über die Miete, die sie zahlen. Alkoholausschank gibt's da nämlich keinen. Ja, dem gehört das. Also zumindest hat er da Anteile. Bei uns und auch woanders.

Volle Montur. So wie ich. Knickerbocker. Hohe Schuhe. 'ne Riesenperücke. Rockschöße bis zu den Kniekehlen. Und dann sind wir plötzlich im Schloss drin, laufen durch die langen Gänge, überall Türen und überall Diener. Und überall Leuchter an den Wänden. Kerzen. Und Wandteppiche dazwischen und olle Ölschinken. Vielleicht hab ich das mal so im ›Mosaik‹ gesehen, denn drin gewesen bin ich ja nicht im Schloss. Und dann ist's mir so, als wenn ich da schon immer gewesen bin, schon immer dort gewohnt habe. Also im Traum. Reinharz. Das ist alles in meiner Erinnerung, in meinem Kopf.

Und irgendwann sitzen wir in 'nem riesigen Zimmer, mehr so 'ne Halle, die feinsten Kristallleuchter baumeln an der Decke, und ein Licht, weil Hunderte Kerzen drauf sind, so ein strahlendes Licht hast du noch nicht gesehen. Und Kerzenleuchter auch auf der Tafel, an der wir dann sitzen. Oben am Kopfende mein alter Freund Arnold, von dem habe ich dir ja schon erzählt, ja, der Vermieterkönig, nee, nix Rotlicht, das hört er nämlich nicht gerne, und am anderen Ende der langen Tafel sitzt ..., nee, da sitzt keiner, da ist nur ein leerer Stuhl, prunkvoll verziert, wie 'n Thron. Und ich und der Graf sitzen an den Seiten der Tafel. Die ist gedeckt natürlich. Hunderte Karaffen, Flaschen, Gläser, Platten mit Braten und Platten mit Obst und Trauben, so wie man sich das vorstellt, so wie die damals wohl auch geschlemmt haben, also die Reichen, die Adligen.

Und an einer Wand steht so 'n Cembalo-Klavier, an dem sitzt einer und klimpert, und paar Typen daneben, die fiedeln Bach oder Händel, so genau kenn ich mich da nicht aus. Wunderschöne Musik. Und an den Wänden hängen Musketen und Säbel und Schwerter und lauter so Waffen.

Und ich gucke zu Arnold, der mit seiner weißen großen Perücke dasitzt, die Hände gefaltet, einfach nur dasitzt, einen silbernen Kelch vor sich, erhaben wie ein König. Oder 'n Graf, Herzog, aber schon wie der Boss unserer kleinen Runde. Und der guckt uns aber gar nicht an, blickt nur auf den leeren thronähnlichen Stuhl am anderen Ende der Tafel.

Und du kennst das doch, wenn man plötzlich alles sieht, nicht nur das, was du von deinem Körper aus sehen kannst, normalerweise. Und trotzdem war's echt, fühlte sich jeden einzelnen Augenblick so echt an. Nein, kein Traum. Unten auf dem Hof fahren die Kutschen vor. Kutsche um Kutsche. Zehn, zwölf sind das bestimmt. Der ganze Schlosshof voll von Adligen. Und dann sitzen die alle mit uns an der Tafel, nur der eine Stuhl bleibt frei. Und ich muss auch immer da hingucken und weiß gar nicht, warum. Und einige von den Leuten, die da mit uns schlemmten, die kannte ich. Unser Bürgermeister zum Beispiel, nee, der war noch nie in meinem Nachtclub. Aber so 'n paar andere Typen ausm Rathaus, aus der Landeshauptstadt, die sahen alle aus wie August der Starke oder so.

Und so Leute wie die Brüder W. waren auch da, die haben 'n Stripclub und paar Bars. Und auch so Typen wie Alex, na ja, das führt jetzt zu weit. Und auch Immobilienärsche oder so Wichser von BMW oder Audi. Nee, ich hab nichts gegen die. Na ja. Ist halt Kundschaft. AK und so, die machen öfters mal Geschäfte mit denen. Also Immobilien. Ich wollt ja nie expandieren, und mein Geld anlegen wollt ich auch nicht, wahrscheinlich wär das das Beste gewesen, wenn ich's mir jetzt so überlege. Stein is 'n bleibender Wert, wenn man's richtig macht.

Und später wache ich dann auf, bin wohl kurz weggenickt. Das Saufen und Fressen war ein gewaltiges Durcheinander. Ich weiß nur noch, dass ich da viel, wirklich sehr viel gelacht habe. Also während der Schlemmerei. Und nur AK saß unbeweglich am Kopfende und

trank hin und wieder aus seinem großen silbernen Kelch. Und ich bin ganz allein an der langen Tafel. Alles eingesaut inzwischen. Flaschen kaputt, alles aufm Boden, Tischdecke bunt, frag bloß nicht. Möchtest du nicht saubermachen, Liv.
Und keiner mehr da, auch die Musikanten sind weg. Und ich gehe zu einem der großen Fenster. Und draußen wird's Abend, ganz seltsames rötliches Licht hinter den Bäumen am Horizont. Weit weg sieht man da ja manchmal alles ganz unscharf. Im Traum, mein ich.
Und da schwimmen Leute im See. Also Körper. Die scheinen tot zu sein, aber ganz sicher bin ich mir nicht. Lauter bunte Kleider. Und die beiden Schwäne mitten zwischen ihnen. Und ich kann dir nicht sagen, ob mich das wundert oder ob ich Angst hab. Weil ich's von da oben ja auch nicht so genau erkennen kann.
Und ich bin dann durch die Gänge gewandert und habe die anderen gesucht. Dass ich 'n Degen oder 'n Säbel am Gürtel hab, habe ich da erst gemerkt.
In jedes Zimmer schaue ich. Hab 'n Leuchter in der Hand. Die Kerzen flackern. Breite Himmelbetten. Wie durch Nebel sehe ich, dass die da bumsen. Ja, entschuldige. Da kann ich ja nun nichts dafür. Auch wenn's mein Schloss ist, anteilsmäßig wahrscheinlich. Das verschraubt sich da alles ineinander, ich kann keine Gesichter erkennen. Und wo die Frauen herkommen, weiß ich nicht.
Aber Lachen höre ich. Irgendwie von weit her. Das Lachen von Frauen. Und ich sag dir, das war 'ne richtige Männerrunde vorher. Und in einem Zimmer sitzt der Graf, also der, der angeblich im wirklichen Leben Graf ist, von Geburt her, sein Vater muss wohl ein Adliger gewesen sein, erzählt man sich zumindest, da sitzt er und redet mit dem Bürgermeister, den ich ja nur vom Sehen her kenne, und andere Typen mit ihm am Tisch, Immobilienfuzzis, in der Ecke steht ein Neger mit einem Tablett, und als ich da reinschaue, sind sie plötzlich still. Und ich kann nicht erkennen, ob da AK mit dabeisitzt. Lauter Goldmünzen auf dem Tisch. Und Papiere, jede Menge Papiere, mit Siegellack drauf. Wie Kerzenwachs. Und paar glänzende Steine.
Und irgendwie bin ich plötzlich in den Kellerräumen des Schlosses,

weiß nicht, wie ich da hingekommen bin, ganz schwerelos ist man ja manchmal, in den Träumen.
Und da sind die Frauen, und komischerweise ganz viele schwarze Frauen. Und ich war dieser Neger, gleichzeitig mit mir selbst, und hab mich selbst gesehen und in den Raum geblickt, weil ich sehen wollte, ob da AK oder jemand anderes in einer der dunklen Ecken sitzt, 'ne Lesebrille oder so 'n altmodisches Monokel konnte ich nämlich erkennen, mehr aber nicht, wahrscheinlich weil ich meine Brille bei dir aufm Nachttisch vergessen hab, Liv, und ich als Neger und ich als Hans, wir hatten beide kein gutes Gefühl bei der Sache in diesem Raum, also was die da getrieben und verhandelt haben. Aber ich war immer gut darin, mich an meine eigenen Sachen zu halten.
Die Kellergewölbe sind voll von Frauen. Dichtgedrängt stehen sie da, und alle nackt. Da isses kalt. Wasser tropft von den Wänden. »Nubische Perlen«, sagt jemand hinter mir, aber als ich mich umdrehe, ist da natürlich keiner. Ha, ha, war ja klar. Ja, vollkommen nackt. Und aus anderen Türen kommen die Diener und holen immer wieder einige der Frauen. Ich meine, wenn ich jetzt drüber nachdenke, ich bin ja nicht Freud, und ich hab, verdammt nochmal, ein absolut reines Gewissen. Ja. Und was soll der ganze Scheiß, bei mir ist keiner im Keller, also keine Frauen. Und so SM-Räume habe ich auch nicht. Obwohl ich oft drüber nachgedacht habe. Ich mein, das ist sicher so 'n scheiß Traum, weil die Leute immer genau das denken. Ja, Liv. Von wegen das wärn Riesenklüngel und so. In jedem bescheuerten ›Tatort‹, in jedem bescheuerten Fernsehfilm. Alles erzwungen, alles in den Kellern, die bösen, bösen Luden, die in Wirklichkeit überhaupt keine Luden sind. Leckt mich doch. Entschuldige, Süße. Klar, hier und da läuft schon was schief. Wie überall im Leben, wie in jedem Geschäft. Da kenn ich genug Leute, die mich ankotzen. Da kann ich dir Geschichten erzählen, nee, lass mal. Und vielleicht bin ich auch einfach zu blöd und zu alt, um alles mitzukriegen, was da hintenrum alles läuft mit der großen, großen Politik. Und wir sind nunmal nicht in der Knusperflockenbranche. Und die Frauen, also die in den Kellerräumen des Wasserschlosses, die lachen. Die lachen und lachen. So wie ich am Tisch gelacht hab, oben

bei dem Fest. Klingt unheimlich. Dieses vielstimmige, nicht enden wollende Lachen …
Und dann bin ich wieder woanders im Schloss, das Lachen und Musik begleiten mich, den Degen halte ich in der Hand. Der Kerzenleuchter ist verschwunden. Und ich laufe und laufe, bin mal in diesem Zimmer, mal in diesem Raum, dann im Park plötzlich und dann wieder im Hof und dann wieder woanders. Und ich denke, dass das doch irgendwann mal ein Ende haben muss. Weil ich keinen Augenblick das Gefühl hatte, ich träume.
In einem Zimmer steht Arnold und peitscht seinen Sohn aus. Und scheiße, die sind nackt alle beide. Und Papiere liegen neben den beiden auf einem verschnörkelten Tischchen, und ich will einen Blick drauf werfen, kann aber nichts erkennen, nur ein großes schwarzes Siegel, und das breche ich auf, um den Brief zu öffnen, es ist ein großer Briefumschlag, und du kennst doch diese gepressten Blüten, die man früher immer in alten Büchern fand, und in dem Briefumschlag liegt eine kleine gepresste Hand, wie von einem Kind. Man sagt ja immer, das will ich dir gar nicht erzählen, Liv, und erzähl's dir auch nicht, dass Arnold Fotos und Dokumente hält, da gab es mal … Anfang der Neunziger, nein, das erzähle ich dir nicht, da war ich auch noch gar nicht in der Stadt, höchstens auf dem Weg in die Stadt. Und verdammt, in einem anderen Zimmer hockt Arnold auf dem Boden, und sein Sohn peitscht ihn aus und trägt die Kleider von seinem Alten und eine weiße Perücke mit einem großen schwarzen Dreispitz. Und ich begreif das alles nicht. Sein Sohn, musst du wissen, war beim Militär, weil sein Alter das so wollte. Ist aber zurück inzwischen. Und ich will was sagen, und Arnold dreht sich um, mit blutendem Rücken, die Peitsche in der Hand, und er sagt sowas wie: ›Wenn du mitmachen willst …‹ Und da hab ich ihn erstochen. Ging ganz leicht. Obwohl die Klinge durch beide durchging, also Vater und Sohn. Den Degen hab ich stecken gelassen in den Körpern und bin weitergegangen. Aber später, auf dem Turm, hab ich Arnold wieder gesehen. Da war er wieder da, als wäre nichts gewesen. Schön angezogen, Barock, versteht sich, die Perücke aufm Kopp. Mit riesigen Fernrohren hat er hantiert. Die waren da festgeschraubt. Ganz oben auf dem Turm. Direkt unter der Spitze der Zwiebel standen

wir hinter einer kleinen Mauer, eine Art Aussichtsplattform. Zwei altmodische Krücken lehnten neben ihm an der Mauer. ›Ich habe schon auf dich gewartet, Hans.‹ Ja, scheiße, dasselbe hat mein Vater auch gesagt. Aber das kann ich ja noch gar nicht wissen. Und dann schauen wir übers Land. Und jede Menge Reiter in der Ferne. Zwei Horden. Die eine ein ganzes Stück weiter entfernt als die andere. Aber beide noch hinterm Wald. Und alle Bäume sind kahl. ›Wir müssen alles, alles niederbrennen, wenn wir unser Schloss behalten wollen.‹ Ja, das hat er gesagt. Und das Fernrohr ganz woandershin geschwenkt, hoch zu den Sternen. War Abend inzwischen. Und als ich dann wieder, nach Stunden, vielen Stunden, so kam es mir vor, als ich dann wieder in unserem Festsaal stehe, nur noch ein paar Kerzen brennen, sitzt da ein Mann auf dem Stuhl, der den ganzen Abend, das ganze Fest über leer gewesen ist. Als hätte er schon immer da gesessen. Na ja, und natürlich kenne ich ihn. Wir hatten uns immer engagiert, nee arrangiert, in den Jahren. *Wir hoben die Becher und schmiedeten den Pakt* ... Ach, vergiss es, Liv. Aber dass er jetzt hier, in unserem Schloss, sitzt, das kotzte mich schon an. Die wilden Reiterhorden vor den Toren. Mein Degen ist weg, steckt wohl noch in einem von den Arnolds, und ich spüre, dass ich auf zwei Krücken humpele. Und lauter Spiegel an den Wänden, und ich weiß nicht, ob das nur unsere Spiegelbilder sind, einige sind starr und rühren sich nicht, als hätten die Originale schon vor langer, langer Zeit den Saal verlassen, andere drücken ihre Nasen von innen gegen das Glas. Und da muss ich zugeben, da fürchte ich mich, das erste Mal in meinem Traum. Ganz entsetzlich und wie ein kleines Kind. Weil schon die ersten Hände und Füße und Gesichter durch die Spiegel dringen. Na ja, und das war's auch schon. Bin ich aufgewacht. Und war so froh, dass ich hier bei dir bin. Obwohl, das mit dem Schreibtisch, diesem alten Sekretär, hab ich vergessen, der stand in dem Zimmer, was wohl mein Arbeitszimmer war in unserem Schloss, und wie ich da ein Schubfach aufziehe, und da liegt'n kleiner Mensch drin und meckert mich an, und der hat auch so 'ne große Perücke auf, Barock, natürlich in seinem Maßstab, und weil der nackt ist, sehe ich, dass das 'ne Frau ist. Ich hab ja 'ne Tochter, da brauch ich keinen Freud, die habe ich nicht mehr gesehen, seit sie klein war. Und ich hatte mal 'ne Kleinwüchsige, also die arbeitete in meinem Club …, also ganz klein und winzig war die nun nicht, aber doch schon so 'ne Halbzwergin, und die hat nur kurz bei mir gearbeitet, war 'ne Sensation damals, eine Saison, die wollte sich was finanzieren, wollte sich was aufbauen mit dem Geld und war dann auch gleich wieder weg, nee, lass mal, hab ich mir ausgedacht diese Wahrheit jetzt, und das mit der kleinen halbrunden Steinbank am Waldrand hab ich vergessen, als die Frauen plötzlich überall im ganzen Schloss waren und riesige Reifröcke trugen mit eng geschnürten Hüften, die Reiterhorden waren verschwunden, und nur noch Frauen, als ob denen das Schloss gehörte plötzlich, und wir saßen da wie ausgestoßen auf dieser stillen Bank …, aber da weiß ich nicht, ob …«

»Hans, heh, Hans!«

»Ja?«

»Jemand zu Hause?«

»Was?«

»Seit 'ner Stunde sitzt du hier rum und redest mit dir selbst. Alles in Ordnung?«

»Ja, Liv. Ja, Arnold.«

»Wer? Du wolltest doch die Finger vom weißen Gold lassen, mein Freund.«

»Ich sauf nur, Arnold.«

»Mach doch mal Urlaub.«

»Hab ich auch vor.«

»Aber bleib nicht irgendwo hängen, wo die Sonne scheint.«

»Wie meinst'n das?«

»Man hört, du willst die große Flatter machen. Hast irgendwo Geschäfte laufen.«

»Schwachsinn.«

»Ich brauch dich hier in der Stadt, mein Freund.«

»Keine Sorge, Volksfürsorge.«

»Komm, ich ruf dir 'n Taxi.«

»Hast du auch das ›Mosaik‹ so geliebt, damals? Das gibt's ja noch, aber ist scheiße geworden.«

»›Mosaik‹, Hans? Deine Träume möchte ich haben.«

»Nein, möchtest du nicht.«

## Transfer (Bye-bye, mein Ladyboy)

Champagner zu trinken. Etwas, das ich spät zu schätzen gelernt habe. Sekt, das war üblich. Und man trank schon hin und wieder ein Glas mit den Damen. Aber das machte mir Kopfschmerzen, später. Herzrasen. Zerriss mir den Kopf fast, mein Herz wie ein Maschinengewehr. AK. Seit jenem Jahr, seit jener Nacht im großen Jahr vor den Nullen, konnte ich keinen Sekt mehr trinken.
Champagner zu trinken. Etwas, das ich vor Jahren noch belächelte, das ich nie zu schätzen wusste, und ich lächelte, wenn der Bielefelder Graf, der uns alle mit seinem blaublütigen Schwindel beeindruckte, die Flaschen mit einem Säbel köpfte. Kein Kopfschmerz, kein rasendes Herz von Champagner. Das wird an der Lagerung und der Herstellung liegen. Edel. Und dunkel. Und herb.
Die Flasche mit einem Säbel zu köpfen. Etwas, das ich mir jetzt manchmal vorstelle. Wenn ich auf den See blicke und an die Zeit denke, in der ich so viel Zeit haben werde, dass ich die Winterabende am Kamin verbringen kann, Champagner trinkend. Ich habe nicht gewusst, dass ein oberer Teil des Flaschenhalses mit abgeschlagen wird, abgesprengt förmlich von der Wucht des von unten schräg nach oben ausgeführten Hiebes, bis der gräfliche Hochstapler es mir zeigte. Der alte Mann wird mit diesen Tricks die ein oder andere Gesellschaft beeindruckt haben in seinen Jahren, in seinen Geschäften. Weit gereist. Das muss man ihm lassen. Und hier nun, nach fünfzehn Jahren, ungefähr, die Burg verlassen muss. Nun, ich bin sicher, dass er sich abgesichert hat, und ich weiß um seine Anteile an anderen Unternehmen, weiß um die anderen Standorte seiner Kette. »Schlecker« ist fertig, er nur erschöpft, ausgebrannt in dieser Stadt. Sein Traum von der Aktie. Wie wir gelacht haben. Aktie Rot. Und wie er erzählt, dass irgendwann in der Zukunft es so kommen wird. Man

müsste nur *ein* Unternehmen sein. Man müsste ja nichts gründen, sich nur zusammentun, ein Syndikat, deutschlandweit. Die Gesetze hätten sich geändert. Für uns. Und er, wie sollte es auch anders sein, habe genug Kontakte in Wirtschaft und Politik. Wer's glaubt, wird ... *Plopp. Wir trinken. Kehren zurück aus unseren Gedanken.* Die Seele, mir ist, als ob ich deine Seele sehen kann, Mädchen. Ich schäme mich. Gefühlsanwandlungen. Und blicke in dein Auge, deine Pupille, die so weit und fern und leuchtend ist wie ein Sternennebel, ein Planetennebel, das bläulich-rosa schimmernde »Katzenauge«, jener Nebel im Sternbild »Drache«, so weit weit ... Woher ich das kenne und weiß, willst du wissen. Der Ringnebel der »Leier«. Wenn ich in deine Augen schaue, unterschiedlich die Farben und die Spektren, links, rechts. Nun, ich glaubte anfangs und lange an seine Kontakte. Wirtschaft, Politik. Hatte und vor allem habe genug eigene, aber er, der große Weltenmann, der Deutschlandreisende, der Graf, der Flaschenköpfer, der Champagnerkenner. Wie lange das alles her ist jetzt. Und sein Traum? Hatte er recht? Kürzlich, vor ein, zwei Jahren vielleicht, traf ich den Mann aus Österreich, jenen Bürger, der einst als Anwalt begann und dann den Weg ins Geschäft der schönen Augen fand, der leuchtenden Sternennebel, ich flüstere dir schweigend den Vergleich ins Ohr, lege ihn schweigend mit meinen Fingerspitzen auf deine Augen und schäme mich für diese Gefühligkeiten. Aktie Rot, ja, das wäre auch sein Traum. Der expandierende Österreicher. Ich erinnerte mich an die Lehrsätze über das Prinzip der Aktie, wie lange her das ist. Die Gründung einer Aktiengesellschaft. Der Österreicher hatte Visionen. Wie der Graf, dieser halbe Hochstapler, den wir belächelt haben. Aber doch geachtet anfangs. Die Kräfte vereinen? Jeder spielt für sich allein. Ketten. Schlecker? Nein, danke. Größer. Sagte das der Graf oder der Österreicher? K. u. k. Kaiserlich-königlich. Oder umgedreht.
Champagner zu trinken. Sich nicht zu verlieren. Unmöglich. Und möglich. Zu träumen. Es ist einsam geworden, dort oben. Und hier. Es ist immer die doppelte Optik. Ich weiß. Wo wir herkommen, und wo wir sind. Viel mehr noch. Und weiter. Das Kapital ist doch da, der Umsatz ist doch da. Gewaltig, ja.
Du erzählst mir, dann plötzlich, mit deiner verwirrenden Stimme,

dass du seit zweitausendsechs, wie lange her das ist und doch vor kurzem erst, jeden Tag bezahlen musst. Ich weiß das und halte dich. Natürlich weiß ich das, denn du bist Teil der Aktie. Ich möchte von der doppelten Optik erzählen, von der ich gelesen habe. Du meinst die fünfundzwanzig Euro Pauschalsteuer. Ich weiß, mein Mädchen, Erdnüsse, ich weiß doch, vergiss es. Du bist, sage ich. Und du?, fragst du. Ich schäme mich. Floskeln. *Wert, von seiner symbolischen Darstellung im Wertzeichen abgesehen, existiert nur in einem Gebrauchswert, einem Ding. … verwandelt sich die Ware in ein gesellschaftliches Produkt. Fressen Fledermäuse Katzen?*
Und dass wir zur Musik gehen. Und dass wir sowieso nicht denken, was im Allgemeinen gedacht wird. Über die Dinge. Da bin ich genauso *Ding* wie du. Dass man es mit Zärtlichkeit ausspricht. Dass ich nie vergessen habe, dass das *das* ist.
Du verstehst mich nicht? Du verstehst mich, sagst du dann doch. Weil wir zusammen im Restaurant sitzen, bevor wir zur Musik gehen. Weil wir Champagner trinken. Und weil wir essen und weil wir dort oben sitzen, an der Scheibe sitzen und über die Stadt schauen, und weil es mir egal ist, ob man mich kennt oder erkennt. Weil ich all diese Gedanken abschneide in diesem Moment. In dieser Zeit, in der ich angreifbar bin. Wo man in meine weichen Seiten hineinstechen kann. Wo du über meine weichen Seiten streichst. Wo du fast nackt bist in diesem Zimmer, dort oben, das ich für uns gemietet habe.
Korkprojektile. Und du willst wirklich mit mir zur Musik, fragst du. Ich berühre deinen Arsch, fahre mit meiner Hand über diese lange, *dazwischen* verschwindende Stoffschnur. Du bist fast nackt. Über den Fluss und in die Wälder. Ich kann nicht müde sein. Nicht so. Ich schäme mich, ich kämpfe mit meinem Mund, meinem Hirn, die all die dummen Dinge und Gedanken und Ideen und Träume hervorbringen, zu dir bringen. Aber was soll man machen? Ich sitze auf der Bettkante, das rechteckige, quadratische Glas vor mir, Lichter, Flugzeuge, Stadt, Städte, Familie und Freunde? Ich sage, dass das keine Rolle spielt für mich. Jetzt. Und die Zeit dehnt sich. Und ich weiß nicht, ob ich lüge.
Dass meine Stirn an deiner liegt. Dass wir in unsere Tunnel fal-

len und fallen. Dass ich dich küsse und dass ich will, dass du mich küsst. Und du erzählst, obwohl wir schweigen. NEIN, verdammt, wir schweigen nicht. Floskeln. Wir beide. In unseren Geschichten verschwinden wir. Du bist fast nackt, und ich ziehe dir den Rest runter.

Dass du sagst: »Nein, nein«, obwohl ich die Zeit zerfließen lasse und das Licht nur durch die große rechteckige, viereckige Scheibe fällt. Wo also nur wenig Licht ist. Draußen. Wo drinnen die Deckenlampe nur glimmt, kaum wahrnehmbar zittert das Licht im Draht, dimmen dimmen, weil wir uns noch fremd sind. Aber sind es dann doch nicht. Weil du seit einigen Monaten im Westend in einer Wohnung sitzt und liegst und wartest, die mir gehört. Bist weit gereist, mein fremdes Mädchen.

Und ich bin weit gereist zu dir, mein fremdes Mädchen. Ist das die neue Zeit? Sind wir schon elf Jahre im neuen Jahrtausend? Ich habe dir die Sedcard eingerichtet, nicht diktiert. Habe dich damals, es ist nicht lange her, aber es scheint vergangen, so lange vergangen (wie sehr wir übertreiben in unserer Verwirrung), habe dich damals gefragt, wie und was und welche Zahlen. Das Volk wollte mehr und Außergewöhnliches. Du kamst von der Westgrenze des Landes. Und ich fragte mich, was willst du hier? In dieser seltsamen Stadt.

Und habe gedacht, was für ein wunderschönes Mädchen. Wo doch die Medien und das Netz den Horror über unsere Stadt verbreiteten. BUMM BUMM. Die Kriege an den Grenzen. Als damals der Bielefelder den kegelförmigen Korken mitsamt Glas von der Flasche schlug mit seinem alten Säbel, der angeblich ein Erbstück seiner Väter war, aber den er sicher oder vielleicht irgendwo und irgendwann auf einem Flohmarkt gekauft hat, da dachte ich …, dieses trockene Plopp im Ohr, da dachte ich nicht …

Er sitzt am Fenster und raucht. Ich sitze hinter ihm. Lege meine Arme um seinen Körper. Legte meine Hände auf seine Brust. Er fühlt sich kalt an. Aber wenn ich meine Hände, meine Haut, meinen Körper an seine Haut presse, ist keine Kälte mehr zu spüren. Seine Haare, sein Kopf, schimmern grau. In einigen Tagen stellen sie die Zeit um. Noch ist es dunkel am frühen Abend. Doch warm jetzt. Noch nie hat mir jemand so viel über die Sterne und das All erzählt.

All das. Und über meine Augen. In denen er all das sieht. Dass ich Angst bekomme. Und doch wieder nicht. Es ist die Angst, in der ich fühle, dass ich noch bin, wie ich nicht mehr sein will. Die Kinderangst. Die Jungsangst. Die einem zwischen die Beine fährt. Die mir zwischen die Beine fährt. Dass ich spüre, was ich nicht spüren will. So brennend. Dass ich mich erinnere an die Zeit, als ich ein Kind war. Und dass mir das so lang her ist. Dass mir das endlos vergangen scheint, aber dann doch wieder plötzlich da ist. Wie ich meine Beine zusammendrücke, dass sich die Knie berühren. X. X fast. Dass ich meine Knie zusammendrücke, wieder zurücknehme, auseinanderdrücke, beide Beine, und wieder zusammenschlage. Ein Schüttelfrost der Knie. Das klingt dumpf, ganz leise eigentlich auf dem Hosenstoff, und ich presse und ziehe und schlage, als wäre ich nicht ganz dicht, beide Beine immer wieder aneinander. Reibe die Knie aneinander, beuge den Oberkörper vor dabei, verkrampfe mich, verkrampfe im ganzen Körper und wiege den Oberkörper vor und zurück dabei. Ich weiß nicht, ich weiß nicht, ich weiß nicht. Und ich will nicht. Will das nicht. Klemme mir den kleinen dünnen und nassen ... Schwanz zwischen die Beine. Der immer kleiner wird in meiner Angst. Mein ganzer Körper verkrümmt sich. Und ich als Kind denke. Wie man gerade so denken kann als Kind. Und später wird es immer schlimmer. Pubertät. Was für ein dummes Wort, kein Sternennebel, schwarze Löcher. Wie ich aus dem Kino komme. Wie ich jemand anders sein will. *Ist doch mein Kapital ..., und ich mache so viel Sport. Weil ich nicht glaube, dass ich mit Übergewicht viel Geld verdienen würde.* Ich habe das Gefühl, dass er auch Angst hat. Ich ..., aber es ist komisch, dass ich eigentlich keine Angst habe, wenn ich hinter ihm bin und mich an ihn lehne, wenn er hinter mir ist und sich an mich lehnt. Wenn ich drüber nachdenke, darf ich gar nicht drüber nachdenken. Ich würde ihn ja nie fragen, wie alt er ist. Ich weiß es nur ungefähr. Da bin ich so froh, dass er nicht mein Vater sein könnte, altersmäßig, sonst würde mir das schon ..., weiß nicht. Also fast nicht. Vater. Altersmäßig. Obwohl es schon möglich wäre. Nur theoretisch. Ich bin jetzt einunddreißig, ein Löwe ein Löwe ein Löwe, total bescheuert, und er muss so an die Fünfzig sein, eher noch drunter. Genau weiß ich es aber nicht. Seine kurzen silbernen Haare.

Dass er so grau ist. Und dass er Angst hat. Nicht vor mir. Oder doch vor mir. Und doch vor so vielen. Vielem. Dass sie ihm alles wegnehmen wollen, sein Geschäft, aber was weiß ich schon davon. Gut so. Da sind seine Hände in meinem Nacken. Auf meinem Nacken. Da fährt er mit seinen Händen über meine Brüste. Da gibt er mir seine Zigarette. Und auch wenn ich nur selten rauche, weil sich das nicht verträgt mit meinen Tabletten und überhaupt, rauche ich mit und atme den Rauch aus, sein silberner Kopf, sein Rücken, an den ich meine Brüste drücke, presse. Unsere Arme verwirren sich. Wie ich aus dem Kino komme. Dass ich immer denke, ich müsste meine Haare wachsen lassen. Nennt man das *Pagenschnitt*? Seine Hände auf meinem ausrasierten Nacken. Und dann doch wieder die Angst zwischen meinen Beinen. Wie ich aus dem Kino komme. Wie ich wegrenne. Wie ich zwar eine Hose anhabe, eine Art Leggins, aber drüber ein ganz langes T-Shirt. Wie ein Kleid. Fast bis runter zu den Knien. Wie ich mir das vorher so ausgesucht habe. In Hellblau. Und die Haare im Pagenschnitt. Obwohl das schon auch Jungs-mäßig war, hat ja Mutti geschnitten. Und Lippenstift von Mutti. Ja, heimlich. Was ich mich nie getraut habe. Und nie gewusst habe, ob ich das machen soll. Ob ich das machen darf. Und gewusst hab, dass das nicht geht. Und vorm Spiegel gestanden und geguckt, ob meine kleinen winzigen Brüste nicht doch wie die eines Mädchens werden. Hab den Oberkörper durchgedrückt, dass es mir überm Po, hinten im Rücken, schon fast weh tat. Und ganz enge Schlüpfer. Damit er sich ganz eng ans Bein drückt, weg ist. Und bin extra ganz weit weg gegangen ins Kino, in unserer kleinen Stadt, in ein kleines Kino am Stadtrand. Da konnte man die Fabriken sehen, die Zechen, die schon fast alle stillgelegt waren zu der Zeit. Anfang oder Mitte der Neunziger, ich will nicht zählen. Mit zwanzig habe ich angefangen zu arbeiten. Weil ich dachte, dass ich dann so Frau sein kann, wie ich das bin, dass ich das dann endlich in der Öffentlichkeit sein kann. Was für ein Unsinn, denke ich heute. *Was für ein süßer Ladyboy!*
Ich war Nageldesignerin. An vieles kann ich mich nicht mehr erinnern. Weil ich es verdränge, weil ich diese Erinnerungen abschneide, weil es Qualen sind und weil ich *jetzt* sein will, und hier.

Ich spüre seinen Schwanz in mir, mit ihm ist es jedes Mal, als wäre das alles neu und voller Sehnsucht. Ich habe mir das Recht auf ein bisschen Kitsch, auf ein bisschen Gefühl so lange aufgespart. *Fick mich, fick mich!* So feuere ich die Gäste an, damit sie schneller spritzen, damit ich sie abhaken kann und nur noch das Geld sehen kann. Es ist dumm, wie oft man sagt, dass man sich geborgen fühlt, wie so etwas zu fühlen ist, verstehe ich nicht. Aber jetzt schon. Ein wenig. Der graue Mann, ich glaube, dass ich Angst hatte vor ihm. Anfangs. Oder Achtung, Respekt, wollte Distanz wahren zu diesem Mann, der mir kalt erschien, der mir fremd erschien. Und weit weg. Auch wenn er mit dir redete. Vielleicht war das die Bedrohlichkeit, das Gefühl von Angst. Denn Angst hatte ich natürlich nicht. Ich bin in Freiburg gewesen, in Köln, in Bremen, in Bochum, Laufhäuser, Massage-Salons, Clubs, Wohnungen, Hotels ... Champagner zu trinken. *Was für ein geiler Ladyboy!*

Mein Schwanz ist sehr klein und spielt für mich keine Rolle, wenn man das so sagen kann. Zwei Freundinnen von mir, die ich in Köln kennengelernt habe, sind jetzt ohne. Ich fühl mich als Frau und bin's auch. So oder so. Und ich mag es gar nicht so sehr, wenn man mich da anfasst. Meine Brüste sind sehr schön, durch die Hormone und zwei kleine Polster. Ich bin immer schon eine Frau gewesen, ich bin immer schon ein Mädchen gewesen. Wir können nicht verstehen, warum es uns so schwergemacht wurde, so zu sein, wie wir sind. Mein Vater ist Italiener, aus einer Gastarbeiterfamilie. Katholisch. Streng, wie man so sagt. Ich verstehe nicht, warum er mich nicht mehr sehen will. Ich verstehe, warum er mich nicht mehr sehen will. Ich denke immer, dass ich mein Kind lieben würde, egal, wie es ist, und egal, ob sein Geist, seine Seele, oder wie immer man das nennen will, und sein Körper, so sind, wie sie sind. Ich habe ja nicht gesagt, ich könnte jetzt dies *und oder aber* das. Weil man doch keine Wahl hat. Oder sich kaputtmacht, weil man sein ganzes oder halbes Leben sich selbst belügt. Sich selbst kaputtmacht. Ich glaube, dass das alles seine Richtigkeit hat, auch wenn es einen Gott oder sowas wie einen Gott, der ja meiner Meinung nach sowieso eine Art Zwitter sein müsste, ein FrauMann, oder wie immer man das nennen will, also wenn es da was gibt, das einen zu dem macht, was

man ist, wie man ist, und dass man dann eben das selbst in Einklang bringen soll, bringen darf, wie auch immer. Klingt alles immer esoterisch, vielleicht ist das der Rest meiner katholisch verseuchten Kindheit, aber ich hab mir in den Jahren, die einen hart machen, etwas Weiches verdient. Endlich. Und einmal.
Wieso lachst du, fragst du. Und ich sage, dass es nur ist, weil ich mich sehr wohl fühle gerade. Und dass du jetzt hier bist, mit mir, dass wir hier oben zusammen liegen, sitzen, trinken, ficken und reden, dass das was Besonderes ist. Dass ich sowas noch nie gefühlt habe, wir sind ja keine Kinder mehr, aber dass das für mich …
Er zieht mich zu sich ran, mein Kopf liegt auf seiner Brust. Champagner zu trinken, sich in die Ruhe zu legen … Und ich renne aus dem Kino, höre das Lachen hinter mir, wieso wissen sie, dass ich hier in dieses kleine Kino gehe, keiner aus meiner Schule oder Klasse geht sonst hierher, kein »Dirty Dancing«, kein »Rocky 5« oder so ein Scheiß, ich bin dreizehn und will Audrey Hepburn sehen. Ich trage Leggins und ein langes T-Shirt drüber und habe mir die Lippen geschminkt und habe mir die Augen gemacht und trage einen BH mit kleinen Schaumstoffpolstern, und ich will allein sein. Im Dunkel des Kinos, im Licht des Films.
Ich habe dir etwas mitgebracht, sagst du. Dein Handy summt irgendwo im Raum, aber du gehst nicht ran, du suchst es nicht, und es wird noch ein paarmal summen, bis du es irgendwann ausschaltest, vorher die Nummern und Nachrichten prüfst. Kurz nur.
Ich weiß, dass du viel zu tun hast. Ich weiß, dass deine Firma, dein Unternehmen sich in einer schwierigen Lage befindet. Ich weiß, dass die letzten Schwierigkeiten, die Kämpfe, die Unruhen, von denen man so viel las in den Zeitungen in den letzten Monaten, Jahren fast, ausgestanden sind. Dass deine Geschäfte wieder gut liefen, störungsfrei, erstmal, und dass nun die nächsten Unruhen beginnen, diese Wellen, diese Bewegungen, in denen du navigieren musst. Ich habe vieles gehört, was man eben so hört, wo immer nur die Hälfte wahr ist, oder die Hälfte halbwahr, und seit wir hier oben sind, hier oben liegen, trinken, ficken, uns ineinanderschieben, redest du. Liegst manchmal wie im Schlaf, wie im Traum, auf dem Rücken, auf der Seite, die Augen geschlossen, dunkle Ringe unter den Augen,

deine Bartstoppeln schimmern grau, deine Stimme ist leise und bewegt sich an mir und in mir, die Engel in der Stadt, die Outsiders um die Stadt herum, diese Stadt, die sich seit Jahren langsam in die nächste, kleinere Stadt hineinbewegt und seltsam über die Karten wandert, so hast du es mir erklärt, Flugzeuge blinken in der Einflugschneise. Und du siehst das auch oder hörst es, weil deine Augen geschlossen sind im Dämmerlicht unseres Raumes, und erzählst davon wegzugehen, und dass du einmal in Tokio warst, diesem leuchtenden Metropolis auf und zwischen den Inseln am anderen Ende der Welt, durch das jetzt die Strahlung langsam kriecht, ich bin so froh, dass der Fernseher hier oben schweigt, weil er während der Arbeit und zwischen der Arbeit immer an ist und von Dingen berichtet, die mich nicht interessieren sollten und die mich tatsächlich auch nicht interessieren, aber Ablenkung bringen, aber Bilder zeigen, die mir helfen, auch wenn sie mich nichts angehen, ich lese die Nachrichten in der Zeitung, und es ist nicht so, dass ich Hilfe bräuchte, und du sagst und sagtest es und sagst es immer wieder, oder es hallt immer wieder nach in meinem Kopf, dass ich so stark bin, dass du bewunderst, wie stark ich bin, dass du viele der Frauen, die bei dir arbeiten, die in deiner Firma, in deinem Unternehmen, arbeiten, dass du die bewunderst, wie stark sie sind, und dass das Teil des Geschäfts ist, starke Frauen in dein Unternehmen zu lassen und nicht jedes Lieschen Müller, ich weiß nicht, wo ich diesen Namen herhabe, von dir, aus unseren stillen Gesprächen, aus den zerschnittenen Erinnerungen an meine Kindheit?, »Coppenrath & Wiese«, sagst du einmal, und ich weiß genau, was du meinst, dass jedes Lieschen Müller sich wie 'ne Zicke aufführen würde, so in der Art: »Was haben diese blöden Weiber mit mir zu tun?«, sich aufregen würde über dies und das, über die Art, über die Weise, in der du erzählst, über wen du erzählst. Aber *das* ist *das*. Weil wir anders sind. Und uns öffnen. Und uns dennoch festhalten und umarmen.
Kann es nur einen geben?, fragst du. Und meinst die Unruhen in deinen Geschäften, in deiner Firma. Erwähnst den Mann hinter den Spiegeln, der seit der Abwehr der feindlichen Übernahmen immer mächtiger wird, den Chef der Engel. Ich mag es, wie du meinen Schwanz wie beiläufig streichelst. Obwohl ich das sonst nicht mag.

Wie Federn. Während du mich fickst und dann meine Brüste mit beiden Händen umfasst.

Ich renne und renne und höre nicht auf zu laufen und zu rennen, obwohl niemand mehr hinter mir ist. Aber das Lachen weht durch die Straßen, echot zwischen den Hauswänden hin und her. Ich bin auf einen der alten Fördertürme gestiegen, im Brachland vor der Stadt. Das beginnt gleich hinter den Häusern, die alten Zechen, die rostenden Stahlgerippe der alten Fabriken und Fördertürme. Stahl rostet doch nicht? Ich sitze dort oben und schaue übers Land und schaue über die Stadt, wenn ich mich umdrehe. Irgendwo dahinten fließt der Fluss. Irgendwo dahinten geht gleich die Sonne unter. Irgendwo dahinten ist sie bereits untergegangen, fast, blassrosa im Wolkendunst. Wie ein Nebel dahinten überm Fluss. Spätsommer, Ende September. Ich wische mir übers Gesicht, und meine Hände sind nass, und meine Wimpern färben aus, und meine Schminke zieht Schlieren über meine Handflächen. Ich schäme mich. Ich will keine Tucke sein. Nur eine Frau, nur ein Mädchen, nur Audrey Hepburn. Da muss ich lachen, denn das ist natürlich kein *nur*. Und »Dirty Dancing« fand ich auch gut, obwohl der schon vor Jahren im Kino war und jetzt nur nochmal kommt, weil's da einen zweiten Teil von gibt, und alle tun so, als wäre Patrick Swayze jetzt der Star der Neunziger, dabei wollen sie nur die Achtziger nachholen, in denen wir noch Kinder und viel zu klein für sowas waren, und dann fällt mir ein, dass »Dirty Dancing 2« doch erst viele Jahre später, zweitausendvier, ins Kino kam oder kommen wird, und ich sitze oben auf dem alten Förderturm und lache. Ich gehe zum Friseur und lasse mir die Haare so schneiden, wie sie die Mädchen und die jungen Frauen in den Achtzigern trugen. Ich färbe sie mir auch schwarz. Das hält prima, auch wenn's regnet. Ich darf so nicht nach Hause kommen, sonst dreht mein Alter durch. Ich bin ihm heute dankbar, dass ich Italienisch spreche. Ich habe ein paarmal Urlaub gemacht in der Toskana. Ich mag das Meer. Und bin zum Meer gefahren. Die Kerle, die Jungs um mich herum wie ein Rudel junger Hunde. Meine schwarzen Haare vorne verstrubbelt und hinten und an den Seiten etwas länger, aber immer noch relativ kurz, so wie das die Frauen und Mädchen in den Achtzigern trugen.

Dass mein Vater mich zu schlagen pflegte. Das stimmt nun nicht. Nur einmal. Dass er zeitig schon gesehen haben muss, dass ich nicht der Junge war, den er sich wünschte. Was die Entwicklung betrifft. Aber Vater, mein Vater, ich war schon immer so. Und die Jungs um mich herum, Toskana, Meer, und ich stolz und Champagner trinkend, nein, Prosecco war es wohl, stolz und unnahbar, aber scherzend mit ihnen, unter ihnen, in den Cafés, am Strand, in der Ebene der Toskana.
Was lachst du, fragst du, worüber lachst du? Und wachst auf wie aus den Tiefen eines Traums. Die Augen offen jetzt. Deine Bartstoppeln schimmern grau in dem gedimmten Licht unter der Zimmerdecke. Dass ich mich an dich und auf dich lege. Dass du mich wegschiebst, aber nur, um dich wieder an mich zu drängen. Mit deiner Kraft, mit deiner Ungeduld, mit deiner Geduld. Dass ich dich bewundere, dass du mit mir hier oben liegst. Dass du mich bewunderst, sagst du, oder sagtest es in den Minuten und Stunden zuvor. Für was?, mein kalter Mann, dessen Kühle und Fremdheit mich immer wieder an dich ziehen. Als wär's ein Teil von mir. Als wär's kein Teil von allem da draußen.
Als wäre alles Wichtige nur hier drin, hier oben, hier bei uns. Die kurzen Tage und Stunden der Lüge. Warum eigentlich? Warum Lüge? Weil wir doch sind und weil wir doch hier sind. Ist das nicht alles, und ist das für uns *alles*?
Champagner zu trinken ... Wie Audrey Hepburn. Und er erzählt. Erzählt von seinem Sohn. Wie kann ich ihm böse sein, sagt er, wenn er doch so ist, wie ich früher war.
Ich streiche über die Narben auf seinen Beinen. Erst links, dann rechts. Darüber erzählt er nie. Das muss vor elf Jahren gewesen sein, ungefähr, ich will nicht zählen. In der Zeit bin ich in Köln gewesen. Habe mich mit meinen Mädels getroffen, arbeitete noch als Nageldesignerin, und wir hatten unseren kleinen Treff, Kaffee, Prosecco, Dom Café, Transenclub, wir warteten alle auf das Jahr mit den vielen Nullen. Da lachten wir drüber später. Da waren wir noch Exoten und Extravaganzen auf dem großen roten Markt. Und lachten über die Männer, diese Nullen, die uns das Geld brachten, weil sie wild drauf waren, dass wir, dass sie ... *Bück dich, mein Ladyboy.*

Vater?
Ja, mein Sohn?
Du triffst dich mit den Homos?
Mein Junge, du weißt, was das Geschwätz anrichten kann.
Du triffst dich mit einer Transe, Vater!
*O son, my son, what have you done.*
Ich wache auf. Und ich sage, dass wir los müssen, dass die Musik beginnt, und spüre dann, dass ich immer noch nicht ganz da bin, meine Hand kraftlos auf ihrer Schulter, und dass ich gleich wieder in den Traum zurücksinken kann, mein Sohn, das Bettlaken voll Blut, das Kissen voll Blut, was tue ich nur?, spielt es eine Rolle, was ich tue? *Lass sie in Ruhe, Sohn!* In diesen Zeiten. Zu verschwinden, nach all den Jahren. Oder: Jetzt erst recht. Die Dispute nehmen zu, aber ich bin noch da. Der Alte geht nicht, *oh nein*, der Alte kämpft. Setzt ein Zeichen, als er einen der frisch geborenen Engel weghaut, den er seit Jahren kennt, aber der die Territorien und Aufgabenverteilungen nicht akzeptieren will, die neue starke Macht im Rücken, als neugeborenes Mitglied im Wartestand, *Die Engel kommen in die Stadt! Hurra, sind schon da!*, die er, der Alte, der Manager (»Manager? Ich bin Unternehmer, das ist ein Unterschied. Ich plane, unternehme, investiere, erweitere. Aber ich grabe mir und uns nicht selbst den Boden weg auf Dauer, wir holen nur Geld, wo Geld ist, einfacher Deal.«), die er einst und vor nicht allzu langer Zeit auch in die Stadt einlud, Eden City, Markt der Träume. Der Alte hat seine Leute, was will er mit dir? Und er haut ihn weg. Als er frech wird. Ein Fußtritt zum Kopf, ein Kick an die Schläfe. Und der geht zu Boden. Ich stehe, der Alte, der Mann, der verschwinden möchte, aber doch kämpft. Der zu müde ist, um noch viel länger zu kämpfen. Der dachte, dass die Geschäfte laufen und laufen und er die Ruhe hat, mit einem Boot, einer kleinen Jacht, über den See zu fahren. Zu reisen und zurückzukommen. Kunst zu sammeln. Und den Fluss des Geldes zu lenken, wie in all den Jahren. Fast war er erschrocken, wie schnell er den frisch geborenen Engel auf den Boden brachte. Als wäre er wieder fünfzehn Jahre jünger. Wie vor der Nacht in jenem Jahr, im Herbst jenes Jahres. *Träume? Nein, Kälte.* Aber warum dann *sie*?
Und immer noch tut ihm der Rücken weh von diesem unverhofften

Kick, die dünne Haut über der rechten Narbe ist aufgeplatzt, nur wenig Blut, der am Boden blutet gar nicht und versucht, wieder hochzukommen, wochenlang tut ihm der Rücken weh, und sie sitzt auf ihm, während er auf dem Bauch liegt, massiert seinen schmerzenden Rücken, und er spürt ihren kleinen Schwanz ganz zart auf seiner Haut.

Champagner zu trinken, Hormone zu schlucken, Frau zu sein. Und er redet im Traum, seine Hand auf meiner Schulter. Sie fühlt sich kalt an und bewegt sich, und ich sehe auf seiner Uhr, dass es zehn nach sieben ist. Die Musik beginnt in fünfzig Minuten. Ich war einmal mit meinem Vater bei einem Konzert gewesen und einmal in der Oper. Was Italienisches natürlich. Mahler will er hören. Mich hat noch nie ein Mann zu einem Konzert eingeladen. Irgendwelche Festspiele sind in der Stadt. Ich kenne Mahler nicht besonders gut. Vielleicht mal was gehört, kann mich aber nicht konkret erinnern. Früher hörte ich oft das Klassikradio oder die jeweiligen regionalen Kulturprogramme. Weil mich Klassik immer beruhigt. Die Filmmusik von diesen alten Schnulzen habe ich immer gemocht. Ist ja auch wie Klassik, Audrey Hepburn, »Giganten« mit der schönen Loren, die beiden habe ich eigentlich am meisten gemocht, das haben die anderen nie verstanden, dass ich auf die Frauen und Männer in den alten Schinken so stand. Aber die haben mich eh nicht verstanden. Dass ich so war, wie ich war. Die Hölle eigentlich, wenn ich so zurückdenke. Vielleicht liebe ich *ihn* deswegen. Liebe ich? Ich weiß es nicht. So wie diese schlanken dunkelhaarigen, fast schwarzhaarigen, dunkeläugigen Mädchen wollte ich sein, und die schönen Männer wie Rock Hudson und James Dean und Marlon Brando habe ich bewundert und mich in sie verliebt, wie diese ..., mein Vater ist Maler gewesen, Anstreicher, hat ganz unten angefangen, wie er immer gerne und wieder und wieder erzählte, hat sich in Duisburg und dann in Bochum auf den Baustellen abgearbeitet und mit Mitte vierzig seine eigene Firma aufgemacht. *Warum bist du nicht unter die Erde gegangen, Vater? So wie die anderen.*

*Das Herz, Junge, mein Herz, Mädchen.* Glück auf, Glück auf, der Steiger kommt. Vater hat Tabletten genommen, bis zum Ende. Er war immer ein alter Vater gewesen. Was hat dein Vater gemacht, frage ich

*ihn.* Als wir nach dem Konzert wieder in unserem Zimmer liegen, ganz oben in dem rechteckigen Turm, wieder Champagner trinken, als würde es nichts anderes geben auf der Welt, und die Vielfalt der erlesenen Getränke verwirrt uns, nur einige Transportmaschinen nachts am Himmel. Gelb wie die Post sind die, das habe ich schon oft gesehen, wenn sie neben der Autobahn starteten und landeten. *Kräftig. Entschieden.* Er sagt mir, dass er selten klassische Musik hört, aber ein Freund ihm diesen Komponisten empfohlen hat. Obwohl der eigentlich kein richtiger Freund sei. Wir haben den Bürgermeister gesehen. Mit seiner Frau. Wir gingen direkt an ihm vorbei. Ich kenne ihn aus der Zeitung. Und er nickte uns, ihm zu. Höflich, den Oberkörper leicht beugend dabei, und er, mein Vermieter der Nacht, nickte zurück, »Guten Abend, guten Abend«, nein, schweigend, Vermittler der Macht, die Frau lächelte kurz, eine mittelalte Blonde in einem weißen Kleid, angemessen ihrer Würde, ihrem mittleren Alter, »Ich habe Immobilien in der ganzen Stadt«, sagst du plötzlich, während du meine Brüste streichelst, »mehr noch. Ich, dann eine ganze Weile nichts. Ein Kinderbuch, das wirst du nicht kennen, aus der Zone, habe ich damals meinem Sohn geschenkt, auch wenn die Zone da schon vorbei war …« Du lachst. »Lustig im Tempo und keck im Ausdruck.« So las ich es im Programmheft. Tatsächlich einmal eine muntere lustige Stelle. Weit gegen Ende. Diese Festspiele. Zwei Konzerte haben wir nun besucht. *Oh Mensch. Oh Mensch.* Das hat mich ergriffen. Wie plötzlich dieser Gesang einsetzte, womit ich nicht gerechnet hatte. Die Augen geschlossen. *Ich schlief, ich schlief.* Tief im Vergangenen. Der Vater auf der Leiter, die weiße Malerhose. Auch als er längst seine eigene kleine Firma hatte, arbeitete er, konnte es nicht lassen. *Oh Mensch. Gib Acht.*
Immer wieder das Kino, aus dem ich komme, im Sommer, dass ich ein Mädchen war, das erste Mal, ganz und gar und doch nicht. Das Lachen. Und wie ich laufe. Die Türme der Zechen am Horizont. Wollte ich hinunterspringen? Nein, sicher nicht. Ich kann mich nicht erinnern, dass ich das wollte. Aber wenn es einen so ausfüllt von innen, dass man brechen könnte, kotzen könnte, weil es einem schon bitter in den Mund dringt, man klammert sich an Einzelheiten, die noch niemand wissen kann, das Finale im Dröhnen der

Trommeln, aber ich denke immer noch an dieses klagende *O Mensch*, war es nicht Herbert Grönemeyer, der Ähnliches sang vor einigen Jahren, ja, der Tod hat doch damals sein Leben …, Bochum, meine Kindheit, wie ich fortging, wie ich immer wieder bei den Ärzten saß, körperlich, geistig, die Arbeit, manchmal Frieden, wie ich lange überlegte, auch noch den Schwanz verschwinden zu lassen, mein neuer Name im Pass und auf dem Ausweis, das Transsexuellengesetz (*um auch den Geschlechtseintrag anzupassen, musste die Person bis 2011 zusätzlich: dauernd fortpflanzungsunfähig sein*), und wie ich heute noch überlege, mich zu öffnen, weiter noch und ohne Schwanz, endgültig, und wie es mich anfangs wunderte, dass *er* nicht einmal sagte, dass ich doch aufhören soll in seiner Immobilie und überhaupt zu arbeiten, nicht ein Mal, und wie er begann, mit mir Champagner zu trinken und zu vögeln und zu reden und auszugehen, als wäre alles andere weit weg und ganz egal. Das Verklingen der Stimmen in diesem Konzerthaus, dem Würfel gegenüber der Oper, die Leuchtschilder der Taxis in langen Reihen, *wann habe ich beschlossen, Hure zu werden, und wann habe ich beschlossen, es zu bleiben*, Hunderte Menschen in Abendkleidern und Anzügen, die um und in den erleuchteten Glaswürfel flanieren, später das Meer der Weißhaarigen unter uns, vor uns, wir kommen uns jung vor, keiner weiß, dass ich einen kleinen Schwanz in meinem Slip trage, zwischen den Beinen, ich trage ein lilafarbenes Abendkleid von Dolce, feinste Spitze, wie schön meine Brüste aussehen in den Spiegeln an der Garderobe, wie schön wir sind, er strahlt eine Würde aus und eine Härte zugleich, dass sie sicher Respekt vor ihm haben, auch wenn sie nicht wissen, wer er ist, die Bürger, die Firma Coppenrath & Wiese, so wie er es mal sagte, kurzzeitig habe ich Angst, dass ich einen Gast treffe, und tatsächlich kommt es mir einen Augenblick so vor, als würde der alte Herr …, als hätte der Graumelierte im schwarzen Anzug mir vor einigen Tagen in den Arsch gefickt, ein hohes Tier von der Sparkasse, aber nur *wir* zählen, und ich spüre *ihn* noch immer in mir, ohne Gummi, denn das ist der Schutz vor *ihnen*, so wie ich das Tier von der Sparkasse nicht in mir spüre und nie spürte, in meinem Mund nicht, er hat wunderbar gezahlt, und ich muss zugeben, dass ich auch angenehme Gäste habe und nicht nur solche Böcke. Wenn

*er* will, würde ich aufhören zu arbeiten. Aber ich bin keine Träumerin. Bin ich nie gewesen. Vielleicht damals, im Kino, und damit meine ich die Zeit, als ich elf, zwölf, dreizehn war. Und vielleicht auch noch als ich meinen Namen änderte und Nageldesignerin lernte. Ich weiß nicht, wie es weitergehen soll.
Ich weiß nicht, wie es weitergehen soll. Die Geschäfte laufen. Die Stadt bewegt sich. Gehen oder bleiben? Wo soll ich hin? Ich sitze am Fenster, und sie schläft hinter mir. Ich höre sie atmen, mal schnell, mal langsam, als würde sie unruhig träumen. Anderthalb Stunden in diesem Würfel, als wären wir ganz woanders, als wären wir ganz weranders. Was für eine ergreifende Musik. Werde ich alt? Werde ich wahnsinnig? Was tue ich hier? Die Invasion haben wir überstanden. Haben uns die Engel als Teufel geholt. Kommt auf den Standpunkt an, würde Alex jetzt sagen. Meine Leute wandern ab. Verrat geht um. Ich könnte sofort verschwinden, die Geschäfte übergeben. Noch mehr Geld? Darum geht es nicht. Noch mehr Markt? Kontrolle? Macht? Ich blicke in den nächtlichen Himmel. Dreizehntausendachthundert Millionen Jahre sind seit dem Urknall vergangen. Die entferntesten Galaxien leuchten zehn Milliarden Mal schwächer, als das menschliche Auge sehen kann. Das Jahr neunzehnhundertneunzig ist irgendwo da draußen. Genau wie die anderen Jahre. Die Zeit beschleunigt sich, die Grenzen verschwinden. Wo bin ich? In Tokio habe ich einmal die Ladyboys gesehen. Voll Abscheu und Faszination. Den großen Tanz der Kathoeys aus Thailand. Futunari, wie sie die Japaner nannten. Wunderschöne Frauen mit kleinen Schwänzen. Manche hatten auch große Schwänze. Im Verhältnis. Zeigten sie der begeisterten Menge. Einige Kathoeys hatten bereits eingebaute Muschis. Was für Drecksauen, dachte ich damals, meinte das fast als derbes Kompliment, und spürte doch auch eine Faszination, als Vorahnung, die Änderungen des Raumes. Und Schönheiten dabei und geile Stücke dabei und Schönheiten dabei, wie sie in meinen Zimmern und Räumen nur selten sitzen. Oder saßen. Damals. Im Jahre null. Als ich dachte, die Neunziger wären vorbei. Transen waren selten. Es gab keine in der Stadt. In Berlin saßen ein paar Transenhuren, in Hamburg ... Jetzt würde ich nicht Transe zu ihr sagen. Wie schön sie ist. Und ihre Augen, fern und tief und wie Ster-

nennebel, das Verschwimmen der Farben, Erinnerungen, Welten. *Genug Science-Fiction.* Ich weiß, dass es mein Ende sein könnte, dass es mein Ende ist, wenn ich länger mit ihr durch die Stadt gehe, mit ihr hier oben liege. Wo auch immer. Liebe ich sie? Du fehlst mir, alter Bielefelder Graf, du warst kultivierter und gebildeter als die anderen, auch wenn *er*, der hinterm Zentralbahnhof im Norden der Stadt hinter den Spiegeln sitzt, das sicher bestreiten würde. Ja, ja, wir gehören zur Gesellschaft, sammeln Kunst, gehen in die Oper, lesen …, und demnächst dichten wir auch noch? Der Bürgermeister nickt nur, oder immerhin, die Hand geben? Nein, das nun doch nicht. Wir sind die Vermieter der Nacht, haben wir Blut an den Händen? Nur nicht zu dramatisch werden. *Schmutz?* Nein. Nicht mehr und nicht weniger als jeder andere, der sich durch irgendeinen Markt bewegt. Nicht mehr oder weniger als der Bürgermeister selbst. Der Oberbulle will ihn herausfordern bei der nächsten Wahl, hört man. Wie soll der die Stadt regieren, wenn er nichtmal die Straßen kontrolliert.
Ich blicke auf die wenigen Lichter im Zentrum der Stadt. Die meisten meiner Mädels schlafen jetzt.
»Mein« ist auch das falsche Wort. Ich habe das immer pragmatisch gesehen, rein geschäftlich. Für das Geld, was ihr mir zahlt, seid ihr unabhängig, sicher, gut gemanagt, gut vermittelt, gut repräsentiert. Unabhängig. Management und Manege, ist das *ein* Wortstamm? Nein, sicher nicht. Drüben, bei den Gewerbegebieten, wo der Nachthimmel bläulich schimmert, sind das die nächtlichen Raffinerien?, diese Fabriken, groß wie kleine Städte und immer erleuchtet und immer in Rauch und Flammen, nein, die sind weiter weg, früher arbeiteten dort Tausende, auch einige meiner Freunde, Bekannte, um die dreißig Jahre her, jetzt natürlich kaum noch Flammen und Rauch und Gifte in der Luft, aber ein modernes Gleißen und Leuchten, dass einem die Augen weh tun, wenn man in der Nacht an diesen stählernen gläsernen Anlagen vorbeikommt, ich bin früher viel allein durch die Nacht gefahren, wenn ich nachdenken musste. Was zieht mich nur zu ihr? Dort drüben, in der Nähe des Gewerbegebietes, wo ich mal ein Büro hatte und Container und Maschinen meiner Baufirma standen, wo ich damals saß und lernte in den Näch-

ten, an den Abenden, BWL, dort drüben machen drei Objekte Nachtschicht, für die Ruhelosen, die Wanderer, die Notgeilen, die Alkoholgeilen, an denen sie sich einen Muskelkater wichsen werden, eine Maulsperre blasen, die feinen Herren, die eben nochmal raus wollen. Die Preisdrücker. Die Perversen. Die Stammgäste, die Einsamen, die Zärtlichkeit Suchenden. Die Hardcore-Ficker. Die Streichler. Die Ungehobelten. Die Schmeichler. Die Irren. Mein Handy ist immer an, und meine Leute sind zuerst und immer erreichbar, aber die Nächte sind ruhig. Die Kanacken sind weg. Was kommt? Ob meine Leute wissen, dass ich hier bin? Übermorgen wird *sie* wieder arbeiten. Nicht eine Sekunde denke ich, dass sie ein Mann ist. War. Es ist ihre Seele und fast ihr ganzer Körper, der Weib ist. Auch ohne Pussy, auch ohne Fotze. Ich dringe in sie ein. Es muss ein Ende finden. Bevor ich mich ganz verliere. In ihr. Was sagte der Graf einmal, oder war ich das, als ich aus Tokio zurückkam, damals? »Wir müssen diesen ganzen Mythos vollkommen neu erfinden.«
*Janine – heißer Betthase! Hallöchen, hast du Lust, dem Alltag zu entfliehen? Suchst du den Kick in Sachen Sex? Hast du unerfüllte Wünsche, oder träumst du von was? Dann bin ich die Richtige. Ganz diskret, privat und ohne jeglichen Zeitdruck möchte ich deine Geliebte auf Zeit sein ...*
Da drüben, wo auf den Autobahnen und Schnellstraßen nur vereinzelte gelbe Punkte sich bewegen, sitzt die fleißige Janine, bis zwei Uhr morgens. Wir haben nichts neu erfunden. Wir sind alle zu arm. Nicht was das Geld betrifft.
Mein Gott, wie jung du wirkst, du siehst wirklich nicht aus wie dreißig. Deine dunklen Haare, dein schmales Gesicht, deine Brüste, o. k., da hast du natürlich den Vorteil, dass die erst seit knapp zehn Jahren da sind. Ein kleiner Scherz nach Mitternacht. Um mir selbst zu zeigen, wie kühl ich bin, immer noch sein kann. Dort hinten, etwas weiter nach rechts, der Mond ist nicht sehr voll über der dunklen Stadt, dort sitzt du in meiner Wohnung, meinem Objekt, und arbeitest. Zahlst deine Tagesmiete wie alle anderen. *Hi, mein Name ist Bella, ich bin eine junge Transsexuelle mit einem femininen und sehr schlanken Body. Süßes Schneewittchen mit einem kleinen Geheimnis. Sei mein Liebhaber, und ich gebe mich dir hin.*

In welcher Jahreszeit befinden wir uns überhaupt? Manchmal glaube ich, einfach so zu verschwinden, mich aufzulösen. Aber nein, das könnte dir so passen! Sitzt drüben im Norden der Stadt, nicht weit von hier, hinterm Zentralbahnhof, sitzt dort hinter deinen Spiegeln und wartest, dass ich verschwinde. *Es kann nur einen geben.* Aber so war es nie. Und waren wir nicht Freunde? Geschäftspartner? Genossen? Kollegen?
»Man kann einen Kampf nur gewinnen, indem man ihn vermeidet.« Solch einen Unsinn habe ich nie gesagt. Natürlich stimmt das hin und wieder. Aber ich habe es viele Jahre mit dem großen Machiavelli gehalten. Könnte mit dem alten Grafen drüber diskutieren. Und höre dich hinter den Spiegeln klirrend lachen. Was sind wir heute wieder kulturvoll, nicht wahr?
»Wir haben gehört, du hast den Verräter S. getroffen?«
»Wie kann das sein, wo er doch tot ist.«
Kein Champagner mehr da, und ich nehme ein 5-cl-Fläschchen Cognac aus der Minibar. Ich werde auf die Outsiders trinken, die sich auflösen werden, weil die Konkurrenz schießt und die Bullen härter werden, die Los Locos sind in der Nachbarstadt und blicken zu uns rüber. Lebt wohl, Outsiders, die hier und dort hinter mir standen und gleichzeitig den Engeln nahestanden. Ach, Machiavelli. Ein blutverschmiertes Auto in der Nähe der Schienen. Das Handy summt mal wieder. SMS. Das Licht des Kühlschranks blendet mich. Man sollte den Cognac nie in die Minibar stellen. Obwohl uns so etwas früher scheißegal war. Ich gieße den Stoff, VSOP, Vronie schluckt ohne Pause (Wer hat mal diesen Scheiß erzählt? Hans?), Very Superior Old and Pale, in den kleinen Schwenker, wärme das bauchige Glas von unten mit meinem Feuerzeug. Buchstaben und Worte auf dem Display. Objekt 11 macht Feierabend. *Evelyn – ein aufgewecktes Lustluder.* Ich höre dich atmen hinter mir. Ruhig jetzt, ruhig. Als würdest du meine Bewegungen im Zimmer und auf der Bettkante spüren. Und als würde das deine Träume woanders hinführen. Was weiß ich denn schon von dir. Obwohl du erzählst und erzählt hast. Und ich auch. Man schweigt Jahre und Jahrzehnte. Ich wärme den kleinen Schwenker mit meinem Feuerzeug, bis mir fast das Glas aus der Hand fällt, so heiß ist es geworden. Ich stelle es auf

den Nachttisch. Dort kühlt es eine Weile. Ich rieche den Cognac. Wenn alles so einfach wäre, wie einen guten Cognac zu erwärmen. Zwei-, dreimal habe ich mit meiner Frau Urlaub in Frankreich gemacht. In Biarritz. Ich will jetzt nicht zählen. ... *manche Fürsten haben die Herrschaft verloren, sobald sie ein Genießerdasein dem Kriegshandwerk vorzogen ... Zu den anderen Übeln, die die Abneigung gegen den Krieg mit sich führt, gehört das, dass sie Verachtung erregt: und sie ist etwas, wovor sich der Fürst am allermeisten hüten muss ...*
Das Dröhnen eines letzten späten oder frühen Flugzeugs dringt bis zu uns. Fast scheint es mir, die Scheibe würde vibrieren. Das Werk, das wir in unseren gemeinsamen Tagen hörten, dort im Kubus der Musik, war es nicht sein unvollendetes? Seine Unvollendete? Zumindest las ich das im Programmheft. Ich bin kein Kenner seiner Werke, wie sie dachte. Oder wie ich glaubte, dass sie denkt. Es war nur dieses Festival, ein paar Leute haben es mir empfohlen. Hatten Karten. Internationale Orchester, weltberühmte Dirigenten, und dieser alte, seit fast hundert Jahren tote Komponist. Zu viel Bedeutung in allen Dingen. *Disney World.* Da träume ich wohl schon. Was für eine ergreifende Musik. Ich will mich zu dir legen. Liege ich schon? Was macht diese lange Feder auf dem Nachttisch? Hat *sie* die mitgebracht? Ich ziehe die Feder über die Knochenkette ihrer Wirbelsäule, hoch zu ihrem Hals, den Haaransatz, kurze schwarze Haare, Pagenkopf. Unschuld, Verlorenheit, tiefe einstige Verletzungen ..., oder wie immer man das nennen will. Vielleicht ist es das. Was ich in ihren Augen, ihrem Gesicht ... sehe. Ich ziehe die Feder, die mir immer größer und breiter erscheint im Halbdunkel des Zimmers, über ihren Rücken, über ihren Arsch. Ich habe ihr ein Buch geschenkt, eine alte, seltene Ausgabe. Schöne Illustrationen, alte Kupferstiche. Bin selbst in das Antiquariat neben der großen Stadtkirche gegangen, in dem ich noch nie zuvor gewesen bin. Ein Kinderbuch, weil sie mir davon erzählte, wie sie so sein wollte wie das kleine Mädchen im Buch. Nein, nicht Schneewittchen, verdammt nochmal!
Wenn wir schlafen: *Hier kriegt das Krähenvieh mich nicht!, dachte sie. Es ist viel zu groß, als dass es sich zwischen den Bäumen hindurchzwängen kann. Aber es sollte lieber nicht so heftig mit den Flügeln schlagen, es verursacht ja*

*einen Sturm im Wald.* Ich werfe die Feder ins Dunkel, klirrend schlägt sie auf den Boden.

Irgendwann wacht er auf, und die Tür des Zimmers ist offen. Er spürt das sofort. Bevor er es sieht. Der Flur draußen im Dämmerlicht. Er kann die Ziffern auf seiner Uhr nicht erkennen. Er lauscht, aber alles ist still. Er sieht das Handy auf dem Nachttisch blinken. *Kein Speicherplatz für neue Mitteilungen.*

Nein, sie ist noch da. Sie liegt auf dem Rücken, und er sieht ihre offenen Augen. Sie starrt an die Decke, es scheint so. Er will aufstehen und zur Tür gehen. Wo die Schatten sind. Etwas ist warm unter ihm und um ihn. Da wacht er auf. *Son, my son, what have you done.*

Champagner zu trinken. Sich zu ihr zu legen. Er blickt auf das Blinken der Straßen, das rote Leuchten der hohen Schornsteine am Stadtrand. Er legt sich zu ihr. Streicht über ihr Gesicht. Ja. Ja. Ja.

# Ich möchte ein Pferd, irgendwann mal

Ich küsse nicht.
In all den Jahren ist es nicht einmal vorgekommen, dass ich geküsst habe, mit Zunge. Und auch nicht ohne Zunge, jedenfalls nicht auf den Mund. Nein, das mache ich nicht. Höchstens zum Abschied dürfen sie, aber nur links und rechts auf die Wangen. Wenn sie wollen, aber wenn ich drüber nachdenke, sind's nur die Stammgäste mit den Abschiedsküssen. Denn die meisten verschwinden still.
Ich hab eine Freundin, die ist im Escort, also Begleitung und sowas, erst essen, dann ficken, manchmal auch erst ficken und dann essen. Feine Restaurants und Hotels, sagt sie. Vier Sterne, fünf Sterne. Manchmal auch nur ficken. Aber immer Champagner. Sagt sie. Ich scheiß auf Champagner. Also die küsst. Küsst sogar gerne. Ist ja nicht so, dass ich nicht gerne küsse. Privat. Hab gerade keinen Freund. Also küss ich auch nicht. Doch, letztens auf 'ner Party hab ich rumgeknutscht. Aber mit 'ner Frau. War schön. War vielleicht das Koka. Hab schon paarmal mit Frauen, ist aber lange her. War so 'ne junge, süße, war ganz verrückt nach meinem Koka. Und natürlich nach mir. Oh ja, vor allem nach mir. Der Hans hat noch gesagt, das ist Verführung Minderjähriger. Schweine-Hans, so nennen wir ihn, aber nicht, weil er so ein Schwein ist oder ständig Schweinereien macht, sondern weil er mal Fleischer war. Hat Riesenhände, wie Teller. War vor Jahren paarmal mit ihm im Bett, und da kann er ganz lieb sein mit seinen Riesenhänden. Hab ja damals angefangen in seinem Club. Oder war der Schlachter? Der kam doch vom Dorf? Ist komisch, dass ich das nicht mehr genau weiß, ist zwar lange her, aber ... Das mit der Party, wo ich ihn getroffen hab und mit der Kleinen rumgemacht hab, muss schon paar Monate her sein, vielleicht sogar 'n halbes Jahr, weil sein Club doch zu ist seit 'ner Weile, und

keiner weiß was Genaues. Paar Mädels, die ihn auch kennen, meinen, dass er in den Süden abgehauen ist, Mallorca, Rio oder sowas, sich zur Ruhe gesetzt hat. Würde mir auch guttun. In paar Jahren. Ich kann mir nichts mehr merken und vergesse alles Mögliche, und ganze Erinnerungsblöcke sind plötzlich weg, dass mir ganz komisch wird, wenn ich dran denke, wie viel mir verschwindet in letzter Zeit. Wollte schon zum Arzt gehen deswegen, aber was soll ich denn da sagen, guten Tag, ich bin dreiunddreißig und krieg Alzheimer. Ist schon komisch, dass der Hans ausgerechnet Fleischer oder Schlachter war, da haben wir oft Witze gemacht damals, aber wenn da jemand Fremdes kam und ihn drauf angesprochen hat, dann war'n die Riesenhände vom Schweine-Hans gar nicht mehr lieb. Hab ihn zwei-, dreimal in Aktion gesehen, wenn er einen Gast rausschmeißen musste oder jemand Stunk gemacht hat. Da hatte dann wirklich kein Schwein mehr was zu lachen. Ich hab manchmal das Gefühl, wenn ich aufwache, dass ich in der Zeit zurückgesprungen bin, dass plötzlich wieder zweitausendzwei oder zweitausendzehn oder neunzehnhundertneunundneunzig ist, da hab ich angefangen zu arbeiten, da war ich neunzehn. Viele Neunen in dem Jahr.
Ich hab doch gesagt, dass ich nicht küsse. Nein, da kannst du machen, was du willst, ich dreh den Kopf weg. Ja, ja, ich blas ihn dir, aber nur mit, das hab ich doch auch schon gesagt. Ich bin 'ne Old-School-Hure! Und was geht mich das an, was die anderen machen. Jetzt biste bei mir, Kleiner, und ich sag dir, ich blas ihn dir gut, auch mit. Ich krieg ihn nämlich ganz tief rein, und ich hab keinen Bock, dass du mir dein Zeug in den Hals spritzt. Ja, ja, du kannst mir deinen Schwanz richtig tief in den Mund schieben, ja, bis zum Anschlag, keine Angst, ich komme mit deinem Schwanz schon klar. Ja, ja, auch wenn er riesengroß ist, na klar isser das. Willste wissen, wo der auf meiner Schwanzskala ist? Nee, besser nicht. Für mich aber ganz prima, dass das nicht so 'n Monsteraal ist. Nein, kein FT und auch kein FO. Mann, der Junge nervt. Kleiner grüner Junge, Welpenformat, die meisten sind so fünfunddreißig/vierzig aufwärts. Obwohl ich da jetzt nicht drauf schwören würde. Müsst mal 'ne Statistik machen. Kann ich vielleicht Fördergelder beantragen für. Letztens hatte ich einen Vierundachtzigjährigen, jedenfalls hat er ge-

sagt, dass er so alt ist. Sah aber jünger aus. Also ich hätte ihn auf achtzig geschätzt. Aber der war sowas von fit im Schritt, bestimmt Viagra, war Berufssoldat gewesen, hat er gesagt, wahrscheinlich noch beim Führer, der hat mich im Stehen gefickt, von hinten, der hat 'ne Stunde gebraucht, bis er fertig war, und *ich* war erst fertig, hatte tagelang Muskelkater, aber dem Welpen hier werde ich mal zeigen, wie schnell er die Tüte vollkriegt. Französisch ohne und Französisch total. Also ich mache das nicht. »Wenn ich ihn lutsche«, sagt meine kleine Escort-Maus, manchmal denke ich, die wäre was für mich, die hat so schöne weiße Haut, schwarze Haare und so 'ne zarte Blässe, ich geh ja so oft ins Solarium, dass ich bald als Negerin durchgehe, da muss ich manchmal dran denken, wenn wir uns treffen auf ein Gläschen, Weiß auf Braun, und wie schön das riechen muss, »also wenn ich ihn lutsche, da kann ich mir doch gar nix holen …«

Ja, ja, kleine schlaue Maus, lutsch sie nur und lass dir in den Mund spritzen, aber ich …

Ob er mich anspritzen darf, fragt jetzt der grüne Junge und wimmert dabei, als wenn Mutti ihm den Arsch versohlen würde, und zuckt und zappelt in meinem Mund, dass ich aufpassen muss, dass ich den Gummi nicht zerbeiße, früher hatte ich mal Erdbeergeschmack, aber nur paar Monate, das war nämlich scheiße, da war grad Sommer, Erdbeerzeit, und wenn ich dann an so 'nem Obststand, an so 'nem Erdbeerstand vorbeikam …, nee, das war nicht schön. Mittlerweile alles geschmacksneutral, und auch die Erdbeeren schmecken wieder. 'ne Frau ohne Beine? 'n Erdbär.

Haha, selten so gelacht, Babsy, ich meine Petra. Was die immer für blöde Witze erzählt. Ist verrückt, ich kenne eine andere, die nennt sich Petra und heißt in Wirklichkeit Barbara, und wir nennen sie alle Babsy, also umgedreht wie die Babsy, also die Petra.

Hals abwärts, aber nur bis zum Bauch, is ja klar, dürfen sie mich vollkleistern, wenn sie unbedingt wollen, klassische Körperbesamung, KB, komm schon, Bubi!, und ich nehme ein Hygienetuch aus dem Spender und ziehe den Gummi ab und halte seinen Schwanz und sorg dafür, dass er mich ordentlich anspritzt und nicht mein Gesicht erwischt.

»Auf die Brüste, bitte, auf die Brüste!« Klar, Junge, auf meinem Schlüsselbeineckgelenk bringt's dir nichts, was?
Ich wichse seinen Schwanz und ziele wie mit 'ner Knarre auf meine Titten. Komisch, ich nenne sie Titten, und er sagt, nein wimmert, ganz ordentlich und sittsam: »Brüste, bitte auf die Brüste!«
Also ich hab schöne Brüste. Schöne Titten? Titten ja, aber *schöne* Brüste. Sind sie ganz scharf drauf, sie anzuspritzen, bin ja auch so braungebrannt, Copacabana, verstehste.
Halleluja, mein Kleiner, du hast dir wohl eine Saftpresse implantiert. Und noch ein Schuss. Da denkste, es ist vorbei, und dann noch so 'ne Ladung. Berufsprofil Samenspender.
»Kannst du's ..., na ja ..., verreiben?« Zu viele Pornos geguckt oder was? Nee. Zewa-Küchentuch. Und mit einem Wisch ist alles weg.
»Du bist wunderschön.«
Ja, ja, mein Junge, das weiß ich selbst und hör es ständig. Aber ein Kompliment am Arbeitsplatz verbessert das Arbeitsklima. »Du bist wunderschön.« Und jetzt muss ich doch lächeln. Er legt seinen Kopf auf meine Titten, dort, wo eben noch sein Saft war, und es kommt mir vor, als würde er verstohlen und ganz vorsichtig schnüffeln. Der meiste Saft riecht grau.
Ich streichle ihm durch die Haare, hab wohl kurz Muttergefühle, und wieder sagt er, wie schön er mich findet, und ich spüre das Vibrieren seiner Stimme zwischen meinen Titten. So, jetzt ist aber gut, dreimal hat der kleine Hahn gekräht. Und meinst du mich oder meine Pussy? Denn dort geht jetzt die Reise hin, und so, wie er seine Hand erst auf meinen Bauch und meinen Schamhügel und dann auf meine Pussy drückt, gibt's wohl keinen Rückfahrschein. Und mein Mittelstreifen scheint ihm zu gefallen. Bis vor 'ner Weile hatte ich alles glatt, da stand auch noch »blank rasiert« in meiner Annonce. Hab's eigentlich gerne gemocht, als ich so weich und glatt war.
Mit elf oder zwölf hatte ich so 'n Flaum, so zart ist der nie wieder gewesen, und trotzdem hat mich das gestört, wollte meine glatte Muschi wiederhaben, und da habe ich mir den Rasierer von Vati genommen und mich böse geschnitten, meine Lippen sind nämlich ziemlich groß und hängen bisschen raus, was aber den meisten gefällt, was aber auch wieder problematisch ist, weil sie dann so viel

fummeln wollen, und das mag ich ja nun gar nicht und sag das denen auch, wenn sie zu viel fummeln.
Da musste ich das meiner Mutter zeigen, wegen dem ganzen Blut. Und da hat mich Vati übers Knie gelegt, also nachdem das mit dem Blut halbwegs gestillt war, da hatte ich noch nichtmal die Regel und schon 'ne saubere Blutung, und wie weh das tat, also nicht die paar Schläge aufn Arsch, o.k., die taten auch 'n bisschen weh. Was muss mich der Alte auch übers Knie legen, siehste, Vati, 'ne verstümmelte Muschi und Schläge aufn Arsch, Berufsprofil ...
Wenn ich heute über die linke Lippe streiche, kann ich den winzigen Knubbel noch spüren. Ob den die Kerle auch spüren, wenn sie mich lecken? Also zumindest meine Privat-Lecker. Der Alex, mit dem ich 'ne Zeitlang zusammen war, dem hab ich das mal erzählt. Die Rasiermesser-Aktion. War aber eher 'ne Affäre. War ein Guter, der Alex. Schade, dass er nicht mehr für den Chef arbeitet. Ist jetzt wohl bei den Engeln. Ich kannte mal eine, die hat als Sklavin bei 'ner Domina gearbeitet, die hat sich mal die Lippen, ja, die Schamlippen, zunähen lassen. Glaubt mir kein Mensch, wenn ich das erzähle. Die hatte Narben, aufm Rücken und anderswo. Kann ich nicht verstehen. Aber die stand wohl wirklich drauf. So, jetzt ist's aber genug, wir sind hier nicht im Streichelzoo. Ich stehe auf und gehe ins Bad. Wie alt er wohl ist? Anfang zwanzig? Als ich Anfang zwanzig war ...
Ich wische mir mit dem Waschlappen über die Titten und lächele in den Spiegel. Groß und blond und nordisch. Hallo, Miss Walküre. Bist weit gereist aus Schwerin.
Und ich wische mir mit dem kalten Lappen übers Gesicht. Und ich gucke in den Spiegel und wische und wische, Schultern und Hals ..., und da habe ich doch glatt wieder vergessen, was mir da eben noch durch den Kopf ging, Guten Tag, ich bin dreiunddreißig, und mein Gehirn läuft aus. Da war doch was, irgendein blöder Witz von der Petra, also der Babsy, nee, umgedreht, die andere erzählt nämlich nie Witze. Jetzt hab ich's wieder. Als der Junge vorhin seinen Hektoliter abgeladen hat, da fiel mir dieser bescheuerte Kifferwitz ein. Einen Dauerkiffer erkenne ich sofort, spätestens, wenn er mich anspritzt. Oder sagen wir mal so, wenn er mich anspritzen *will*. Es ist

jetzt nicht so, dass da Horden von Kiffern zu mir kommen, aber ein paar sind's schon gewesen, in den Jahren. Gegen einen kleinen Joint ab und an, so zur Entspannung, habe ich gar nichts einzuwenden. Der verrückte Deutschlehrer, der bis vor ein, zwei Jahren Stammgast war, hat am Anfang noch jedes Mal die Tüte auspacken wollen, ich meine, einen Joint. Biste bekloppt, nicht in der Wohnung. Komm ja auch nicht in seinen Unterricht und drehe mir einen Riesen-Dübel. Hat schon gereicht, dass der Typ immer mit Gedichten anfing, wenn er sich entspannt hat nach der ersten Nummer. Das ist dann immer wie ein tropfender Wasserhahn bei denen. Den Kiffern. Pitsch, patsch und noch ein Tröpflein. Da läuft mir die Suppe immer über die Hand, und wenn sie selber wichsen, manche wollen ja unbedingt selber wichsen, bevor sie mich anspritzen, ja, Baby, ja, Baby, ich geb's dir, na dann gib doch endlich!, und pitsch, patsch aufs Bettzeug, obwohl ich das Küchentuch schon parat hab. Scheiß Sauerei. Guten Tag, ich bin Kiffer, und mein Schwanz läuft aus.
Ja, genau, jetzt hab ich den Witz wieder. Und lass ihn nicht mehr los. Drei Kiffer, nee, zwei Kiffer, die sitzen so in ihrer Bude rum und rauchen ein schönes Pfeifchen oder meinetwegen 'ne Bong, die ziehen jedenfalls richtig schön einen durch. Und quatschen auch, so wie die Kiffer eben quatschen. 'n Haufen Müll. Aber das ist nicht so wichtig für den Witz. Und da klingelt's dann. Und die rauchen ihr Zeug, und fünf Minuten später sagt der eine Kerl: »Du, da hat's doch eben geklingelt.«
»Hm, ja«, sagt der andere, »da musste wohl mal an die Tür gehen.«
»Nee«, der will nämlich nicht, »geh du mal bitte.«
»O.k.«, sagt der, »gleich.« Und dann rauchen die weiter, und wieder sind fünf Minuten um, und die gucken sich an. »Hat's nicht grad geklingelt?«
»Stimmt. Wolltest du nicht gehen?«
»Nee, du.«
»Stimmt. O.k.« Und dann rauchen sie noch was, und wieder sind so fünf Minuten um, und dann steht der eine auf und geht zur Tür und macht auf. Steht ihr Kifferkumpel draußen und freut sich. »Mensch, eben erst geklingelt und schon is offen.«
Da hab ich den tatsächlich zusammenbekommen. Und dabei ver-

gesse ich Witze eigentlich sofort. Herr Doktor, ich bin dreiunddreißig, und mein Alzheimer ist geheilt.
Ich gehe zurück ins Behandlungszimmer, und da hat der grüne Welpe doch tatsächlich wieder einen Ständer. Hast wohl heimlich gewichst, du Schlingel, damit sich der Stundenservice lohnt. »Bläst du ihn noch mal, bitte.«
Oha! Ein kleiner Kavalier, der das Wörtchen »Bitte« kennt. Nette Umgangsformen am Arbeitsplatz verbessern das Betriebsklima. »Na klar«, sage ich und rolle ihm einen Gummi drauf. Er stöhnt schon wieder, da habe ich ihn noch gar nicht richtig in der Hand. Dann küsse ich ihn, also seinen verpackten Schwanz, und dann fickt er mich, er liegt auf mir und ist ganz aufgeregt und zittert fast. »Ist's gut so«, fragt er, »ist's gut so?«
»Ja«, sage ich, »du machst das wunderbar. Besorg's mir richtig.«
Und da will er mich doch schon wieder küssen, und ich drehe meinen Kopf weg, und er streift mit seinem Gesicht über meine Schultern, meinen Hals. Dann ist er plötzlich fertig, so plötzlich kam das für mich aber nicht, denn ich hab über seinen Rücken nach seinen Eiern gegriffen, und er wird steif wie ein Brett, und von der Stunde, für die er bezahlt hat, ist grad mal eine halbe um.
Ich streiche über meine Pussy, die ist schon etwas geschwollen, denn Welpe ist Nummer 5. War 'n guter Tag heute. Und es wird erst langsam Abend. Ich muss mehr Gleitgel nehmen. Gestern war ich fast den ganzen Tag alleine. Nur ein Feierabendrammler um sechzehn Uhr. Der ist für hundertfünfzig geblieben, und damit war meine Wochenbilanz wieder o.k. Und heute wird wieder in die Hände gespuckt, ich steigere mein Bruttosozialprodukt. Eigentlich wollte der NS-Jürgen gestern kommen. Dieser Arsch ist echt unzuverlässig. NS-Jürgen, so hab ich ihn in meinem Arbeitshandy gespeichert, und wenn ich das Leuten erzählen würde, was ich natürlich nicht mache, Diskretion ist alles, so rum und andersrum, die würden bestimmt fragen: »Was, der Nazi-Jürgen?«
Nee, nix Nazi. Natursekt. Der legt sich in die Badewanne, und ich pisse auf ihn drauf. Dann wichst sich der Jürgen einen ab. Schnelles Geld, aber ich muss immer literweise Tee trinken, weil ich nämlich 'ne ganz gute Blase habe, und danach ist immer Großreinemachen

angesagt in der Badewanne. Essig ist das Beste. Und baden tu ich nur zu Hause.
Der Junge wälzt sich von mir runter und kuschelt sich an mich. Ich steh nach 'ner Weile auf, und er rollt sich zusammen. Welpe eben. Und ich reiß was von der Zewa-Küchenrolle ab, ich sollte Werbung machen für die, »Für jeden Schuss, das beste Tuch! Und kein Tropfen geht daneben!«, und zieh ihm das Kondom runter und mache seinen Schwanz sauber. Nehme ein Hygienetuch aus dem Spender. »Du bist ...«
»Ja, ja«, will ich sagen, lasse es aber dann. Gästepflege. Und ich geb ihm 'n Klaps aufn Arsch, und er spielt sich schon wieder an seinem schlaffen Schwanz rum. Lass dir bloß Zeit, Rambo.
Ich knülle das Papier mit dem Gummi drin zusammen und werfe es in den kleinen Mülleimer. Der Deckel öffnet sich, wenn ich den Fuß auf das kleine Pedal stelle. Ich gehe ins Bad und wasche mir wieder die Hände. Und dann liege ich wieder neben ihm und rauche. Der Ascher steht auf dem Nachttisch. Ich biete ihm eine an. Mache ich eigentlich nie. »Danke«, sagt er und nimmt das Feuerzeug. Er hustet kurz, als er den Rauch ausstößt. Komm nur öfters zu Mutti, Jungchen, das kriegen wir schon hin. Wir liegen eine Weile rum und schweigen. Manche fangen ja ohne Ende an zu quatschen, wenn sie fertig sind und noch viel Zeit auf der Stechuhr ist. Andere können gar nicht schnell genug in die Klamotten rein, wenn der Gummi voll ist. Viele zahlen ja nur für eine Nummer. Hat alles seine Vor- und Nachteile. Endlosschleife in meinem Kopf.

Der Junge ist noch keine zehn Minuten weg, da habe ich schon fast wieder vergessen, wie er aussah. Blond? Nee. Egal. Hat er mir links und rechts einen Kuss auf die Wange gegeben, bevor er gegangen ist? Ja, hat er.
Vielleicht kommt er ja wieder. Wär 'n netter Stammgast. Aber ob nett oder fett ... Am Abend geh ich nach Hause. Wenn alle so wären, wär's einfach. Im Prinzip isses das auch. Wenn der Chef sich mal zur Ruhe setzt, und man hört ja so einiges, da bewegt sich wieder einiges, die Engel und so, dann könnt ich woanders arbeiten. Bis ich mich auch zur Ruhe setze. Aber vorerst geht's weiter. Egal wo, egal

wem ich meine Miete zahle. Obwohl der Alte, der Chef, schon 'n angenehmer Chef ist und ich mich auch sicher fühle. Geht weiter. Einfach weiter.

War pflegeleicht, der Junge. Keine großen Schweinereien. Und da muss ich wieder an Schweine-Hans denken. Und was der wohl jetzt macht. In Clubs würde ich nicht mehr arbeiten. Zu viel Alk, zu schlechte Luft. Da zünde ich mir gleich eine an. Hat alles seine Vor- und … Geschichten erzählen, von nah und von fern, Geschichten erzählen, die keiner mehr weiß. Fragt doch die Leute, fragt doch die Leute … Das summe ich vor mich hin. Hat so 'n Typ mit Klampfe im Fernsehen gesungen, als ich klein war. Und dann kam immer 'n Trickfilm. Manche der Gäste stehen total auf Prostatamassagen. Ist jetzt 'n neuer Trend. Zieh die Gummihandschuhe an. Ist aber besser, als wenn sie losrammeln wie Black&Decker Black&Decker Black&Decker … Endlosschleife in meinem Kopf. Einmal bin ich mit Hans nach Feierabend in diese Vierundzwanzig-Stunden-Kneipe gegangen, wo die alle rumhingen. Da hat er meistens Roulade mit Rotkraut und Klößen gegessen, direkt am Tresen. Und Sekt und Wein hat er ausgegeben. Der Chef, also mein jetziger Chef, war manchmal auch da. Ist alles längst viel ruhiger geworden. Der Chef auch, seit er aus dem Krankenhaus zurückkam, damals, aber da habe ich ja noch bei Hans gearbeitet. Und einmal ist der Hans abgehauen, hat sogar die Rouladen stehen gelassen, da wollte er nach Amerika. Manchmal tauchen so Erinnerungsblöcke plötzlich wieder auf bei mir. Aber sowas kann man auch nicht vergessen. Glaubt mir keiner die Geschichte, wenn ich sie erzähle. Weil er behauptet hat, dass in Amerika auf den Klopapierrollen draufsteht, wie oft du damit kacken kannst. Dreihundert Shits pro Rolle, hat er behauptet, aber vielleicht war's auch 'ne andere Zahl.

Das war dann paar Monate *das* Gesprächsthema bei uns. Hans in Amerika. War das zweitausendeins? Wie lange das schon wieder her ist. Und die haben ihn alle ausgelacht, von wegen dreihundert Shits. Weil doch jeder anders kackt. Aber der Schweine-Hans hat einfach nicht lockergelassen. Ist eben Amerika, hat er gesagt, das is 'ne andere Welt. Und 'ne Woche später war er wieder da und hat 'ne Rolle mitgebracht und die in dieser Vierundzwanzig-Stunden-Kneipe auf

die Theke gelegt. Und da stand dann wirklich was von dreihundert oder tausend, war eine ziemlich hohe Zahl. Aber nix mit Shits, mein lieber Hans. Da stand nämlich »Sheets«. Und das heißt »Blatt«, also »Blätter«, so wie an meiner Zewa-Küchenrolle. In Englisch war ich immer gut. Und Hans hat richtig Geld verloren, weil er natürlich gewettet hat, warn das noch Mark oder Euro?, weil er nach der Wende mal in New York gewesen ist. Pauschalreise. Da hat er oft von erzählt. Als ich damals bei ihm angefangen hab.
Das Telefon klingelt. Eigentlich klingelt's gar nicht, es steht neben mir auf dem Tisch im Aufladegerät, und nur das Display blinkt immer wieder wie ein kleiner Leuchtturm. Hab das Klingeln weggeschaltet. Hab eh immer 'n Auge drauf. Geh auch nicht ran, wenn ich mitten bei der Arbeit bin.
Ich nehme die Fernbedienung, mache den Fernseher leise, als der Welpe weg war, habe ich den Ton ganz laut gedreht, auch wenn's nur 'ne blöde Show war, mit Untertiteln, wo sie hässliche Kerle mit hässlichen Fruggen verkuppeln, irgendwo auf der Welt.

# Inhalt

  5  Eins, zwei, drei
 54  Die Nacht des Reiters
 84  In the year 2525
120  Mandy, das Bett bricht!
137  Amalgam
177  Ewigkeit zwo
199  Am Grenzfluss
243  Der Kongress der Huren
248  Lichter in der Kathedrale
282  Sag beim Abschied leise Servus
302  In der Stahlstadt
324  Der Kolumbusfalter
345  Tokio im Jahre null
373  Früher Abend in Eden City
390  Der große Coup (Die langen Wege zwischen den Stationen)
410  Import/Export 90
430  Gesichter
464  Hinter den Spiegeln
493  Tote Taube in der Flughafenstraße
515  Der Traum von Reinharz
528  Transfer (Bye-bye, mein Ladyboy)
549  Ich möchte ein Pferd, irgendwann mal